新装版

日本語能力試験 **N1**～**N5**の重要表現を網羅

どんなとき どう使う 日本語表現文型辞典

英・中・韓3カ国語訳付き

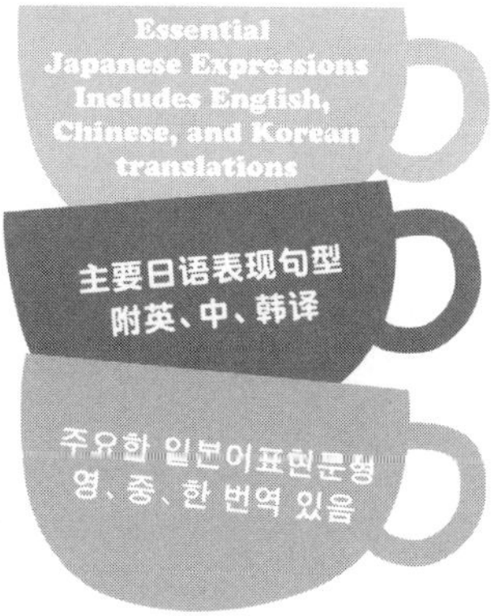
Essential
Japanese Expressions
Includes English,
Chinese, and Korean
translations
主要日语表现句型
附英、中、韩译
주요한 일본어표현문형
영、중、한 번역 있음

友松悦子
宮本 淳
和栗雅子

アルク

本書は、2007 年 5 月に発行された『どんな時どう使う 日本語表現文型辞典』の文型レベル表示を改め（1 級～ 4 級を★1～★5に変更）、それに伴い、例文や解説を改良したものです。

はじめに

2006年に、アルクから『どんな時どう使う日本語表現文型500』(1996年9月初版発行)と『どんなときどう使う日本語表現文型200』(2000年2月初版発行)をもとに、テキストはそのまま残して、別に機能語の辞典を作りたいというお話がありました。

この企画では、英語、中国語、韓国語の翻訳をつける方針ということでしたので、それならば日本語学習者の方々のお役に立つかもしれないと思い、作業に取り掛かることになりました。

上記2冊の内容を再度吟味し、新しく出版された日本語の教科書などを検討し、全体的に加筆訂正いたしました。一つ一つの言葉や例文を見直していく過程では、この10年間の外国語学習観の変化と人間観の変化に加えて、使う言葉の盛衰を改めて感じさせられました。

この3カ国語の翻訳つき文型辞典が日本語学習者の方々のお役に立てばうれしいかぎりです。

この企画を編集長として初めからリードしてくださった新城宏治氏、辞典作成というこの大変に細かい作業に果敢に取り組んでくださった日本語書籍編集部の立石恵美子さんには本当にお世話になりました。心から感謝しています。

本書の内容については至らない点、使いにくい点があると思います。お使いになった方々からお気付きの点、ご批評などをお寄せいただければ幸いでございます。

2007年5月

友松悦子　宮本淳　和栗雅子

この辞典をお使いになる方々へ

●目的

知らない言葉に出合ったとき、わたしたちは辞書を引きます。ほとんどの言葉は国語の辞書で引くと意味がわかります。しかし、日本語を学習中の方々が国語の辞書で引いても出てこない言葉があります。例を挙げましょう。

「ばかりに」とか「わけにはいかない」などという言葉はどうでしょうか。いくつかの辞書では見つけられないでしょう。この辞典は、日本語学習者の方々が国語の辞書では引けない「文型」について知るためのものです。

この辞典の目的は、文法を一から学ぶことではなく、学習者が一般の国語の辞書では引けない「文型」に出合ったときに、その意味と使い方を理解することです。初級から上級までの「文型」を集めて、その意味・機能・使い方などをわかりやすく例文の中で提示し、解説をつけました。解説には英語・中国語・韓国語の翻訳をつけましたので、日本語を勉強中の方々にぜひ使っていただきたいと思います。

●本書の構成と使い方

①この辞典をお使いになる方々へ

②この辞典を引くときの注意

各項目の構成・〇〇について・活用形と品詞の記号について・動詞の形と本書の見出し・いろいろなマークや記号の意味など

③本文＋空(から)の見出(みだ)し

- **空の見出し**　例えば「にとって」を引くとき、「にとって」からでも「とって」からでも引けるように、一方を「空の見出し」として立て、→で導くようにしました。同じ見出し語がある場合には、区別するために〈　〉の中に「うえで〈事後〉」、「うえで〈目的〉」のような意味的な違いを示す言葉を入れました。また、同じ見出し語がある場合の掲載順は、基本的な意味、汎用性の広い意味のものを先にしました。

④動詞活用表、敬語

⑤五十音順索引

⑥意味機能別リスト

- 巻末の「意味機能別リスト」は、同じような意味機能を持つ文型にはどんなものがあるかを示したものです。学習の参考にしてください。

各項目の構成

①**レベル**　【　】の右の★と数字は、その文法形式の著者による難易度の表示です。★5★4の初級レベルから★1の上級レベルまで5段階で表示されています。

②**例文**　まず、典型的な例を示し、例文によって使い方がわかるよう、接続する品詞、時制、場面、話題などが偏らないよう、できるだけ多くの例文を提示しました。
例文の難易度は、★5★4の文型の例文は易しい語彙で、★1の文型の例文は難しい語彙で、場合によっては特殊な場面が書かれています。
また、くだけた話し言葉も取り入れるよう試みました。

③**接続**　この見出し語にはどのような形で接続するかを示してあります。

④**解説**　言葉の意味、使い方や文法的な注意などについて必要最低限のものを提供するように努めました。

- 誤用例　解説の中で、非常に間違いの多いものについてだけ、×の例文を出しました。正しい文は→で示してあります。
- マーク　言葉の使い方やどんな状況で使うかの情報について、書き言葉、改まった言葉、話し言葉など、マークを用いて載せました。
- 参　照　類義表現を解説の最後に出しました。

◎について　例

にたいして〈対比〉

【～と対比して考えると
(contrast) as opposed to; in contrast to ／和～相比／ －에 비해서 /－과 비교해서】★3

①活発な姉に対して、妹は静かなタイプです。
②日本人の平均寿命は、男性78歳であるのに対して、女性85歳です。
③日本海側では、冬、雪が多いのに対して、太平洋側では晴れの日が続く。

◎ N／**普通形**（ナAな・ナAである／Nな・Nである）＋の　＋に対して

これは、名詞に直接に接続する（例文①）、または普通形に「の」をつけて接続する（例文③）、という意味です。ただし、ナ形容詞と名詞は「ナAだ」「Nだ」という形には接続せず、「ナAな」または「ナAである」、「Nな」または「Nである」に「の」をつけて接続する（例文②）という意味です。この接続のルールを守って文を作れば正しい文ができます。

例
- 姉が活発なのに対して、妹は静かなタイプです。
- 妹が静かなタイプであるのに対して、姉は活発です。
- 日本海側では、冬、雪がたくさん降るのに対して、太平洋側では晴れの日が続く。
- 昨年は暑い日が続いたのに対して、今年の夏は涼しい。

活用形と品詞の記号		例
N	名詞	りんごはみかんより
Vる	動詞の辞書形	行くつもりだ
V~~ます~~	動詞の（ます）形	歌いながら
Vない	動詞のない形	見ないでください
V~~ない~~	動詞の（ない）形	かさを持たずに
Vて	動詞のて形	あらってから
Vた	動詞のた形	会ったことがある
Vよう	動詞の意志形	帰ろうと思う
Vば	動詞の条件形	薬を飲めば
Vたり	動詞のた形＋り	本を読んだり
Vたら	動詞のた形＋ら	雨が降ったら
イAい	イ形容詞の辞書形	おいしいと思う
イA~~い~~	イ形容詞の語幹	おいしそうだ
イAく	イ形容詞の語幹＋く	あつくなった
ナA	ナ形容詞の語幹	元気になった
する動詞		食事する、散歩する、コピーする、など
する動詞のN		食事、散歩、など
動詞Ⅰ	５段動詞	行く、取る、会う、など
動詞Ⅱ	１段動詞	着る、寝る、食べる、など
動詞Ⅲ	不規則動詞	する、来る
普通形	動詞	行く、行かない、行った、行かなかった
	イ形容詞	さむい、さむくない、さむかった、さむくなかった
	ナ形容詞	元気だ、元気では（じゃ）ない、元気だった、元気では（じゃ）なかった
	名詞	雨だ、雨では（じゃ）ない、雨だった、雨では（じゃ）なかった、
丁寧形	動詞	行きます、行きません、行きました、行きませんでした
	イ形容詞	さむいです、さむくないです･さむくありません、さむかったです、さむくなかったです・さむくありませんでした
	ナ形容詞	元気です、元気では（じゃ）ありません、元気でした、元気では（じゃ）ありませんでした
	名詞	雨です、雨では（じゃ）ありません、雨でした、雨では（じゃ）ありませんでした

For Everyone Who Uses this Dictionary

● Objectives

When we run into a word we don't know, we look it up in a dictionary. We can learn the meanings of most words by checking a Japanese-language dictionary. There are words, however, that learners of the language cannot find in a dictionary. Here are some examples: *bakari and wake ni wa ikanai.* There are a number of dictionaries in which these expressions cannot be found. This dictionary is designed to help Japanese language learners find patterns that are not in Japanese language dictionaries.

The objective of this dictionary is to enable students of the language to learn the meanings and usage of patterns that cannot be found in a general Japanese dictionary, rather than to provide the basics of grammar. We have included sentence patterns ranging from elementary to advanced levels, indicated their meanings, functions, and usage in easy-to-understand examples, and included explanations. The explanations are translated into English, Chinese, and Korean for the convenience of those studying Japanese.

● Structure and Use of This Text

1) For Everyone Who Uses this Dictionary:
2) Notes on using the dictionary.
   Structure of Each Entry・ Example・Conjugations and Particle Symbols・Verb Forms and Entries in this Book・Meaning of Various Marks and Symbols etc.
3) Body of dictionary + Cross-references
   Cross-references: For example, when trying to find にとって, the user can access the phrase from にとって or from とって. The cross-reference for the entry indicates the main entry with an arrow. When there is more than one of the same entry, explanations in brackets distinguishing the differences in meaning of each pattern are provided. Multiples of the same entry are listed according to frequency of basic meaning and general use.
4) Verb conjugation chart, lists of special honorific and humble expressions
5) Japanese syllabic index
6) Lists of meanings and functions
   The meaning and function lists in the index indicate what patterns have similar meanings and usage. They are included for the user's reference.

Structure of Each Entry

1) **Levels.** A ★ with a number to the right of the 【 】 indicates the level of difficulty of the grammatical pattern according to the author. The mark, ★5, indicates the most elementary of the five levels, while ★1 indicates the highest level.
2) **Examples.** First, typical examples are provided. As many examples as possible are given of connective particles, tense, situation and topic to elucidate usage and provide a balanced presentation. Simple vocabulary is used in ★5 ★4 sentence patterns, difficult vocabulary in ★1 example sentences. In some cases special situations are described. Informal language has also been incorporated into the examples.
3) **Connectives.** The types of forms taken by connectives are indicated.
4) **Explanations.** The minimum necessary word meaning, usage, and grammatical notes have been provided.
   * Examples of mistakes. In the explanations, examples of only the most common mistakes are listed, accompanied by an X. Correct sentences are indicated by an arrow.
   * Marks. Marks are used to indicate written, formal, or spoken forms for word usage and when to use what expression.
   * Reference. Similar expressions are listed at the end of the explanations.

Example:

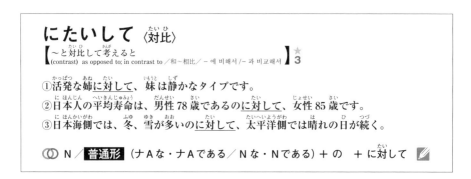

にたいして 〈対比〉

【～と対比して考えると
(contrast) as opposed to; in contrast to ／和～相比／ – 에 비해서 /– 과 비교해서】★3

①活発な姉に対して、妹は静かなタイプです。
②日本人の平均寿命は、男性 78 歳であるのに対して、女性 85 歳です。
③日本海側では、冬、雪が多いのに対して、太平洋側では晴れの日が続く。

N／**普通形**（ナAな・ナAである／Nな・Nである）＋の　＋に対して

This indicates that words connect directly to nouns (Example 1) or append to の

after the plain form (Example 3). In the case of ナ -adjectives (ナ -A だ) or nouns (N だ), connectives follow の after ナ -A- な , ナ -A である , N な , or N である patterns. (Example 2). By following these rules you will be able to construct sentences correctly.

Examples:

・ 姉が活発なのに対して、妹は静かなタイプです。
（In contrast to my older sister, who is lively, my younger sister is the quiet type.）

・ 妹が静かなタイプであるのに対して、姉は活発です。
（In contrast to my younger sister, who is the quiet type, my older sister is lively.）

・ 日本海側では、冬、雪がたくさん降るのに対して、太平洋側では晴れの日が続く。
（In contrast to the Japan Sea side, where a lot of snow falls in the winter, on the Pacific Ocean side, it is often sunny.）

・ 昨年は暑い日が続いたのに対して、今年の夏は涼しい。
（In comparison with last year, which saw a succession of hot days, this summer is cool.）

Conjugations and Particle Symbols			Examples
N	Noun		りんごはみかんより
Vる	Dictionary form of verb		行くつもりだ
V~~ます~~	ます form of verb		歌いながら
Vない	Negative of verb		見ないでください
V~~ない~~	ない form of verb		かさを持たずに
Vて	て form of verb		あらってから
Vた	た form of verb		会ったことがある
Vよう	Volitional form of verb		帰ろうと思う
Vば	Subjunctive form of verb		薬を飲めば
Vたり	た form of verb + り		本を読んだり
Vたら	た form of verb + ら		雨が降ったら
イAい	Dictionary form of イ -adjective		おいしいと思う
イA~~い~~	Stem of イ -adjective		おいしそうだ
イAく	Stem of イ -adjective + く		あつくなった
ナA	Stem of ナ -adjective		元気になった
する動詞	Suru verb		食事する、散歩する、コピーする、など
する動詞のN	Nominal of suru verb		食事、散歩、など
動詞 I	-u verb		行く、取る、会う、など
動詞 II	-ru verb		着る、寝る、食べる、など
動詞 III	Irregular verb		する、来る
普通形	Plain form	Verb	行く、行かない、行った、行かなかった
普通形	Plain form	イ -adjective	さむい、さむくない、さむかった、さむくなかった
普通形	Plain form	ナ -adjective	元気だ、元気では（じゃ）ない、元気だった、元気では（じゃ）なかった
普通形	Plain form	Noun	雨だ、雨では（じゃ）ない、雨だった、雨では（じゃ）なかった、
丁寧形	Polite form	Verb	行きます、行きません、行きました、行きませんでした
丁寧形	Polite form	イ -adjective	さむいです、さむくないです・さむくありません、さむかったです、さむくなかったです・さむくありませんでした
丁寧形	Polite form	ナ -adjective	元気です、元気では（じゃ）ありません、元気でした、元気では（じゃ）ありませんでした
丁寧形	Polite form	Noun	雨です、雨では（じゃ）ありません、雨でした、雨では（じゃ）ありませんでした

写给本书读者

●目的

学习中，当遇到不认识的词、句子时，通常我们会去查辞典。大部分的词，我们查了国语辞典就会明白它的意思。但是，在学习日语的过程中，也有用辞典查不到的词句，比如我们举一个例子：「ばかりに」，还有「わけにはいかない」等句型的用法，是不是查了很多本辞典也找不到呢。本书的目的，就是给您查找那些辞典上查不到的“句型”用的。

本书的目的不是让您从零起点按部就班的学习日语语法，而是当您遇到辞典上查不到的“句型”时，可以通过本书来了解它们的意义和用法。本书汇集了日语中从初级到高级的各种“句型”，通过详细的例句来展示这些句型的意义、功能、用法等，力求简明易懂，另外，每个条目都配有解释说明。解释说明配有英语、汉语、韩语的翻译，敬请各位学习日语的读者放心使用。

●结构与用法

①写给本书读者

②使用本辞典时的注意事项

各项目的构成・关于接续・动词词形与本书的词条・关于活用形与词性的记号 等

③正文＋空词条

空词条 比如您要查「にとって」，查「にとって」和「とって」都可以找到，我们把其中一条制成“空词条”，您可以由→标志来找到它。在有相同词条的情况下，为了加以区别，我们使用〈 〉，并在其中加上「うえで〈事後〉、うえで〈目的〉」等表示意义不同的词语。另外，相同词条的排列顺序，按基本意义、使用广泛性更大的意义在先，其他在后排列。

④动词活用表

⑤五十音顺序索引

⑥按意义、功能排列的表单

卷末的“按意义、功能排列的表单”显示的是同一个意义功能下都包含哪些句型，供学习者参考。

各项目的构成

① **程度**【 】右边的★符号和数字，代表本书归纳的语法的难易程度。★**5**到★**1**即表示初级到高级的五个阶段。

② **例句** 首先，选取的是典型的例子，尽量让读者通过例句就可以明白句型的用法，接续的词性、时态、场景、话题等尽量不偏颇，并尽可能提供较多的例句。例句的难易度，★**5**★**4**句型的例句词汇较简单，而★**1**句型的例句词汇较难，有时会有一些特殊场景，

我们会给与标注。而且我们还试着使用了一些较为通俗的口语作例句。

③ **接续** 提示了这个词条都和词的什么形接续。

④ **解说** 我们致力于为您提供该词条的意义、用法以及语法上该注意什么等基本信息。

- 误用例 在解说中，对于非常容易出错的用法，我们用 × 来表示出错误的例子，并用→来标志出正确的用法。
- 标　记 对于词句的用法以及在何种情况下使用该句型，我们都用标记表示出来了，该词句是书面用语、郑重场合用语、口语用语等，也都用标记表示出来了。
- 参　照 再解说的最后列举了类义表现。

关于◎

にたいして〈対比〉

【～と対比して考えると
(contrast) as opposed to; in contrast to ／和～相比／ – 에 비해서 /– 과 비교해서】★3

①活発な姉<u>に対して</u>、妹は静かなタイプです。

②日本人の平均寿命は、男性 78 歳であるの<u>に対して</u>、女性 85 歳です。

③日本海側では、冬、雪が多いの<u>に対して</u>、太平洋側では晴れの日が続く。

◎ N／**普通形**（ナAな・ナAである／Nな・Nである）＋ の ＋ に対して

这是直接接名词（例句①），或接普通形加「の」之意。只是形容动词与名词不接「ナＡだ」「Ｎだ」等形式，而是「ナＡな」或「ナＡである」、「Ｎな」或「Ｎである」之后接「の」（例句②）之意。按照这一接续规则来造句，就可以得到正确的句子：

如
- 姉が活発なの<u>に対して</u>、妹は静かなタイプです。
（姐姐很活泼，与此相反，妹妹是安静型的）
- 妹が静かなタイプであるの<u>に対して</u>、姉は活発です。
（与妹妹的安静相反，姐姐很活泼）
- 日本海側では、冬、雪がたくさん降るの<u>に対して</u>、太平洋側では晴れの日が続く。
（日本海一侧，冬天降雪很多，与此相对，太平洋一侧则是连日晴天）
- 昨年は暑い日が続いたの<u>に対して</u>、今年の夏は涼しい。
（去年连日暑热，与此相对，今年的夏天很凉爽）

关于活用形与词性的记号			用例
N	名词		りんごはみかんより
Vる	动词原形		行くつもりだ
V~~ます~~	动词（ます）形（连用形）		歌いながら
Vない	动词ない形		見ないでください
V~~ない~~	动词（ない）形		かさを持たずに
Vて	动词て形（连用形）		あらってから
Vた	动词た形（过去形）		会ったことがある
よう	动词意志形		帰ろうと思う
Vば	动词假定形		薬を飲めば
Vたり	动词た形＋り		本を読んだり
Vたら	动词た形＋ら		雨が降ったら
イAい	イ形容词原形		おいしいと思う
イA~~い~~	イ形容词词干		おいしそうだ
イAく	イ形容词词干＋く		あつくなった
ナA	ナ形容词词干		元気になった
する動詞	する动词		食事する、散歩する、コピーする、など
する動詞のN	する动词的名词部分		食事、散歩、など
動詞Ⅰ	五段动词		行く、取る、会う、など
動詞Ⅱ	一段动词		着る、寝る、食べる、など
動詞Ⅲ	不规则变化动词		する、来る
普通形	一般形	动词	行く、行かない、行った、行かなかった
		イ形容词	さむい、さむくない、さむかった、さむくなかった
		ナ形容词	元気だ、元気では（じゃ）ない、元気だった、元気では（じゃ）なかった
		名词	雨だ、雨では（じゃ）ない、雨だった、雨では（じゃ）なかった、
丁寧形	礼貌形	动词	行きます、行きません、行きました、行きませんでした
		イ形容词	さむいです、さむくないです・さむくありません、さむかったです・さむくなかったです、さむくありませんでした
		ナ形容词	元気です、元気では（じゃ）ありません、元気でした、元気では（じゃ）ありませんでした
		名词	雨です、雨では（じゃ）ありません、雨でした、雨では（じゃ）ありませんでした

이 사전을 사용함에 있어

●목적

모르는 단어와 부딪쳤을 때, 우리들은 흔히 사전을 찾게됩니다. 왜냐하면 대부분의 단어는 사전을 찾음으로써 그 단어의 의미를 알 수 있기 때문입니다. 그러나 일본어 학습자가 일본어사전을 찾아도 찾을 수 없는 단어가 있습니다. 예를 들면,

「ばかりに」라든가「わけにはいかない」등을 예로 들 수 있는데 이런 저런 사전을 찾아보아도 찾을 수 없을 것입니다. 본 사전은 이처럼 일본어 학습자들이 일반적인 일본어 사전에서는 찾을 수 없는「文型 (문형)」에 대해서 알 수 있도록 만든 것입니다.

이 사전의 목적은, 문법을 하나 하나 배우기 위한 것이 아닌, 학습자들이 시중에 나와있는 일반 사전에서는 찾을 수 없는「文型(문형)」을 발견했을 때, 그 의미와 사용법을 이해하도록 하기 위해 만든 것입니다. 초급부터 고급까지의「文型(문형)」을 모아서・그 의미・기능・사용법 등을 학습자들이 이해하기 쉽도록 예문을 제시하고, 해설을 덧붙였습니다. 해설에는 영어, 중국어, 한국어 번역을 첨가함으로써 일본어를 학습하는 분들에게 그 말이 갖고 있는 의미를 자국어 입장에서 이해하기 쉽도록 했습니다.

●구성과 사용법

① 본 사전을 사용함에 있어

② 사전을 검색할 때의 주의

각 항목 구성・⚭에 관한 사항・활용형과 품사의 기호에 대해・동사의 형태와 표제・각종 마크와 기호의 의미

③ 본문 + 이중표제어

- 이중표제어 : 예를 예를 들어「にとって」를 검색할 때,「にとって」부터 찾아도 되고,「とって」부터 찾아도 되도록 한 쪽에 →표를 하여 원표제어를 찾아 갈 수 있도록 했습니다. 같은 표제어가 있는 경우에는, 구별하기 좋도록
  〈 〉안에「うえで〈事後〉、うえで〈目的〉」과 같이 의미적인 차이를 표시하는 말을 추가해 놓았습니다. 또한 동일한 표제어가 있는 경우의 배열순서는, 기본적인 의미와 범용성이 넓은 의미를 우선적으로 배치하였습니다.

④ 동사 활용표, 존경어 ˙ 겸양어 리스트

⑤ 50 음순 색인

⑥ 의미별 기능별 리스트

- 권말「意味機能別リスト(의미별 기능별 리스트)」는, 비슷한 의미 기능을 갖는 문형에는 어떤 것이 있는지를 제시함으로써 학습의 보탬이 되도록 했습니다.

각 항목 구성

① 레벨(수준)【 】의 오른쪽 ★과 숫자는 그 문법형식의 저자에 따른(의한) 난이도 표시입니다. ★5의 초급 수준부터 ★1의 상급 수준까지 총 5 단계로 표시되어 있습니다.

② 예문(例文) 우선, 전형적인 예를 제시하고, 예문에 따른 사용법을 알 수 있도록, 접속하는 품사, 시제, 장면, 화제 등을 어느 한 쪽으로 치우치지 않도록 가능한 한 많은 예문을 제시했습니다. 예문의 난이도는, ★5★4 문형의 예문은 쉬운 어휘로, ★1 문형의 예문은 난이도가 높은 어휘로, 경우에 따라서는 특수한 장면을 쓴 경우도 있습니다.

또한, 허물없는 사이에서 사용하는 대화체도 사용하도록 배려하였습니다..

③ 접속 이 표제어에는 어떤 형태로 접속하는지를 나타내고 있습니다.

④ 해설 단어의 의미, 사용법, 문법적인 주의 등에 대해서 최소한으로 필요한 부분만을 제공하려고 노력했습니다.

- 오용례 (**誤用例**) 해설속에서 틀리는 빈도수가 매우 많은 것에만 한해, ×예문을 제시하였습니다. 올바른 예문은 →로 제시했습니다.
- 마크 (**マーク**) 단어의 사용법이나 어떤 상황에서 사용하는지에 대한 정보에 대해서, 문어체 표현, 격식차린 표현, 회화체 표현 등을 마크 (マーク) 를 이용해서 제시하였습니다.
- 참조 (**參照**) 비슷한 표현 (**類義表現**) 을 해설 마지막 부분에 제시하였습니다.

에 관한 사항 예시

にたいして〈対比〉

【～と対比して考えると
(contrast) as opposed to; in contrast to ／和～相比／ – 에 비해서 /– 과 비교해서】 ★3

①活発な姉に対して、妹は静かなタイプです。
②日本人の平均寿命は、男性 78 歳であるのに対して、女性 85 歳です。
③日本海側では、冬、雪が多いのに対して、太平洋側では晴れの日が続く。

N ／ **普通形** （ナAな・ナAである／Nな・Nである）＋ の ＋ に対して

이것은, 명사에 직접 접속하는 (예문①), 또는 보통형에「の」를 붙여서 접속하는 (예문③) 이라고 하는 의미입니다. 단, ナ형용사 (ナ形容詞) 와 명사는「ナAだ」「Nだ」의 형태로 접속하지 않고,「ナAな」또는「ナAである」,「Nな」또는「Nである」의 형태에「の」를 붙여서 접속한다 (예문②) 라는 의미입니다. 이러한 접속 규칙을 지켜서 문장을 만들면 올바른 문장을 만들 수 있습니다.

例 ・姉が活発なのに対して、妹は静かなタイプです。
(언니는 활발한데 반해, 동생은 조용한 타입입니다.)
・妹が静かなタイプであるのに対して、姉は活発です。
(여동생이 조용한 타입인데 반해, 언니는 활발합니다.)
・日本海側では、冬、雪がたくさん降るのに対して、太平洋側では晴れの日が続く。
(일본해 (or 동해) 쪽은 겨울에 눈이 많이 내리는데 반해, 태평양쪽에서는 청명한 날이 이어진다.)
・昨年は暑い日が続いたのに対して、今年の夏は涼しい。
(작년은 무더운 날이 계속된 반면에, 금년 여름은 시원하다.)

활용형과 품사의 기호에 대해			예
N	명사		りんごはみかんより
Vる	동사 사전형		行くつもりだ
V~~ます~~	동사 -（ます）형		歌いながら
Vない	동사 - ない형		見ないでください
V~~ない~~	동사 -（ない）형		かさを持たずに
Vて	동사 - て형		あらってから
Vた	동사 - た형		会ったことがある
Vよう	동사 의지형		帰ろうと思う
Vば	동사 가정형		薬を飲めば
Vたり	동사 - た형 ＋ り		本を読んだり
Vたら	동사 - た형＋ら		雨が降ったら
イAい	イ형용사의 사전형		おいしいと思う
イA~~い~~	イ형용사의 어간		おいしそうだ
イAく	イ형용사의 어간＋く		あつくなった
ナA	ナ형용사의 어간		元気になった
する動詞	する동사		食事する、散歩する、コピーする、など
する動詞のN	する동사의N		食事、散歩、など
動詞Ⅰ	５단동사		行く、取る、会う、など
動詞Ⅱ	１단동사		着る、寝る、食べる、など
動詞Ⅲ	불규칙동사		する、来る
普通形	보통형	동사	行く、行かない、行った、行かなかった
		イ형용사	さむい、さむくない、さむかった、さむくなかった
		ナ형용사	元気だ、元気では（じゃ）ない、元気だった、元気では（じゃ）なかった
		명사	雨だ、雨では（じゃ）ない、雨だった、雨では（じゃ）なかった、
丁寧形	정중형	동사	行きます、行きません、行きました、行きませんでした
		イ형용사	さむいです、さむくないです・さむくありません、さむかったです、さむくなかったです・さむくありませんでした
		ナ형용사	元気です、元気では（じゃ）ありません、元気でした、元気では（じゃ）ありませんでした
		명사	雨です、雨では（じゃ）ありません、雨でした、雨では（じゃ）ありませんでした

Verb Forms and Entries in this Book

動詞 I（5段動詞） Group I Verbs (-u verbs) 动词 I（五段动词） 동사 I（5 단동사）		動詞 II（1段動詞） Group II Verbs (-ru verbs) 动词 II（一段动词） 동사 II（1 단동사）		動詞 III（不規則動詞） Group III Verbs (Irregular Verbs) 动词 III（不规则动词） 동사 III（불규칙동사）	
行く	話す	見る	食べる	する	来る
行こう	話そう	見よう	食べよう	しよう	来よう
行け	話せ	見ろ	食べろ	しろ	来い
行くな	話すな	見るな	食べるな	するな	来るな
行ける	話せる	見られる	食べられる	できる	来られる
行かれる	話される	見られる	食べられる	される	来られる
行かれる	話される	見られる	食べられる	される	来られる
行かせる	話させる	見させる	食べさせる	させる	来させる
行かされる	話させられる	見させられる	食べさせられる	させられる	来させられる

例1　帰ろうとしたとき、社長に呼ばれました。

意志形（「帰ろう」「食べよう」）を調べるときは、「よう〈意志〉」(391 ページ）を見ます。
受け身（「呼ばれる」「食べられる」）を調べるときは、「られる〈受け身〉」(412 ページ）を見ます。

When looking up Volitional Form（「帰ろう」「食べよう」）, see: よう〈意志〉(page 391).
When looking up Passive（「呼ばれる」「食べられる」）, see: られる〈受け身〉(page 412).

例2　漢字はぜんぜん読めません。

可能（「読める」「食べられる」）を調べるときは、「られる〈可能〉」(410 ページ）を見ます。

When looking up Potential（「読める」「食べられる」）, see: られる〈可能〉(page 410).

例3　道に「止まれ」と書いてあります。

命令形（「止まれ」「食べろ」）を調べるときは、「しろ〈命令〉」(107 ページ）を見ます。

When looking up Command Form（「止まれ」「食べろ」）, see しろ〈命令〉(page 107).

＊★1、★2、★3の文型のうち、いつも決まった助詞といっしょに使うものは、助詞つきで出してあります。　例：にかんして、をとおして、など。

＊ In ★1, ★2, and ★3 level patterns, words that always take certain particles appear with those particles. Examples: にかんして, をとおして, etc.

本書の見出し

动词词形与本书的词条　　동사의 형태와 표제

動詞の形 Verb Forms 动词词形 동사의 형태				本書の見出し Entries in this Book 本书的词条 본 사전의 표제	
意志形	Volitional Form	意志形	의지형	よう〈意志〉	391 ページ
命令形	Command Form	命令形	명령형	しろ〈命令〉	107 ページ
禁止	Prohibition	禁止形	금지	な〈禁止〉	256 ページ
可能	Potential	可能形	가능	られる〈可能〉	410 ページ
受け身	Passive	被动形	수동	られる〈受け身〉	412 ページ
尊敬	Respect	尊敬	존경	られる〈尊敬〉	415 ページ
使役	Causative	使役	사역	させる	98 ～ 101 ページ
使役受け身	Causative Passive	使役被动	사역수동	させられる	97 ページ

在查意志形（「帰ろう」「食べよう」）时，请查看「よう〈意志〉」（391 页）。
在查被动形（「呼ばれる」「食べられる」）时，请查看「られる〈被动〉」（412 页）。

의지형（「帰ろう」「食べよう」）를 찾을 때는,「よう〈意志〉」（391 ページ）를 찾아 볼 것
수동（「呼ばれる」「食べられる」）를 찾을 때는,「られる〈受け身〉」（412 ページ）를 찾아 볼 것

在查可能形（「読める」「食べられる」）时，请查看「られる〈可能〉」（410 页）。

가능（「読める」「食べられる」）을 찾을 때는,「られる〈可能〉」（410 ページ）을 찾아 볼 것

在查命令形（「止まれ」「食べろ」）时，请查看「しろ〈命令〉」（107 页）。

명령형（「止まれ」「食べろ」）를 찾을 때는,「しろ〈命令〉」（107 ページ）을 찾아 볼 것

*在★1、★2、★3的句型中，总是和某些助词以固定搭配的方式出现的，就带着动词一起出现在本书中。如：にかんして、をとおして、など。

*★1, ★2, ★3 문형 가운데, 항상 정해진 조사와 함께 사용하는 것은, 조사가 붙은 형태로 표시했습니다. 예：にかんして、をとおして 등.

いろいろなマークや記号の意味

Meaning of Various Marks and Symbols

各种标记、记号的意义

각종 마크와 기호의 의미

	主として書き言葉に使われる	Usually used as written form	主要用于书面语	주로 문어체적인 표현에 사용된다
	主としてあらたまった言い方として使われる	Usually used as formal expression	主要用于郑重的场合	주로 격식차린 표현으로서 사용된다
	主として話し言葉に使われる	Usually used as spoken form	主要用于口语	주로 회화체적인 표현으로 사용된다
	文型への接続の形	Form used to connect patterns	句型的接续形式	문형에 접속하는 형태
普通形	普通形 「活用形と品詞の記号」参照 6ページ	Plain form (See: Conjugations and Particle Symbols) page 10	普通形 参照 「关于活用形与词性的记号」 13 页	보통형 「활용형과 품사의 기호에 대해」 참조 17ページ
丁寧形	丁寧形 「活用形と品詞の記号」参照 6ページ	Polite form (See: Conjugations and Particle Symbols) page 10	礼貌形 参照 「关于活用形与词性的记号」 13 页	정중형 「활용형과 품사의 기호에 대해」 참조 17ページ
例外	例外	Exception	例外	예외
◆	翻訳を読む人に参照してほしい例文	Reference example sentence for person reading translation	请阅读翻译的人参照的例句	번역문을 읽는 독자들이 참조할 예문
参	理解を深めるために参照してほしい例文	Reference example for furthering understanding	为加深理解而参照的例句	보다 깊은 이해를 돕기 위한 참조 예문
○	正しい文	Correct sentence	正确的句子	올바른 문장
×	正しくない文	Incorrect sentence	不正确的句子	바르지 못한 문장
△	間違いではないが、あまり使わない文	Not incorrect, but not often used	虽然没有错误，但基本不使用的句子	틀렸다고는 할 수 없지만, 잘 쓰지 않는 문장

どんな時
どう使う
日本語表現
文型辞典

あいだ【throughout (the time…)／…的期间，在…期间内／－동안/－사이】★4

①わたしは夏の間、ずっと北海道にいました。
②両親が旅行をしている間、ぼくが毎日食事を作りました。
③兄がゲームをしている間、弟はそばで見ています。
④夏休みにとなりのうちがにぎやかな間は、わたしも楽しい気分になる。

普通形（ナAな／Nの）＋間

「間」は時間幅のある状態を表す言葉につながり、「その時間ずっと」という意味を表す。後にも継続する動作や状態を表す言葉が来る。　参 **あいだに**

Appends to expressions of time, i.e., "throughout the entire time." Words expressing continuing action and conditions follow. →参

「～間」是表示时间段的词语，（其前面词语表示的动作）在时间上有延续性，这个句型含有"在那个时候一直（在做那件事）"的意思。后面出现的动词也是表示持续性的动作或状态的动词。→参

「間」는 시간의 폭이 있는 상태를 나타내는 말로,「그 시간 동안 계속해서」라고 하는 의미를 나타낸다. 그 뒤에도 계속되는 동작이나 상태를 나타내는 말이 온다. →参

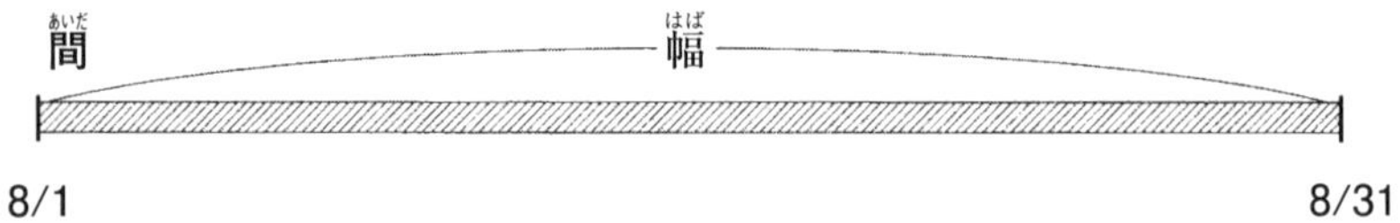

夏休みの間、北海道にいました。(8/1から8/31までずっと)
[(From August 1 straight through August 31)／(从8月1日到8月31日一直)
(8월1일부터 8월31일까지 계속)]

あいだに【during; when／在…期间内，在…结束之前，趁着…／－동안에/－사이에】★4

①夏休みの間に引っ越ししたいです。
②わたしがいない間にだれか来たのでしょうか。門が少し開いています。
③日本にいる間に一度富士山に登りたい。
④暇な間に本だなをかたづけてしまおう。

普通形（ナAな／Nの）＋間に

「間に」は時間幅のある状態を表す言葉につながり、「その時間幅が終わる前に」という意味を表す。後には瞬間性のことを言う表現が来る。　参 **あいだ**

Appends to expressions involving length of time meaning "before the time interval ends." Expressions of momentariness follow. →参

「～間に」是表示时间段的词语，这个句型的含义是"在这个时间段结束之前（做某事）"，后面出现的句子一定是表达瞬间性的事件的。→参

「間に」는 시간의 폭이 있는 상태를 나타내는 말로,「그 시간의 폭이 끝나기 전에」라고 하는 의미를 나타낸다. 그 뒤에는 순간적인 것을 가리키는 표현이 온다. →参

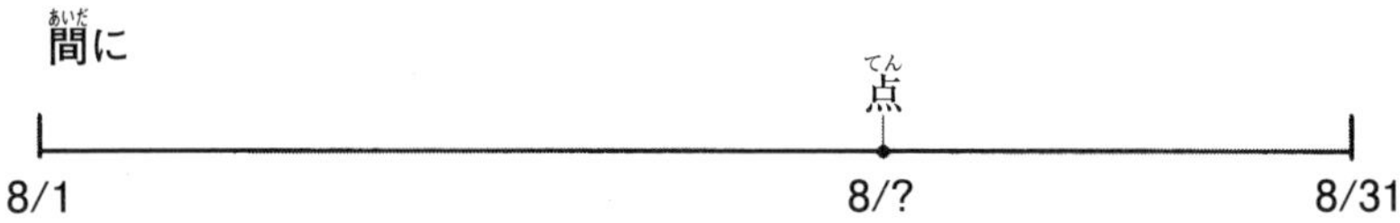

夏休みの間に引っ越ししたいです。(8/1から8/31のある日)

[(Some time during the interval between August 1 and August 31)／
(8月1日到8月31日之间的某一天)
(8월1일부터 8월31일의 어느 날)]

あいまって ➡とあいまって 210

あげく【いろいろ～した後で、とうとう最後に after much…ended up…／终究…,…之后，结果／－한 끝에】★2

①この前国際センターに行ったときは、さんざん道に迷ったあげく、もう一度駅前に戻って交番で道を聞かなければならなかった。

②太郎はお金のことや友人の問題でさんざん親に心配をかけたあげく、とうとう家を出てしまった。

③この問題については、長時間にわたる議論のあげく、結論は先送りされた。

④何日も話し合いをしたあげくの果ての結論として、今年はわたしたちの代表は送らないことにした。

◎ Vた／する動詞のNの ＋ あげく

1)「いろいろ～した後で、とうとう残念な結果になった」と言いたいときに使う。
2) 1回だけのことや軽いことの結果には使わず、「いろいろ・さんざん・長い時間」など、強調する言葉とよくいっしょに使う。 ◆×あの日社長とけんかしたあげくに、会社をやめた。3)④の「あげくの果て」は慣用表現。 4) 同様の表現に「すえ(に)」がある。

参すえ(に)

1）To try many things, but end up with adverse result.　2）Often used with emphatics such as いろいろ，さんざん，or 長い時間 rather than about something that happens only once or has insignificant result. →◆　3）The phrase あげくの果て in sentence ④ is an idiom.　4）すえ（に） is similar. →参

1）在想要表达“做了各种各样的（努力）之后，最终的结果却是令人遗憾的”这个意思的时候使用本句型。　2）想要表达只做过一次的事或者不起眼的事等的结果时，是不使用本句型的；本句型常常跟「いろいろ・さんざん・長い時間」等强调“不容易”的词语一同使用。→◆　3）例句④中的「あげくの果て」为惯用句式。　4）本句型有一个类义句式：「すえ（に）」 →参

1）「여러 가지로 ~한 후에 결국은 유감스러운 결과가 되었다」고 말하고자 할 때 사용한다.　2）한 번뿐인 일이나 가벼운 사항에 대한 결과에는 사용하지 않고，「いろいろ・さんざん・長い時間」등의 강조하는 말과 어울려 사용한다. →◆　3）④의「あげくの果て」는 관용표현이다.　4）비슷한 표현으로「すえ(に)」가 있다. →参

あげる【give／给，送／주다／드리다】★5

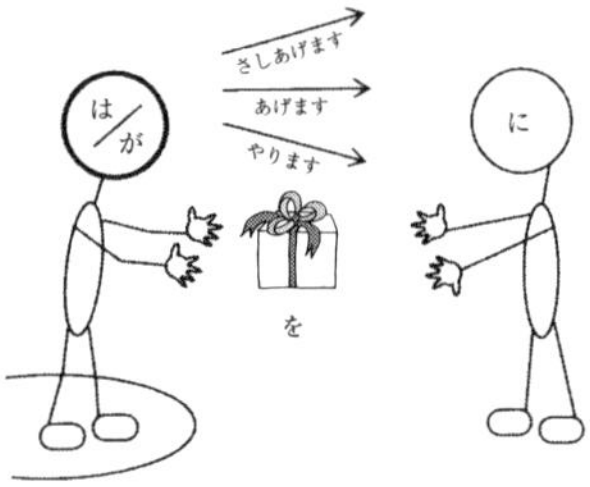

①姉はあい子さんの誕生日にケーキをあげた。

② A：わあ、たくさんおみやげを買いましたね。
　B：ええ、会社の人たちにあげるんです。

③この人形は部長の奥さまにさしあげようと思って買いました。

④先生の受賞のお祝いに何かさしあげましょうよ。

⑤わたしの旅行中、花に水をやるのを忘れないでね。

⑥ A：森さんはお正月に、お子さんにお年玉をあげますか。
　B：いいえ、自分の子どもたちにはやりませんよ。

◎ Nを　＋ あげる

与える人 は／が 受ける人 に  を ｛さしあげます。／あげます。／やります。

↑わたし側の人

[a person on my side／我方的人／나와 가까운 사람]

1）ものを与える人を主語にした授受の言い方。ものを与える人は「わたし」、または受ける人より心理的に「わたし」に近い関係の人である。　◆×林さんはわたしにプレゼントをあげました。／×メリーさんはわたしの妹にプレゼントをあげました。

2）「さしあげる」は、③④のように受ける人が目上の場合に使う。「やる」は、⑤のように動植物などの場合に使う。また、⑥のように、自分の家族に対してすることを、家族以外の人に話すときにも使う。

1.
giver は／が receiver に🎁を {さしあげます。／あげます。／やります。}

1）Expression of receipt in which subject is giver. Giver is speaker or someone psychologically close to speaker. → ◆ 2）The verb さしあげる is used when recipient is socially superior, as in sentences ③ and ④. The verb やる is used toward animals, as in sentence ⑤, and is also used toward one's own family when speaking to people outside of one's inner circle, as in sentence ⑥.

1.
授与方 は／が 接受方 に🎁を {さしあげます。／あげます。／やります。}

1）以赠与别人东西的人为主语的授受关系的表达方式。赠与别人东西的人是“我”或者跟接受东西的人相比，在心理上离“我”更近的人。→◆　2）如例句③、④所示，接受东西的人为尊长的情况下用「さしあげる」；而如例句⑤所示，接受者为动植物的时候，用「やる」，此外，如例句⑥所示，跟家庭以外的人说起家庭内部的授受事件时，也用「やる」。

1.
주는 사람 は／が 받는 사람 に🎁を {さしあげます。／あげます。／やります。}

1）물건을 주는 사람을 주어로 한 수수표현이다. 물건을 주는 사람은「나」또는 받는 사람에 비해 심리적으로「나」와 가까운 관계에 있는 사람을 가리킨다. →◆　2）「さしあげる」는, ③④처럼 받는 사람이 손 윗 사람인 경우에 사용한다.「やる」는 예문 ⑤처럼 동식물 등인 경우에 사용한다. 또한 ⑥처럼 자신의 가족에게 하는 행위를 가족 이외의 타인에게 말 할 때에도 사용한다.

あたって　➡にあたって　283

あたらない　➡に（は）あたらない　315

あって　➡にあって　284

あっての【～があるから成り立つ　comprised of; indispensable to／有…才有…／－가 있기에 가능한/－가 있어야 할 수 있는】★1

①愛あっての結婚生活だ。愛がなければ、いっしょに暮らす意味がない。

②わたしたちはお客さまあっての仕事ですから、お客さまを何より大切にしています。

③交渉は相手あってのことですから、自分の都合だけ主張してもうまくいかない。

◎ N　＋あっての

「N1 ＋あっての＋ N2」の形で、「N1 があるから N2 が成立する」と強調するときの表現。

Emphatic expression meaning “N1 is realized because there is N2.”

采用「N 1 + あっての + N 2」的形式，强调“只有N 1 存在，N 2 才能成立”

「N 1 + あっての + N 2」형태로「N 1 이 있기 때문에 N 2 가 성립한다.」고 강조할 때의 표현이다.

あと　➡あとで　26

あとで【after／之后／－한 후(에)】★5

①食事の後で、少し散歩しませんか。

②この薬はご飯を食べる前に飲みますか、食べた後で飲みますか。

③このビデオ、あなたが見た後で、わたしにも貸してください。

④祭りの後、ごみがいっぱいだった。

⑤祖父はみんなと お茶を飲んだ後、ずっと部屋で本を読んでいます。

◎ Vた／Nの　＋後で

1）「～後で…」の形で二つの行為、状態（「～」と「…」）のどちらが後であるかを表す。「…」の行為、状態が「～」の行為より時間的に後である。　2）④⑤のように、「…」が継続している行為や状態を表す文の場合は「後で」は使わず、「後」を使う。　◆×退院した後で、ずっと元気です。

1）One action or condition succeeds the other. Second action or condition comes after the first.　2）When action or condition is continuing, as in sentences ④ and ⑤, 後 is used rather than 後で. →◆

1）采用「～あとで…」的形式，表达"「～」和「…」这两个行为或状态，究竟哪一个后发生"之意。「…」部分表示的行为、状态比「～」部分表示的行为在时间上略为靠后。　2）如例句④、⑤所示，「…」部分如果是持续性的行为或状态，则不能使用「後で」，而使用「後」。→◆

1）「後で…」의 형태로 두 가지의 행위，상태（「～」과「…」）중 어느 쪽이 뒤인지를 나타낸다.「…」의 행위나 상태가「～」의 행위보다 시간적으로 뒤쪽이다.　2）④⑤처럼「…」가 계속되고 있는 행위나 상태를 나타내는 문장의 경우에는「後で」는 사용하지 않고,「後」를 사용한다. →◆

あまり【～すぎるので、～すぎるために　so… that／过于…／지나치게 －해서／지나치게 －한 나머지】★2

①今のオリンピックは勝ち負けを気にするあまり、スポーツマンシップという大切なものをなくしているのではないか。

②試験の問題は易しかったのに、考えすぎたあまり、間違えてしまった。

③合格の知らせを聞いて、彼女はうれしさのあまり泣き出した。

④夫が突然の事故で亡くなった。彼女は悲しみのあまり心の病になってしまった。

⑤K市は開発を優先するあまり、市民の生活の安全を軽視しているのではないか。

◎ 普通形（ナAな／Nの）（肯定形だけ）　＋あまり

「～あまり」の形で、「～の程度が極端なので、普通でない状態やよくない結果になる」と言いたいときの表現。③④のように「～」には感情を表す言葉が来ることが多い。

Certain limits are extreme so result will be either abnormal or negative. Often expressions of emotion precede あまり, as in sentences ③ and ④.

以「～あまり」的形式，表达“由于～部分达到了十分极端的程度，从而导致了一种不一般的结果或者很坏的结果”之意。如例句③、④所示，～部分常常使用表达感情的词语。

「～あまり」의 형태로 「～의 정도가 극단적이어서 일반적이지 않은 상태나 좋지 않은 결과가 된다」고 말하고자 할 때의 표현이다. ③④처럼 「～」에는 감정을 나타내는 말이 오는 경우가 많다.

あまりの～に【～すぎるので so… that／由于太…才…／너무 / 지나치게】★2

①今年の夏はあまりの暑さに食欲もなくなってしまった。

②今のわたしの仕事はきつい。あまりの大変さに時々会社を辞めたくなる。

③父はデジタルカメラの講習を受けに行ったが、あまりの難しさにびっくりしたようだ。

◎ あまりの ＋ Nに

1）「～の程度が極端なので」という意味。それが原因で普通ではない結果になる、と言うときの表現。2）例文のように、「～」は「形容詞の語幹＋さ」が多い。

1）What follows pattern is extreme in degree, causing unusual result. 2）As in the examples, often イ adjective stem ＋ さ follows pattern.

1）“～达到了一种极端的程度”，并且由于达到了这种极端的程度，导致了不同寻常的结果出现” 2）如例句所示，～多是以“イ形容词词干＋さ”构成的名词。

1）「～의 정도가 극단적이어서」라는 의미이다. 그것이 원인이 되어 일반적이지 않은 결과가 된다고 말 할 때의 표현이다. 2）예문처럼「～」는「형용사의 어간＋さ」의 형태가 많다.

いかんだ ➡いかんで 27

いかんで【～に対応して in accordance with; is contingent on／根据，凭，要看…／여하에 / 여부에 따라】★1

①商品の説明のし方いかんで、売れ行きに大きく差が出てきてしまう。

②このごろとても疲れやすいので、当日の体調いかんでその会に出席するかどうか決めたい。

③国の援助のいかんによって、高齢者や身体障害者の暮らし方が変わると思う。

④今度の事件をどう扱うかは校長の考え方いかんです。

◎N（の）＋いかんで

1）主として程度や種類の違いを表す語に続き、「それに対応してあることが変わる、あることを決める」と言いたいときに使う。 2）③の「いかんによって」も意味・用法は同じ。④のように文末では「いかんだ」という形になる。 3）「しだいで」と意味・用法が同じだが、硬い形式ばった言い方。

参しだいで

1）Mainly appends to expressions of difference in level or type. Indicates that something will change or be decided depending on N. 2）In sentence ③, いかによって has same meaning and usage. At end of sentence becomes いかんだ, as in sentence ④. 3）Meaning and usage are similar to しだいで, but is more formal. →参

1）主要跟在表示程度或种类差异的词语后,在想要表达“原来与此对应的事物发生了变化，决定做某事”之意的时候使用本句型。 2）例句③的「いかんによって」的意义、用法也与本句型相同。如例句④所示，在句末变为「いかんだ」 3）意思、用法与「～しだいで」相同，只是本句型是较为生硬郑重的说法。 →参

1）주로 정도나 종류의 차이를 나타내는 말에 이어져서,「그것에 대응해서 어떤 일이 변한다, 어떤 일을 결정한다」고 말하고자 할 때 사용한다. 2）③의「いかんによって」도 의미, 용법은 같다. ④처럼 문말에서는「いかんだ」의 형태가 된다. 3）「しだいで」와 의미, 용법이 같지만 격식을 차린 딱딱한 표현법이다. →참

いかんでは【ある～の場合は in case of／根据…的情况／여하에 따라서는 / 여부에 따라서는】★1

①君の今学期の出席率いかんでは、進級できないかもしれないよ。
②本の売れ行きいかんでは、すぐに増刷ということもあるでしょう。
③出港は午後３時だが、天候のいかんによっては、出発が遅れることもある。

◎N（の）＋いかんでは

1）主として程度や種類の違いを表す語に続き、「そのうちのある場合は…のこともある」と言いたいときに使う。「いかんで」の用法の一部。いろいろな可能性の中の一つを取り上げて述べる言い方。 2）③の「いかんによっては」も意味・用法は同じ。
3）「しだいでは」と意味・用法が同じだが、硬い形式ばった言い方。

参いかんで・しだいでは

1）Mainly appends to words expressing degree or type to indicate some instances among a category. Is part of the いかんで usage, and states something is possible among a variety of things. 2）In sentence ③, いかんによっては has same meaning and usage. 3）Usage is similar to しだいでは, but is more formal. →参

1）主要跟在表示程度或种类的差异的词语之后，在想要表达"在此之内的某个情况下，也可能会发生…"之意的时候使用本句型。是「いかんで」这个句型的多种用法当中的一种。是在各种可能发生的情况当中，强调其中一种情况发生的可能性时的表达方式。
2）例句③的「いかんによっては」的意义、用法也与本句型相同。
3）意思和用法和「しだいでは」相同，只是本句型是较为生硬郑重的说法。 →参

1）주로 정도나 종류의 차이를 나타내는 말에 이어져서,「그 가운데 어떤 경우에는 …하는 경우도 있다」고 말하고자 할 때 사용한다.「～いかんで」용법의 일부이다. 여러 가지 가능성 가운데 하나를 예로 들어서 말하는 표현법이다. 2）③의「いかんによっては」도 의미와 용법은 같다. 3）「しだいでは」와 의미, 용법이 같지만 격식을 차린 딱딱한 표현법이다. →参

いかんにかかわらず【～がどうであっても、それに関係(かんけい)なく doesn't matter whether／无论…都…／여부에 관계없이】★1

①調査(ちょうさ)の結果(けっか)いかんにかかわらず、かならず連絡(れんらく)してください。

②理由(りゆう)のいかんにかかわらず、いったん払(はら)い込(こ)まれた受講料(じゅこうりょう)は返金(へんきん)できないことになっています。

③この区(く)では、場所(ばしょ)のいかんにかかわらず路上喫煙(ろじょうきつえん)は禁止(きんし)です。

N（の） ＋いかんにかかわらず

1）「～いかんにかかわらず」の形(かたち)で、「～がどうであっても、それに関係(かんけい)なく後(あと)のことが成立(せいりつ)する」という意味(いみ)を表(あらわ)す。 2）「いかんによらず」と意味(いみ)・用法(ようほう)が大体同(だいたいおな)じ。

参いかんによらず

1）No matter what is happening before pattern, result will occur regardless. 2）Usage and meaning are nearly the same as for いかんによらず. →参

1）采用「～いかんにかかわらず」的形式，表示"无论～怎样，都不妨碍之后的事件成立"之意。 2）与「いかんによらず」意思、用法大致相同。 →参

1）「いかんにかかわらず」의 형태로,「～이 어떻든 그것과 관계없이 뒤의 일이 성립한다」고 하는 의미를 나타낸다. 2）「いかんによらず」와 의미・용법이 거의 동일하다. →参

いかんによって ➡いかんで 27

いかんによっては ➡いかんでは 28

いかんによらず【～がどうであっても、それに関係なく doesn't depend on whether ／无论…都…／여하를 막론하고】★1

①事情のいかんによらず、欠席は欠席だ。

②試験の結果いかんによらず、試験中に不正行為のあったこの学生の入学は絶対に認められない。

③進行状況のいかんによらず、中間報告を提出してください。

N（の） ＋いかんによらず

1）「～いかんによらず」の形で、「～がどうであっても、それに関係なく後のことが成立する」という意味を表す。　2）「いかんにかかわらず」と意味・用法が大体同じ。

参 いかんにかかわらず

1) No matter what is happening before pattern, result will occur regardless. 2) Usage and meaning are nearly the same as for いかんにかかわらず. →参

1）采用「～いかんによらず」的形式，表示“无论～怎样，都不妨碍之后的事件成立”之意　2）与「いかんにかかわらず」意思、用法大致相同。 →参

1）「～いかんによらず」의 형태로「～ 이 어떻든 그것과 관계없이 뒤의 일이 성립한다」고 하는 의미를 나타낸다. 2)「いかんにかかわらず」와 의미 · 용법이 거의 동일하다. →参

いざしらず　➡はいざしらず　339

いじょう(は)【～のだから so long as ／正因为…／ – 한 이상 (은)/ – 인 이상 (은)】★2

①約束した以上、守るべきだと思う。

②この学校に入学した以上は、校則は守らなければならない。

③学生である以上、勉強を第一にしなさい。

普通形（ナＡである／Ｎである） ＋ 以上（は）

「～以上、…」の形で、「～のだから、当然…」と話す人の判断・決意・勧めなどを言うときの表現。「…」には話す人の判断や意向を表した言い方、または相手へ働きかける言い方・勧め・禁止などがよく使われる。

Speaker's judgment, decisions, or recommendation ("since…then naturally…"). Phrases expressing the speaker's judgment and volition, or appeal to the listener, recommendations, or prohibitions often follow 以上 (は).

采用「～以上、…」的形式，表达“因为～，所以…是理所当然的”的意思，是说话人的判断、决定以及建议等。「…」部分通常会出现说话人的判断、意向等，或者是出现说话人对听话人的劝导、建议，禁令等。

「～以上、…」의 형태로「～이기 때문에, 당연히 …」라는 말하는 사람 (話者) 의 판단, 결의, 권유 등을 말 할 때의 표현이다.「…」에는 말하는 사람의 판단이나 의향을 나타내는 표현, 또는 상대를 독려하는 표현, 권유, 금지 등이 자주 사용된다.

いただく ➡もらう 387

いたって ➡にいたって 284

いたっては ➡にいたっては 285

いたり ➡のいたり 324

いたる ➡にいたる 285

いたるまで ➡にいたるまで 286

いちばん ➡がいちばん 44

いっぽう(で) 【それから、また on the one hand／(另) 一方面／－하는 한편(으로)】★2

①いい親は厳しくしかる一方で、ほめることも忘れない。

②一人暮らしは寂しさを感じることが多い一方、気楽なよさもある。

③この出版社は大衆向けの雑誌を発行する一方で、研究書も多く出版している。

④わたしの家では兄が父の会社を手伝う一方、姉がうちで母の店を手伝っている。

◎ 普通形 (ナAな・ナAである／Nである) ＋ 一方 (で)

①②のように、あることがらについて二つの面を対比して示したり、③④のように、あることが行われるのと並行して別のことも行われると述べたりするときに使われる。

Contrasts two aspects, such as in sentences ① and ②. Also used to show two actions occurring in parallel, as in sentences ③ and ④.

如例句①、②所示，某事件有两个侧面，而通过对将这两个侧面对比时使用本句型。另外，如例句③、④所示，与某事件的发生并行，还有另一个事件正在同时发生，要表达上述的意思时，使用本句型。

①②처럼 어떤 사항에 대해 두 가지 면을 대비시켜서 나타내거나, ③④와 같이 어떤 일이 행해지는 것과 병행해서 다른 사항도 행해진다고 표현하거나 할 경우에 사용된다.

いっぽうだ 【ますます～していく will just continue／一直…, 越来越…／점점 더 - 해지다】★3

①これからは寒くなる一方です。風邪をひかないよう、お体を大切に。

②ノップさんの日本語の成績は上がる一方です。

③この駅ビルのデパートは人気が出て、毎年客が増える一方だ。

④この 10 年ほどの間に、日本の海岸の砂浜は狭くなっていく一方だそうだ。

◎ Vる ＋ 一方だ

1）ものごとの状況の変化が一つの方向にだけ進んでいることを表す。　2）変化を表す動詞と接続する。

1）Change in condition will continue to proceed in one direction.　2）Connects to verbs expressing change.

1）表示事物的情况只朝着一个方向变化。　2）接表示变化的动词。
1）사항의 상황 변화가 한 방향으로 나아가고 있는 것을 나타낸다.　2）변화를 나타내는 동사와 이어진다.

いなや ➡**やいなや 388**

いらい ➡**ていらい 168**

うえ(に)【～。それに on top of that／而且,(再)加上／－한데다】★3

①ゆうべは道に迷った上、雨にも降られて大変でした。
②この機械は使い方が簡単な上に、小型で使いやすい。
③彼の話は長い上に、要点がはっきりしないから、聞いている人は疲れる。

◎ **普通形**（ナAな・ナAである／Nの・Nである） ＋ 上（に）

1）前の事柄と同じ方向の事柄（プラスとプラス、マイナスとマイナス）を「それに」という気持ちで加える。　2）後に、命令・禁止・依頼・勧誘など、相手への働きかけの文は来ない。

1）Adds feeling of “also” to phrases expressing occurrences with same directionality as in a previous situation (positives with positives, negatives with negatives).　2）Commands, prohibitions, requests, or solicitations do not follow うえ(に).

1）把与前面的事件朝同一个方向发展的另一个事件（正面的就和正面的，负面的就和负面的）以一种“此外还有”的心情添加在前一个事件之上。　2）后文中不能出现对听话人的命令、禁止、拜托、劝诱等使役性的句子。
1）앞의 사항과 같은 방향의 사항（플러스와 플러스，마이너스와 마이너스）를「それに（게다가，더구나）」라는 느낌으로 덧붙인다.　2）뒤에는 상대방에게 어떤 행동을 요구하는 명령，금지，의뢰，권유 등의 문장은 오지 않는다.

うえで〈事後〉【まず～してから after having／在…基础之上／우선 －한 후에／－한 다음의】★2

①詳しいことはお目にかかった上で、説明いたします。
②申込書の書き方をよく読んだ上で、記入してください。
③どの大学を受験するか、両親との相談の上で、決めます。
④これは一晩考えた上での決心だから、気持ちが変わることはない。

◎ Vた／する動詞のNの ＋ 上で

1)「〜上で…」の形で、まず「〜」をした後で、それに基づいて「…」という次の行動をとる、という意味。 2)「うえで」の前後の動詞は、意志動詞が来る。

1) After first doing one thing, another action based on the first will occur. 2) Verbs of volition precede or follow うえで.

1) 采用「〜上で…」的形式，意为：先做"〜"部分的事，做完之后，在这件事的基础之上，接下来做"…"部分的事。 2)「うえで」之前和之后出现的动词都要求是意志动词。

1)「〜上で…」의 형태로 우선「〜」을 한 후에, 그것을 바탕으로「…」라고 하는 다음 행동을 취한다고 하는 의미이다. 2)「うえで」의 전후 동사는 의지동사가 온다.

うえで〈目的〉【〜のに for, in order to／为了…／- 하는데 있어서/- 함에 있어】★2

①今度の企画を成功させる<u>上で</u>、ぜひみんなの協力が必要なのだ。

②数学を学習する<u>上で</u>大切なことは、基礎的な事項をしっかり身につけることだ。

③有意義な留学生活を送る<u>上で</u>の注意点は下記のとおりです。

④テレビは外国語の勉強の<u>上で</u>かなり役に立ちます。

⑤食料品の保存の<u>上で</u>、次のことに注意してください。

◎ Vる／する動詞のNの ＋ 上で

「〜上で」の形で、「〜」に積極的な目的を示し、後にその目的や目標に必要なこと、大切なことなどを述べる文が来る。行為を表す文は来ない。 ◆×日本での生活の上でいろいろなものを買った。

After indicating a goal to actively work toward, second phrase explains what is necessary or important to achieve that goal or objective. Does not take verbs of action. →◆

采用「〜上で」的形式，在「〜」部分要求是一个正面意义或者说积极意义的目的，后文则出现要达成这个目的、目标而必须采取的行动或者十分重要的条件。不可以出现表示行为的句子。→◆

「〜上で」의 형태로「〜」에 적극적인 목적을 밝히고, 뒤에 그 목적이나 목표에 필요한 것, 중요한 일 등을 기술하는 문장이 온다. 행위를 나타내는 문장은 오지 않는다. →◆

うえで ➡のうえで 325

うえは【～のだから since things have reached such a pass／既然…／－한 이상은/－함에 있어】★2

①社長が決断した上は、われわれ社員はやるしかない。
②実行する上は、十分な準備が必要だ。
③やろうと決心した上は、たとえ結果が悪くても全力をつくすだけだ。
④親元を離れる上は、十分な覚悟をするべきだ。

◎ Vる・Vた ＋上は

1）「～上は、…」の形で「～のだから、当然…」という意味。話者の決意、覚悟などを言うときの表現。 2）「…」には、責任や覚悟を伴う行為の言葉を使う。「べきだ・つもりだ・はずだ・にちがいない・てはいけない」などの言い方がよく使われる。 3）「いじょう（は）・からには」と近い表現。 参いじょう（は）・からには

1）Meaning "since…then of course…," expresses speaker's resolution or resignation. Phrases following indicate corresponding actions of responsibility or resignation. 2）Often used with べきだ, つもりだ, はずだ, ちがいない, てはいけない, etc. 3）Similar to いじょう（は）, からには. →参

1）采用「～上は、…」的形式，表达"因为…，所以…是理所当然的"之意。本句型是一个表达说话人的决心、心理准备等意义的句型。 2）在「…」部分使用表行为的词语，而这个行为必须是伴随责任或者心理准备等意思的行为。经常使用「べきだ·つもりだ·はずだ・にちがいない・てはいけない」等表达方式。3）本句型与「いじょう(は)・からには」相类似，表达的意思非常接近。 →参

1）「～上は、…」의 형태로「～이기 때문에 당연히 …」라고 하는 의미이다. 말하는 사람（話者）의 결의, 각오 등을 말 할 때의 표현이다. 2）「…」에는, 책임이나 각오를 동반하는 행위의 말을 사용한다.「べきだ・つもりだ・はずだ・にちがいない・てはいけない」등의 표현법이 자주 사용된다. 3）「いじょう（は）・からには」와 가까운 표현이다. →参

うちに〈時間幅〉【～している間に before you know it／在…过程中／－하는 동안에 /－하는 사이에 /－하는 가운데】★3

①今は上手に話せなくても練習を重ねるうちに上手になります。
②友達に誘われて何回か山登りをしているうちに、わたしもすっかり山が好きになった。
③親しい仲間が集まると、いつも楽しいおしゃべりのうちに時間が過ぎてしまう。
④ふと外を見ると、気がつかないうちに雨が降り出していた。

◎ Vる・Vている・Vない／Nの ＋うちに

継続性を表す語につながり、その継続状態の間に、はじめは予想しなかったような変化が表れることを表す。後の文は事態の変化を表す文。

Links to phrases of continuation; expresses notion that during period of continuation, some unforeseen change occurred. Clause following indicates change in condition.

与表示持续性的词语一同出现，意为：在这个持续性的状态中，出现了一开始没有预料到的情况和变化。后面的句子一定是表示事态变化的句子。

계속성을 나타내는 말에 이어져서 , 그 상태가 계속되는 가운데 처음에는 예상하지 못했던 변화가 일어나는 것을 나타낸다 . 뒤의 문장은 사태의 변화를 나타내는 문장이 온다 .

うちに〈事前(じぜん)〉【ある状況(じょうきょう)になる前(まえ)に while／趁着…，在…之前／ – 일 때 /– 하기 전에】★3

①独身(どくしん)のうちに、いろいろなことをやってみたいです。

②若(わか)いうちに勉強(べんきょう)しなかったら、いったいいつ勉強(べんきょう)するんですか。

③体(からだ)が丈夫(じょうぶ)なうちに、1度富士山(ふじさん)に登(のぼ)ってみたい。

④タンさんが東京(とうきょう)にいるうちに、ぜひ3人(にん)で食事(しょくじ)をしませんか。

⑤（料理(りょうり)の本(ほん)から）スープに生(なま)クリームを加(くわ)えたら、沸騰(ふっとう)しないうちに火(ひ)から降(お)ろす。

⑥暗(くら)くならないうちに家(いえ)に帰(かえ)らなければなりません。

◎ Vる・Vない／イAい／ナAな／Nの　＋うちに

「うちに」の前(まえ)に述(の)べることと反対(はんたい)の状態(じょうたい)になったら実現(じつげん)が難(むずか)しいから、そうなる前(まえ)に、と言(い)いたいときに使(つか)う。

Unless someone does something before what comes ahead of うちに, the subsequent opposite state will make realization of the action difficult.

在想要表达“一旦到了与「うちに」之前部分所叙述的情况相反的情况下,再想要实现后半句所说的内容就很难,所以要趁着「うちに」之前部分所叙述的情况还没结束做某事”之意的时候使用本句型。

「うちに」의 앞에 기술되는 것과 반대 상태가 되면 실현 시키기가 어려워지므로 , 그렇게 되기 전에 ~하라고 말하고자 할 때에 사용한다 .

うる【できる／～の可能性(かのうせい)がある can／能，可以／할 수 있다 / 가능하다 / 있을 수 있다】★2

①これは仕事(しごと)を成功(せいこう)させるために考(かんが)え得(う)る最上(さいじょう)の方法(ほうほう)です。

②この事故(じこ)はまったく予測(よそく)し得(え)ぬことであった。

③これは彼(かれ)でなくてはなし得(え)ない大事業(だいじぎょう)である。

④この事故(じこ)はいつでも起(お)こり得(う)ることとして十分注意(じゅうぶんちゅうい)が必要(ひつよう)だ。

⑤彼(かれ)が事件(じけん)の現場(げんば)にいたなんて、そんなことはあり得(え)ない。

◎ V~~ます~~ ＋ 得る

1）辞書形は「うる」「える」の二つの読み方があり、ます形、ない形、た形は「えます」「えない」「えた」と読む。　2）「Vうる」は、「そうすることができる」「そうなる可能性がある」の意味で、「Vえない」は、「そうすることができない」「そうなる可能性がない」の意味である。　3）「能力的にできる、できない」の意味では使わない。

1）Two readings of the dictionary form: うる and える. When with the ます, -ない, or -た forms, read as えます, えない, and えた respectively.　2）V うる means "that can be done, that is possible." V えない means something cannot be done or is impossible.　3）Not used to indicate something is impossible because of lack of ability.

1）动词原形有「うる」「える」两种读法，ます形、ない形、た形分别读作「えます」「えない」「えた」。　2）「Vうる」为"可以那样做""有变成那样的可能性"之意，「Vえない」则为"不可以那样做""没有变成那样的可能性"之意。　3）不表示"能力上可行、不可行"之意。

1）사전형은「うる」「える」두 가지로 읽을 수 있고，ます형，ない형，た형은「えます」「えない」「えた」로 읽는다．　2)「V うる」는，「그렇게 할 수 있다」「그렇게 될 가능성이 있다」라는 의미이고，「V えない」는，「그렇게 할 수 없다」「그렇게 될 가능성이 없다」는 의미이다．　3)「그 사람의 능력으로 할 수 있다거나 할 수 없다」는 의미로는 사용하지 않는다．

えない　➡うる　35

える　➡うる　35

お～・ご～

【polite nominal and adjectival prefixes ／ (美化词) 依情况可不翻译或译成"御～""尊～" ／ －분 / －님 (단 사람 대상 앞에서)】★4

①先生、ご家族の皆さんはお元気ですか。
②田中さん、お宅の皆さんはいつもお忙しそうですね。
③この部屋にあるものはどうぞご自由にお使いください。

◎ お ＋　イAい／ナA／N　　ご ＋　ナA／N

1）相手を対象として行うことやもの（お手紙・お招き）、相手に関係のあるものなどに「お」や「ご」をつけて尊敬や丁寧な気持ちを表す。　2）和語には「お」がつくことが多く、漢語には「ご」がつくことが多い。

1）Prefixes お and ご append to things or actions (letters, invitations) concerning another person to indicate an honorific or polite attitude towards that person. 2）Prefix お most often appends to words of Japanese origin, while ご attaches to words deriving from China.

1）在表示以听话人为对象所做的事或物（如お手紙·お招き)、以及与听话人相关的东西的前面加上「お」或「ご」，表达尊敬或礼貌的语气。 2）和语词前多加「お」，汉语词前多加「ご」。

1）상대를 대상으로 해서 행하는 행위나 사항 (お手紙 (편지) · お招き (초대)) , 상대방과 관계가 있는 것에「お」나「ご」를 붙여서 존경 또는 정중한 기분을 나타낸다. 2）和語 (일본 고유의 말) 에는「お」가 붙는 경우가 많고 , 漢語 (한자어) 에는「ご」가 붙는 경우가 많다 .

お～いたす ➡お～する 39

おいて ➡において 286

おいて ➡をおいて 420

おうじて ➡におうじて 287

おうずる ➡におうじて 287

おかげか ➡おかげで 37

おかげで 【～の助けがあったので thanks to／幸亏…，托了…的福／덕분에 / 덕택에 / 덕택으로】 ★3

①母は最近新しく発売された新薬のおかげで、ずいぶん元気になりました。

②あなたが手伝ってくれたおかげで、仕事が早くすみました。ありがとう。

③夜の道路工事が終わったおかげか、昨夜はいつもよりよく寝られた。

④今日、私が指揮者として成功できたのは斉藤先生の厳しいご指導のおかげです。

⑤ A：就職が決まったそうですね。おめでとう。

B：おかげさまで。ありがとうございます。

◎ **普通形**（ナAな・ナAである／Nの・Nである） ＋ おかげで

「～おかげで…」の形で「～の助けがあったので、…というよい結果になった」と感謝の気持ちで言うときに使う。③の「おかげか」は、それだけが原因かどうか確信は持てないが、という感じがある。⑤の「おかげさまで」はあいさつの言葉としてよく使われる。

Gratitude when a positive result occurs owing to someone's help. In sentence ③, it is difficult to discern whether the reason stated is the only possible cause of the positive result. おかげさまで in sentence ⑤ is a common greeting.

采用「～おかげで…」的形式，表达“由于有了～的帮助，所以才会有…这个好结果”之意。语气中含有感谢的意味。例句③「おかげか」的「か」是一种不确定语气，整个句子的语感是：并不确信只是因为这个，但是感觉上是这个原因。例句⑤「おかげさまで」是寒暄用语，在日常生活中经常使用。

「～おかげで…」의 형태로「～의 도움이 있었기 때문에, …라고 하는 좋은 결과가 되었다」고 감사하는 기분으로 말 할 때 사용한다. ③의「おかげか」는, “그 것 한가지 만이 원인인지 아닌지 확신은 서지 않지만” 이라고 하는 느낌이 있다. ⑤의「おかげさまで」는 인사말로 자주 사용된다.

お～ください【please…／烦请…／－해 주십시오/－해 주세요】★4

① (駅で) 危ないですから、黄色い線の内側にお下がりください。

② (空港のカウンターで) パスポートと航空券をお見せください。

③ (病院などで) 予約のある方は、10分前においでください。

④ (デパートで) 7階レストランへは、エレベーターをご利用ください。

◎ お＋ V~~ます~~／ご＋する動詞のN ＋ください

1) 公の場所でよく使われる勧めや指示の簡潔な言い方。自分のための依頼には使わない。◆×先生、わたしの作文をお直しください。→○先生、わたしの作文を直してくださいませんか。 2) ③の「おいでください」は特別な形で、「来てください」の意味。 3)「する・来る」や1字の動詞Ⅱ「見る・着る・寝る・出る」などはこの形で使えない。 ◆×この写真をお見ください。→○この写真をご覧ください。

1) Concise phrase of suggestion or directions often used in public places. Not used for speaker's own requests. →◆ 2) おいでください in sentence ③ is a special form of 来てください. 3) Cannot be used with verbs する, 来る, or one-character -ru verbs such as 見る, 着る, 寝る, or 出る (go out). →◆

1) 表示建议或指示的简洁的表达方式，在公众场合经常使用。如果是拜托别人为自己做事则不用这个句型。→◆ 2) 例句③「おいでください」是一种特殊形式，意为「来てください (请来，请过来)」。 3)「する・来る」以及单假名动词「見る・着る・寝る・出る」等不能用于本句型。→◆

공공연한 장소에서 자주 사용되는 권유나 지시의 간결한 표현이다. 자신을 위한 의뢰에는 사용하지 않는다. →◆ 2) ③의「おいでください」는 특수한 형태로,「来てください」라는 의미이다. 3)「する・来る」나 한 글자로 되어 있는 動詞Ⅱ「見る・着る・寝る・出る」등은 이 형태를 사용할 수 없다. →◆

おける ➡において 286

お～する【the speaker humbly (does verb)／我（为您）做…／－하시다】★4

①学生：先生、おかばんをお持ちします。
　先生：ああ、タンさん、ありがとう。
②学生：先生、プーケットにいらっしゃってください。わたしがご案内いたします。
　先生：それはありがとう。
③わたしは結婚式の写真を先生にお見せしました。
④店員：では、修理ができましたら、お知らせいたします。
　客　：じゃ。よろしくお願いします。

◎お＋　V~~ます~~　＋する

1）相手に対する尊敬の気持ちを表すために話す人が自分の行為をへりくだって話す（謙譲を表す）場合に使う形。　2）相手のためにする行為に使う。尊敬する相手のない動作には使わない。　◆×わたしは夜一人でCDをおかけして、お聞きします。→○わたしは夜一人でCDをかけて、聞きます。　3）②のように「案内」などの漢語の場合は「ご～します・ご～いたします」となる。

1）To elevate the other party, speaker uses humble language for his own actions.　2）Describes actions done for other party. Not used for actions without recipient that can be elevated. → ◆　3）For words of Chinese origin, such as 案内 in sentence ②, the pattern changes to ご～します or ご～いたします.

1）为了表示对听话人的尊重，说话人将自己的行为降低一格（表达谦逊之意）来说的时候，使用本句型。　2）表达自己为对方做某事时使用本句型。如果这个动作没有需要尊敬的对象的话，就不使用本句型。→◆　3）如例句②，如果是汉语词，如「案内」等时，句型改为「ご～します・ご～いたします」

1）상대에 대한 존경의 기분을 나타내기 위해서 말하는 사람（話者）이 자신의 행위를 낮추어서 말하는（겸양을 나타내는）경우에 사용하는 형태이다.　2)상대를 위해서 하는 행위에 사용한다. 존경하는 상대가 없는 동작에는 사용하지 않는다.→◆　3）②처럼「案内（안내）」등의 한자어（漢語）인 경우에는「ご～します・ご～いたします」의 형태로 사용한다.

おそれがある【～という心配がある there is fear that／恐怕会…／－할 우려가 있다】★3

①この地震による津波のおそれはありません。
②この薬は副作用のおそれがあるので、医者の指示に従って飲んでください。
③小中学校の週休二日制は子どもたちの塾通いを増加させるおそれがあると言われている。
④歯および歯周辺の不具合は、体全体の健康に影響を与えるおそれがあります。

◎ Vる・Vない／Nの　＋ おそれがある

1）「～という悪いことが起こる可能性がある」と言いたいときに使う。　2）ニュースや通知などでよく使われる硬い表現。

1）Something bad is likely to happen. 2）Formal expression often used in news and reports.

1）在想要表达"有发生～这种坏事情的可能性"之意时使用本句型。
2）在新闻、通知等文体中经常出现的较为生硬的表达方式。

1）「～라고 하는 나쁜 일이 일어날 가능성이 있다」고 말하고자 할 때 사용한다. 2）뉴스나 통지문 등에서 자주 사용되는 격식 차린 표현이다.

お～だ【the honorable listener does (verb)／（敬意的）做…／－하시다】★3

①（改札口で）特急券をお持ちですか。
②会長、先ほどから、田中様がお待ちです。
③社長、何をお探しですか。

◎ お V~~ます~~　＋ だ

「Vています」の尊敬の形である。「Vていらっしゃいます」の簡潔な言い方。①「お持ちです」は「持っていらっしゃいます」の意味。

Honorific form of V ています. Concise form of V ていらっしゃいます. The お持ちです in sentence ① means 持っていらっしゃいます.

是「Vています」的尊敬表达形式。同时是「Vていらっしゃいます」的简洁表达形式。例句①「お持ちです」是「持っていらっしゃいます（持、拿的敬语）」的意思。

「Vています」의 존경의 형태이다.「Vていらっしゃいます」의 간결한 표현이기도 하다. ①「お持ちです」는「持っていらっしゃいます（갖고 계십니다）」의 의미이다.

お～になる【someone does (verb) honorifically／（敬意的）做…／－하시다】★4

①会長は10月8日にバンコクからお帰りになります。
②社員：社長、奥さまにお電話をおかけになりましたか。
　社長：ああ、さっきかけたよ。
③学生：この新聞はもうお読みになりましたか。
　先生：いいえ、まだなんですよ。

◎ お ＋ V~~ます~~ ＋ になる

1）相手や第三者に尊敬の気持ちを表すときに使う形。　2）尊敬できない行為を表す動詞（ぬすむ・なぐる、など）やくだけた言葉（がんばる・しゃべる、など）はこの形で使わない。

1）Shows respect toward others and third parties. 2）Cannot be used for actions for which honorifics are inappropriate, such as ぬすむ or なぐる, and for informal words such as がんばる or しゃべる, etc.

1）在表达对听话人或者第三者的尊敬语气时使用本句型。
2）如果一个行为无法包含尊敬含义（如ぬすむ・なぐる等），则表示这个行为的动词不能用于本句型。俗语（如がんばる・しゃべる等）也是不能用于本句型的。

1）상대방이나 제 3 자에게 존경의 감정을 나타낼 때 사용하는 형태이다．2）존경할 수 없는 행위를 나타내는 동사（ぬすむ・なぐる 등）나 허물없는 사이에서 쓰는 상투어（がんばる・しゃべる 등）에는 이 형태를 사용하지 않는다．

おり（に）【～機会に whenever there is an occasion／值此…之际／－했을 때（에）/－하는 기회에】★2

①このことは今度お目にかかった折に詳しくお話しいたします。
②先月北海道に行った折、偶然昔の友達に会った。
③何かの折にわたしのことを思い出したら手紙をくださいね。
④（手紙）寒さ厳しい折から、くれぐれもお体を大切にしてください。

◎ Vる・Vた／Nの ＋ 折（に）

「あるいい機会に」という意味であるから、後の文にはマイナスの事柄は来にくい。④のように手紙文の定型文句としての例もある。

Favorable occasion; negative phrasing usually does not follow. Also used as set phrase in letters, such as in sentence ④.

由于本句型是“以一件好事为契机”的意思，所以后半句很少出现消极的事件。也有作为书信固定用语的例子，如例句④。

「어떤 좋은 기회에」라는 의미이기 때문에，뒤에 오는 문장에는 마이너스적인 내용은 오기 어렵다．④와 같이 편지의 정형적인 문구도 있다．

おろか ➡はおろか 340

おわる【finished／做完…／다(전부)－하다】★4

①みんなご飯を食べ終わりました。テーブルの上をかたづけましょう。

②作文を書き終わった人は、この箱に入れてください。

③このへやのまどガラスはぜんぶふき終わりました。次はとなりのへやです。

④子どもたちがみんなバスに乗り終わったら、出発しましょう。

◎ V~~ます~~ ＋ 終わる

1）始まりと終わりがある継続する動作・作用が終わるという意味を表す。　2）普通は瞬間動詞にはつかないが、④のように、おおぜいの人の動作や多くのものの作用の場合は、瞬間動詞にもつく。

参つづける・はじめる

1）Completion of continuous action or operation that has beginning and end. 2）Does not usually append to verbs of momentariness, but in cases of actions or operations of many things, such as in sentence ④, links to such verbs. →参

1）表示一个有头有尾的持续性动作或作用结束了。　2）一般不用于瞬间动词之后，但是像例句④那样，有很多人在重复做（这个瞬间性）动作或者很多东西在起（这个瞬间性）作用的话，也可以和瞬间动词搭配使用。 →参

1）시작과 끝이 있는 계속되는 동작・작용이 끝났다고 하는 의미를 나타낸다. 2）일반적으로는 순간동사에는 접속하지 않지만, ④처럼 많은 사람의 동작이나 많은 사물이 작용하는 경우에는, 순간동사에도 붙는다. →参

が〈逆接〉【but／但是，可是／－이지만，－입니다만】★5

① 10月になりましたが、毎日暑い日が続いています。

②この部屋は新しくてきれいですが、狭いです。

③読み方を辞書で調べたが、わからなかった。

◎ 丁寧形・普通形 ＋ が

逆の意味や対立する意味の文をつなぐ。

Links phrases of opposite meaning or contrasts.

连接两个意义上相反的或对立的句子。

반대되는 의미나 대립하는 의미의 문장을 연결한다.

が〈前置き・和らげ〉【excuse me; I'm sorry, but ／（缓和语气，不翻译）／－입니다만】★4

①先生、この言葉の意味がわからないんですが、教えてくださいませんか。

②（電話で）もしもし、田中ですが、鈴木さん、いらっしゃいますか。

③ちょっとお聞きしたいんですが……。駅へはどう行くんでしょうか。

④A：一人でお酒を飲むのはつまらないですよね。

B：さあ、わたしはそうは思いませんが……。

◎ 丁寧形・普通形 ＋が

1）二つの文をつなぐだけの「が」の使い方である。①～③のように「話の前置き」としてよく使われる。　2）④の使い方は言い方を和らげて余韻を残す言い方である。

1）Here が simply connects two clauses. Often used to preface discourse, as in sentences ①, ②, and ③. 2）In sentence ④, gives subdued, softened impression.

1）起单纯的连接前后两个句子的作用。如例句①、②、③所示，常常用于“话语的前置（进入正题前，用「が」来打开话头儿）”。

2）例句④的用法是一种使语气柔和，并留下余韵无穷的用法。

1）2 개의 문장을 단순히 연결하는「が」의 용법이다. ①②③처럼 말의 서두에 오는 용법으로 자주 사용된다.　2）④의 용법은 표현을 약간 부드럽게 해서 여운을 남기는 표현법이다.

がい ➡かいがあって 43

かいがあって【効果があって effort of…paid off／有效果，有意义，起作用／－한 보람이 있어서】★2

①毎日水をやったかいがあって、10月になって庭の花がきれいに咲いた。

②しっかり準備をし、心を込めて説明したかいがあって、わたしたちの案が取り上げられた。

③厳しいトレーニングのかいがあって、チーム誕生以来、初めての入賞を果たした。

④きらいな注射をされたが、そのかいもなく、しばらく熱が下がらなかった。

⑤時間とお金を使って遠くまで来たかいもなく、名物の桜はほとんど散ってしまっていた。

⑥この子は教えたことはすぐ覚えるので、教えがいがある。

⑦年を取っても生きがいのある人生を求めるこの著者の姿勢に心を打たれた。

◎ Vる・Vた／する動詞のNの　＋かいがあって　　Vます　＋がい

1）「ある目的をもって行った意志的な行為のよい効果や成果があって」という意味。
2）④⑤のように、望ましい成果がなかった場合は、「かいもなく」という形で使う。
3）⑥⑦では、「がい」の前の意志動詞の行為をする中で得られる望ましい成果を言い、全体を名詞として使う。この使い方では常に「がい」と読む。

1）Positive result arising from willful action with certain objective.　2）If undesirable result occurs, as in sentences ④ and ⑤, takes negative form, かいもなく.　3）In sentences ⑥ and ⑦ がい is part of a noun phrase since entire clause refers to positive outcome of volitional verb. In this usage, always read がい.

1）意为伴随某种目的的意思性行为取得了好的效果或成果。 2）如例句④、⑤所示，在没有的到希望的结果时，使用「かいもなく」形式。　3）在例句⑥、⑦中，「がい」前的意志动词所表示的行为，在其进行的过程中达成了理想的效果，那么这个意志动词和「がい」合在一起，构成一个名词，这个名词就可以表达这种效果。这种用法的「かい」常常发生浊化，读作「がい」。

1）「어떤 목적을 가지고 행한 의지적인 행위의 좋은 효과나 성과가 있어서」라고 하는 의미이다.　2）④⑤처럼, 바람직한 성과가 없었을 때는,「かいもなく」라는 형태로 사용한다.　3）⑥⑦에서는「がい」앞에 의지동사의 행위를 하는 가운데 얻어진 바람직한 성과를 말하고, 전체를 명사로 취급한다. 이렇게 사용할 때는 항상「がい」라고 읽는다.

がいちばん【best／…是最…／－이 제일/－이 가장】★4

①A：リーさんはくだものの中で、何がいちばん好きですか。
　B：オレンジがいちばん好きです。
②この課の中でだれがいちばん早く会社に来ますか。
③ケーキがいろいろありますが、この中でどれがいちばんおいしいでしょうか。
④電話とファクスとメールと、どれをいちばんよく使いますか。
⑤A：1年中でいちばんいそがしいのはいつですか。
　B：そうですねえ。12月の終わりごろです。
⑥世界でいちばん有名な人はだれでしょうか。

◎ Nが　＋いちばん

1）ある範囲の中で最高のものを言うときの表現。③④のように比較するものが三つ四つの具体的なものの場合は、「どれ、どの」を使って質問する。　2）いろいろある中でいちばんのものを言うときは、①のように「～の中で」を使う。一つ一つ分けられない全体の中でいちばんのものを言うときは、⑥のように「～で」の形になる。

1）Something is considered best within certain context. When three or four concrete items are compared, as in sentences ③ and ④, interrogative どれ，どの is used in question. 2）When expressing something best among variety of items, ～の中で is used. When expressing something best among indivisible items, で is used, as in sentence ⑥.

1）在一个范围内，要表达最高等级的事物时使用本句型。如例句③、④所示，在三、四个具体的东西间进行比较时，使用「どれ、どの」进行提问。 2）要表达“在各种各样现有的事物当中某个最高等级的东西”之意时，就像例句①那样，使用「～の中で」。在一个整体无法分成一个一个个体的情况下，要表达这个整体当中程度最高的东西时，就像例句⑥那样，使用「～で」的形式。

1）일정 범위 안에서 최고의 것을 가리킬 때 쓰는 표현이다. ③ ④처럼 비교하는 것이 3 개나 4 개의 구체적인 사물인 경우에는,「どれ,どの」를 사용해서 질문한다. 2）여러 가지가 있는 가운데에서 최고를 가리킬 때에는, ①처럼「～の中で」를 사용한다. 하나하나 나눌 수 없는 전체 가운데에서 으뜸이 되는 것을 가리킬 때에는, ⑥처럼「～で」의 형태가 된다.

かいもなく　➡かいがあって　43

かかわらず　➡にかかわらず　288

かかわりなく　➡にかかわりなく　288

かかわる　➡にかかわる　289

かぎって　➡にかぎって　289

かぎらず　➡にかぎらず　290

かぎり（は）〈条件の範囲〉【～の状態が続く間は (range of conditions) so long as／只要…，就…／－하는 한】★2

①体が丈夫なかぎり、思いきり社会活動をしたいものだ。

②日本がこの憲法を守っているかぎりは、平和が維持されると考えていいだろうか。

③小川氏がこの学校の校長でいるかぎり、校則は変えられないだろう。

④A：そろそろ会議を始めませんか。

　B：あの部屋は今、別の会議をやっているから、それが終わらないかぎり使えないんですよ。

普通形（現在形だけ）（ナＡな・ナＡである／Ｎである）＋かぎり（は）

「～かぎり…」の形で、「～」の状態が続いている間は「…」の状態が続く、と言いたいときに使う。「かぎり」の前後には時間的に幅のある表現が来る。

Expressions of temporal breadth are used before and after かぎり when indicating that the state continuing before かぎり also continues after it.

采用「～かぎり…」的形式，意为「～」部分所表示的状态在持续进行的期间，「…」部分所表示的状态也在持续着。「かぎり」的前后都要求使用在时间上有延展性的词语或句子。

「～かぎり…」의 형태로「～」의 상태가 계속되고 있는 동안은「…」의 상태가 지속된다，고 말하고자 할 때 사용한다.「かぎり」의 전후에는 시간적인 폭을 가지고 있는 표현이 온다.

かぎり〈限界〉【～の限界ぎりぎりまで as much as possible／以…为限；尽量／－하는 한】★2

①何かわたしがお手伝いできることがあったら言ってください。できるかぎりのことはいたしますから。

②昔この辺りは見渡すかぎり田んぼだった。

③さあ、いよいよあしたは入学試験だ。力のかぎりがんばってみよう。

④わたしたちのチームが負けそうになったので、みんなあらんかぎりの声を出して応援した。

Vる／Nの　＋かぎり

「限界まで～する」と言いたいときの表現。慣用表現として④のような例もある。

Do something to the limit. Sometimes used as idiom, as in sentence ④.

在想要表达“在达到某个界限之前，做某事”之意时使用本句型。人们也会把例句④当作一种惯用表达来使用。

「한계까지～한다」라고 말하고자 할 때의 표현이다. 관용표현으로써 ④와 같은 예도 있다.

かぎり　➡ないかぎり　257

かぎり　➡にかぎり　290

かぎりだ【最高に～だと感じる absolutely; extremely／特别…，…之至／너무 －하다 / 너무 －하기 그지없다】★1

①明日彼が3年ぶりにアフリカから帰ってくる。うれしいかぎりだ。

②このごろの若い人ははっきりと自己主張する。うらやましいかぎりである。

③大事な仕事なのに彼が手伝ってくれないなんて、心細いかぎりだ。

イAい／ナAな　＋かぎりだ

1）「現在、自分が非常にそう感じている」という心の状態を表す。　2）話者の気持ちを表す言葉であるから、3人称の文にはほとんど使わない。

1) Speaker now feels something very strongly. 2) Being an expression of speaker's feelings, is rarely used in the third person.

1) 表达说话人一种心理状态，意为"现在说话人自身有种非烈的感觉，觉得是那样的"。 2) 由于本句型是表达说话人心所以几乎不会出现在第三人称的句子中。

1)「현재 자신이 매우 그렇게 느끼고 있다」고 하는 마음의 상태를 나타낸다. 2) 말하는 사람 (話者) 의 기분을 나타내는 말이므로, 3 인칭 문장에는 거의 사용하지 않는다.

かぎりでは【～の範囲のことに限れば as far as can be deduced from…／基于…范围内／－의 한도 내에서는 / －하는 바로는】★2

①この売り上げ状況のグラフを見る<u>かぎりでは</u>、わが社の製品の売れ行きは順調だ。

②ちょっと話した<u>かぎりでは</u>、彼はいつもとまったく変わらないように思えた。

③今回の調査の<u>かぎりでは</u>、この問題に関する外国の資料はあまりないようだ。

Vる・Vた／Nの ＋ かぎりでは

ある判断をするための情報の範囲を限定する。情報を得る行為（見る・聞く・調べる、など）の言葉に接続する。

Delimits range of information needed to make certain judgment. Connects to words that indicate actions attaining information, such as 見る, 聞く, or 調べる.

为了下一个判断，就把判断所依据的信息限定在一个范围内。接在表示信息获取的行为的词语（見る・聞く・調べる等）之后。

어떤 사항을 판단하기 위한 정보의 범위를 한정한다. 정보를 얻는 행위 (見る・聞く・調べる 등) 의 단어에 접속한다.

かぎりに ➡をかぎりに 420

かぎる ➡にかぎる 291

かけだ ➡かける 47

かけては ➡にかけては 291

かける【途中まで～して、～し終わらない partially; in the process of／没…完／－하다가】★3

①風邪は治り<u>かけた</u>が、またひどくなってしまった。

②母は夕食を作り<u>かけて</u>、長電話をしている。

③一郎の宿題はまたやり<u>かけだ</u>。

④こんなところに食べ<u>かけの</u>りんごを置いて、あの子はどこへ行ったのだろう。

◎ V~~ます~~ ＋ かける

1）ある動作(どうさ)、出来事(できごと)が始(はじ)まったが、まだ途中(とちゅう)の段階(だんかい)であるというときの表現(ひょうげん)。

2）「かけの」のように名詞(めいし)として扱(あつか)うこともある。

1）Some action or event has begun and is unfinished. 2）Sometimes handled as noun, as in かけの.

1）表示某个动作或事件已经开始,并正处在进行的过程中之意。
2）也有「かけの」的形式，作名词用。

1）어떤 동작, 사건이 일어났지만, 아직 ~하는 도중이라고 할 때의 표현이다.. 2)「かけの」처럼 명사로 취급하는 경우도 있다.

がさいご ➡たらさいご 141

がする

【feel; hear; smell; taste／觉得；(看) 到、(听) 到、(闻) 到、(感) 到／(소리가) 들린다/(냄새가) 난다/(느낌이) 든다】★4

①どこかでねこの鳴(な)き声(ごえ)がします。

②いいにおいがしますね。きょうのご飯(はん)は何(なん)ですか。

③となりの部屋(へや)で変(へん)な音(おと)がします。どうしたのでしょう。

④このお菓子(かし)、紅茶(こうちゃ)の味(あじ)がしますね。

⑤星(ほし)を見(み)ていると、なんだか夢(ゆめ)のような感(かん)じがします。

◎ Nが ＋ する

音(おと)・声(こえ)・味(あじ)・におい・香(かお)り・感(かん)じなどの感覚(かんかく)を表(あらわ)したいときの言(い)い方(かた)。

Senses of sound, voice, taste, smell, or feeling.

表达物之音、人之声、味道、气味、香味、感触等感觉时，使用本句型。

소리, 음성, 맛, 냄새, 향기, 느낌 등의 감각을 표현하고 싶을 때의 표현법이다.

がたい

【～するのは難(むずか)しい difficult to／不容易，难于…／- 하기 어렵다/- 할 수 없다】★2

①あの元気(げんき)なひろしが病気(びょうき)になるなんて信(しん)じがたいことです。

②弱(よわ)い者(もの)をいじめるとは許(ゆる)しがたい行為(こうい)だ。

③幼(おさな)い子(こ)どもと離(はな)れて暮(く)らすことは彼(かれ)には耐(た)えがたかったのだろう。

Ⓒ V~~ます~~ ＋ がたい

1）「そうすることは難しい、不可能だ」という意味。 2）「信じる・許す・理解する・想像する・受け入れる」などの動詞とともによく使われる。やや古い言い方。慣用的に使われる例が多い。 3）「能力的にできない」という意味では使わない。 ◆×わたしにはコンピューターは難しくて、使いがたいです。／×けががまだ治っていないので、長い時間は歩きがたい。

1）Slightly old-fashioned expression meaning that doing something would be difficult or impossible. 2）Often used with verbs 信じる (believe), 許す (forgive), 理解する (understand), 想像する (imagine),and 受け入れる (accept). Often used as idiom. 3）Not used to mean something can't be done because of lack of ability. →◆

1）意为"那样做很难，几乎不可能那样做"。 2）经常和「信じる・許す・理解する・想像する・受け入れる」等动词一起使用。说法有点儿老。常常作为一种惯用句式来使用。 3）不能表达"能力上不能做到"之意。→◆

1）「그렇게 하는 것은 어렵다，불가능하다」라는 의미이다. 2）「信じる・許す・理解する・想像する・受け入れる」등의 동사와 함께 자주 쓰인다. 약간은 예스러운 표현법이다. 관용적으로 사용되는 예가 많다. 3）「그 사람의 능력으로는 할 수 없다」라는 의미로는 사용되지 않는다.→◆

かたがた【～も同時にするつもりで by way of; while happening to…; also／顺便、兼做…／겸사겸사】★1

①最近ごぶさたをしているので、卒業のあいさつかたがた保証人のうちを訪ねた。

②ごぶさたのおわびかたがた、近況報告に先生をお訪ねした。

③彼がけがをしたということを聞いたので、お見舞いかたがた、彼のうちを訪ねた。

Ⓒ する動詞のN ＋ かたがた

1）「～かたがた、…」の形で、「一つの行為に、二つの目的を持たせて行う」という表現。改まった場面やビジネス上の人間関係の場面でよく使われる。 2）「…」には、「訪問する・上京する」など移動に関係のある動詞がよく使われる。 3）「お祝いかたがた・お礼かたがた・ご報告かたがた」などが慣用的によく使われる。

1）One action serves to achieve two goals. Often used on formal occasions or in interpersonal relations in business settings. 2）Verbs of motion, such as 訪問する, 上京する often follow. 3）Often used in idioms such as お祝いかたがた, お礼かたがた, ご報告かたがた, etc.

1）采用「～かたがた…」的形式,意为“作一个行为,有两个目的”。常用于正式场合或商业场合。 2）「…」部分常常使用「訪問する・上京する」等和移动有关的动词。 3）常常把「お祝いかたがた・お礼かたがた・ご報告かたがた」等作为惯用表达来使用。

1）「～かたがた、…」의 형태로,「하나의 행위에 두 개의 목적을 덧붙여서 행한다」고 하는 표현이다. 격식을 차린 장면이나 비즈니스상의 인간관계 장면에서 자주 사용된다. 2）「…」에는「訪問する（방문하다）・上京する（상경하다）」등의 이동에 관계되는 동사가 자주 사용된다. 3）「お祝いかたがた・お礼かたがた・ご報告かたがた」등이 관용적으로 자주 사용된다.

かたくない ➡にかたくない 292

が～だけに 【特別の～だから on account of ／毕竟…／ －가 －인 만큼】 ★2

①母は今年93歳になった。今は元気だが、歳が歳だけに、病気をすると心配だ。

②ほしい時計があるのだが24万円だそうだ。値段が値段だけに買おうかどうしようかと迷っている。

③彼女は死にたいと言っている。事が事だけに、黙って聞いていることはできない。

◎ NがN ＋ だけに

「NがNだけに、…」の形で、同じ名詞を繰り返して、Nが特別だから「…」で述べることに十分の理由がある、と言いたいときの表現。

By repeating the noun, expresses notion that because the noun is special, there is ample reason for whatever follows the だけに.

采用「NがNだけに、…」的形式，前后重复使用同一个名词，由于这个N是特殊的，所以「…」部分所叙述的事情会成立，是有充分的理由的。

「N がN だけに、…」의 형태로, 같은 명사를 반복해서, N 가 특별하기 때문에「…」로 표현함에 있어 충분한 이유가 있다, 고 말하고자 할 때 쓰는 표현이다.

かたわら 【～一方で、別に as a sideline; besides ／一面…, 一面…; 一边…, 一边…／ －하는 한편（으로）】 ★1

①市川氏は役所で働くかたわら、ボランティアとして外国人に日本語を教えている。

②田中さんは銀行に勤めるかたわら、作曲家としても活躍している。

③あの人は大学院での研究のかたわら、小説を書いているそうです。

ⓞ Vる／Nの　＋かたわら

1）「～かたわら、…」の形で、「～をする一方で、並行して…もしている」という表現。　2）「かたわら」は「ながら」に比べ、長期間続いていることに使う。職業や立場などを両立させている場合によく使われる。　3）「～」がその人が本来していることである。

1）Continue to do one thing while doing another in tandem.　2）Compared to -ながら, used for action continued over a long interval. Often used when balancing work and separate role.　3）Phrase preceding -かたわら indicates person's main activity.

1）采用「～かたわら、…」的形式，意为“一方面，在做～，与此同时，还在做…”。　2）与「ながら」相比，「かたわら」更多的是用于持续很长时间的事物上。本职工作和所从事的其他事情互不影响的情况下，常使用本句型。　3）「～」部分的内容是这个人本来从事的工作。

1）「～かたわら、…」의 형태로，「～을 하는 한편으로，병행해서 …도 하고 있다」고 하는 표현이다．　2）「かたわら」는「ながら」와 비교해서，장기간에 걸쳐 계속되고 있는 사항에 사용한다．직업이나 입장 등을 양립시키고 있는 경우에 자주 사용된다．　3）「～」가 그 사람이 본래 하고 있는 일이다．

がち【よく～になる／～の状態になることが多い　liable to; prone to／（多用于不好的方面）容易…；爱…／자주 - 하다】★3

①森さんは小学校４年生のとき体を悪くして、学校もとかく休み<u>がち</u>だった。

②田中さんは留守<u>がち</u>だから、電話してもいないことが多い。

③今週は曇り<u>がち</u>の天気が続いたが、今日は久しぶりによく晴れた。

④環境破壊の問題は自分の身に迫ってこないと、無関心になり<u>がち</u>である。

ⓞ V~~ます~~／N　＋がち

1）「～がち」の形で「～の状態になりやすい傾向がある・～の割合、～の回数が多い」と言いたいときの言い方。主によくない傾向に使う。　2）「とかく～がち」の形でよく使う。ほかに、忘れがち・怠けがち・遠慮がち・病気がち・遅れがち、などの例がある。

1）Tendency toward some state, high proportion, or frequency. Usually used for adverse tendencies.　2）Often used in pattern とかく～がち. Other examples include 忘れがち (forgetful), 怠けがち (slothful), 病気がち (sickly), and 遅れがち (tend to be late).

1）在想要表达“有容易陷入某种状态、～的比率占得大、～的次数多”之意时使用本句型。主要用于不好的倾向。　2）常以「とかく～がち」的形式出现。此外，还有忘れがち・怠けがち・遠慮がち・病気がち・遅れがち等例子。

1）「がち」의 형태로「～의 상태로 되기 쉬운 경향이 있다，～의 비율，～의 횟수가 많다」고 말하고자 할 때의 표현이다．주로 좋지 않은 경향에 사용한다．　2）「とかく～がち」의 형태로 자주 사용한다．이 외에，忘れがち・怠けがち・遠慮がち・病気がち・遅れがち 등의 예가 있다．

がてら【～を兼ねて take the opportunity to; on the same occasion ／顺便，同时／ – 하는 김에 / 겸사겸사】★1

①月１回のフリーマーケットをのぞきがてら、公園を散歩してきた。
②散歩がてら、ちょっと郵便局まで行ってきます。
③買い物がてら新宿へ行って、展覧会ものぞいて来よう。
④駅まで 30 分ほどかかるが、天気のいい日は運動がてら歩くことにしている。

Vます／する動詞のN　＋がてら

1）「～がてら、…」の形で、「一つの行為をするときに二つの目的を持たせてする」という意味。また「一つのことをすると、結果として二つのことができる」などの意味にも使う。　2）「…」には、「歩く・行く」など移動に関係のある動詞がよく使われる。

1) Accomplishing two objectives via one action. Can also mean to produce two results by doing a single action.　2) Verbs of movement, such as 歩く or 行く, often follow.

1）采用「～がてら、…」的形式，意为“在做一个行为的时候怀有两个目的”。另外,还含有“做一件事,可以得到两个结果”的意思。
2）「…」部分常使用「歩く・行く」等和移动有关的动词。
1）「～がてら、…」의 형태로「하나의 행위를 할 때에 두 가지의 목적을 덧붙여서 한다」는 의미이다. 또한「한가지 일을 하면, 결과적으로 두 가지 일을 할 수 있다」등의 의미에도 사용한다.
2）「…」에는,「歩く・行く」등 이동에 관련 있는 동사가 자주 사용된다.

(か)とおもうと【～すると、すぐに no sooner than ／刚…马上就…／ – 했다고 생각한 순간 /– 하자마자】★2

①空でなにかピカッと光ったかと思うと、ドーンと大きな音がして地面が揺れた。
②あの子はやっと勉強を始めたと思ったら、もういねむりをしている。
③うちの子どもは学校から帰ってきたかと思うと、いつもすぐ遊びに行ってしまう。

Vた　＋（か）と思うと

1）「～（か）と思うと…」の形で、「～」が起こったすぐ直後に「…」が起こる、と言いたいときに使う。　2）「(か) と思うと」は現実のできごとを描写するのであるから、意志的な行為を表す文や「よう・つもり」などの意志の文・命令文・否定文などが後に来ることはない。また、自分のことには使えない。　◆×学校から帰ってきたかと思うと、すぐ勉強しよう。　3）②の「と思ったら」も意味・用法は同じ。
4）同様の意味･用法を持つ表現には次のものがある。参 **か～ないかのうちに・がはやいか・たとたん（に）・なり・やいなや**

1）One event directly follows another.
2）Phrase ～（か）と思うと describes actual event. Clauses expressing volitional action or words of volition, such as よう or つもり, commands, or negatives cannot follow. Cannot be used for the speaker. →◆　3）In sentence ②, と思ったら has the same meaning and usage.　4）Patterns with similar meanings or usage are: →参

1）采用「～（か）と思うと…」的形式，表示「～」部分的事情刚一发生，「…」部分的事情就紧跟着发生了。　2）「(か)と思うと」描写的是现实中发生的事，所以后半句不可以出现表示意志性行为的句子或「よう・つもり」等意志句、命令句、否定句等。另外，也不能出现说话人自己的事情。→◆　3）例句②的「と思ったら」意义、用法与本句型相同。　4）与本句型意义、用法相同的还有如下的这些。→参

1）「～（か）と思うと…」의 형태로，「～」가 일어난 바로 직후에「…」가 일어난다，고 말하고자 할 때에 사용한다．2）「(か)と思うと」는 실제로 일어난 사안에 대해 묘사하는 것이기 때문에，의지적인 행위를 나타내는 문장이나「よう・つもり」등의 의지적인 문장，명령문，부정문 등이 뒤에 오는 경우는 없다．또한，자신의 일에 대해서는 사용할 수 없다．3）②의「と思ったら」도 의미，용법은 같다．→◆　4）비슷한 의미，용법을 갖는 표현에는 다음과 같은 것이 있다．→参

かとおもうほど【まるで～かのように　so…that／简直像…／－라고 생각될 정도로】★3

①雪解けの水は指が切れる<u>かと思うほど</u>冷たい。
②山の上で見る星は今にも降ってくる<u>かと思うほど</u>近くに感じられる。
③雷が落ちた<u>かと思うほど</u>大きい音がした。
④うれしくてうれしくて、夢<u>かと思うほど</u>でした。

◎ **普通形**（ナA／N）＋かと思うほど

「実際にそうなったのではないが、そのような極端な状態かと感じられるほど程度が大きい」と比喩で言うときの表現。

Metaphor meaning that something looms large as an extreme situation though in actuality it is not.

是一种比喻说法，意为“虽说实际上并没有那样，但是感觉上已经到了那种极端状态，程度非常之深”。

「실제로 그렇게 된 것은 아니지만，그와 같은 극단적인 상태라고 느껴질 정도로 정도가 크다」라고 비유해서 말할 때 사용하는 표현이다．

（か）とおもったら　➡（か）とおもうと　52

か〜ないかのうちに

【〜すると、同時に
just barely…when／正…呢，马上就已经…了／－하자마자 / 채 －되기도 전에】★2

①子どもは「おやすみなさい」と言ったか言わないかのうちに、もう眠ってしまった。
②彼はいつも終了のベルが鳴ったか鳴らないかのうちに、教室を飛び出していく。
③このごろ、うちの会社では一つの問題が解決するかしないかのうちに、次々と新しい問題が起こってくる。

◎ Vるか・Vたか ＋Vないか ＋ のうちに

1）「〜か〜ないかのうちに…」の形で、「〜」が起こったすぐ直後に「…」が起こる、と言いたいときに使う。　2）「か〜ないかのうちに」は現実のできごとを描写するのであるから、意志的な行為を表す文や「よう・つもり」などの意志の文、命令文、否定文などが後に来ることはない。　◆×空港に着くか着かないかのうちに会社に電話をかけるつもりです。　3）同様の意味･用法を持つ表現には次のものがある。参 **（か）とおもうと・がはやいか・たとたん（に）・なり・やいなや**

1）One event happens shortly after another.　2）Phrase 〜か〜ないかのうちに describes actual event. Phrases expressing volitional action or words of volition, such as よう or つもり, commands, or negatives cannot follow.　→ ◆　3）Patterns with similar meanings or usage are: →参

1）采用「〜か〜ないかのうちに…」的形式，表示「〜」部分的事情刚一发生，「…」部分的事情就紧跟着发生了。　2）「か〜ないかのうちに」描写的是现实中发生的事，所以后半句不可以出现表示意志性行为的句子或「よう・つもり」等意志句、命令句、否定句等。→◆　3）与本句型意义、用法相同的还有如下的这些。→参

1）「〜か〜ないかのうちに…」의 형태로,「〜」가 일어난 바로 직후에「…」가 일어난다, 고 말하고자 할 때에 사용한다.　2)「か〜ないかのうちに」는 실제로 일어난 사안에 대해 묘사하는 것이므로, 의지적인 행위를 나타내는 문장이나「よう・つもり」등의 의지적인 문장, 명령문, 부정문 등이 뒤에 오는 경우는 없다. →◆　3）비슷한 의미 · 용법을 갖는 표현에는 다음과 같은 것이 있다. →参

かねない

【〜かもしれない
could／可能会／－할 수도 있다 /－하게 될 수도 있다】★2

①そんな乱暴な運転をしたら事故を起こしかねないよ。
②食事と睡眠だけはきちんと取らないと、体を壊すことになりかねません。
③最近のマスコミの過剰な報道は、無関係な人を傷つけることにもなりかねない。

Ⓞ V~~ます~~　＋ かねない

話者が結果や成り行きを危惧して、「～という悪い結果になる可能性がある」と言いたいときに使う。

Speaker apprehends result or course of events as having potential of being adverse.

说话人害怕结果或者事态发展，再想要表达"可能会导致～这种坏结果"时使用本句型。

말하는 사람 (話者) 이 결과나 진행상황에 대한 걱정으로,「～라고 하는 좋지 않은 결과가 될 가능성이 있다」고 말하고자 할 때 사용한다.

かねる【～できない cannot deal with／不能／－하기 어렵다/－할 수 없다】★2

①親の希望を考えると、結婚のことを両親に言い出しかねています。

②わたしの経済的に困った状況を見かねたらしく山田さんが助けてくれた。

③彼は留学生活の寂しさに耐えかねて、1年もたたないうちに帰国してしまった。

④客：ホンコン行きの飛行機は何時に出ますか。

　係：ここではわかりかねますので、あちらのカウンターでお聞きください。

⑤ただ今のご説明では、私どもとしては納得しかねます。

Ⓞ V~~ます~~　＋ かねる

1)「気持ちの上で抵抗があってそうすることはできない、難しい」という意味を表す。

2) ④は、サービス業などで客の希望に応じられないことを婉曲に言う例である。⑤は、ビジネスなどの改まった場面で使われる例である。

1) Something is difficult or impossible to do because of emotional resistance. 2) Sentence ④ is used in service industry as soft way to say the company cannot meet customer's demands. Sentence ⑤ is used in formal business situations.

1) 表达"由于在情绪上有所抵触,所以不能或很难做某事之意。

2) 例句④是服务业在无法满足客户需求时的一种委婉的表达。例句⑤是商务等正规场合的用例。

1)「기분이 썩 내키지 않아서 그렇게 할 수 없다, 어렵다」고 하는 의미를 나타낸다. 2) ④는 서비스업 등에서 손님의 요구를 들어줄 수 없는 사항에 대한 완곡한 표현이다. ⑤는 비즈니스 등의 격식을 차린 장면에서 사용되는 예문이다.

かのようだ　➡かのように　56

かのように【～ように (seems) as if／好像／－인 것처럼 /－처럼】★2

①山田さんの部屋は何か月もそうじしていないかのように汚い。

②リンさんはその写真をまるで宝ものか何かのように大切にしている。

③4月になって雪が降るなんて、まるで冬が戻ってきたかのようです。

④田中さんにその話をすると、彼は知らなかったかのような顔をしたが、本当は知っているはずだ。

◎ **普通形**（ナAである／N・Nである） ＋ かのように

1）実際にはそうではないが、「まるで～ように」と何かにたとえて、言うときの表現。　2）②の「～か何か」は「～か、またはそれに類するようなもの」という意味で慣用的に使われる。

1）Expression used as a simile; means something is just like something else even though in actuality the two are different. 2）In sentence ②, か何か is idiomatic expression meaning whatever precedes pattern or something belonging to similar category.

1）实际上并不是那样，但运用比喻「まるで～ように」（"就好像…一样"）的形式说明某种状态　2）例句②的「～か何か」意为「就像～，或与其类似的东西一样」，常作为惯用句使用。

1）실제로는 그렇지 않지만,「마치 ～인 것처럼」이라고 뭔가를 비유해서 하는 표현법이다．2）②의「～か何か」는「～，또는 그것과 견줄 수 있는 물건」이라는 의미로，관용적으로 사용된다．

がはやいか【～すると、同時に no sooner than／做一件事的同时／－하자마자 /－함과 동시에】★1

①小田先生はチャイムが鳴るが早いか、教室に入ってきます。

②ひろ子は自転車に乗るが早いか、どんどん行ってしまった。

③その警察官は遠くに犯人らしい姿を見つけるが早いか追いかけて行った。

◎ Vる ＋ が早いか

1）「～が早いか…」の形で、「～」が起こると直後に「…」の動作をする、と言いたいときに使う。　2）「がはやいか」は現実のできごとを描写するのであるから、意志的な行為を表す文や「よう・つもり」などの意志の文、命令文、否定文などが後に来ることはない。　◆×チャイムが鳴るが早いか授業をやめてください。　3）同様の意味･用法を持つ表現には次のものがある。参 **（か）とおもうと・か～ないかのうちに・たとたん（に）・なり・やいなや**

1）Some action occurs shortly after another. 2）Phrase ～が早いか describes actual event. Clauses expressing volitional action or words of volition, such as よう or つもり, commands, or negatives cannot follow. →◆　3）Patterns with similar meanings or usage are: →参

1）采用「～が早いか…」的形式，意义为: 刚一发生「～」的情况，马上做「…」的动作。 2）「がはやいか」由于是描写现实中的事物的，所以后半句不出现意志性行为句或带「よう・つもり」之类的意志句、命令句、否定句等。→◆　3）和本句型有相同的意义、用法的句型如下：→参

1）「～が早いか…」의 형태로，「～」가 일어난 직후에「…」의 동작을 한다，고 말하고자 할 때 사용한다． 2）「がはやいか」는 실제로 일어난 사안에 대해 묘사하는 것이므로，의지적인 행위를 나타내는 문장이나，「よう・つもり」등의 의지적인 문장，명령문，부정문 등이 뒤에 오는 경우는 없다．→◆　3）비슷한 의미・용법을 갖는 표현에는 다음과 같은 것이 있다．→参

がほしい【(I) want／想要／－을 갖고 싶다/－이 필요하다】★5

①わたしは新しいノートパソコンがほしいです。

②若いときは洋服やくつがたくさんほしかったですが、今はあまりほしくないです。

③ A：今、いちばんほしいものは何ですか。
　B：そうですね。寝る時間がほしいです。

④タンさんは日本人の友だちがほしいと言っています。

⑤ A：きれいなかばんですね。
　B：ああ、これ、わたしはほしくなかったんですが、父が買ってくれたんです。

Nが　＋ほしい

1）１人称（わたし）の欲求や希望を表す。相手の欲求や希望を聞く場合にも使うが、目上の人に直接使わないほうがいい。　◆（レストランで）△先生、何がほしいですか。→○先生、何を召し上がりますか。　2）イ形容詞と同じように活用する。　3）３人称が主語の文の文末にはそのまま使えない。④のように「と言っている」や「がっている」をつける必要がある。　◆×タンさんは日本人の友だちがほしいです。

1) Desires and wishes in the first person. Used to ask desires and wishes of others, but is best to avoid using directly toward social superiors. →◆ 2) Conjugates like イ adjectives. 3) Cannot be used at the end of sentences in which a third person is the subject. Must be constructed as in sentence ④, with と言っている or がっている. →◆

1）表示第一人称（即：我）的欲求、愿望等。也意义用于询问对方（听话人）的欲求、愿望等，但是本句型不能直接用于对上级、长辈的询问。→◆ 2）活用和イ形容词的活用遵循同样规律。
3）如果句子主语是第三人称，则不能原封不动地使用本句型。如例句④那样，需要在句子后面加上「と言っている」「がっている」等方才可以。→◆

1) 1인칭（わたし）의 욕구나 희망을 나타낸다. 상대방의 욕구나 희망을 들을 때에도 사용하지만, 손 윗 사람에게는 직접적으로 사용하지 않는 것이 좋다. →◆ 2) イ형용사와 마찬가지로 활용한다. 3) 3인칭이 주어인 문장의 문말에는 그대로는 사용할 수 없다. ④와 같이「と言っている」나「がっている」를 붙여서 사용할 필요가 있다. →◆

かまわず ➡もかまわず 376

かもしれない【perhaps; it may be that／可能，说不定／－일지도 모른다/－일 수도 있다】★4

①雪の日は、この道は危ないですよ。すべるかもしれませんよ。
②今日は母が病気なので、先に失礼するかもしれません。
③ヤン：わたしの答えは正しいですか。
先生：正しいかもしれません、正しくないかもしれません。自分で調べてみてください。
④（スポーツ番組で）あ、森田選手、速い、速い、金メダルが取れるかもしれません。
⑤外国で病気になるかもしれないから、旅行の保険に入った方がいいですよ。

普通形（ナA／N） ＋ かもしれない

その可能性があるという意味に使う。その可能性は、③のように半々の場合も、④のようにかなり高い場合も、⑤のように万が一という場合もある。可能性を期待したり、恐れたりするときなどにも使われる。

Possibility, whether fifty-fifty, as in sentence ③; very high, as in sentence ④; or quite low, as in sentence ⑤. Used when either looking forward to or dreading an event.

表示有那样的可能性。这种可能性也许像例句③那样，是可能发生也可能不发生的，也许是像例句④那样，发生的可能性极高，或者像例句⑤那样，只有万分之一的可能发生。也可以用于期待或者恐惧这种可能性的到来。

그럴 가능성이 있다고 하는 의미로서 사용한다. ③처럼 가능성이 반반인 경우에도, ④처럼 가능성이 상당히 높은 경우에도, ⑤처럼 만일의 경우에도 사용한다. 가능성을 기대하거나, 두려워하는 경우 등에도 사용할 수 있다.

から〈原因・理由〉【so; since／因为，由于／– 이니까 /– 이기 때문에 /– 이므로】★5

①スープが熱いから、気をつけて持っていきなさい。
②納豆はきらいですから、食べたくないんです。
③ちょっと空気が悪いから、窓を開けてもいいですか。
④一郎　：どうして冬が好きなの。
　はな子：スキーができるからよ。
⑤この箱、捨てないでね。後で使うから。

◎ **普通形**・丁寧形　＋ から

1）原因、理由を言いたいときに使う。文末には、話す人の意志を表す文（「たい」など）や、働きかけの文（なさい・てください、など）が来ることが多い。　2）依頼や断りを言うときには強く聞こえるので「から」は使わない方がいい。　◆△辞書を忘れたから、ちょっと見せてくださいませんか。→○辞書を忘れたんですが、ちょっと見せてくださいませんか。

1）Cause or reason.　Often clauses expressing speaker's volition（たい, etc.）or exhortation（なさい, てください, etc.）come at end of sentence.　2）Best not to use から in requests or refusals because sounds too strong. →◆

1）用于表示原因、理由等。句末常常会出现表达说话人意志的「たい」或使役的「なさい・てください」等。　2）请求对方或拒绝对方做某事的时候，使用「から」听起来语气较强，所以应该尽量避免使用。→◆

1）원인 · 이유를 말하고자 할 때에 사용한다. 문말에는, 말하는 사람（話者）의 의지를 나타내는 문장（「たい」등）이나 상대방에게 어떤 행동을 할 것을 요청하는 문장（なさい・てください등）이 오는 경우가 많다.　2）의뢰나 거절을 말 할 때에는 너무 강하게 들릴 수 있으므로「から」는 사용하지 않는 편이 좋다. →◆

から〈原因〉【～が原因で from; on account of／由于～的原因／– 때문에 /– 로부터】★3

①たばこの消し忘れから火事になった。
②一瞬の不注意から事故が起こる。運転中に携帯電話を使ってはいけない。
③友人の無責任な言葉から、彼女は会社にいられなくなり、辞めてしまった。

◎ N　＋ から

「～から、…」の形で、「～が原因で、…の結果となった」と言うときに用いる。

Shows something is a cause of a result.

采用「～から、…」的形式，表示“由于～的原因，导致…的结果”。
「～から、…」의 형태로，「～가 원인으로，…의 결과가 되었다.」고 말할 때 사용한다.

からある【～か、それ以上もある～ extends from／超过…，…以上／－씩이나 되는】★1

①ホテルのエレベーターが故障していたので、20キロからある荷物を背負って7階まで階段を上った。

②田中さんは80歳になるのに5キロからある道を毎日歩いて通ってくる。

③作業員は100枚からの窓ガラスを手際よく次々と磨いていく。

④3億円からするマンションがたくさん売れているそうだ。

⑤この画家の作品は小さいものでも10万円からする。

◎ 数量 ＋からある　　値段 ＋からする

1）数量を表す言葉につけて、多いことを強調する言い方。　2）③の「からの」もほとんど同じような意味に使う。　3）値段の場合は④⑤のように「からする」を使う。

1）Emphasizes large amounts. Added to words expressing quantity.　2）Used nearly the same way as からの, as in sentence ③.　3）Becomes からする when used with prices, as in sentences ④ and ⑤.

1）接在表数量的词后面，强调数量之多。　2）例句③「からの」也表示大致相同的意义。　3）如例句④⑤，在表示价格的时候，用「からする」。

1）수량을 나타내는 말에 붙어서，많다는 것을 강조하는 표현법이다.　2）③의「からの」도 거의 같은 의미로 사용된다.　3）가격의 경우에는 ④⑤처럼「からする」를 사용한다.

からいうと【～の方面から判断すると judging from…／从～方面判断的话／－만 본다면/－를 생각하면/－로 봐서】★2

①仕事への意欲からいうと、田中さんより山下さんの方が上だが、能力からいうと、やはり田中さんの方が優れている。

②小林選手は、年齢からいえばもうとっくに引退してもいいはずだが、意欲、体力ともにまだまだ十分だ。

③リンさんの性格からいって、黙って会を欠席するはずがない。何か事故でもあったのではないだろうか。

④教師のわたしの立場からいっても、試験はあまり多くない方がいいのです。

◎ N ＋からいうと

1）それに視点を置いて判断するとどうであるか、その人の視点で評価するとどうであるかを言いたいときに使う。　2）②の「からいえば」、③④の「からいって」の形もある。　3）「からすると」と意味・用法が同じ。

参 からすると

1) Used when looking how something would be appraised from certain viewpoint or judged from an individual's standpoint. 2) Also in form からいえば, as in sentence ②, and からいって, as in sentences ③ and ④. 3) Same meaning and usage as からすると. →参

1）表示以此为着眼点进行判断的话，情况会怎样。从那个人的眼光出发的话，情况会怎样。　2）也有如例句②的「からいえば」、例句③④的「からいって」等形式。　3）和「からすると」意义、用法相同。→参

1）거기에 초점을 맞추어 판단하면 어떨지，그 사람의 관점에서 평가하면 어떨지를 말하고자 할 때 사용한다．2）②의「からいえば」，③④의「からいって」형태도 있다．3）「からすると」와 의미，용법이 같다．→参

からいえば　➡からいうと　60

からいって　➡からいうと　60

からいっても　➡からいうと　60

からこそ【～から it is precisely because; that／正因为～／－이니까/－이기 때문에/오히려 －이기 때문에】★3

①あなただからこそお話しするのです。ほかの人には言いません。

②彼は数学や英語の成績がよかったからこそ、合格できたのでしょう。

③先生に手術をしていただいたからこそ、再び歩けるようになったのです。

④あの子のことをかわいいと思っているからこそ、厳しくしつけるのです。

⑤雨だからこそ、うちにいたくない。雨の日にうちにいるのは寂しすぎる。

◎ 普通形 ＋からこそ

1）二つの使い方がある。①～③のように「～からこそ、…」の形で、「～」がただ一つの理由であり、それを強調したいときに使う。「～からこそ…のだ」の形で使うことが多い。マイナスの意味での強めにはあまり使われない。　2）もう一方は④⑤のように、常識に反する理由だがその理由を特に言いたいときの使い方。

1）Two uses. One emphasizes reasons solely responsible for something, as in sentences ① to ③. Often found in pattern ～からこそ…のだ. Not used much to stress negative aspects.　2）Second usage as in sentences ④ and ⑤, when someone wants to stress reason that goes against common sense.

1）有两种用法。一种用法如例句在①～③,采用「～からこそ、…」的形式,「～」只是一个理由，在想要强调这个理由的时候，就可以使用本句型。常采用「～からこそ…のだ」的形式。基本不用于强调负面的、不好的原因。　2）另一种用法如例句④⑤所示，陈述的理由是一个与常识相反的理由，在特别想要强调这个不合常理的理由时，使用本句型。

1）두 가지의 사용법이 있다. ①~③처럼「～からこそ、…」의 형태로,「～」만이 유일한 이유이기 때문에 그것을 강조하고 싶을 때 사용한다.「～からこそ…のだ」의 형태로 사용할 때가 많다. 마이너스적인 의미를 강조할 때에는 그다지 사용되지 않는다.
2）다른 한편의 사용법은 ④⑤처럼, 상식적인 이유는 아니지만 그 이유에 대해 특별하게 말하고자 할 때의 사용방법이다.

からして【第一の例をあげれば　even／就从…来看／우선 - 부터】★2

①この職場には時間を守らない人が多い。所長からしてよく遅刻する。

②この地方の習慣はわたしのふるさとの習慣とはずいぶん違っている。第一、毎日の食べ物からして違う。

③この店の雰囲気は好きになれない。まず、流れている音楽からしてわたしの好みではない。

◎N　＋からして

最も基本的なことや、普通はあまり問題にならないことを取り上げ、「～さえそうなのだからほかのことも…」と言いたいときに使う。マイナスに評価することが多い。

Takes up issues that are most fundamental or not normally problematic (even … is such, so of course everything else is…). Often used in negative appraisals.

取最为基本的，一般不成的一个因素，在想要表达“连～都这样，更何况其他的因素就…”之意时使用该句型。大多用于负面评价。

아주 상식적인 사항이나, 일반적으로는 그다지 문제가 되지 않는 사항을 예로 들어,「～조차 그러니까 다른 일도 …」라고 말하고자 할 때 사용한다. 마이너스적으로 평가하는 경우가 많다.

からして　➡からすると　63

からしても　➡からすると　63

からする　➡からある　60

からすると【～の立場で考えると from the standpoint of／从…的立场考虑的话／－입장에서 본다면】★2

①米を作る農家からすると、涼しい夏はあまりありがたくないことだ。

②安全を守るという点からすれば、子どもたちの行動をある程度制限するのはしかたがないことだろう。

③年金生活者の立場からして、増税はとても認められない政策だ。

④びんや缶などの資源回収は資源の保護から見て望ましいことだが、生産者の側からしても有益なことだと思う。

◎N　＋からすると

1）判断・評価をする立場・着眼点を表す。その立場に立って考えるとどうであるかを言うときの表現。「からいうと」と意味・用法が同じ。　2）②の「からすれば」、③④の「からして」の形もある。

参からいうと

1）Judgments, positions from which to make appraisals, or focus of something. Shows how to approach issue from particular standpoint. Same meaning and usage as からいうと. 2）Also takes forms からすれば, as in sentence ②, and からして, as in sentences ③ and ④. →参

1）表示判断、评价所出发的立场、着眼点。表示从那个立场出发考虑的话，情况会是怎样的。和「からいうと」意义、用法相同。
2）也有例句②的「からすれば」、例句③④的「からして」等形式。→参

1）판단，평가를 하는 입장이나 착안점을 나타낸다. 내가 그 입장이 되어 생각해 본다면 어떻게 할 것인지에 대해 말할 때 사용하는 표현이다.「からいうと」와 의미，용법이 같다.　2）②의「からすれば」，③④와 같은「からして」형태도 있다. →参

からすれば　➡からすると　63

からって　➡からといって　63

からでないと　➡てからでないと　174

からといって【～ということから当然考えられることとは違って just because…doesn't necessarily mean／虽说／－라고 해서】★2

①大学を出たからといって、必ずしも教養があるわけではない。

②アメリカに住んでいたからといって、英語がうまいとは限らない。

③暑いからといって、クーラーの効いた部屋の中にばかりいると体によくないよ。

④おいしいからって、アイスクリームばかり食べちゃだめだよ。

⑤A：あの人はお金持ちだから、きっと寄付してくれるよ。
　B：金持ちだからって、寄付をしてくれるとは限らないよ。

◎ **普通形** ＋からといって

「～からといって」の形で、「～ということから当然考えられることとは違って」という意味を表す。文末にはほとんど否定の表現が来る。「とは限らない・わけではない・というわけではない」などの部分否定が来ることが多い。話す人の判断や、批判を言うときによく使う。くだけた会話では「からって」を使う。

Different from what is considered norm. Negative forms are usually found at the end of sentence. Often, negative endings such as とは限らない, わけではない, or というわけではない follow Often expresses speaker's judgment or criticism. Becomes からって in informal speech.

采用「～からといって」的形式，表达“从～的观点出发理所当然是但却不是”之意。句末通常会出现否定表达。而且大多是「とは限らない・わけではない・というわけではない」等部分否定。常常用来表达说话人的判断、评论。较为通俗的会话中使用「からって」。

「～からといって」의 형태로,「～라고 하는 것으로 미루어 당연히 그럴 것이라고 생각한 것과는 달리」라고 하는 의미를 나타낸다. 문말에는 거의 부정 표현이 온다.「とは限らない·わけではない·というわけではない」등의 부분 부정이 오는 경우가 많다. 말하는 사람 (話者) 의 판단이나 비판을 말할 때에 자주 사용한다. 허물없는 사이의 대화에서는「からって」를 사용한다.

から～にかけて 【～から～までの間 from…till／从～到～／－부터 - 에 걸쳐서】 ★3

①このスタイルは1970年代から1980年代にかけて流行したものだ。

②朝、7時半から8時にかけて、電車がとても込む。

③（天気予報）明日は東北から関東にかけて、小雨が降りやすい天気になるでしょう。

④（交通情報）首都高速道路は銀座から羽田にかけて、ところどころ渋滞となっております。

◎ N ＋から ＋ Nに ＋かけて

1）始まりと終わりがそれほどはっきりしていない範囲を表し、その範囲内で連続的に、または断続的にあることが続いていると言いたいときに使う。「～から～まで」と似ているが「～から～まで」は始まりと終わりがはっきりしていて、その間ずっと同じ状態が続いていることを表す。　2）後の文は1回だけのことではなく、連続的なこと。

◆×A駅からB駅にかけて、わたしのアパートがあります。→○A駅からB駅にかけてアパートがたくさん並んでいる。／×夜中から明け方にかけて、チンさんが訪ねてきました。→○夜中から明け方にかけて雨が降りました。

1）Range with a vague beginning and end. Successive state of either continuity or intermittency within a range. Similar to ～から～まで, although latter has definite beginning and ending and expresses continuation of certain condition throughout temporal or physical range. 2）Clauses following also indicate continuation rather than one-time discrete events. →◆

1）表示起点和终点都不是十分明确的一个范围，事物在这个范围内是连续的，或者断续的，在想要表达这样的意思时使用本句型。本句型和「～から～まで」相似，但是「～から～まで」所表示的范围，其起点和终点都是明确的，且在此范围内，事物保持着持续不断的同一种状态。 2）后半句不可以是一次性的动作，而必须是持续性的（动作或状态）。→◆

1）시작과 끝이 그다지 명확하게 구별되지 않는 범위를 나타내고, 그 범위 내에서 연속적으로, 또는 계속적으로 어떤 사안이 지속되고 있다고 말하고자 할 때 사용한다.「～から～まで」와 비슷하지만「～から～まで」는 시작과 끝이 명확하고, 그 동안 계속해서 같은 상태가 이어지고 있는 것을 나타낸다. 2）뒤에 오는 문장은 한번만 일어나는 사건이 아니라, 연속적으로 일어나는 것을 나타낸다. →◆

からには【のなら／のだから now that…then naturally／既然～就／－한 이상은／어차피 －한다면】★3

①ひきうけた<u>からには</u>、最後まできちんとやる責任がある。

②やる<u>からには</u>、最後までやれ。

③日本に来た<u>からには</u>、日本のことを徹底的に知りたい。

④自分からやると言った<u>からには</u>、人に認められるような仕事をしたい。

普通形（ナAである／Nである） ＋ からには

1）「～からには、…」の形で、「～のだから、当然…」と言いたいときの表現。「…」では、最後までやり遂げるという意味のことを言うことが多い。 2）「…」には「べきだ・つもりだ・はずだ・にちがいない・てはいけない」など、話者の意志を表す言い方、相手への働きかけの言い方がよく使われる。

1）"Since…then naturally." Phrase following often means to carry something through to end. 2）Phrases of volition or of appeal, such as べきだ, つもりだ, はずだ, にちがいない, or てはいけない often follow.

1）采用「～からには、…」的形式，在想要表达"因为～，所以…是理所当然的"之意时使用本句型。「…」通常是表达做某事坚持做到最后为止的句子。 2）「…」部分经常出现「べきだ・つもりだ・はずだ・にちがいない・てはいけない」等表示说话人意志或要求听话人做某事的句子。

1）「～からには、…」의 형태로,「～한 이상 당연히…」라고 말하고자 할 때의 표현이다.「…」에서는, 마지막까지 완수한다고 하는 의미를 나타내는 경우가 많다. 2）「…」에는「べきだ・つもりだ・はずだ・にちがいない・てはいけない」등, 말하는 사람(話者)의 의지를 나타내는 표현법으로, 상대방에게 일정한 역할을 요청하는 표현이 자주 사용된다.

からの ➡からある 60

がる【(he, she, it is) eager to; tends to／表第三人称的愿望等／－하고 싶다 /－하다】★4

①赤ちゃんがミルクをほしがって、泣いています。

②弟はオーストラリアの大学に行きたがっています。

③最近子どもが幼稚園に行きたがらないので、心配しています。

④父が帰ってくると、犬はうれしがって部屋の中を走り回ります。

⑤このごろ、たばこの煙を嫌がる人が多くなりました。

⑥子どもはほかの子どもの持っているものをほしがります。

◎イA~~い~~／ナA　＋がる

1）「ほしい・Vたい、痛い・うれしい・残念だ」などについて、3人称の要望・希望、身体的感覚、感情を表す。　2）動詞Ⅰと同じように活用する。　3）「ほしい」につく場合、助詞「が」は「を」に変わる。わたしはN**が**ほしい。→弟はN**を**ほしがっている。　4）普通は「がっている」の形で使うが、⑥のように一般的な傾向を言う場合は「がる」の形で使う。　5）主語が目上の人の場合は使わない方がいい。◆△先生は車をほしがっています。→○先生は車がほしいとおっしゃっています。

1）Third person's desires, wishes, physical sensations, or emotions. Uses phrases such as ほしい (want), V-たい (want to), 痛い (hurt), うれしい (happy), or 残念だ (too bad).　2）Conjugates like -u verbs.　3）When attached to ほしい, particle が becomes を. Examples: わたしはN**が**ほしい。→弟はN**を**ほしがっている。　4）Usually in the form -がっている, but がる is used to express general trends, as in sentence ⑥.　5）Best not to use when subject is social superior. →◆

1）接在「ほしい・Vたい・痛い・うれしい・残念だ」等后面，表示第三人称的愿望、希求、身体感觉、感情等。　2）和五段动词遵循同样的活用规律。　3）接「ほしい」时，助词「が」变为「を」。如：わたしはN**が**ほしい。　变为：弟はN**を**ほしがっている。　4）通常情况下采用「がっている」的形式，但是像例句⑥那样，描述一般的常规倾向的场合，则采用「がる」的形式。　5）如果主语是上司或长辈，最好不要使用本句型。→◆

1）「ほしい・V たい・痛い・うれしい・残念だ」등에 대해，3인칭의 요망・희망，신체적 감각，감정을 나타낸다．2）동사 Ⅰ과 동일한 활용을 한다．3）「ほしい」에 붙는 경우에는，조사「が」는「を」로 변한다．わたしはN**が**ほしい。→ 弟はN**を**ほしがっている。　4）보통은「がっている」의 형태로 사용하지만，⑥처럼 일반적인 경향을 말하는 경우에는「がる」의 형태로 사용한다．5）주어가 손 윗 사람인 경우에는 사용하지 않는 편이 좋다．→◆

かわきりに　➡をかわきりに（して）　420

かわって　➡にかわって　292

かわりに〈代償〉【～の代償として the other side is; in exchange; in lieu of／作为一种代替、补偿／ – 대신에】★3

①ジムさんに英語を教えてもらう<u>代わりに</u>、彼に日本語を教えてあげることにした。

②この辺は買い物などに不便な<u>代わりに</u>、自然が豊かで気持ちがいい。

③現代人は生活の便利さを手に入れた<u>代わりに</u>、自然を壊してしまったのではないか。

④夫は新聞は読まない<u>代わりに</u>、雑誌はすみずみまで読む。

普通形（ナAな・ナAである／Nである）＋代わりに

1）②③のように「プラスのことがある反面、マイナスのこともある、または、その逆のこともある」という意味で使うことが多い。また、①④のように、あることの代償に別のことをする、という使い方もある。　2）①は「Vてもらう代わりに、Vてあげる」または「Vてあげる代わりに、Vてもらう」という相互関係を持つことを言う。

1）Often used as in sentences ② and ③ to show that something has both merits and demerits, or that the issue has an opposite side. Also used as in sentences ① and ④, in which something is done in compensation for something else.　2）In sentence ①, mutual relationships are contrasted using Vてもらう代わりに, Vてあげる (in exchange for having something done for me, I will do …for someone), or Vてあげる代わりに, Vてもらう (in exchange for doing something for someone, I will have…done for me).

1）通常表达像例句②③那样的“与好的一面相对，也有坏的一面；或者相反，有不好的一面，反过来也有好的一面。”之意。另外还有一种用法，如例句①④所示，意为：作为做一件事的代价，还要做另一件事。　2）例句①表达「Vてもらう代わりに、Vてあげる」或者「Vてあげる代わりに、Vてもらう」之类的相互赠与的关系。

1）②③처럼「플러스적인 면이 있는 반면, 마이너스적인 면도 있다, 또는, 그 반대일 경우도 있다」고 하는 의미로 사용하는 경우가 많다. 또한, ①④와 같이, 어떤 사건에 대한 보상차원에서 다른 일을 한다, 고 하는 사용법도 있다.　2）①은「Vてもらう代わりに、Vてあげる」또는「Vてあげる代わりに、Vてもらう」라고 하는 상호관계를 갖는 것을 가리킨다.

かわりに〈代理〉【～の代理として／～するのではなく in place of／代替／ – 대신해서 (사람 뒤에 올 때)/– 대신에】★3

①雨が降ったのでテニスの練習をする<u>代わりに</u>、うちでテレビを見て過ごしました。

②いつものコーヒーの<u>代わりに</u>、安い紅茶を飲んでみたがけっこうおいしかった。

③出張中の課長の<u>代わりに</u>、わたしが会議に出ます。

④市役所に行くのに、自分で行く<u>代わりに</u>、姉に行ってもらった。

⑤メールをする<u>代わりに</u>、今日は久しぶりで長い手紙を書いた。

Vる／Nの　＋代わりに

①②は「人や物の代理として、別の人や物」という意味で、③～⑤は「普通することをしないで別のことをする」という意味。

In sentences ① and ②, a proxy or substitute acts on behalf of someone or something else. In sentences ③ through ⑤, means to do something other than one's habitual action.

例句①②是表达“作为人或物的代理，（启用）别的人或物”之意，而例句③～⑤是“不做通常所做的事，而是做别的事”之意。

①②는「사람이나 사물을 대신하는 다른 사람이나 물건」이라고 하는 의미로, ③~⑤는「일반적으로 하는 행위 대신에 다른 것을 한다」고 하는 의미이다.

かんして　➡にかんして　293

かんする　➡にかんして　293

きっかけにして　➡をきっかけに（して）　421

きまっている　➡にきまっている　293

ぎみ【少し～の感じがする be a little; have a touch of／有点…的感觉／왠지 - 한 느낌】★2

①今日はちょっと風邪気味なので、早めに帰らせてください。

②最近、忙しい仕事が続いたので少し疲れ気味です。

③長雨のため、このところ工事はかなり遅れ気味だ。

④このごろ成績がちょっと下がり気味ですが、どうかしたんですか。

◎ V~~ます~~／N　＋ 気味

1）「程度はあまり強くないが、～の傾向がある」と言いたいときの表現。よくない場合に使うことが多い。　2）ほかに、太り気味・不足気味・相手チームに押され気味・物価が上がり気味、などの例がある。

1) Something does not have strong degree, but there is tendency toward something. Often used for unpleasant situations.　2) Also used in such phrases as 太り気味 (slightly fat), 不足気味 (tends to lack), 相手チームに押され気味 (tends to get checked by the other team), 物価が上がり気味 (prices tend to rise), etc.

1）在想要表达“虽然程度不深，但是有点～的倾向”之意时使用本句型。多用于不好的情况。　2）此外还有 太り気味、不足気味、相手チームに押され気味、物価が上がり気味　等用例。

1)「정도는 그리 심하지 않지만, ~의 경향이 있다」고 말하고자 할 때의 표현이다. 형편이 좋지 않은 장면에서 사용하는 경우가 많다.　2) 太り気味(약간 뚱뚱한 편)·不足気味(약간 부족한 편)·相手チームに押され気味 (상대팀에게 눌리는 느낌)·物価が上がり気味 (물가가 오르고 있는 느낌)　등으로 쓰인다.

きらいがある【～の傾向がある be liable to; be inclined to ／有～的倾向／ – 하는 경향이 있다】★1

①あの人の話はいつも大げさになるきらいがある。
②中年になると、どうも新しいものに興味を持たなくなるきらいがある。
③人は自分の聞きたくないことは耳に入れないというきらいがあるのではないか。
④最近の選挙では投票率低下のきらいがある。

Vる・Vない／Nの　＋ きらいがある

１）自然にそうなりやすいよくない傾向について批判的に言うときに使う。そのときの外見ではなく、本質的な性質に使われる。　２）「どうも～きらいがある」の形でよく使われる。

１）Criticism expressing that something naturally has a tendency toward a negative condition. Used not for external appearances but for fundamental essence of an issue. ２）Often found in the pattern, どうも～きらいがある.

１）对一种不好的倾向持批判的态度时常常使用本句型，这种倾向是人们自然而然的容易变成那样的。不用于表面上看起来的样子，而是说到本质性质的时候才使用本句型。　２）常采用「どうも～きらいがある」的形式。

１）자연적으로 그렇게 되기 쉬운 나쁜 경향이 있는 것을 비판적으로 말할 때 사용한다. 그 때의 외견상이기 보다는 본질적인 성질에 사용된다.　２）「どうも～きらいがある」의 형태로 자주 사용된다.

きり【～して、そのままずっと from the time…haven't…since ／自从～就一直／ – 인 채 /– 한 채】★2

①子どもが朝、出かけたきり、夜の８時になっても帰って来ないので心配です。
②田中さんは10年前にブラジルへ行ったきり、そのままブラジルに定住してしまったらしい。
③彼女には去年１度会ったっきりです。その後手紙ももらっていません。

Vた　＋ きり

１）多くの場合、「Vたきり、～ない」の形で、後の文には次に予想されることが起こらない状態が続いているという文が来る。　２）③の「会ったっきり」は口語。

1）Used in the negative in many cases. Phrase following indicates some state expected next does not occur.　2）Phrase 会ったっきり (saw once and only once) in sentence ③ is colloquial.

1）多采用「Vたきり、～ない」的形式，后半句一般会出现表示预想到的该发生的事情没有发生，且这种没发生的状态持续不变的句子。　2）例句③的「会ったっきり」是口语。

1）대부분의 경우「V たきり、～ない」의 형태로, 뒤에 오는 문장에는 당연히 예상되는 일들이 일어나지 않는 상태가 지속되고 있음을 나타내는 문장이 이어진다.　2）③의「会ったっきり」는 구어체이다.

きりだ　➡きり　69

きる【全部～する completely; finish the whole…／完全／전부 - 하다 / 완전히 - 하다】★3

①5巻まである長い小説を夏休み中に全部読みきった。

②水泳が苦手だった幸子は中学生になってから1,000メートルを泳ぎきって自信をつけたようだ。

③慎重な彼が「絶対にやれる」と言いきったのだから、相当の自信があるのだろう。

④田中さんは年を取った両親と入院中の奥さんを抱え、困りきっているらしい。

◎ V ~~ます~~　＋ きる

「Vきる」の形で、動詞に「全部～する／最後まで～する」(①②)、「強く～する」(③)、「非常に～する」(④) などの意味を加える。

Adds to verb nuance “to do all, do until the end,” (as in sentences ① and ②); “strengthen,” (sentence ③); or “make extremely” (sentence ④).

采用的「Vきる」形式，如例句①②，在动词的意义中添加“全部做完…；到最后一直做…”的语气，如例句③，在动词的意义中添加“强烈的要做…”的语气，或者如例句④，在动词的意义中添加“非常…”的语气。

「V きる」의 형태로, 동사에「전부 ~ 하다 / 끝까지 ~ 하다」①②、「자신 있게 ~ 하다」③、「상당히 ~ 하다」④등의 의미를 첨가한다.

きれない　➡きれる　70

きれる【全部～できる (do) all／完全可以～／완전히 - 되다 / 완전히 - 하다】★2

①あの商品は人気があるらしく、発売と同時に売りきれてしまった。

②母は買い物に行くといつも手に持ちきれないほどの荷物を抱えて帰ってくる。

③子どもは買ってもらえないとわかっても、そのゲームをあきらめきれないらしく、ゲーム屋の前を離れようとしなかった。

◎ V~~ます~~ ＋ きれる

「Vきれる・Vきれない」の形で、動詞に「全部～できる／できない」(①②)、「完全に～できる／できない」(③) などの意味を加える。

Adds nuance to verb of being able/incapable of doing all (sentences ① and ②); or completely able/incapable as in sentence ③.

采用「Vきれる・Vきれない」的形式，如例句①②，在动词的意义中添加“能够全部…／不能全部…”之意，或如例句③，在动词的意义中添加“可以完全…／无法完全…”之意。

「V きれる・V きれない」의 형태로, 동사에「전부～할 수 있다 / 할 수 없다」(①②)、「완전히～할 수 있다 / 할 수 없다」(③) 등의 의미를 첨가한다.

きわまりない ➡きわまる 71

きわまる【この上なく～だ utterly; inexcusably／最～／지나치게 - 하다】★1

①電車の中などで見る最近の若い者の態度の悪いこと、まったく不愉快極まる。

②あのレストランのウエーターの態度は不作法極まる。もう２度と行くものか。

③目が合ってもあいさつもしないとは、となりの息子は失礼極まりない。

◎ ナA ＋ 極まる

1）「～極まる・～極まりない」の形で、「この上なく～だ・非常に～だ」という意味。
2）話す人が感情的な言い方をするときに使われることが多い。古い言い方。

1) In forms ～極まる, ～極まりない, means nothing is more…than…, or extremely…. 2) Often used in emotional speech. Old-fashioned expression.

1）采用「～極まる・～極まりない」的形式，意为“没有比这更…的了”“非常…”。 2）大多为带有说话人主观的感情色彩。是一种比较古老的表达方式。

1）「～極まる・～極まりない」의 형태로,「더없이 ～하다」「대단히 ～하다」의 의미를 갖는다. 2）말하는 사람 (話者) 이 감정적인 표현을 할 때에 사용하는 경우가 많다. 예스러운 표현이다.

きわみ ➡のきわみ 325

きんじえない ➡をきんじえない 421

くする【-en; make…／把～弄…／－하게 하다 (만들다)】★5

①スカートを５センチぐらい短くしてください。
②子どもが二人になったから、子ども部屋を少し広くしました。
③カレーを作るの？　子どもも食べるから、あまり辛くしないでね。
④（父が子どもに）もっと部屋をきれいにしなさい。
⑤お父さんのシャツを直して、子どものシャツにしました。
⑥このケーキ、ちょっと大きいから、半分にしてください。

◎ イＡく／ナＡに／Ｎに　＋ する

人が意志的にものごとの状態を変えて、違った状態にすることを表す（他動詞）。

Someone willfully changes certain condition to create different situation. (Transitive verb)

人有意识地改变事物的状态，使之成为另一种状态（他动词）。
사람이 의도적으로 어떤 상태를 바꿔서 다른 상태가 되도록 하는 것을 나타낸다 (타동사).

くせして　➡くせに　72

くせに【～のに despite the fact that／虽然…可是…／－이면서 /－인 주제에】★2

①竹内さんは本当はテニスが上手なくせに、わざと負けたんだ。
②今度入社した人は、新人のくせにあいさつもしない。
③彼は本当は友達をいじめているくせに「ぼくは知りません」などと言っている。
④親の悪口ばかり言うもんじゃないよ。自分は何もできないくせして。

◎ **普通形**（ナＡな・ナＡである／Ｎの・Ｎである）　＋ くせに

１）「～くせに…」の形で、逆接の意味を表す。人の悪い点を非難したり軽蔑したりする気持ち、意外な気持ちや不満を表すときに使う。　２）「くせに」の前後の文は主語が同じ。　３）④の「くせして」はくだけた会話で使う。

1）Adversative conjunction. Criticizes someone's faults, feels superior to another, has unexpected feelings, or expresses discontent. 2）Phrases before and after くせに have same subject. 3）くせして in sentence ④ is used in informal discourse.

1）采用「～くせに…」的形式，表示逆接。一般用于谴责、轻蔑别人的短处，或者表示意外、不满等情绪。 2）「くせに」之前的半句和之后的半句采用同一主语。 3）如例句④的「くせして」是在较为通俗的会话文当中使用的。

1）「～くせに…」의 형태로, 역접의 의미를 나타낸다. 사람의 나쁜 점을 비난하거나 경멸하는 듯한 기분, 의외인 기분이나 불만을 나타낼 때 사용한다. 2）「くせに」의 전후 문장은 주어가 같다. 3）④의「くせして」는 허물없는 사이에서 사용하는 말투이다.

ください ➡をください 422

くださいませんか ➡をくださいませんか 422

くださる ➡くれる 76

くなる【become／变得／－하게 되다】★5

①スープにちょっとバターを入れると、おいしくなりますよ。
②熱が下がって、気分がだいぶよくなりました。
③このごろ仕事が減って、前ほど忙しくなくなった。
④この仕事が終わったら、少しひまになると思います。
⑤父は退院して、今はすっかり元気になりました。
⑥ジム：きみはおとなになったら、何になりたいの。
　太郎：サッカーの選手になりたい。

◎ イAく／ナAに／Nに ＋ なる

人やものごとの状態が変わって、違った状態になることを表す（自動詞）。

Condition of person or thing changes to become something else. (Intransitive verb)

人或事物状态发生改变，变成了不同的状态（自动词）。

사람이나 형편이 바뀌어서 다른 상태가 되는 것을 나타낸다 (자동사).

くらい〈程度〉【～の程度に／almost／表示程度／정도】★3

①山で事故にあった兄が無事に帰ってきた。大声で叫びたいくらいうれしい。
②山道は子どもでも歩けるくらいの緩い坂です。
③このクイズはそんなに難しくない。ちょっと考えれば小学生でもできるくらいだ。

◎ **普通形**（主にイＡとＶの現在形） ＋ くらい

1）ある状態がどのくらいそうなのか、その程度を強調して言いたいときに使う。
2）話者の意志を表さない動詞や、動詞の「～たい」の形につくことが多い。
3）意味・用法は「ほど」とほとんど同じだが、「くらい」は程度が高い場合にも低い場合にも使われる。

参 ほど〈程度〉

1）Extent of condition; emphasizes that extent. 2）Often appended to verb form ～たい, and verbs that do not express speaker's volition. 3）Meaning and usage are similar to ほど, but くらい is used for both high and low degrees of something. →参

1）一种状态在怎样一种程度上成其为这种状态，在想要强调这个程度时使用本句型。 2）多接在不表达说话人主观意志的动词，或动词的「～たい」形之后。 3）和「ほど」的意义用法大致相同，只是「くらい」既可以表示程度高的，也可以表示程度低的。→参

1）어떤 상태가 어느 정도나 그런 것인지，그 정도를 강조해서 말하고자 할 때에 사용한다． 2）말하는 사람（話者）의 의지를 나타내지 않는 동사나，동사의 「～たい」형태에 붙는 경우가 많다． 3）의미，용법은「ほど」와 거의 같지만，「くらい」는 정도가 높은 경우에도 낮은 경우에도 사용된다． →参

くらい〈軽視〉【～のような軽いことや簡単なこと at least／那么简单的事／정도 / 쯤】★3

①１泊旅行だから、持ち物は下着ぐらいで大丈夫です。
②母：子どもじゃないんだから、自分の部屋ぐらい自分で掃除しなさい。
③自分一人ぐらいはルールを守らなくてもいいだろう、と思っている人が多い。
④１回会ったくらいで、その人のことがわかるはずはない。

◎ Ｎ／**普通形**（ナＡな） ＋ くらい

1）「～くらい」の形で、「～」は大したことではないと、軽く考えているときに使う言葉。 2）基本的に、名詞につく場合は「ぐらい」、活用語につく場合は「くらい」を使うがあまり厳密ではない。

1）Something is thought lightly of or unimportant. 2）Generally, くらい becomes ぐらい when appended to nouns and くらい with words that conjugate, but is not ironclad rule.

1）采用「～くらい」的形式，「～」是没什么大不了的，或让人轻视的事物。 2）一般来说，接名词时使用「ぐらい」，接活用词时使用「くらい」，但也不是绝对的。

1）「～くらい」의 형태로，「～」는 대수롭지 않는 일이라고 가볍게 생각하고 있을 때에 사용하는 말이다． 2）기본적으로 명사에 붙는 경우에는「ぐらい」，활용어에 붙는 경우는「くらい」를 사용하지만 그다지 엄밀하게 구별하지는 않는다．

くらいだ ➡くらい 73－74

くらいなら 【～ことをがまんするより if end up, then; would sooner…than ／与其忍受～还不如…／ - 정도라면】★2

①自由がなくなるくらいなら、一生独身でいる方がいい。
②あんな店長の下で働くくらいなら、転職した方がましだ。
③こんな面倒な調理器具を使うくらいなら、自分の手でやった方が早い。

Vる ＋ くらいなら

話者がとてもいやだと思っている行為を取り立て、「そんないやなことに比べれば、後の文の状態の方がいい」と言いたいときの文型。

Speaker wishes to take as an example an action that he considers especially abhorrent to indicate that whatever follows the phrase would be far better by comparison.

说话人强调那是他非常厌恶的行为，在想要表达“与这个令人生厌的事比起来，还不如后半句的状态好”之意时，使用本句型。
말하는 사람 (話者) 이 정말 싫다고 생각하고 있는 행위를 소재로 삼아,「그렇게 싫은 것에 비하면, 뒤에 오는 문장의 상태 쪽이 오히려 낫다」라고 말하고자 할 때의 문형이다.

ぐらいなら ➡くらいなら 75

くらい～はない 【～は最高に～だ there's nothing/no one more…／最为～／ - 정도로 - 는 없다】★3

①彼ぐらいわがままなやつはいない。
②祖母の作る梅干しぐらいおいしいものはない。
②夕食後、好きな音楽を聞きながら、本を読むくらい楽しいことはない。
④若いころ、勉強しなかったことぐらい後悔することはない。

N ／ 普通形 （ナＡな・ナＡである／Ｎである） ＋ くらい～はない

１）主に名詞に続き「～くらい～はない」の形で、話す人が主観的に「～は最高に～だ」と感じ、強調して言うときに使う。　２）「くらい」の代わりに「ほど～はない」の言い方もある。　３）客観的な事実については使わない。　◆×うちの課で東山さんくらい若い人はいない。→○うちの課で東山さんが一番若い。　参ほど～はない

1）Mainly appends to nouns. Used when speaker subjectively feels that what precedes is in superlative degree, and wishes to emphasize the fact. 2）Pattern ほど～はない can be used in place of ぐらい. 3）Cannot be used for objective facts. →◆
→参

1）采用「～くらい～はない」的形式，说话人主观的认为“～最为～”，在强调这种感觉的时候使用本句型。 2）还可以用「ほど～はない」来代替「くらい」。 3）不用于陈述客观事实。→◆
→参

1）주로 명사에 붙어서「～くらい～はない」의 형태로，말하는 사람（話者）이 주관적으로「～은 최고로 ～하다」고 느낀 바를 강조해서 이야기 할 때 사용한다． 2）「くらい」대신에「ほど～はない」의 표현법도 있다． 3）객관적인 사실에 대해서는 사용하지 않는다．→◆
→参

くらべて ➡にくらべて 294

くれる【…gives to speaker／给我／주다】★5

①誕生日に、母はわたしに着物をくれた。

②このペンは、国を出るとき、友だちがくれたものです。

③ A：あら、その案内書、どこでもらったんですか。

B：受付に行けば、くれますよ。

④卒業のとき、大山先生は息子に本をくださいました。

⑤先生がくださったお手紙を今でも大切に持っております。

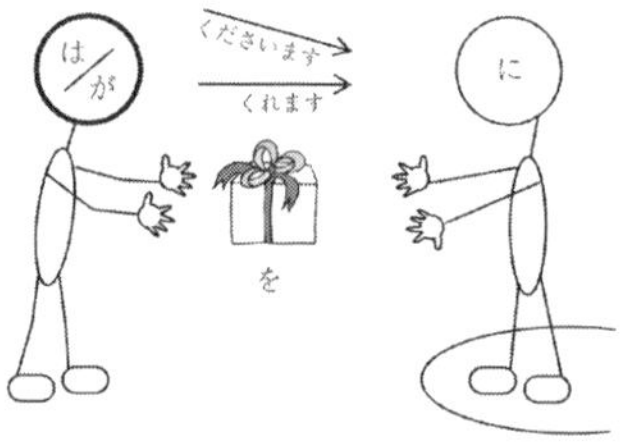

◎ Nを ＋くれる

与える人 は／が 受ける人 に  を {くれます。／くださいます。}

↑ わたし側の人

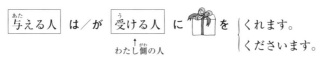

［a person on my side／我方的人／나와 가까운 사람］

1）ものを与える人を主語にして、受ける人を「わたし」にした授受の言い方。受ける人は普通、「わたし」か「わたし」の親族・仲間だけである。 ◆×田中さんは山田さんにプレゼントをくれました。 2）「くださる」は、④⑤のように与える人が目上の人の場合に使う。

1.
giver は／が receiver に を {くれます。 / くださいます。}

1）Verb of receipt. Receiver is speaker; giver is subject. Receiver is usually "I," members of the speaker's family or circle of friends. →◆ 2）The verb くださる is used when the giver is a social superior, as in sentences ④ and ⑤.

1.
授与方 は／が 接受方 に を {くれます。 / くださいます。}

1）以送东西的人为主语，而接受东西的人是"我"时，使用本句型。接受者一般只能是"我"或"我"的亲戚、朋友。→◆ 2）如例句④⑤所示，当赠与人是上司或长辈时，使用「くださる」。

1.
주는 사람 は／が 받는 사람 に を {くれます。 / くださいます。}

1）물건을 주는 사람을 주어로 하고，받는 사람을「わたし（나）」로 한 수수표현이다．받는 사람은 보통，「わたし（나）」나「わたし（나）」의 친족 · 동료뿐이다．→◆ 2）「くださる」는 ④⑤와 같이 주는 사람이 손 윗사람인 경우에 사용한다．

くわえて ➡にくわえて 295

け ➡っけ 149

げ【～そう show signs of; look ／～的样子／－인 듯한/－인 듯이】★2

①「お母さんはどうしたの」と聞くと、子どもは悲しげな顔をして下を向いた。
②高い熱のあるひろしは、わたしと話すのも苦しげだった。
③となりの乗客は退屈げに窓の外をながめていた。
④会議の後、彼はいかにも不満ありげな顔をしていた。

イA~~い~~／ナA ＋げ（あり~~ます~~ ＋げ の形もある）

1）人の「そのような様子」を表す。人の気持ちの様態を表す場合に使われる。やや古い言い方。 2）目上の人の様子を言うときにはあまり使わない。 3）主にイ形容詞、ナ形容詞に接続し、全体でナ形容詞のように使われる。ほかに「意味ありげ・さびしげ・はずかしげ・不安げ・なつかしげ」など。 4）「いかにも・さも」などの言葉といっしょに使うことが多い。

1）Describes a person's appearance. Shows feelings. Slightly old-fashioned. 2）Not usually used to describe appearance of social superiors. 3）Mainly connects to イ -adjectives, or ナ -adjectives, and used overall like ナ -adjectives. Also seen in expressions: 意味ありげ (meaningful), さびしげ (sadly), はずかしげ (shyly), 不安げ (uneasily), なつかしげ (wistfully), etc. 4）Often used with いかにも, さも, etc.

1）表示人的“那种样子”。用于表示人的心情的某种样态。是略微有些古老的用法。 2）一般不用于表达上司或长辈的样子。3）主要接イ形容词和ナ形容词，整体上当作ナ形容词来用。此外还有 意味ありげ・さびしげ・はずかしげ・不安げ・なつかしげ 等 4）常和いかにも、さも等前后搭配使用。

1）사람이「그와 같은 상태」임을 나타낸다. 사람의 기분 상태를 나타내는 경우에 사용한다. 조금 예스러운 표현법이다. 2）손윗사람의 상태를 말할 때에는 잘 사용하지 않는다. 3）주로 イ형용사, ナ형용사에 접속하고, 전체적으로는 ナ형용사처럼 사용된다. 그 밖에 예를 들어 意味ありげ・さびしげ・はずかしげ・不安げ・なつかしげ 등으로 사용한다. 4）いかにも・さも 등의 말과 함께 사용하는 경우가 많다.

けいきにして ➡をけいきに（して） 423

けど ➡けれど（も） 78－79

けれど(も)〈逆接〉【although; nevertheless; but／虽然…但是…／－ㅂ니다만】★4

①この道具、説明書を読んだけれど使い方がよくわかりませんでした。

②この部屋は新しくてきれいなんですけれども、狭いんですよ。

③これ、おいしいけど、ちょっと高いね。

丁寧形・普通形 ＋けれど（も）

1）逆の意味や対立する意味を持つ二つの文をつなぐ。 2）話し言葉では「が」より「けれど（も）」や縮約形の「けど」を使う。

1）Links two clauses of opposite or contrasting import. 2）In speech, けれど（も） or the contraction けど is used rather than が.

1）连接有相反意义或对立意义的前后两个分句。 2）在口语中代替「が」而使用「けれど（も）」或者其缩略形「けど」。

1）반대의 의미나 대립하는 의미를 갖는 두 개의 문장을 잇는다. 2）회화체에서는「が」대신에「けれど(も)」나 축약형인「けど」를 사용한다.

けれど(も)〈前置き・和らげ〉

【(preface, softening) actually; excuse me, but ／连接上下文／－ㅂ니다만】★3

①すみません。あしたの会のことですけれども、何人ぐらい来るんでしょうか。

② A：このごろ、小林さんに会いませんね。お元気ですか。

　B：ええ、きのう田町の駅で会いましたけれど、元気でしたよ。

③ A：外国語を習うときはその国へ行くのがいちばんいいですよね。

　B：さあ、わたしはそうは思いませんけど……。

◎ 丁寧形 ・ **普通形** ＋ けれど（も）

1）二つの文をつなぐ言い方。話し言葉では「が」の代わりに「けれども」や「けれど」をよく使う。　2）①のように「話の前置き」としてよく使う。　3）③は余韻を残す軟らかい言い方である。

1）Connects two clauses. けれども or けれ ど are often used in speech instead of が to soften speech.　2）Often used as preface to statement, as in sentence ①.　3）As used in sentence ③, is used to leave lingering impression.

1）起连接前后两个句子的作用，在口语中代替「が」而使用「けれども」或者「けれど」。　2）如例句①所示，常用于“话语的前置表现”。　3）例句③为话中留下余韵、使语气更显柔和的表达方式。

1）두 개의 문장을 잇는 표현법이다. 회화체에서는「が」대신에「けれども」나 축약형인「けれど」를 사용한다.　2）①과 같이「전제」의 의미로 자주 사용한다.　3）③은 여운을 남기는 부드러운 표현법이다.

ご～　➡お～・ご～　36

こしたことはない　➡にこしたことはない　295

こそ

【it is (this time; me; it; etc.) that…／正是／－야말로】★3

①今年こそ大学に入れるよう、勉強します。

② A：子どもがいつもお世話になっております。

　B：こちらこそ。

③知識の量を増やすのではなく、考える訓練をすることにこそ学校で学ぶ価値がある。

N（+ 助詞(じょし)） + こそ

1）大切(たいせつ)なことを、「ほかのことでなく、これなのだ」と区別(くべつ)して強調(きょうちょう)したいときに使(つか)う。
2）マイナスの意味(いみ)を強調(きょうちょう)する使(つか)い方(かた)はしない。 ◆×丸暗記(まるあんき)こそやりたくない。

1）Emphasizes difference between something important and other factors.
2）Not used to emphasize demerits. →◆

1）对于一个重要的事物，强调和别的事物的区别，"不是别的，就是这个"，想要表达这样的意思时，使用本句型。 2）在强调负面的、不好的意义时，不使用本句型。→◆

1）중요한 것에 대해「다른 것이 아니라 바로 이것이다」라고 다른 것과 구별해서 강조하고 싶을 때에 사용한다. 2）마이너스적인 의미를 강조하는 사용법은 갖지 않는다.→◆

こそ ➡ばこそ 344

こたえて ➡にこたえて 296

こたえる ➡にこたえて 296

こと【～しなさい (you) should／请你做～／－할 것】★3

①レポートは10日(とおか)までに提出(ていしゅつ)する<u>こと</u>。
②15日(にち)はお弁当(べんとう)を持(も)ってくる<u>こと</u>。
③明日(あす)は赤鉛筆(あかえんぴつ)を忘(わす)れない<u>こと</u>。
④11月3日(がつみっか)は10時(じ)に駅前(えきまえ)に集合(しゅうごう)の<u>こと</u>。

Vる・Vない／する動詞(どうし)のNの + こと

1）文末(ぶんまつ)に使(つか)って、学校(がっこう)、団体(だんたい)などで「～しなさい・～してはいけない」と指示(しじ)や規則(きそく)などを書(か)いて伝(つた)えるときの表現(ひょうげん)。 2）黒板(こくばん)や配布用(はいふよう)プリントなどに書(か)いたり、時(とき)には口(くち)で伝(つた)えることもある。

1）Used in schools or groups to enforce rules and directives (you should…, you cannot…) by appending to sentence endings. 2）Written on blackboards and in printouts. Sometimes conveyed verbally.

1）用于句末，是学校、团体等以书面形式传达"请做…""不能做…"等指示、规定时的固定用语。 2）一般写在黑板上或发布消息用纸上，有时也用于口头传达。

1）문말에 쓰여 학교，단체 등에서「～しなさい・～してはいけない」라는 지시나 규칙 등을 써서 전달할 때의 표현이다.
2）칠판이나 배포용 프린트 등에 쓰거나，때로는 직접 말로 전달하는 경우도 있다.

ことか【非常に～だ How…!／非常～／－ 했는지】★2

①初めての孫が生まれたとき、母がどんなに喜んだ<u>ことか</u>。

②明日、あの人がアメリカから帰ってくる。わたしはこの日をどれほど待っていた<u>ことか</u>。

③ 10 年ぶりに小学校の同窓会で昔のクラスメートに会った。なんと懐かしかった<u>ことか</u>。

④ 1 点差で優勝を逃したとは、なんと残念な<u>ことか</u>。

普通形（ナＡな・ナＡである／Ｎである）　＋ ことか

1）「～ことか」の形で「『～』の程度の高さが普通ではない、どの程度かわからないほど強い」という意味を表す。　2）「なんと～ことか・どんなに～ことか・どれほど～ことか」のような形でよく使う。

1）Something before ことか is of such unusually high level, speaker cannot even imagine it. 2）Often used in patterns なんと～ことか, どんなに～ことか, どれほど～ことか.

1）以「～ことか」形式表示“～到了什么程度，程度深到无法想象的地步”之意。　2）常常采用「なんと～ことか・どんなに～ことか・どれほど～ことか」等形式。

1）「～ことか」의 형태로「『～』의 정도의 높이가 일반적이지 않다，어느 정도인지 알 수 없을 만큼 강하다」고 하는 의미를 나타낸다．　2）「なんと～ことか・どんなに～ことか・どれほど～ことか」와 같은 형태로 자주 사용된다．

ことがある【there are times ／有时会～／－ 할 때가 있다 /– 하는 경우가 있다】★4

①会社まで近いので、ときどき自転車で行く<u>ことがあります</u>。

②たいてい家で勉強するのですが、たまに友だちの家で勉強する<u>こともあります</u>。でも、図書館で勉強する<u>ことはありません</u>。

③遅く帰ったときは、おふろに入らないで寝る<u>こともあります</u>。

④大雪のときは、電車が遅れる<u>ことがあります</u>。

⑤あの人は、あいさつしても返事をしない<u>ことがあります</u>。

⑥ぼくは土曜日の夜は家にいない<u>ことがある</u>よ。

Ｖる・Ｖない　＋ ことがある

「いつもではないが、ときどきそうする、そうなる」と言いたいときに使う。

Something isn't always a certain way, but becomes so occasionally.

在想要表达“并不是经常，只是有时会那样、偶尔会那样做”的时候使用本句型。

「항상 그런 것은 아니지만，때때로 그러하다，그렇게 된다」고 말하고자 할 때 사용한다.

ことができる【can／能、可以／－할 수 있다】★4

①わたしは今、すこし日本語を話す<u>ことができます</u>。

②ロボットは危険な所でも仕事をする<u>ことができます</u>。

③先週退院しました。わたしはもう元気です。散歩も軽い運動も<u>できます</u>。

④ 19歳以下の人は、たばこを吸う<u>ことはできません</u>。

⑤今月はいそがしくてゴルフが<u>できませんでした</u>が、来月は<u>できる</u>と思います。

⑥（立て札）ここは危険ですからキャンプは<u>できません</u>。

Vる＋こと／N　＋ができる

1）可能の意味を表す。①～③は、技術的、身体的な能力を表す。④～⑥は、決まりや状況などで行為の実現が可能であることを表す。　2）「Nができる」のNは、する動詞の名詞（見学、練習など）や外国語、スポーツなどの名詞。　3）「られる（可能）」とほとんど同じように使うことができるが、「られる」より硬い感じがする。また、前後にほかの言葉がつくときや、動詞の単純な形ではない場合には、「ことができる」の方がよく使われる。　◆疲れて、もう歩くこともできない。／わたしは漢字を読むことだけはできますが、書くことはまだできません。／試験中はとなりの人と話したり、教科書を見たりすることはできません。

参られる〈可能〉

1）Possibility. Sentences ① to ③ show technical or physical ability. Sentences ④ to ⑥ show that realization of an action through regulations or conditions is possible. 2）The N in N ができる is nominal of する verb, such as 見学，練習，or a noun such as name of foreign language or sport. 3）Can be used in nearly same way as られる，but sounds more formal. When other words are appended as prefixes or suffixes and the verb is not in its pure form, ことができる is often used. →◆ →参

1）表达可能的意义。例句①～③是表示技术方面的或身体方面的能力。而例句④～⑥表示在某种规则、状况等的制约下，某种行为实现起来是可能的还是不可能的。　2）「Nができる」当中的N是する动词的名词（如見学、練習等）或外语、运动等名词。　3）和「られる」的用法基本相同，但是比「られる」的语气略显生硬。另外，在前后还有别的词出现，或者不是以单纯的动词形出现时，常常用「～ことができる」。→◆ →参

1）가능의 의미를 나타낸다. ①～③은，기술적，신체적인 능력을 나타낸다. ④～⑥은，규칙이나 상황 등에서 행위의 실현성이 가능한 것을 나타낸다.　2）「Nができる」의 N는「する동사」의 명사（見学、練習 등）이거나 외국어，스포츠 등의 명사이다.　3）「られる（가능）」와 거의 동일하게 사용할 수 있지만，「られる」에 비해 딱딱한 느낌이 드는 표현이다. 또한，전후로 다른 말이 올 때나，동사의 단순한 형태가 아닌 경우에는「ことができる」쪽이 더 자주 사용된다. →◆ →参

ことから【～が由来となって／～ことが理由で from the fact that／由于～／－해서/－때문에】★3

①この辺は桜の木が多いことから、桜木町と呼ばれるようになった。
②彼は彼女の顔色が悪いことから、病気ではないかと思ったそうだ。
③彼女はアラビア語ができるということから、オリンピックの通訳に推薦された。
④灰皿に煙の立っている吸い殻が残っていたところから、犯人はまだ遠くへは行っていないと判断された。

普通形（ナAな・ナAである／Nである） ＋ことから

ものの名前の由来や判断の根拠を言うときに用いる。「ところから」はほかにも理由があるという気持ちが加わる。①は由来、②③は理由、④は判断の根拠を表す。

Origin of thing's name, or basis for judgment. Nuance that there are other external reasons is added when in pattern ところから. Sentence ① shows origin; sentences ② and ③, reason; sentence ④, basis for judgment.

用于陈述事物名称的由来、判断的依据等。「ところから」则添加了说话人的一种“此外也有理由”的主观情绪。例句①表示由来，例句②③表示理由，例句④则表示判断依据。
물건의 이름이나 유래, 판단의 근거를 말 할 때에 사용한다.「ところから」는 그 이외에도 이유가 있다고 하는 기분을 덧붙인다. ①은 유래, ②③은 이유 ④는 판단의 근거를 나타낸다.

ごとき【～のような like; as／像～的样子／－같은/－처럼/－한】★1

①村で花のごとき美人に出会った。
②あの人は氷のごとく冷たい人だ。
③月日は矢のごとく過ぎさった。
④彼のごとき優秀な人でも失敗することがある。
⑤エジソンのごとき発明家はもうこの世に生まれないだろう。

Nの ＋ごとき

1）やや古い感じがする書き言葉。①～③は、事実はそうではないが、たとえて言えばそのように見えるという意味。④⑤は例として示す言い方。　2）後に名詞がつくときは「Nのごとき」、それ以外は「Nのごとく」の形になる。

1）Somewhat old-fashioned written form. Nuance in sentences ① to ③ is that though reality is different, simile holds true. In sentences ④ and ⑤, ごとき is used to indicate examples. 2）Pattern is N のごとき when following nouns, and N のごとく in all other cases.

1）略有些古旧的书面用语。例句①②③的意思是，事实虽然不是如此，但是如果打比方的话，则看上去是这样的。例句④⑤是举例子、示例的表达方法。　2）如果之后接名词，则采用的「Nのごとき」形式，如果接的是名词之外的词，则改成「Nのごとく」

1）조금 예스러운 느낌이 드는 문어체이다. ①②③은 실제는 그렇지 않지만, 예를 들면 그렇게 보인다고 하는 의미이다. ④⑤는 예를 든 표현이다.　2）뒤에 명사가 붙을 때는「Nのごとき」, 그 외에는「Nのごとく」의 형태가 된다.

ごとき　➡ごとく　84

ごとく 【～ように like; as／像～的样子／－한 것처럼 / －(한 것) 과 같이】★1

①（父から息子への手紙）前回の手紙に書いたごとく、わたしも来年は定年だ。だから君にもそろそろ自分の将来のことを真剣に考えてもらいたい。

②上記のごとく、いったん納入したお金は返却されません。

③次のごとき日程で、研修会を行う。

④宇宙が無限であるごとく、人の想像力も無限だ。

普通形（ナAな・ナAである／Nの・Nである）＋ごとく

同じ内容であることを表す。「ように」と意味・用法が同じで、古い書き言葉。②は「上記のように」、③は「次のような日程」の意味。　参ように〈同様〉

Indicates matching content. Same meaning and usage as ように. Old written form. In sentence ②, has connotation of "as written above;" sentence ③ means "a schedule like what follows." →参

表示（两件事）内容相同。和「ように」的意义、用法相同，是较为古老的书面语。例句②意为「上記のように」，例句③意为「次のような日程」。→参

같은 내용임을 나타낸다.「ように」와 의미 · 용법이 같은 예스러운 문어체 표현이다. ②는「위와 같이」, ③은「다음과 같은 일정」의 의미이다. →参

ごとく　➡ごとき　83

ことだ〈感慨〉【非常に～だ (deep emotion) how very…!／非常～／매우 － 하다】★2

①弟が東西自動車株式会社に就職が決まった。ほんとうにうれしいことだ。

②ここで遊んだのは、もう30年も前のことだ。懐かしいことだ。

③昨夜のサッカーの試合では、最後に相手に点を取られてしまった。残念なことだ。

Ⓒ イAい／ナAな ＋ことだ

話者がある事実について、感じた驚きや感動などについて感情を込めて言うときの表現。感情を表す形容詞につくことが多い。

Speaker's feelings of surprise or impressions about some fact. Often appends to adjectives that express emotions.

说话人在对某件事实的陈述中加入了惊讶、感动等的感情色彩时，使用本句型。多接在表示感情的形容词之后。

말하는 사람（話者）이 어떤 사실에 대해 느낀 놀람이나 감동에 대해서 감정을 넣어 말할 때의 표현이다．감정을 나타내는 형용사에 붙는 경우가 많다．

ことだ〈助言・忠告〉【～しなさい (advice, admonition) (you) must…／请你做～／해야 한다】★2

①ほかの人に頼らないで、とにかく自分でやってみる<u>ことだ</u>。

②あなたは病人なんだから、お酒はいけません。誘われても飲まない<u>ことです</u>。

③上級の読解力をつけたいのなら、毎日、新聞を読む<u>ことだ</u>。

Ⓒ Vる・Vない ＋ことだ

1）上の人が下の人に「した方がいい」または「しない方がいい」と、個人の意見や判断を助言や忠告として言う言い方。　2）目上の人に対しては使わない。

1）Used by social superiors to offer to social inferiors personal opinions or appraisals as advice on what to do or avoid. 2）Not used toward social superiors.

1）地位较高的人对地位较低的人说“最好做某事”或者“最好不要做某事”时，作为劝导或者忠告而发表自己的意见、判断时的表达方式。　2）不能对上司或长辈使用本句型。

1）윗 사람이 아랫사람에게「하는 편이 좋다」라든가「하지 않는 편이 좋다」라고，개인의 의견이나 판단을 조언이나 충고로써 말하는 표현법이다．　2）손 윗 사람에 대해서는 사용하지 않는다．

ことだ　➡のことだから　326

ことだから　➡のことだから　326

ことだし【から／ので since／因为／－하고 있고／－하기도 하고】★2

①雨も降っている<u>ことだし</u>、4時になったからそろそろ終わりにしましょうか。

②あの山小屋は不便な所にある<u>ことだし</u>、建物も小さいから、泊まるのは難しい。

③まだ年齢も若い<u>ことだし</u>、体も丈夫だから、また来年挑戦してください。

◎ **普通形**（ナAな・ナAである／Nの・Nである）＋ことだし

軽い理由を表す言い方。ほかにも理由があるという感じがある。「し」だけの言い方と似ているが、やや丁寧で、いくらか理由を強調した言い方。

Indicates insignificant reasons. Gives impression that there are other reasons for some event as well. Similar to し, but slightly more polite and emphatic.

表达某种程度较轻的理由，隐含着除此之外还有别的理由的语感。和单独的「し」意义、用法相似，但是本句型更为礼貌得体，有些强调理由的表达方式。

대수롭지 않은 이유를 나타내는 표현법이다. 그 외에 또 다른 이유가 있는 듯한 느낌을 준다.「し」만의 표현법과 비슷하지만, 약간 정중하며 일정부분 이유를 강조한 표현법이다.

ことだろう【非常に〜だ how…!／多么…啊／얼마나 - 한 것인가】★2

①気の合った友だちと酒を飲みながら話すのはなんて楽しい<u>ことだろう</u>。

②不幸な中で、幸せな日々を思い出すのはなんと辛い<u>ことだろう</u>。

◎ **普通形**（ナAな・ナAである／Nである）＋ことだろう

1）「〜のは、なんと…ことだろう」の形で、心に強く感じたことや感激したことを感情を込めて言うときの表現。「…」には心情を表す形容詞が来る。　2）「なんと・なんて・どんなに・いかに」などとともに使う。

1）In 〜のは，なんと…ことだろう, shows speaker's strong feelings about something. Adjectives expressing emotions inserted between なんと and こと.　2）Also used with なんと, なんて, どんなに, いかに (all meaning "how").

1）采用「〜のは、なんと…ことだろう」的形式，心里强烈的感受或极为感动，在陈述时加入了很强的主观感情色彩。「…」处使用表心情的形容词。　2）和「なんと・なんて・どんなに・いかに」等一起使用。

1）「〜のは、なんと…ことだろう」의 형태로, 마음속으로 깊이 느낀 점이나 감격한 것을 감정을 넣어서 말 할 때의 표현이다.「…」에는 심정을 나타내는 형용사가 온다. 2）「なんと・なんて・どんなに・いかに」등과 함께 사용한다.

こととて【ことだから on account of the fact that／由于／- 하고 생각하고 /- 라고 치부하고】★1

①世間知らずの若者のした<u>こととて</u>、どうぞ許してやってください。

②山の中の村の<u>こととて</u>上等な料理などございませんが……。

③子どもの<u>こととて</u>、何を聞いても泣いてばかりいる。

◎ **普通形**（ナAな／Nの）＋こととて

改まったやや古い硬い言い方。謝罪の理由を述べるときや許しを求めるときによく用いられる。ほかに「慣れぬこととて・高齢のこととて」などの例がある。

Formal and slightly old expression. Often used to give reasons for apologies or to seek forgiveness. Also found in expressions: 慣れぬこととて (on account of not being accustomed to) and 高齢のこととて (on account of being elderly).

正式的、略为古旧而且生硬的表达方式。陈述道歉的理由时，或请求对方原谅时常常使用本句型。此外还有「慣れぬこととて、高齢のこととて」等例子

격식을 차린 약간 예스러운 딱딱한 표현법이다. 사죄의 이유를 진술할 때나 허가를 구할 때에 자주 이용된다. 그 외에「慣れぬこととて (익숙하지 않아서)・高齢のこととて (나이가 들어서)」등의 예를 들 수 있다.

こととなっている ➡ことになっている 89

こととなると

【〜の話題になると
when it comes to…; when the subject turns to…／一旦说到〜就／ − 가 화제가 되면 /− 소리만 들으면】★2

①山川さんは釣りのこととなると目が輝く。

②花子は食べることとなると、急に元気になる。

③いつもはきびしい部長だが、ペットのこととなると人が変わったようにやさしい表情になる。

◎ Nの ＋ こととなると

「〜の話題、〜の問題については普通とは違う態度を表す」と言いたいときに使う。②のように動詞の辞書形につく形もある。

Attitude differs from the usual concerning certain topic or issue. Sometimes appends to dictionary form of verb, as in sentence ②.

在想要表达“一说到〜的话题、〜的问题时，就表现出与平时不同的态度”之意时，使用本句型。也有如例句②，接在动词原形后面。

「〜의 화제，〜의 문제에 대해서는 보통 때와는 다른 태도를 나타낸다」고 말하고자 할 때 사용한다. ②처럼 동사의 사전형에 붙는 경우도 있다.

ことなく 【〜ないで without／没有、不／ − 하지 않고】★2

①ニコさんの部屋の電気は３時を過ぎても消えることなく、朝までついていた。

②彼らは生活のため、休日も休むことなく働いた。

③敵に知られることなく、島に上陸するのは難しい。

④タノムさんは先生にも友だちにも相談することなく、学校をやめて帰国してしまった。

◎ Vる　＋ことなく

「普通は～する、または～してしまうが、この場合は～しないで」という意味を表す。硬い言葉なので、日常的なことには使わない。　◆△うっかりして、切手をはることなくポストへ入れてしまった。

"(I) usually do… (or) end up doing…, but in this case (I) didn't." Formal pattern, not used with everyday expressions. →◆

意为"一般会做～，或者也就做～，但是这种情况下却不做～"。由于是较为生硬的表达方式，所以如下例这种日常生活中的事，一般不使用本句型。→◆

「보통은 ～한다 , 또는 , 보통은 ～해 버리는데 , 이 경우에는 ～하지 않고」라는 의미를 나타낸다 . 딱딱한 표현이라서 일상적인 일에는 사용하지 않는다 . →◆

ことなしに　➡なしに　276

ことに(は)【非常に～ことだが terribly; extremely ／非常让人…的是～／ – 할 일은 /– 한 것은】★2

①驚いたことに、将棋の試合で小学生が大人に勝った。

②不思議なことに、何年も実がならなかった柿の木に今年はたくさん実がなった。

③悔しいことには、１点差でＡ校とのバスケットボールの試合に負けてしまった。

④うれしいことに、来年カナダに留学できそうだ。

◎ Vた／イＡい／ナＡな　＋ことに（は）

１）ある事柄について話者がどう感じたかを前もって「ことに」の前で言うことによってその感じを強調する言い方。　２）「ことに」の前には感情を表す言葉が入り、後には話者の意志を表す文は来ない。　◆×うれしいことに、来年カナダに留学するつもりだ。　３）やや書き言葉的な表現。

１）Speaker's emotions are indicated before ことに, the inversion putting emphasis on speaker's feelings. ２）Words expressing emotions come before ことに; no expressions of speaker's intentions follow. →◆　３）Somewhat more common in written language.

１）对于某个事物，说话人抱有什么样的感想，把这个感想放在。２）「ことに」前面为表示感情的词语，后半句不能出现表示说话人意志的语句。３）略有书面语语感。

１）어떤 사항에 대해서 말하는 사람（話者）이 어떻게 느꼈는가를 미리「ことに」의 앞에서 말함으로써 그 느낌을 강조하는 표현법이다 .　２）「ことに」의 앞에는 감정을 나타내는 말이 오고 , 뒤에는 말하는 사람（話者）의 의지를 나타내는 문장은 오지 않는다 . →◆　３）약간 문어체적인 표현이다 .

ことにする【make up one's mind to／决定／－하기로 하다】★4

①桜の木の下で拾ってきたねこだから、「さくら」と呼ぶことにしよう。
②連休には、長野の友だちのうちへ行くことにしました。
③A：今日からたばこをやめることにした！
　B：そのこと、先月も聞いたよ。
④社員研修が続くので、今月のボランティア活動には参加しないことにしました。
⑤海外駐在が決まったのですが、今回は1年ぐらいなので、家族を連れて行かないことにしました。
⑥3月は試験があるので、アルバイトをしないことにした。

Vる・Vない　＋ことにする

自分の意志で、ある行為をする、または、しないと決めたと言いたいときに使う。「Vる／Vないことに決めた」とも言える。

Indicates whether speaker has decided to undertake a certain action. Can also say: V る, V ないことに決めた.

由自己的意志出发决定做某事，或者决定不做某事，在想要表达这样的意思时使用本句型。也可以说「Vる／Vないことに決めた」。

자기 의지로, 어떤 행위를 한다거나 하지 않기로 결정했다고 말하고자 할 때에 사용한다.「Vる／Vないことに決めた」라고도 말할 수 있다.

ことになっている

【～という決まり（予定、習慣など）になっている
the case that…; the custom that…／形成规矩（预定、习惯等）／－하게 되어 있다】★3

①この会社では社員は1年に1回健康診断を受けることになっています。
②日本語の敬語では、たとえば自分の父母のすることについてほかの人に話すとき、尊敬語は使わないことになっている。
③午前の会議はこれで終了いたします。なお、午後の会議は2時からということとなっておりますので、1時50分までにお集まりください。
④うちの会社ではお客さまに会うとき以外は、スーツを着なくてもいいことになっている。

◎ Vる・Vない ＋ことになっている

1）「さまざまな規則や習慣、予定などにより、そうすること、またはそうしないことが決まりになっている」という意味。　2）改まった言い方として、「こととなっている」とも言う。　3）規則を述べる言い方として、「してもいい・してはいけない・しなければならない」などとよく一緒に使う。

1）Something must be certain way because of a variety of rules, customs, or schedules.　2）Formal version: こととなっている．3）Often used together with してもいい，してはいけない，しなければならない when describing rules.

1）意为"依据各种各样的规则、习惯、预定等，规定那样做，或者不那样做" 2）是较为正式的说法，也可以说「こととなっている」 3）在表述规则等内容时，常常和「してもいい・してはいけない・しなければならない」等一同使用。

1）「여러 규칙이나 습관，예정 등에 의해 그렇게 하는 것，또는 그렇게 하지 않는 것이 정해져 있다」고 하는 의미이다．　2）격식을 차린 표현으로써「こととなっている」라고도 한다．　3）규칙을 진술하는 표현으로서「してもいい・してはいけない・しなければならない」등과 함께 사용하는 경우가 많다．

ことになる〈決定〉【(decision) has been decided that ／规定／ − 하기로 (− 하게) 되다】★4

①入社式でスピーチをすることになったので、何を話そうか考えています。

②町の料理教室には中学生以上の子どもも参加できることになりました。

③１丁目のスーパーがなくなることになって、町の人は困っている。

④わたしは秋に、結婚することになりました。

⑤これからは社員もここには駐車できないことになりました。

⑥今年は町のスケート大会は行わないことになりました。

⑦会場の都合で、講演後の交流会は行われないことになりました。

◎ Vる・Vない ＋ことになる

1）あることが自分の意志に関係なく決まることを表す。　2）④のように、自分の意志で決めたことでも、婉曲的に言いたいときに使うこともある。

参ことになっている

1）Something has been decided independent of speaker's volition.　2）Can also be used euphemistically when it is speaker who has decided something, as in sentence ④. →参

1）表示某件事的决定与自己的意志无关。　2）有时也如例句④那样，委婉地表达由自己的意志决定做某事。 →参

1）어떤 일이 자신의 의지와는 관계없이 결정되는 것을 나타낸다．　2）④처럼，자신의 의지로 결정한 일이라도，완곡하게 말하고자 할 때에 사용하는 경우도 있다． →参

ことになる〈結局〉【つまり、そうなる will end up／总之，变成了那样／－이 된다/－하게 된다】★3

①この事故でけがをした人は、女性３人、男性４人の合わせて７人ということになる。

②彼の話を信用すれば、彼は出張中だったのだから、そのとき東京にはいなかったことになる。

③今、遊んでばかりいると、試験の前になって悔やむことになりますよ。

④あの人にお金を貸すと、結局返してもらえないことになるので貸したくない。

◎ Vの**普通形** ＋ ことになる

１）「ある事情や状況から考えて、当然そうなる」と言いたいときに使う。　２）③④は、好ましくない結果になることを警告したりする使い方。①②は「わけだ」とほとんど同じ意味。

参 **わけだ**

1）Something has been decided independent of the person's volition.　2）In sentences ③ and ④ admonishes against likelihood of undesirable result.　In sentences ① and ② has nearly same meaning as わけだ (means that…).　→参

1）再想要表达“从某事件或某状况的角度出发考虑的话，当然是那样的”之意时使用本句型。　2）例句③④是警告对方，(这样下去的话) 会出现某种不好的结果时的用法。例句①②的意义和「わけだ」基本相同。　→参

1)「어떤 사정이나 상황 등을 근거로 판단하건데 당연히 그렇게 된다」고 말하고자 할 때에 사용한다.　2) ③④는 바람직하지 못한 결과를 초래하게 될 것임을 경고하거나 할 때 사용하는 표현법이고, ①②는「わけだ」와 거의 동일한 의미를 갖는다.　→参

ことには　➡ないことには　258

ことは～が【一応～が、しかし it's true that…but／虽说～，但是／－하기는 －지만】★3

①中国語はわかることはわかるんですが、話し方が速いとわからないんです。

②きのう本屋へ行ったことは行ったが、店が閉まっていて買えなかった。

③わたしのうちは広いことは広いんですが、古くて住みにくいのです。

④タイに行く前にタイ語を勉強することはしたのですが、たった２週間だけです。

◎ **普通形**（ナＡな／Ｎな） ＋ ことは～が

１）「～ことは～が」の形で、「ことは」の前後に同じ「～」を繰り返して使い、「～を一応認めるが、そのことにあまり意味はない」と言いたいときの表現。　２）過去のことを言う場合には④のように前後の時制が違う形（「することはしたが」）もある。

1）Same phrase is repeated before and after ことは to indicate speaker acknowledges fact but does not consider it particularly important. 2）When speaking about past, sometimes tense before and after differs, as in sentence ④: することはしたが.

1）采用「～ことは～が」的形式,「ことは」前后的「～」是同一个词,重复出现,表达“暂且承认了～,但是这件事并没有什么意义”之意。2）在陈述过去的事实时，如例句④，前后的时态不一样，有时会用「することはしたが」的形式。

1）「～ことは～が」의 형태로,「ことは」의 전후에 똑 같은「～」를 반복해서 사용하여,「～을 일단 인정은 하지만, 그 것이 별 의미는 없다」고 말하고자 할 때의 표현이다. 2）과거에 있었던 일을 말할 경우에는 ④처럼 전후의 시제가 다른 형태（「することはしたが」）도 있다.

ことはない【～する必要はない／～しない方がいい no need to; shouldn't／没必要做～；不做～更好／－할 필요는 없다】★3

①簡単な手術だから、心配することはありません。すぐに退院できますよ。

②怖がることはないよ。あの犬は、体は大きいけれど性質はおとなしいから。

③パーティーといっても、親しい友だちが集まるだけなんだから、わざわざ着替えて行くことはないよ。

④すぐ帰ってくるんだから、空港まで見送りに来ることはない。

⑤たしかに彼の話し方はほかの人と違うが、なにも笑うことはない。

⑥あなたの気持ちもわかるけど、皆の前であんなに怒ることはないでしょう。

◎ Vる ＋ことはない

1）「そうする必要があるのではないか」と心配している人に「その必要はない」「そんなに心配しなくてもいい」と助言をしたり、忠告をしたりする言い方である。 2）「なにも～ことはない・わざわざ～ことはない」の形でよく使う。 3）⑤⑥のように「必要はない」の意味から転じて、非難する意味に使うこともある。

1）Response to someone's concern that something must be done. Response constitutes advice that there is no reason for action to be taken. 2）Often used in patterns なにも～ことはない (certainly no need to…) or わざわざ～ことはない (no need to go to the trouble of). 3）Response of “no need to…” can shift into a criticism when used as in sentences ⑤ and ⑥.

1）对担心“是不是有必要那样做啊…”的人给与劝导、忠告，“没必要那样”“可以不必那么担心”等。 2）常采用「なにも～ことはない・わざわざ～ことはない」的形式。 3）如例句⑤⑥，由“没必要”之意转义而来，也表示责难等意义。

1）「그럴 필요가 있지 않을까?」라고 걱정하고 있는 사람에게「그럴 필요 없다」「그런 걱정은 안 해도 된다」고 조언을 하거나 충고를 하는 표현이다. 2）「なにも～ことはない・わざわざ～ことはない」의 형태로 자주 사용한다. 3）⑤⑥처럼「필요 없다」는 의미가 변질되어, 비난하는 의미로 사용되는 경우도 있다.

ことはない ➡ないことはない 259

こない ➡っこない 150

こめて　➡をこめて　423

さい（に）【～ときに when; on the occasion of ／～之际／－일 때는 /－ 때】★3

①非常の際はエレベーターを使わずに、階段をご利用ください。
②これは昨年、ある大臣がアメリカを訪問した際に、現地の子どもたちから受け取ったメッセージである。
③申込用紙は3月1日までにお送りください。その際、返信用封筒を忘れずに同封してください。
④昨年、わたしがボランティアセミナーを行った際の記録をお見せいたします。
⑤国を出る際に、友人、知人からたくさんのお金を借りたのです。

Vる・Vた／Nの　＋際（に）

1）ある特別の状況にあるときに、またはそうなったときにという意味。　2）「ときに」と同じ意味だが、改まった言い方だから日常的な普通のことにはあまり使わない。

1）To be in a special condition or when something has become a certain state. 2）Same meaning as ときに, but because it is a formal expression, is not usually used in everyday speech.

1）意为，在处于某一特殊状态或到了那样的时刻。　2）和「ときに」意义相同，但由于是郑重的表达方式，所以一般日常性的事物不使用本句型。

1）어떤 특별한 상황에 처해 있을 때에，또는 그렇게 되었을 때에 라는 표현이다．　2）「ときに」와 같은 의미지만，격식을 차린 표현법이므로 일상적인 말에는 그다지 사용하지 않는다．

さいして　➡にさいして　296

さいちゅう（に）【ちょうど～中に in the middle of ／正好处在～的过程中／－하는 중（에）/－하는 도중（에）】★3

①新入社員の小林さんは、会議の最中にいねむりを始めてしまった。
②来年度の行事日程については、今検討している最中です。
③今考えごとをしている最中だから、少し静かにしてください。

Vている／Nの　＋最中（に）

「ちょうど～しているとき」という意味。

To be just in the midst or middle of some action.

意为“正好就在～的时候”

「마침 ～하고 있을 때」라는 의미이다．

さいちゅうだ ➡さいちゅう（に） 93

さえ【～も even／甚至连～／－조차】★3

①ジムは日本に長くいるので会話は上手だが、文字はひらがなさえ読めない。
②彼女は親友の花子にさえ知らせずに一人で外国へ旅立った。
③息子を失った彼女は生きる希望さえなくしてしまった。
④この本は小学生でさえ読めるのだから、高校生のあなたは簡単に読めるでしょう。
⑤山の上には夏でさえ雪が残っている。

◎ N（＋助詞） ＋ さえ

極端なものごとを取り出して「ほかのことはもちろん」という意味に使う。④のように主格につく場合は「でさえ」となることが多い。

Cites an extreme case to express that naturally there are other factors. Often appends to the nominative as でさえ, as in sentence ④.

举出一个极端的事物为例，"别的事物就更不用提了"之意。如例句④，接在主格后面的时候多使用「でさえ」。
극단적인 예를 들어「다른 것은 물론이고」이라는 의미로 사용한다. ④와 같이 주격에 붙는 경우에는「でさえ」의 용법이 되는 경우가 대부분이다.

さえ～ば【～ば、それだけで whenever; if only／只要～就…／－하기만 하면/－만 있으면】★3

①これは薬を飲みさえすれば治るという病気ではない。入院が必要だ。
②謝りさえすれば許されるというのは間違いだ。謝っても許されない罪もある。
③うちの子は暇さえあれば、本を読んでいます。
④湿度さえ低ければ、東京の夏も暮らしやすい。
⑤このシャツ、もう一まわり大きくさえあれば着られるのに。残念だな。
⑥子どもたちの体さえ健康なら、親はそれだけでうれしい。

◎ V~~ます~~ ＋ さえすれば
N さえ ＋ V ば／イ A ければ／ナ A なら／N なら
イ A く／ナ A で ＋ さえあれば

「～さえ～ば…」の形で、「…」が成立するのに、「～」という条件が実現すればいい、ほかには何も必要ないという意味で使う。

For the situation following the pattern to occur, conditions before the pattern must be realized. Indicates that nothing external is necessary.

采用「～さえ～ば…」的形式，意为要「…」成立，只需要「～」的条件实现了就可以，此外什么都不需要。

「～さえ～ば…」의 형태로 ,「…」가 성립하는 데에는 ,「～」라고 하는 조건이 실현되면 된다 , 그 밖에는 아무것도 필요 없다고 하는 의미로 사용한다 .

さきだつ ➡にさきだって 297

さきだって ➡にさきだって 297

さしあげる ➡あげる 24

させていただけませんか ➡させてもらえませんか 96

させてください【let me／请允许我～／－하게 해주십시오】★4

①市役所(しやくしょ)へ行(い)かなければならないので、今日(きょう)は早(はや)く帰(かえ)らせてください。

②後(あと)で取(と)りに来(き)ますから、ここにちょっとかばんを置(お)かせてください。

③勝手(かって)ですが、9時(じ)ごろこちらの方(ほう)から電話(でんわ)をかけさせてください。

④その仕事(しごと)はぜひわたしにさせてくださいませんか。

◎ Vさせて ＋ください

1）自分(じぶん)が何(なに)かをすることを許(ゆる)すように相手(あいて)に頼(たの)む言(い)い方(かた)。「動詞(どうし)の使役形(しえきけい)＋てください」を使(つか)う。相手(あいて)が許(ゆる)すことを確信(かくしん)している場合(ばあい)が多(おお)い。　2）だれがその行為(こうい)をするのかに注意(ちゅうい)する。　◆ちょっと休(やす)ませてください。(わたしが休(やす)む)／ちょっと休(やす)んでください。(相手(あいて)が休(やす)む)

1）Used to ask someone to permit the speaker to do something. Takes a causative verb＋ください. In many cases the speaker is certain he will obtain permission. 2）Note who does action. →◆

1）请对方允许自己做某事时的请求用语。采用「动词的使役形＋てください」。多用于说话人对对方答应自己一事有把握的情况下。
2）注意是谁在进行这个行为。

1）자기가 하는 일에 대해 상대방이 허락하도록 정중하게 의뢰하는 표현법이다 .「동사의 사역형＋てください」를 사용한다 . 상대방이 허락할 것을 확신하고 있는 경우가 많다 .　2）누가 그 행위를 하는가에 주의한다 . →◆

させてくれませんか

【won't you let me?／烦请允许我～／－하게 해 주십시오 / 제가 －해도 될까요？】★3

①A：山田(やまだ)さん、すみませんが、週末(しゅうまつ)、車(くるま)を使(つか)わせてくれませんか。

B：ええ、いいですよ。

②A：今日(きょう)の食事(しょくじ)はわたしに払(はら)わせてくださいませんか。この前(まえ)、ごちそうになりましたから。

B：そうですか。じゃあ、よろしくお願(ねが)いします。

③A：その仕事(しごと)、わたしにやらせてくれない？　表(ひょう)を作(つく)るのは得意(とくい)なの。

B：そうか。じゃ、頼(たの)むよ。

◎ Vさせて　＋くれませんか

1）自分(じぶん)が何(なに)かをすることを許(ゆる)すように相手(あいて)に丁寧(ていねい)に頼(たの)む言(い)い方(かた)。　2）くだけた会話(かいわ)では③のように「させてくれない？」になる。

1）Polite way to ask someone to permit the speaker to do an action.　2）Becomes させてくれない？ in informal conversation, as in sentence ③.

1）请求对方允许自己做某事时的郑重说法。　2）如例句③，在较为通俗的口语中变为「させてくれない？」的形式。

1）자기가 하는 일에 대해 상대방이 허락하도록 정중하게 부탁하는 표현법이다.　2）허물없는 사이의 대화에서는 ③처럼「させてくれない？」의 형태가 된다.

させてもらえませんか

【would you mind letting me?／我可以～吗／－하게 해 주십시오 / －해도 될까요？】★3

①A：すみませんが、電話(でんわ)をかけさせてもらえませんか。

B：ええ、いいですよ。

②A：ちょっと気分(きぶん)が悪(わる)いのですが、ここで休(やす)ませていただけませんか。

B：ええ、どうぞ。

③A：用事(ようじ)があるので、きょうは早(はや)く帰(かえ)らせていただけますか。

B：ええ、どうぞ。

④A：ちょっとこのかばん、ここに置(お)かせてもらえない？

B：うん、いいよ。

Vさせて ＋ もらえませんか

1）自分が何かをすることを許すように相手に丁寧に頼む言い方。　2）だれがその行為をするのかに注意する。　◆写真をとっていただけませんか。（相手がとる）／写真をとらせていただけませんか。（「わたし」がとる）

1）Polite request to ask permission of someone to do something.　2）Note who does action. →◆

1）请求对方允许自己做某事时的郑重说法。　2）注意究竟是谁在进行这个行为。→◆

1）자기가 하는 일에 대해 상대방이 허락하도록 정중하게 부탁하는 표현법이다.　2）누가 그 행위를 하는가에 주의한다.→◆

させられる【be made to／被人指使做～／억지로 − 하다 / 어쩔 수 없이 − 하게 되다 / − 를 당하다】★4

①アルバイトをしている店で、店長に言葉の使い方を覚えさせられました。

②野球チームに入りたいけれど、毎日練習させられるのはいやです。

③わたしが子どものころは、家の中のいろいろな仕事を手伝わされました。しかし、今の親は子どもにあまり手伝わせないようです。

④子どものころ、兄によく泣かされました。

⑤あの人にはよくびっくりさせられます。いつも夜遅くいろいろな国から電話をかけてくるので……。

⑥きのう田口君と３時に約束したのですが、駅で 30 分も待たされました。

巻末の活用表参照

使役受け身の文である。①～③のように、ある人の命令や指示を受けて、しかたなくその動作をするという意味を表す。④～⑥のように、指示を受けたのではないが、結果として、また、心理的にそうなってしまうときにも使う。どちらの場合も、その事実をうれしくないと感じる人（わたし、または心理的にわたしに近い人が多い）を主語にして表す。

Causative passive. Expresses notion of someone receiving a command or directive and then being compelled to do the action, as in sentences ① to ③. In sentences ④ to ⑥ speaker does not receive any directives, but result or psychological impact ends up the same. In either case, subject is speaker or someone psychologically close to the speaker who feels unhappy about the fact.

如例句①～③，受到某人的命令、指示等，不得不做某动作之意。如例句④～⑥，虽然没有得到什么指示，但是作为一种结果，或者心理上已经成为那个样子了的情况下，也使用本句型。无论上述哪种情况，总之都是以对发生的事实心存不满的人为主语的。（这个人一般为“我”，或在心理上比较靠近我一方的人）

œ 권말의 활용참조

사역수동의 문장으로, ①～③과 같이, 어떤 사람의 명령이나 지시를 받아서, 할 수 없이 그 동작을 한다고 하는 의미를 나타낸다. ④～⑥처럼, 지시를 받은 것은 아니지만, 결과적으로 또는 심리적으로 그렇게 되어 버릴 때에도 사용한다. 어느 경우라도, 그 사실을 달갑게 생각하지 않는 사람 (나, 또는 심리적으로 나에게 가까운 사람이 많다) 을 주어로 해서 나타낸다.

させる〈強制の使役〉【make to do ／让～做…／시키다 / 하게 하다】☆4

①部屋が汚いので、お父さんは子どもに部屋をそうじさせました。

②仕事がたくさんあるので、社長は社員に日曜日も仕事をさせました。

③先生は学生にA社の辞書を勧めて買わせました。

④先生は子どもたちに運動場を走らせました。

⑤子どもがあまり外で遊ばないので、親は子どもを野球クラブに入らせました。

◎ 巻末の活用表参照

普通、目上の人が目下の人にある行為を強制したり、勧めたりするときに使う。目上の人に頼む場合には使わない。 ◆×後輩は先輩に先生の住所を調べさせました。→○後輩は先輩に先生の住所を調べてもらいました。

Usually used when a social superior compels or persuades a social inferior to do an action. Not used to ask something of social superiors. →◆

一般在地位较高的人强制或劝诱地位较低的人做某行为时使用本句型。不能用于地位较低的人拜托地位较高的人做某事。→◆

œ 권말의 활용참조

일반적으로는, 손 윗 사람이 손 아랫 사람에게 어떤 행위를 강제로 시키거나, 권유하거나 할 때에 사용한다. 손 윗 사람에게 부탁하는 경우에는 사용하지 않는다. →◆

させる〈誘発の使役〉【induce to／让／－하게 하다】★4

①ジム　　：……その人は本当は……おばけだったのです……。
　子どもたち：キャーッ、こわあい……。
　→ジムはおばけの話をして、子どもたちをこわがらせました。
②よしおさんはいつもおもしろい話をして、みんなを笑わせます。
③花子さんはオリンピックの選手になって、両親をびっくりさせました。
④いつも親や先生を泣かせていた太郎は、今は３人の子の親です。
⑤リー：先生、この問題は……。
　先生：むずかしい質問ばかりして、わたしを困らせないでください。

◎ 巻末の活用表参照

１）「あることが直接的な原因で、結果として外の人の心理的な変化や感情的な動作を引き起こす」という意味。　２）ほかに、「泣く・驚く・喜ぶ・悲しむ・安心する・怒る」などの感情を伴う動詞がよく使われる。

１）Something is a direct cause of a psychological change in someone or draws out an emotional response.　２）Also used with other emotive verbs such as 泣く, 驚く, 喜ぶ, 悲しむ, 安心する, and 怒る.

１）意为“以某事为直接原因，结果引起其他人心理上发生变化或做出带感情的动作”　２）此外，还经常和「泣く・驚く・喜ぶ・悲しむ・安心する・怒る」等伴随感情的动词一起使用。

œ 권말의 활용참조
１）「어떤 일이 직접적인 원인이 되어，결과적으로 다른 사람의 심리적인 변화나 감정적인 동작을 불러 일으킨다」고 하는 의미이다.　２）그 밖에「泣く・驚く・喜ぶ・悲しむ・安心する・怒る」등의 감정을 동반하는 동사가 자주 사용된다.

させる〈許可・恩恵の使役〉【let／让，允许／－하게 하다】★4

①子どもが読みたいと言ったので、お父さんは子どもに昔のまんがを読ませました。

②あのお母さんは、子どもがやりたいと言っても、ゲームをやらせません。

③おいしいいちごですね。正夫にも食べさせたいです。大好きだから。

④A：あ、新しい雑誌ですね。ちょっと読ませてください。

　B：どうぞ。

⑤その女の人は立って、わたしの母をすわらせてくれました。

⑥アルバイトで、わたしはいろいろ勉強させてもらって、よかったと思っています。

⑦先生はわたしに学生時代の話をいろいろ聞かせてくださいました。

⑧父：たかし、遊びはもうやめて、おふろに入りなさい。

　母：楽しそうに遊んでいるから、もう少し遊ばせておきましょうよ。

巻末の活用表参照

1）人が希望していることを許すという意味。また、働きかける人の好意を表す。だれがその行為をするのかに注意する。　◆ちょっと読ませてください。(「わたし」が読む)　2）⑧のように、「Vさせておく」の形で、その行為を続けることを許すという意味もある。

1）Indicates granting permission to someone to do what they wish. It also indicates good will on the part of the person making the appeal.　Note person doing action. →◆　2）In sentence ⑧, continuous action is granted in the pattern Vさせておく.

1）答应、允许别人做希望做的事，另外劝说者的好意。值得注意的是究竟是谁在进行这个行为。→◆　2）如例句⑧，本句型也有以「Vさせておく」的形式，表示允许某个行为持续进行的意义。

1）누군가가 소망하는 바를 허가한다고 하는 의미이다. 또한, 상대방의 호의를 나타내기도 한다. 누가 그 행위를 하는가에 주의한다. →◆　2）⑧과 같이,「Vさせておく」의 형태로, 그 행위를 계속하는 것을 허락한다고 하는 의미도 있다.

させる〈責任の使役〉【ended up making／导致／－하게 하다】★2

①水をあげるのを忘れてしまって、ペットの小鳥を死なせてしまいました。

②肉を冷蔵庫に入れたまま、何日も使わなかったので、くさらせてしまいました。

③わたしのためにお金を使わせてしまって申し訳ありません。

④（待ち合わせで遅れた人）どうもお待たせしました。

⑤A：だいじょうぶですか。手伝いましょうか。

B：（パソコンの上にお茶をこぼした人）あ、大丈夫です。……どうもお騒がせしました。

∞ 巻末の活用表参照

1）「自分が原因で相手を好ましくない状況に置いてしまって、責任を感じている」という意味。「Vさせてしまう」の形でよく使う。　2）④⑤はあいさつのように使う決まった表現である。

1）Speaker feels responsible for being the cause of some adverse situation arising for someone else. Often used in pattern V させてしまう.　2）Also used in idioms, as in sentences ④ and ⑤.

1）意为“由于自己的原因而导致对方处于一种不好的状态，自己感到有责任”。常采用「Vさせてしまう」的形式。　2）例句④⑤是寒暄用语，是一种固定用法。

∞ 권말의 활용참조

1）「자기가 원인을 제공하여 상대방을 좋지 않은 상황에 놓이게 한 점에 대해 책임을 느끼고 있다」고 하는 의미이다.「Vさせてしまう」의 형태로 사용한다.　2）④⑤는 하나의 인사말처럼 사용하는 정해진 표현이다.

させる〈他動詞化の使役〉【to cause／引起／－하게 하다】★3

①（天気予報）関東地方の上に雲がかかっていますが、これは雨を降らせる雲ではありません。

②この寺の「あじさい」は、梅雨の季節になると美しい花を咲かせて人々を楽しませてくれます。

③子どもたちは歌やダンスがある楽しい劇を、目を輝かせて見ていました。

④木村先生は子どもたちの文章を書く能力を向上させようと、日々努力しています。

◎ 巻末の活用表参照

1）ある状態になるとき、その状態を起こす主体に焦点を当てて述べたいが、対となる他動詞がないため、自動詞を使役の形にして他動詞として用いる使い方。　2）④のように、「向上する・発展する・進歩する・完成する・実現する」などの本来自動詞である漢語の動詞にもこのような用法が見られる。

1）Used when speaker wishes to focus on main component of some condition that has arisen. There is no transitive verb; a corresponding intransitive verb is used in its causative form to act as transitive verb.　2）Can also be seen in Chinese-derived intransitive verbs such as 向上する (improve), 発展する (develop), 進歩する (advance), 完成する (complete), and 実現する (realize).

1）造成某种状态时，当把焦点集中在引起该种状态的主体上，而自动词又没有和它成对的他动词，这时就把将自动词的使役形作为他动词来使用。　2）如例句④像「向上する·発展する·進歩する·完成する・実現する」等原本是自动词的汉语动词也有此种用法。

1）어떤 상태가 될 때，그 상태를 일으키는 주체에게 초점을 맞추어 진술하고 싶지만，한쌍이 되는 타동사가 없기 때문에，자동사를 사역형태로 만들어서 타동사로 만들어 사용하는 방법이다.　2）④와 같이「向上する・発展する・進歩する・完成する・実現する」등 원래부터 자동사인 한자어（漢語）동사에서도 이와 같은 용법을 볼 수 있다.

さておき　➡はさておき　345

さることながら　➡もさることながら　377

ざるをえない

【どうしても～する必要がある／～しなければならない
cannot avoid; have no choice but／不得不～，无论如何也躲不过～／– 할 수 밖에 없다 /– 해야 한다】★2

①会社の上の人に命令された仕事なら、社員は嫌でもやらざるをえない。
②会社が倒産したのは社長に責任があると言わざるをえない。
③化学は好きではないが、必修だから取らざるをえない。
④体調はあまりよくないが、今日は人手が足りないので働かざるをえない。

◎ V~~ない~~ ＋ ざるを　＋ えない　　例外　しない→せざるをえない

1）そのことをしたくはないが、避けられない事情があるので「しかたなく～する」と言うときに使う。　2）「ざる」は古い言葉で「ない」という意味。「ざるをえない」は「ないわけにはいかない」より「しかたなく」という感じが強い。

1）Used when situation cannot be avoided even though person involved does not want to do the action. 2）ざる is old term meaning ない (not). Pattern ざるをえない has a stronger sense of しかたなく (must even though doesn't want to) than ないわけにはいかない (no way not to).

1）意为，并不想做～，但由于有不可避免的情况，所以“不得不做～（不得已而为之）” 2）「ざる」是较为古旧的说法，是「ない」的意思。「～ざるをえない」比「～ないわけにはいかない」无可奈何之感更为强烈。

1）그 일을 하고 싶지는 않지만，피할 수 없는 사정이 있어서「しかたなく～する（할 수 없이～하다）」라고 할 때에 사용한다. 2）「ざる」는 옛말로 지금의「ない」와 같은 의미이다.「ざるをえない」는「ないわけにはいかない（～하지 않을 수 없다，～해야 한다）」보다는「しかたなく（어쩔 수 없이）」라고 하는 느낌이 강하다.

し【and, besides／又／－하고】★4

①A：木村さんはどうして夏が好きなんですか。

　B：そうですね。夏休みがあるし、泳げるし…。

②きょうは雨も降っているし、ジョギングはやめよう。

③A：どうして引っ越すんですか。

　B：今のアパートは駅から遠いし、部屋も好きじゃないんです。

④きょうはひまだし、天気もいいから、公園に行きましょう。

普通形 ＋し

1）理由を重ねて言うときに使う。「から」や「ので」より因果関係は弱い。 2）②のように理由が一つの場合も、ほかにも理由があるという気持ちがある。

1）Explains more than one reason. Conveys less of a causal effect than either から or ので. 2）Even when only one reason is used, as in sentence ③, the sentence imparts feeling that other reasons do exist.

1）用于并列陈述多个理由。因果关系和「から」、「ので」等相比更弱一些。 2）如例句③，即使只举出了一个理由，也包含着“除此之外，还有别的理由”的语气。

1）이유를 나열해서 말할 때 사용한다.「から」나「ので」보다 인과관계（因果関係）는 약한 편이다. 2）②처럼 한 가지 이유만을 들고 있지만 그 밖에 다른 이유도 있다고 하는 느낌을 준다.

しかたがない ➡ほかない 357

しかない【それ以外に方法はない can't but, can only／只能，只有／－하는 수 밖에 없다/－해야 한다】★3

①１度決心したら最後までやるしかない。

②この事故の責任はこちら側にあるのだから、謝るしかないと思う。

③ビザの延長ができなかったのだから、帰国するしかない。

Vる／N　＋しかない

「ほかに方法がない・しかたがないからそうする」とあきらめの気持ちで言うときの表現。

参 ほかない

Expresses resignation that there is no way out of doing something. →参

没有别的方法，没有办法所以只好那么做，语气中含有不得不、放弃等意味。 →参

다른 방도가 없어 할 수 없이 그렇게 한다고 자포자기하는 기분으로 말할 때 사용하는 표현이다. →参

しだい【～したらすぐ as soon as; the moment that ／～之后马上／ – 되는 대로 /– 하는 즉시】★2

①スケジュールが決まり次第、すぐ知らせてください。
②資料の準備ができ次第、会議室にお届けします。
③向こうから連絡があり次第、出発しましょう。
④会長が到着し次第、会を始めたいと思います。もうしばらくお待ちください。

V~~ます~~　＋次第

「～次第…」の形で、「～」が起こったら、すぐ「…」をする、という意志を伝えたいときによく使う。

Often used to convey volition to do something as soon as something else happens.

采用「～次第…」的形式,在想要传达"「～」一发生,马上做「…」"之意时常使用本句型。

「～次第…」의 형태로,「～」가 일어나면 즉시「…」를 하겠다고 하는 의지를 전하고 싶을 때 자주 사용한다.

しだいだ【～わけだ the case that ／因此／ – 입니다 /– 인 까닭에】★2

①社長：君は大阪には寄らなかったんだね。
　社員：はい、部長から帰れという連絡が入りまして、急いで帰って来た次第です。
②客　：品物が届かなかったのはそちらの手違いだというんですね。
　店員：はい、まことに申し訳ございませんが、そういう次第でございます。
③以上のような次第で、来週の工場見学は中止にさせていただきます。

普通形（ナAである／Nである）＋次第だ

理由や事情を説明して、「それで～という結果になった」と言いたいときに使う。文中では③のように「しだいで」という形になる。

Result has occurred because of a certain reason or circumstances that speaker first explains. Becomes しだいで in mid-sentence, as in sentence ③.

说明理由、情况等，在想要表达“因此，导致了～的结果”时使用本句型。如例句③所示在句子中，变为「しだいで」的形式。

이유나 사정을 설명하고,「그래서 ~라고 하는 결과가 되었다」라고 말하고자 할 때에 사용한다. 문장 안에서는 ③처럼「しだいで」라는 형태가 된다.

しだいだ ➡しだいで 105

しだいで【～で depends on／按照，根据／－에 따라(서)/－에 달렸다】★2

①言葉の使い方次第で相手を怒らせることもあるし、喜ばせることもある。
②わたしはその日の天気次第で、１日の行動の予定を決めます。
③国の援助を受けられるか受けられないかは、この仕事の結果次第です。

Ⓝ N ＋ 次第で

１）主として程度や種類の違いを表す語につながり、「それに対応してあることが変わる、あることを決める」と言いたいときに使う。「～次第で」の「～」が後の事柄の決定要素となっていることを表す。「いかんで」と意味・用法が同じだが、「いかんで」より日常的な言葉。　２）文末では③のように「しだいだ」という形になる。

参いかんで

1) Mainly links to expressions of difference in degree or type. Conveys notion of change in response or decision depending on that difference. Factors preceding しだい decide what follows it. Meaning and usage are same as for いかんで, but しだいで is more common in daily conversation. 2) Becomes しだいだ at end of sentence, as in sentence ③. →参

１）主要连接表示程度、种类的不同的词语，在想要表达“原本与此相对应的事情发生了变化，决定做某事”之意时使用本句型。「～次第で」的「～」是其后面的事的决定性要素。和「～いかんで」意义、用法相同，但是和「いかんで」相比是更加日常化的表达方式。
２）在句末，变为「しだいだ」的形式。 →参

１) 주로 정도나 종류의 차이를 나타내는 말에 이어져서,「그것에 대응해서 어떤 일이 변한다, 어떤 일을 결정한다」라고 말하고자 할 때에 사용한다.「~次第で」의「~」가 뒤에 오는 사항의 결정요소가 되는 것을 나타낸다.「いかんで」와 의미, 용법이 비슷하지만,「いかんで」보다 일상적인 말이다.　2) 문말에서는 ③처럼「しだいだ」라는 형태가 된다. →参

しだいでは【ある～の場合は depending on／根据～的情况／－에 따라서는】★2

①成績次第では、あなたは別のコースに入ることになります。
②道の込み方次第では、着くのが大幅に遅れるかもしれません。
③考え方次第では、苦しい経験も貴重な思い出になる。

ⓒ N ＋次第では

1）主として程度や種類の違いを表す語につながり、「そのうちのある場合は…のこともある」と言いたいときに使う。「しだいで」の用法の一部。いろいろな可能性の中の一つを取り上げて述べる言い方である。　2）「いかんでは」と意味・用法が同じだが、「いかんでは」より日常的な言葉。

参 いかんでは・しだいで

1）Links mainly to expressions of difference in degree or type to indicate that in some situations certain events happen. Usage belongs to the しだいで pattern. Describes one instance out of a variety of possibilities. 2）Same meaning and usage as for いかんでは, but more common in daily conversation. →参

1）主要连接表示程度、种类的不同的词语，在想要表达“其中的某种情况下，也会有…发生”之意使用本句型。是句型「しだいで」的用法之一。在各种可能性之中挑出其中的一种来说。　2）和「いかんでは」意义、用法基本相同，但比「いかんでは」更加日常化。 →参

1）주로 정도나 종류의 차이를 나타내는 말에 이어져서，「그 중 어떤 경우는 …하는 수도 있다」라고 말하고자 할 때에 사용한다．「しだいで」의 용법의 일부이다．여러 가능성 가운데에서 하나를 예를 들어서 말하는 표현법이다．　2）「いかんでは」와 의미，용법이 비슷하지만，「いかんでは」보다 일상적인 말이다． →参

したがって　➡にしたがって　297

したって　➡にしたところで　298

したところで　➡にしたところで　298

したら　➡にしたら　299

している　➡をしている　424

しては　➡にしては　300

しても　➡にしたら　299

しても～しても　➡にしても～にしても　302

してる　➡をしている　424

しまつだ【～という悪い結末だ turn out badly; end up ／（不好的）后果／（나쁜 결과로의）형편 / 꼴 / 태도】★1

①あの子は乱暴で本当に困る。学校のガラスを割ったり、いすを壊したり、とうとうきのうは友だちとけんかして、けがをさせてしまうしまつだ。

②きのうはいやな日だった。会社では社長に注意されるし、夜は友人とけんかしてしまうし、最後は帰りの電車の中にかばんを忘れてきてしまうしまつだ。

③君はきのうもまた打ち合わせの時間に遅れたそうじゃないか。そんなしまつじゃ人に信用されないよ。

Vる　＋しまつだ

1）「悪いことを経て、とうとう最後にもっと悪い結果になった」とその経緯を言うときに使う。　2）後の文では「とうとう·最後は」などの言葉をよくいっしょに使う。

1）Shows process of events going from bad to worse.　2）Often used with words such as とうとう (ultimately), and 最後は (in the end).

1）“经过了不好的过程，最终得到了一个更为不好的结局”在表述这个过程的时候使用本句型。　2）后半句常常和「とうとう・最後は」等词语一起使用

1）「나쁜 상황들이 반복되다가 결국에는 더욱 안 좋은 결과가 되었다」고 그 경위를 설명할 때에 사용한다.　2）뒤에 오는 문장에는「とうとう・最後は」등의 말과 함께 사용하는 경우가 많다.

じゃいけない　➡てはいけない　193

じゃう　➡てしまう　185－186

じゃかなわない　➡てはかなわない　194

じゃないか　➡ではないか　195

しろ〈命令〉【(command) do…!／表示命令／－해라】★4

①（交通標識）止まれ

②（けんかをしている人に）やめろ！

③（父が子どもをしかって）静かにしろ！

④（友だち同士で）よかったら、今晩うちに来いよ。

⑤（社長が社員に）あしたまでにレポートを出してくれ。

⑥母はいつも使ったものはかたづけろと言います。

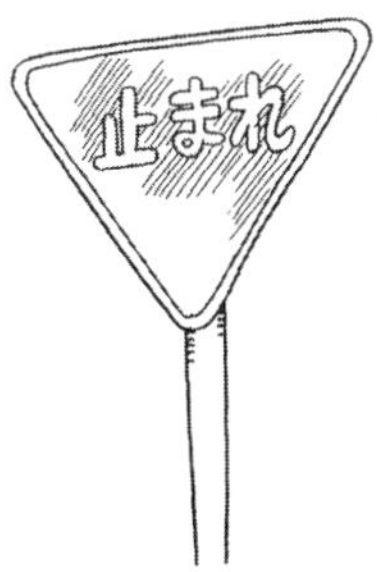

◎巻末の活用表参照

1）命令形で終わる文は、主に男性が人に強く命令する言い方。④のように男性が親しい相手に誘いや勧めの意味で使うこともある。　2）⑥のように、間接話法で文中に使われたり、試験などの指示文では、男女に関係なく使われたりする。

参 しろ〈命令〉と（言う）・な〈禁止〉と（言う）

1）Sentences that end in command forms are mainly strong commands said by men. Sometimes used as in sentence ④, for men inviting friends or making recommendations.　2）Used by men and women alike in directions on tests or when used in indirect speech in the middle of a sentence, as in sentence ⑥. →参

1）以命令形结尾的句子多为男性用语。男性在对别人施加语气强烈的命令时使用本句型。如例句④，男性在邀请或劝诱关系较为亲密的人时，也可以使用本句型。　2）如例句⑥，在间接引语中出现或在考试的试卷用语中，本句型的使用不分男女。 →参

1）명령형으로 끝나는 문장은, 주로 남성이 다른 사람에게 강력하게 명령하는 표현법이다. ④처럼 남성이 친한 상대에게 제안이나 권유의 의미로 사용하는 경우도 있다.　2）⑥과 같이, 간접화법으로 문장 속에서 사용되거나, 시험 등의 지시문에서는, 남녀에 관계없이 사용된다. →参

しろ ➡にしても 300－301

しろ ➡にしろ 303

しろ〈命令〉と（言う）【「～しなさい」と言う (command) said to do…／～说你要做…／－하라고（말하다）】★3

①母の手紙にはいつも体を大切に<u>しろと</u>書いてあります。
②森先生は若いときに本を<u>読めと</u>おっしゃいます。
③先輩は失恋したわたしに、終わったことは<u>忘れろと</u>言った。
④祖父はわたしに３歩前を見て<u>歩けと</u>言った。

◎巻末の活用表参照

1）忠告や命令などを、間接話法で簡潔に示す言い方。　2）忠告や命令の言葉の例は、①母の手紙「体を大切にしなさい」②森先生「若いときに本を読みなさい」③先輩「終わったことは忘れなさい」または「終わったことは忘れろ」④祖父「３歩前を見て歩きなさい」または「３歩前を見て歩け」などである。

1）Concisely expresses indirect speech warnings or commands.　2）Direct commands of the indirect statements in sentences listed are: sentence ①. 母の手紙: Take care of yourself; sentence ②. 森先生: Read books when you are young; sentence ③. 先輩 (Senior colleague): Now forget what's over and done with/ Forget what's over and done with! Sentence ④. 祖父 (Grandfather): Look three steps ahead when you walk. / Look three steps ahead when you walk!, etc.

1）是间接地表达忠告、命令等的简洁表达方式。　2）忠告、命令等的词语用例：例句①，母亲在信中说「体を大切にしなさい」。例句②,森老师说「若いときには本を読みなさい」。例句③,学长说,「終わったことは忘れなさい」或「終わったことは忘れろ」。例句④,祖父说「3歩前を見て歩きなさい」或「3歩前を見て歩け」等。

1）충고나 명령 등을, 간접화법으로 간결하게 나타내는 표현법이다.　2）충고나 명령투의 예를 들면, ①森先生「若いときには本を読みなさい」②母の手紙「体を大切にしなさい」③先輩「終わったことは忘れなさい」또는「終わったことは忘れろ」④祖父「3歩前を見て歩きなさい」또는「3歩前を見て歩け」등이 있다.

しろ〜しろ　➡にしろ〜にしろ　303

すえ(に)【〜いろいろした後、最後に finally, at last after…／最后／ – 한 끝에】★2

①帰国するというのは、さんざん迷った<u>末に</u>出した結論です。

②委員会を二つに分けるというのは、関係者がいろいろ検討した<u>末の</u>決定です。

③試合はAチームとBチームの激しい戦いの<u>末</u>、Aチームが勝った。

④5時間に及ぶ討議の<u>末に</u>、両国は「オレンジ」の自由化問題について最終的な合意に達した。

Vた／Nの　＋末（に）

1）「いろいろ〜した後で、こういう結果になった」と言いたいときに使う。　2）「いろいろ・さんざん・長い時間」など、強調する言葉とよくいっしょに使う。　3）同様の表現に「あげく」がある。

参あげく

1）After doing various things, this is result.　2）Often used with words of emphasis such as いろいろ, さんざん, and 長い時間.　3）The expression あげく (after much…ended up) can also be used in this pattern.

→参

1）在想要表达“做了很多〜之后，导致现在这样的结果”之意时使用本句型。2）常和「いろいろ・さんざん・長い時間」等表强调的词语一起使用。　3）有一个同意句型「あげく」。

→参

1）「여러 가지 방법으로 〜한 끝에, 이런 결과가 되었다」라고 말하고자 할 때에 사용한다.　2）「いろいろ・さんざん・長い時間」등, 강조하는 말과 함께 자주 사용한다.　3）같은 표현으로「あげく」가 있다.

→参

すぎない　➡にすぎない　304

すぎる【too／过于～，太～／지나치게 - 하다】★4

①このケーキはちょっと甘すぎます。

②わあ、このスーツ10万円ですか。高すぎますよ。

③食べすぎておなかがいっぱいです。

④あの人はまじめだけれど、ユーモアがなさすぎる。

V~~ます~~／イA~~い~~／ナA　＋すぎる　　例外　ない→なさすぎる

程度がちょうどいい線を超えていると言いたいときに使う。マイナスの評価。

Negative evaluation indicating a degree crosses a line that was perfect.

表示程度已经超过了刚刚合适的那条线。负面评价。

정도가 딱 좋은 선을 넘었다고 말하고자 할 때에 사용한다 . 마이너스적인 평가이다 .

ずくめ【～が多い／～が身の回りに続いて起こる　totally immersed in; all in…／充满了～／－투성이다 /– 일색이다】★1

①山田さんのうちは、長男の結婚、長女の出産と、最近、おめでたいことずくめだ。

②あの時、彼はお葬式の帰りだったらしく、黒ずくめの服装だった。

③彼から手紙が来たし、叔父さんからお小遣いももらったし、今日は朝からいいことずくめだ。

N　＋ずくめ

1）「～で満たされている・～が次々起こる」という意味。物・色・できごとなどにも使う。身の周りの生活上のことでいいことの例が多い。　2）ほかに「ごちそうずくめ・宝石ずくめ・けっこうずくめ」など。

1）To be filled with something, or one thing after another happens. Used for things, colors, and events. Most often used when a person is inundated in nice things. 2）Other examples: ごちそうずくめ (to treat lavishly), 宝石ずくめ (dripping in jewels), and けっこうずくめ (immersed in agreeable things).

1）充满了～，～接连不断的发生之意。可以用于物品、颜色、发生的事情等。用例多为身边日常生活中的好事。　2）此外还有ごちそうずくめ・宝石ずくめ・けっこうずくめ等。

1）~로 가득 차 있다 , ~가 차례차례로 일어난다고 하는 의미이다 . 물건 , 색깔 , 사건 등에도 사용한다 . 일상의 생활 주변에서 일어나는 좋은 일에 대한 예가 많다 .　2）그 밖에 , ごちそうずくめ・宝石ずくめ・けっこうずくめ 등으로 사용된다 .

ずじまい【～ないで終わる ended up not…／到底还是没有～／－하지 못하고 끝났다】★2

①あの映画も終わってしまった。あんなに見たいと思っていたのに、とうとう見ずじまいだった。

②あの本はいろいろな友だちに勧められたんですが、なんとなく気が進まず結局読まずじまいでした。

③そろそろ昼食を、と思っていたら来客があり、そのうちにミーティングが始まり、結局昼食は取らずじまいだった。

④その件については、いろいろな人に聞いて回ったが、結局真相はわからずじまいだった。

◎ V~~ない~~ ＋ ず ＋ じまい　例外　しない→せずじまい

1）「ある意図が心理的、時間的、物理的などの障害があって、実現しないで終わった」という意味。意志動詞につくことが多い。　2）全体は名詞として使われる。　3）「結局・とうとう」などの言葉とよくいっしょに使う。　4）やや口語的表現。

1）Some intention was not realized because of a psychological, temporal, or physical obstacle. Often appends to verbs of volition.　2）Phrase used as a noun.　3）Often used with words like 結局 (ultimately), and とうとう (after all).　4）Somewhat colloquial.

1）意为“某种意图由于心理上、时间上或物理上的障碍等原因，终于没有实现，无果而终”。多接在意志动词之后。　2）整体上作为名词使用。　3）常和「結局・とうとう」等词语一起使用。　4）略带口语语感。

1）「어떤 의도가 심리적，시간적，물리적 장해로 인해，실현되지 못하고 끝났다」라고 하는 의미이다．의지동사에 붙는 경우가 많다．　2）전체를 명사로 취급한다．　3）「結局・とうとう」등의 말과 함께 자주 사용한다．　4）약간 구어적 표현이다．

ずに【～ないで without／没有、不／－하지 않고】★4

①切手をはらずに手紙をポストに入れてしまいました。

②暑いので、子どもはふとんをかけずに寝ています。

③今年の夏休みは山へ行かずに、海へ行くことにしました。

④山田さんはパソコン教室に参加せずに、自分で勉強してみると言っています。

◎ V~~ない~~ ＋　ずに　例外　しない→せずに

1）「Vずに」の「Vず」は「ない形」の古い形。「Vないで」と同じような使い方をする。

2）①②はどんな状態で動作をしたかを表す。③④は「代わりに・対比」の意味を表している。

1）The V ず of V ずに is an old form of ない. Used in the same way as V ないで. 2）Sentences ① and ② show in what state action was taken. Sentences ③ and ④ express meaning of "instead of" and "contrast".

1）「Vずに」中的「Vず」是「ない形」的古语形式。和「Vないで」的用法相同。 2）例句①②表示以什么样的状态作的动作。例句③④表示“代替、对比”之意。

1）「V ずに」의「V ず」는「ない형」의 예스러운 형태이다.「V ないで」와 같은 사용법을 갖는다. 2）①②어떤 상태로 동작했는가를 나타낸다. ③④는「代りに（대신에）・対比（대비）」의 의미를 나타내고 있다.

ずにはいられない

【どうしても～しないでいることはできない
just had to ／不能不／ – 하지 않고는 견딜 수 없다 /– 하지 않고는 참을 수 없다】★2

①おなかが痛くて声を出さずにはいられなかった。

②（本の広告から）おもしろい！　読み始めたら、終わりまで読まずにはいられない。

③地震の被災者のことを思うと、早く復興が進むようにと願わずにはいられません。

④林さんは「なぜ？」と思うと人に聞かずにはいられないようだ。何でも質問する。

V~~ない~~ ＋ ずにはいられない　　例外　しない→せずにはいられない

1）身体的にがまんできないことを言うとき、または様子や事情を見て、話者の心の中に非常に～したいという気持ちが起こり、抑えられない、と言いたいときに使う。 2）話者の気持ちや体感などを表す言葉であるから3人称に使うときは文末に④のように「ようだ・らしい・のだ」をつける必要がある。　3）「ないではいられない」と意味が同じ。

参ないではいられない

1）To physically not be able to bear something. Expresses that when speaker sees a situation, cannot suppress strong feeling of wanting to do something about it. 2）As expresses speaker's emotions or physical sensations, necessary to append suffixes ようだ，らしい，or のだ when using the third person, as in ④. 3）Same meaning as ないではいられない. →参

1）身体上无法忍受的事。看到了事物的样子或情况，在说话人心里有一种“很想～”的情绪，是以意志力“无法压制得住”的。 2）由于是表示说话人的情绪、身体感觉的词语，所以如果用于第三人「～ようだ・～らしい・～のだ」称的话，有必要如例句④那样，在句末加上等词语。 3）与「ないではいられない」意义相同 →参

1）육체적으로 더 이상 참을 수 없음을 하소연 할 때나 사건의 정황으로 보아 말하는 사람（話者）의 마음속에「정말 - 하고 싶다」고 하는 생각이 들어 도저히 억제할 수 없음을 말하고자 할 때 사용한다. 2）말하는 사람（話者）의 기분이나 직감 등을 표현하는 말이므로, 3 인칭에 사용할 때는 문말에 ③과 같이「ようだ・らしい・のだ」를 붙일 필요가 있다. 3）「ないではいられない」와 의미가 같다. →参

ずにはおかない〈自発的作用〉

【そのようなことが引き起こされる
can't help but ／触动了那样的情绪或引发了那样的行为／ − 하게 만든다 /− 하게 한다】★1

①あの犬を描いた映画は、見る人を感動させずにはおかない。
②現在の会長と社長の争いは、会社全体を巻き込まないではおかないだろう。
③彼のやり方は他の人に不信感を抱かせずにはおかない。

V~~ない~~ ＋ ずにはおかない　　例外　しない→せずにはおかない
V ない ＋ では　＋ おかない

1）「そのような事態や行動が引き起こされる」という意味。①は気持ちを表す言葉とともに使って、自然にそのような気持ちになるという言い方。　2）②の「ないではおかない」も意味・用法は同じ。

1）A situation or action is made to occur. By using with words expressing emotion, sentence ① suggests person naturally came to have that feeling.　2）In sentence ②, ないではおかない has the same meaning and usage.

1）触动了那样的情绪或引发了那样的行为　2）与例句②的「ないではおかない」的意义、用法相同。

1）「그와 같은 사태나 행동이 일어나다」라고 하는 의미이다 . ①은 기분을 나타내는 말과 함께 쓰이며 , 자연스럽게 그와 같은 기분이 된다고 하는 표현법이다 .　2）②의「ないではおかない」도 의미 , 용법은 똑같다 .

ずにはおかない〈必ずする〉

【必ず〜する
will most certainly ／一定要〜／ − 하지 않고 내버려두는 일은 없다 / 반드시 − 한다】★1

①このチームに弱いところがあれば、相手チームはそこを攻めずにはおかないだろう。
②あの刑事はこの殺人事件の犯人を逮捕しないではおかないと言っている。
③マナーが悪い人を罰しないではおかないというのが、この国の方針です。

V~~ない~~ ＋ ずにはおかない　　例外　しない→せずにはおかない
V ない ＋ では　＋ おかない

「〜しないでおく、ということは許さない。必ず〜する」という強い気持ち、意欲、方針があるときの言い方。

Expresses with strong emotion, desire, or policy the idea that something will not be allowed to go undone.

"无法容忍不做〜，必须要做〜"，在有一种强烈的情绪、欲望、方针等的时候，使用本句型。

「〜하지 않고 내버려두는 일은 절대로 용납하지 않는다 . 반드시 〜한다」고 하는 강한 의지 , 의욕 , 방침이 있을 때의 표현법이다 .

ずにはすまない

【必ず～しなければならない
must certainly ／必须得做～／－하지 않고는 끝나지 않는다/반드시 - 해야 한다】★1

①大切なものを壊してしまったのです。買って返さずにはすまないでしょう。

②検査の結果によっては、手術せずにはすまないだろう。

③彼はかなり怒っているよ。ぼくらが謝らないではすまないと思う。

④林さんにあんなにお世話になったのだから、1度お礼に行かないではすまない。

V~~ない~~ ＋ ずには　＋ すまない　　例外　しない→せずにはすまない

Vない ＋ では　＋ すまない

その場、その時の状況、社会的ルールを考えると「そうしないことは許されない」、または「自分の気持ちからそうしなければならない」と言いたいときの言い方。硬い表現。

Considering the situation, conditions of the time and social rules, speaker expresses notion of “must by all means,” or “own feeling that…must be done.” Formal expression.

在当时当地,考虑到社会的规则而“无法容许不做那件事”,或者“从自己的心情上讲不得不那样做”, 在想要表达这样的意思时使用本句型。本句型是较为生硬的表达方式。

그 때 그 곳의 정황이나 사회적인 통념에 비추어 볼 때「그렇게 하지 않는 것은 용서받을 수 없는 행위다」또는「자기 자신이 생각해도 그렇게 해야 한다」고 말하고자 할 때 사용하는 매우 격식 차린 표현이다.

すら〈強調〉

【～も／でも
even ／连～也／－조차】★1

①高橋さんは食事をする時間すら惜しんで、研究している。

②腰の骨を傷めて、歩くことすらできない。

③大学教授ですらわからないような数学の問題を10歳の子どもが解いたと評判になっている。

④李さんは日本人ですら知らない日本語の古い表現をよく知っている。

N　＋ すら

特に極端な例を取り上げて「ほかはもちろん」という意味に使う。「さえ」と同じように使うが「さえ」より文語的な表現。③④のように主格につく場合は、「ですら」となる場合が多い。

Gives extreme example of something and then adds that other factors naturally also exist. Used the same way as さえ, but is more literary. When appended to nominals, such as in sentences ③ and ④, often becomes ですら.

举出一个特别极端的例子，(这个尚且如此)“别的就更不用提了”之意。和「さえ」用法相同，但比「さえ」更偏书面语化。如例句③④，如果接在主格之后，则多变为「ですら」。

특별히 극단적인 예를 들어서「다른 것은 물론이고」라고 하는 의미로 사용한다.「さえ」와 비슷하게 사용하지만,「さえ」보다는 약간 문어체적인 표현이다. ③④처럼 주격에 붙는 경우는,「ですら」의 형태로 되는 경우가 많다.

する ➡にする 304

すれば ➡にしたら 299

せいか ➡せいで 115

せいで【～が原因で on account of／都怪～／－탓에/－ 때문에】★3

①林さんが急に休んだせいで、今日は3時間も残業しなければならなかった。

②マリが授業中に何回も話しかけてくる。そのせいでわたしまで先生にしかられてしまう。

③タンさんは最近体の具合が悪いと聞いているが、気のせいか、顔色が悪く見える。

④兄さんが今日晩ご飯を全然食べなかったのは病気のせいだと思う。

普通形（ナAな・ナAである／Nの・Nである）＋せいで

「～せいで、…」の形で「～が原因で、…という悪い結果となった」と言いたいときに使う。③の「せいか」は、それだけが原因かどうかわからないが、という感じがある。

Some adverse consequence results from some cause. In sentence ③, せいか has nuance that other factors might have contributed to the adverse consequences.

采用「～せいで…」的形式，表示“由于～的原因，导致了…这种不好的结果”。例句③的「せいか」有一种不知道是不是只因为这一个原因的语感。

「～せいで、…」의 형태로「～가 원인으로, …라고 하는 좋지 않은 결과가 되었다」고 말하고자 할 때에 사용한다. ③의「せいか」는, 그것만이 원인인지 아닌지 알 수 없지만, 이라는 느낌이 있다.

せよ ➡にしても 300－301

せよ ➡にせよ 305

せよ～せよ ➡にせよ～にせよ 306

そう ➡にそって 307

そういない ➡にそういない 306

そうだ〈伝聞〉【it's said that; I hear that／听说／－라고 한다】★4

①テレビの天気予報によると、あしたは大雨が降るそうです。

②兄の電話によると、きのう元気な男の子が生まれたそうです。

③新聞によれば、この町にも新しい空港ができるそうだ。

④友だちの手紙では、今年のスペインの夏はあまり暑くないそうだ。

⑤おじいさんの話によると、おばあさんは若いころきれいだったそうです。

普通形 ＋ そうだ

1）話す人が聞いたり、読んだりして得た情報を伝えるときの言い方。情報の出所は「…によると」「…によれば」「…では」などで表す。　2）「そうだ」には否定や過去や疑問の形はない。　◆×暑いそうではない。／×きれいだそうでした。　3）「そうだ」の前には「だろう・らしい・ようだ」は使えない。　◆×天気予報によると、あしたは大雨が降るだろうそうです。

1）Conveys information speaker learned aurally or from reading. Source of information is indicated by によると, によれば, or では. 2）Cannot be used with negatives, past tenses, or interrogatives. →◆ 3）Cannot use だろう, らしい, or ようだ before そうだ. →◆

1）说话人在想要传达自己听到或读到的信息时，使用本句型。信息的出处用「…によると」「…によれば」「…では」等来表示。 2）「～そうだ」没有否定、过去、疑问等形式。→◆ 3）「そうだ」之前的部分不使用「だろう・らしい・ようだ」。→◆

1）말하는 사람（話者）이 듣거나, 읽거나 해서 얻은 정보를 전달할 때의 표현법이다. 정보의 출처는「…によると」「…によれば」「…では」등으로 나타낸다. 2）「そうだ」에는 부정이나 과거, 의문의 형태는 존재하지 않는다.→◆ 3）「～そうだ」의「～」에는「だろう・らしい・ようだ」는 사용할 수 없다.→◆

そうだ〈様子〉【it appears that／看起来／－인 듯하다／－인 것 같다】★4

①きのうは母の日だったので、花をプレゼントしました。母はとてもうれし<u>そうでした</u>。

②妹はケーキを食べた<u>そうな</u>顔をしています。

③たろうちゃんは健康<u>そうで</u>、かわいい赤ちゃんです。

④このカレーライスはあまり辛くなさ<u>そうだ</u>。

⑤ねこがソファの上で気持ちよさ<u>そうに</u>寝ています。

◎ イA~~い~~／ナA ＋ そうだ　　例外　いい→よさそうだ・ない→なさそうだ

1）話す人が見た様子や印象を言いたいときの表現。ナ形容詞のように活用する。（そうな＋名詞／そうに＋動詞など） 2）見て客観的にすぐわかることには使わない。◆×わあ、汚そうなへやですね。 3）名詞につながる形はない。 ◆×あの人は病気そうです。

1）Expresses appearances seen or impressions of speaker. Conjugates like ナ-adjectives（そうな＋noun/ そうに＋verb） 2）Not used for things that can be understood objectively at a glance. →◆ 3）Never appended to nouns. →◆

1）在想要表达说话人看到的样子或者印象时，使用本句型。活用和ナ形容词遵循同样的规律。（～そうな＋名詞／～そうに＋動詞） 2）陈述只要看一眼就能明白的客观事实时不使用本句型。→◆ 3）没有接名词的形式。→◆

1）말하는 사람（話者）이 본 상황이나 인상에 대해 말하고자 할 때의 표현이다. ナ형용사처럼 활용한다.（～そうな＋名詞／～そうに＋動詞 등） 2）눈으로 보아서 바로 알 수 있는 사항에는 사용하지 않는다.→◆ 3）명사에 이어지는 형태는 존재하지 않는다.→◆

そうだ〈直前〉【about to／似乎就要～了／금방이라도 - 일 (- 할) 것 같다】★4

①A：あ、シャツのボタンが取れそうですよ。
　B：あ、本当だ。すぐつけます。
②あ、あんなに黒い雲が出ている。雨が降りそうだ。かさを持っていこう。
③女の子は泣きそうな顔で、「さよなら」と言った。
④窓から風が入ってきて、ケーキの上のろうそくが消えそうになりました。
⑤今年は寒い日が続いたので、桜はまだ咲きそうもありません。

◎ V~~ます~~　＋ そうだ

様子を見て、もうすぐ何かが起こると思ったときの言い方。⑤のように、否定の形はふつう「そうもない」を使う。

Used when it seems like something is about to occur. Negative form usually becomes そうもない, as in sentence ⑤.

看到事物的样子，觉得马上就要发生什么事了，这个时候使用本句型。如例句⑤，否定的形式一般采用「そうもない」。

상황을 봐서 , 이제 곧 뭔가가 일어난다고 생각했을 때의 표현법이다 . ⑤처럼 부정의 형태는 보통「そうもない」를 사용한다 .

そうだ〈予想・判断〉【it seems that／估计会～／ - 일 것 같다】★4

①今年の夏は暑くなりそうです。
②このパソコンソフトならわたしにも使えそうです。
③この店には、ちょうどいいのがなさそうだから、ほかの店をさがしてみます。
④体のためによさそうなことをいろいろやっています。
⑤わたしはこの試合には勝てそうもない。

◎ V~~ます~~／イA~~い~~／ナA　＋ そうだ　　例外　いい→よさそうだ・ない→なさそうだ

話す人の判断・推量・予測・予感を言いたいときの言い方。⑤のように、動詞の否定の形はふつう「そうもない」を使う。

Expresses speaker's judgment, guesses, predictions, or premonitions. Negative of verb form usually becomes そうもない.

是表示说话人判断、推测、预测、预感等的表达方式。如例句⑤，动词的否定形式一般采用「そうもない」。

말하는 사람（話者）의 판단，추측，예측，예감을 말하고자 할 때의 표현법이다．⑤와 같이，동사의 부정형은 보통「そうもない」를 사용한다．

そうもない　➡そうだ〈様子〉〈直前〉〈予想・判断〉　117－118

そくした　➡にそくして　307

そくして　➡にそくして　307

そって　➡にそって　307

そばから【～しても、すぐまた just as soon as ／刚…就…／ － 하는 즉시 /－ 하자마자】★1

①小さい子どもは、お母さんがせんたくするそばから、服を汚してしまいます。

②仕事をかたづけるそばから次の仕事を頼まれるのでは体がいくつあっても足りない。

③もっと若いうちに語学を勉強するべきだった。今は習ったそばから忘れてしまう。

◎ Vる・Vた　＋ そばから

1）「～そばから…」の形で、～しても～しても、すぐまた「…」が起こると言いたいときに使う。　2）好ましくないことに使うことが多い。

1）Just as soon as one does something, something else happens again and yet again.　2）Often used for undesirable events.

1）采用「～そばから…」的形式，在想要表达即使做了～又做了～，但马上就又有「…」发生之意时使用本句型。　2）多用于不喜欢的事情。

1）「～そばから…」의 형태로，～해도 ～해도，금방 다시「…」가 일어난다고 말하고자 할 때에 사용한다．　2）바람직하지 않은 일에 사용하는 경우가 많다．

それまでだ　➡ばそれまでだ　348

たい【(I) want to／想要／－하고 싶다】★5

①夏休みには富士山に登りたいです。
②君は将来何になりたいの。
③森さんは林さんに会いたくないと言っています。
④ああ、暑い。冷たいビールが飲みたいなあ。
⑤きのうアニメの映画を見に行きました。わたしはあまり見たくなかったんですが、弟が見たいと言ったので見たんです。

◎ V~~ます~~ ＋ たい

1）話す人の行為の欲求、希望を表す。相手の欲求や希望を聞く場合にも使う。 2）イ形容詞と同じように活用する。 3）他動詞の場合は④のように「ビールを飲む」→「ビールが飲みたい」のように「を」が「が」に変わることが多い。 4）3人称の欲求を表す場合、そのまま文末には使えない。③のように「がっている・と言っている・と思っている・ようだ」などをつける必要がある。 5）丁寧に聞く場合や、目上の人には直接使わないほうがいい。 ◆△（おみやげ屋で）課長、何が買いたいですか。→○課長、何をお買いになりますか。 参がる

1）Expresses speaker's desires and hopes for action. Also used to ask about desires and hopes of others. 2）Conjugates like an イ-adjective. 3）Transitive verbs, like in sentence ④, often take particle が rather than を. ビールを飲む (drink beer) ビールが飲みたい (I want to drink beer). 4）Cannot be used at the end of sentences expressing desires in the third person. Necessary to append expressions such as in sentence ③: がっている, と言っている, と思っている and ようだ. 5）Best not to use directly toward social superiors or when asking something politely. →◆ →参

1）表示说话人想要做某事的欲求、希望。在问对方的欲求、希望的时候也可使用本句型。 2）和イ形容詞遵循同样的活用规律。 3）动词为他动词的情况下,所如例句④「ビールを飲む」→「ビールが飲みたい」,将其中的「を」用「が」替换掉。 4）在表示第三人称的欲求时，不可将本句型直接用于句末。有必要像例句③那样,加上「がっている·と言っている·と思っている·ようだ」等。 5）最好不要在有礼貌的问候时或对上司、长辈说话时直接使用本句型。→◆ →参

1）말하는 사람（話者）의 행위 욕구, 희망을 나타낸다. 상대방의 욕구나 희망을 듣는 경우에도 사용한다. 2）イ형용사와 똑같이 활용한다. 3）타동사의 경우에는 ④처럼「ビールを飲む」→「ビールが飲みたい」와 같이「を」가「が」로 변하는 경우가 많다. 4）3인칭의 욕구를 나타내는 경우에는, 그대로 문말에 사용할 수는 없다. ③과 같이「がっている・と言っている・と思っている・ようだ」등을 붙일 필요가 있다. 5）정중하게 묻는 경우나 손 윗 사람에게는 직접적으로는 사용하지 않는 편이 좋다. →◆ →参

たいして ➡にたいして 308－309

たいする ➡にたいして 308－309

たいものだ〈願望〉【～たいなあ (I) really want to…!／非常想要／정말 – 하고 싶다】★2

①ライト兄弟は子どものころからなんとかして空を飛び<u>たいものだ</u>と思っていた。
②今年こそ海外旅行をし<u>たいものだ</u>。
③なんとか早くギターが上手に弾けるようになり<u>たいもんだ</u>。

◎ V~~ます~~ ＋ たい ＋ ものだ

1）欲求を表す「たい」と「もの」をともに使って、強く願ったり、望んだりする言い方。　2）「Vたいものだ」は「Vたいなあ」の意味。　3）①③のように「なんとか・なんとかして」がよくともに使われる。　4）話し言葉ではよく③のように「Vたいもんだ」となる。

1）Emphasizes action of desiring or wanting something by combining たい and もの. 2）Vたいものだ means Vたいなあ (I'd really like to…). 3）Often used in conjunction with なんとか (somehow) or なんとかして (somehow or other), as in sentences ① and ③. 4）In colloquial language, often becomes Vたいもんだ, as in sentence ③.

1）表示欲求的「たい」和「もの」放在一起使用,表达强烈的祈愿、希望等情绪。　2）「Vたいものだ」是「Vたいなあ」的意思。
3）如例句①③，常和「なんとか・なんとかして」一起使用。
4）如例句③，在口语中常变为「Vたいもんだ」。

1）욕구를 나타내는「たい」와「もの」를 동시에 사용해서, 강렬한 소망이나 희망을 나타내는 표현법이다. 2）「V たいものだ」는「V たいなあ」의 의미이다. 3）①③처럼「なんとか・なんとかして」가 자주 함께 사용된다. 4）회화체에서는 자주 ③과 같은「V たいもんだ」의 형태로 사용된다.

たえない ➡にたえない 309

たえる ➡にたえる 309

たがさいご ➡たらさいご 141

だから ➡のだから 329

だけ【～の範囲は全部 as much as／在～范围内，尽可能／– 만큼 /– 밖에 /– 뿐】★3

①テーブルの上のものは食べたい<u>だけ</u>食べてもかまわないんですよ。
②ここにあるお菓子をどうぞ好きな<u>だけ</u>お取りください。
③あしたはできる<u>だけ</u>早く来てください。
④わかっている<u>だけの</u>ことはもう全部話しました。

普通形の肯定形（ナＡな）＋だけ（Ｎにつく例はない）

１）「もう これ以上はないという限度まで…する」と言いたいときに使う。③のように「できるだけ」の形で慣用的に使うこともある。　２）動詞のほかに「ほしいだけ・Ｖたいだけ・好きなだけ」などの例がある。

1) Do something to its limit. Also used in idioms, in form of できるだけ, as in sentence ③.　2) Besides appending to verbs, can be seen in patterns such as ほしいだけ, Vたいだけ, 好きなだけ, etc.

1）在想要表达"以一种已经不能再比现在高了的限度做…"之意时使用本句型。例句③的「できるだけ」有时作为惯用句使用。
2）除了用于动词之外，还有「ほしいだけ·Vたいだけ·好きなだけ」等用法。

1)「이제 더 이상 없다고 하는 한계까지 …하다」고 말하고자 할 때에 사용한다. ③처럼「できるだけ」의 형태로 관용적으로 사용하는 경우도 있다.　2) 동사 이외에「ほしいだけ・Vたいだけ・好きなだけ」등의 예가 있다.

だけあって【～ので、それにふさわしく as might be expected ／不愧是／－였던 만큼 /－였기 때문에 / 그만한 값어치를 한다】★2

①彼女はさすがオリンピック・チャンピオンだけあって、期待どおりの見事な演技を見せてくれた。

②木村さんは10年も北京に住んでいただけあって、北京のことは何でも知っている。

③Ａ：加藤さんは足が長くてスタイルがいいね。
　Ｂ：さすが、若いときにバレリーナだっただけのことはあるね。

④Ａ：きのうのロック・コンサート、どうだった？　10年ぶりに来日したんだろう？
　Ｂ：素晴らしかった！　長年待っただけのことはあったよ。

⑤このギターは実にいい音がする。名人が作っただけあるよ。

普通形（ナＡな・ナＡである／Ｎ・Ｎである）＋だけあって

１）「その才能や努力や地位、経験にふさわしく」と感心したり、ほめたりするときの言い方。後には結果・能力・特徴があると評価する言葉が来る。「さすが」とともによく使う。⑤の「だけある」はくだけた言い方。　２）③～⑤のように文末では「だけのことはある・だけある」という形になる。

1）Used for admiring or praising someone's achievement as befitting his talent, effort, position, or experience. Used with words that evaluate results, abilities, or characteristics. Often used with さすが. だけある in sentence ⑤ is informal.　2）Becomes だけのことはある or だけある at end of sentences, as in sentences ③ to ⑤.

1）感慨“其才能、努力、地位、经验等名不虚传”，对其表示赞扬时的表达方式。后接对其结果、能力及特征予以评价的语词。常和「さすが」一起使用。例句⑤的「だけある」是较为随便的说法。
2）如例句③～⑤，句末变为「だけのことはある・だけある」。

1)「그 재능과 노력 , 지위 , 경험에 어울리는」이라고 감탄하거나 , 칭찬할 때의 표현법이다 . 결과 , 능력 , 특징이 있다고 평가하는 말이 온다 .「さすが」와 함께 자주 사용한다 . ⑤의「だけある」는 허물없는 사이에 쓰는 표현법이다 .　2）③～⑤와 같이 문말에서는「だけのことはある・だけある」라는 형태가 된다 .

だけある　➡だけあって　122

だけでなく　➡（ただ）～だけでなく　127

だけに〈ふさわしく〉【～ので、それにふさわしく as befitting／不愧是／－인 만큼 /－이기 때문에】★2

①快晴の大型連休だけに、道路は行楽地へ向かう車でいっぱいだ。
②山崎さんは経験 20 年のベテラン教師であるだけに、さすがに教え方が上手だ。
③辻さんは子どものときからイギリスで教育を受けただけに、きれいな英語を話す。
④静さんは若いだけに、のみこみが速い。

普通形（ナAな・ナAである／N・Nである）＋だけに

1）「～だけに、…」の形で、「～」で理由となることや状況などを言い、それにふさわしい結果として発生することや、推測されることを、「…」で言う。　2）「…」では評価や判断を言うことが多い。　3）②のように「さすがに」とともに使うことも多い。

1）For explaining some suitable result generated from or guessed about based on some reason or condition.　2）Evaluations or judgments often follow.　3）Often used with さすがに, as in sentence ②.

1）采用「～だけに、…」的形式，“～处陈述理由或某种情况，…处描述作为其相应的结果，发生了什么事或据推测可能会发生什么事”　2）多用来表达评价、判断。　3）如例句②，常和「さすがに」前后呼应使用。

1）「～だけに、…」의 형태로 ,「～」에서 이유가 되는 일이나 상황 등을 말하고 , 거기에 어울리는 결과로써 , 발생하는 일이나 추측되는 것을「…」에서 이야기한다 .　2）「…」에서는 평가나 판단을 말하는 경우가 많다 .　3）②처럼「さすがに」와 함께 사용되는 경우도 많다 .

だけに〈反予想〉【～ので、反対に… precisely because; contrary to expectations ／正因为～反倒…／ - 때문에 /- 이기에】★2

①田中さんは普段から体が丈夫なだけに、かえってがんの発見が遅れたのだそうだ。
②最近は体調が悪くてあきらめていただけに、今日の優勝はなおさらうれしい。
③祖母は年を取っているだけに、やさしいきれいな色の服を着たいと言っている。

普通形（ナＡな・ナである／Ｎ・Ｎである） ＋ だけに

「～だけに…」の形で、「～なので、普通以上にもっと……」「～なので、予想されることとは反対に」という意味で使う。①②のように「かえって・なおさら」とよくともに使われる。

Something is certain way, more than usual, or contrary to expectations. Often used with かえって or なおさら as in sentences ① and ②.

以「～だけに…」的形式，表达“正因为～，反倒较之一般情况…得更厉害”“因为～，与预想的事相反”之意。如例句①②常和「かえって・なおさら」一起使用。

「～だけに…」의 형태로，「～이기 때문에，보통 이상으로 더욱…」「～이므로，예상과는 반대로」라는 의미로 사용한다．①②처럼「かえって・なおさら」와 함께 자주 사용된다．

だけの【～に相当する be worth ／相当／ - 할 만한 /- 한 만큼의】★2

①とうとう看護師の免許が取れた。この３年間努力しただけのかいはあった。
②この本を買いたいが、5,000円払うだけの価値があるだろうか。

普通形（ナＡな・ナＡである／Ｎである） ＋ だけの

「～だけのＮ」の形で、「～に相当するＮがある」と言いたいときの表現。

N corresponds to the action.

采用「～だけのＮ」的形式，在想要表达“有和～相当的Ｎ”之意时使用本句型。

「～だけのＮ」의 형태로，「～에 상응하는 Ｎ 이 있다」고 말하고자 할 때의 표현이다．

だけのことはある ➡だけあって 122

だけまし 【別の状況よりまだいい at least／这还算不错的／－만으로 만족／－만으로 단념】 ★2

①A：大木君、会議だっていうのに、外出しちゃいましたよ。
　B：書類をそろえてくれた<u>だけまし</u>だよ。

②子ども：お兄ちゃん、またマンガ読んでるよ。
　親　　：帰ってきて、机の前に座った<u>だけまし</u>よ。

③A：せっかくの運動会というのに、天気予報、当たりませんでしたね。
　B：雨が降らない<u>だけまし</u>ですよ。

普通形（ナＡな・ナＡである／Ｎである）＋だけまし

１）もっと悪い事態が想定できるが、最低限のことは成立したと言って、不満ながら相手や状況を許す気持ちで使う。　２）「まし」は「いいとは言えないが、ほかのもっとよくないものよりまだいい」という意味のナ形容詞。　３）やや口語的表現。

1）Suggests worse things were predicted, but at least some bare minimum standard was met, and that even though speaker is dissatisfied, will forgive other party or situation.　2）まし is ナ-adjective with nuance that event is not good, but is better than some other event that could have been far worse.　3）Slightly colloquial.

1）假定事态会变得更糟，提出最低限度的情况，表明说话人虽然心怀不满，但还是容忍了对方或允许该情况发生。　2）「まし」是意为“这个虽然谈不上是好的，但是另外还有更糟的，跟那个比起来这个还算行”的ナ形容詞。　3）略带口语语感。

1）더 좋지 않은 사태를 상정할 수 있지만，최소한의 일은 성립했다고 인정하고，불만이지만 상대방이나 상황을 허락하는 기분으로 사용한다．　2）「まし」는「좋다고는 할 수 없지만，다른 안 좋은 것 보다는 그래도 낫다」라고 하는 의미의 ナ형용사이다．　3）약간 구어체의 표현이다．

たことがある〈経験〉 【have the experience of; have…／曾经～过／－한 적이 있다／－한 경험이 있다】 ★4

①わたしは３年前に１度日本へ来<u>たことがあります</u>。

②わたしは子どものとき、北海道に住んでい<u>たことがある</u>。

③てんぷらは店で食べ<u>たことはありますが</u>、自分で作っ<u>たことはありません</u>。

④あの人には前にどこかで会っ<u>たことがありますが</u>、名前が思い出せません。

⑤A：病気で入院し<u>たことがありますか</u>。
　B：いいえ、ありません。

◎ Vた ＋ことがある

1）経験を表す。「子どものころ・前に・昔・今までに」などのような言葉といっしょに使うことが多い。　2）あまり近い過去の時を表す言葉とはいっしょに使わない。また、「いつも・たいてい・よく」などの言葉といっしょに使うこともない。

1）Indicates experience. Often used with phrases such as 子どものころ, 前に, 昔, and 今までに. 2）Not used with words indicating near past, or with いつも, たいてい, or よく.

1）表示经验。多和「子どものころ・前に・昔・今までに」等词语一起使用。　2）不和表过去的时间非常短，离现在非常近的时间词一起使用。也不和「いつも・たいてい・よく」等词语一起使用。

1）경험을 나타낸다.「子どものころ·前に·昔·今までに」등과 같은 말과 함께 사용되는 경우가 많다. 2）너무 가까운 과거를 나타내는 말과는 함께 사용하지 않는다. 또한,「いつも·たいてい·よく」등의 말과 함께 사용하는 경우도 없다.

たことがある〈過去の特別なこと〉

【have the situation of…in the past／过去的某件特别的事／－한 적이 있다】★4

①学生時代、お金がなくて、必要な本が買えなかったことがあります。

②5年前にこの地方で山火事が起こったことがあります。

③1度だけこの町がにぎやかだったことがあります。10年前のオリンピックのときです。

◎ 普通形の過去形 ＋ことがある

過去に特別なことがあったという意味に使う。あまり近い過去の時を表す言葉とはいっしょに使わない。　◆×2、3日前とてもおなかが痛かったことがある。

Some extraordinary situation occurred in past. Not used with words indicating near past. →◆

用于陈述过去曾经发生过的特别的事。不和表过去的时间非常短，离现在非常近的时间词一起使用。→◆

과거에 특별한 일이 있었다고 하는 의미로 사용한다. 그다지 가까운 과거를 나타내는 말과는 함께 사용하지 않는다.→◆

だす【suddenly begin to／开始／－하기 시작하다】★4

①雨がやんだら、たくさんの鳥が鳴き出しました。

②道で急に走り出すと、危ないですよ。

③あの人は本を読んでいて、とつぜん笑い出しました。

④止まっていた時計が急に動き出しました。

V~~ます~~ ＋ 出す

1）人の意志で抑えにくい動作・作用が始まるという意味を表す。「急に、とつぜん」などの副詞といっしょに使うことが多い。　2）話す人の意志を表す文には使わない。

◆×今年からフランス語を習い出そう。→○今年からフランス語を習い始めよう。

参 はじめる

1）Some action or operation difficult to control through human volition has begun. Often used with adverbs such as 急に (suddenly) and とつぜん (all of a sudden). 2）Does not express speaker's volition. →◆ →参

1）表示以人的意志很难抑制住某个动作、作用的发生。多和「急に、とつぜん」等副词一同使用。　2）在表示说话人意志的句子中不使用本句型。→◆ →参

1）사람의 의지로는 억제하기 어려운 동작이나 작용이 시작된다고 하는 의미를 나타낸다.「急に・とつぜん」등의 부사와 함께 사용하는 경우가 많다.　2）말하는 사람의 의지를 나타내는 문장에는 사용하지 않는다.→◆ →参

（ただ）～だけでなく 【～だけでなく not only…but also／不只是／단지 - 뿐만 아니고】 ★3

①肉や魚だけでなく、野菜もたくさん食べたほうがいい。

②東京都民だけでなく、全国民が今度の都知事の選挙に関心を持っている。

③食品はただ味がいいだけでなく、安全で健康的であることも大切だ。

④田中さんはただプロ野球の選手であるだけでなく、市のスポーツ教室のためにも活躍している。

（ただ） ＋N／**普通形**（ナAな・ナAである／Nである） ＋ だけでなく

1）「～だけでなく、範囲はもっと大きくほかにも及ぶ」と言いたいときに使う。

2）日常会話の中では、「だけでなく・ばかりでなく・にかぎらず」などを使う。

1）Something is not only within particular sphere, but extends far beyond those limits. 2）In daily conversation だけでなく, ばかりでなく, and にかぎらず are used.

1）在想要表达“不只～,范围更大,涉及其他”之意时使用本句型。2）在日常的会话中,使用「だけでなく・ばかりでなく・にかぎらず」等。

1）「～뿐만 아니라, 범위는 더 크게 다른 것에도 미친다」라고 말하고자 할 때에 사용한다.　2）일상 회화 속에서는「だけでなく・ばかりでなく・にかぎらず」등을 사용한다.

ただ～のみ【ただ～だけ the only thing that…／只有／오직 - 만(이)】★1

①マラソン当日の天気、選手にとってはただそれのみが心配だ。
②戦争直後、人々はただ生きるのみでせいいっぱいだった。
③ただ厳しいのみではいい教育とは言えない。
④今はもう過去を振り返るな。ただ前進あるのみ。

◎ ただ ＋ N／**普通形**（ナＡである／Ｎである） ＋ のみ

「ただ～だけ」と限定するときの表現。硬い書き言葉。

Sets limits on something. Very formal written expression.

限定“只有～”时的表达方式。是较为生硬的书面用语。
「단(단지)～뿐(만)」이라고 한정할 때의 표현이다. 딱딱한 문어체 표현이다.

ただ～のみならず ➡のみならず 334

たって【no matter how／即使、就算／- 라고 해도】★4

①いくら安くたって、好きじゃないものは買わない。
②何回電話をかけたって、一郎は電話に出ない。なんだか変だ。
③このパソコンソフトは簡単だから、子どもだって使えます。

◎ Ｖた／イＡく＋た／ナＡだ／Ｎだ ＋ って

「たって」は「ても」、「だって」は「でも」の意味。くだけた話し言葉。 参 ても

たって has same meaning as ても, だって as でも. Informal expression. →参

「たって」是「ても」的意思。「だって」是「でも」的意思。是较为随便的口语表达。 →参
「たって」는「ても」,「だって」는「でも」의 의미이다. 허물없는 사이에서 쓰는 회화체 표현이다. →参

だって ➡ても 200

たとえ〜ても【もし〜ということになっても even if／即使〜也／만약 - 라고 해도 / 설령 - 라고 해도】★3

①たとえ雪が降っても、仕事は休めません。

②たとえお金がなくても、幸せに暮らせる方法はあるはずだ。

③たとえ困難でも、これを一生の仕事と決めたのだから最後までがんばりたい。

④たとえそのうわさが事実でも、あの先生に対するわたしの信頼は崩れません。

◎ たとえ　＋Vても／イAくても／ナAでも／Nでも

「たとえ〜ても、…」の形で、仮に「〜」が成立しても、それに関係なく、「…」という状況になると言いたいときの表現。

Even if something does occur, some condition will arise regardless.

采用「たとえ〜ても、…」的形式，在想要表达“即使是〜成立，也不考虑它的关系，而要做…”之意时，使用本句型。

「たとえ〜ても、…」의 형태로 만약에「〜」가 성립한다고 해도, 그것과 관계없이「…」라고 하는 상황이 되면, 이라고 말하고자 할 때의 표현법이다.

たところ【〜したら／〜した結果 when／〜的结果／ - 했더니 / - 했는데】★3

①昔住んでいた町を訪ねたところが、まったく様子が変わっていて迷ってしまった。

②留学について父に相談してみたところ、喜んで賛成してくれた。

③プリンターが壊れたので店に問い合わせたところ、修理センターに持って行くのが一番いいと言われた。

④田中さんならわかるだろうと思って聞いてみたところが、彼にもわからないということだった。

◎ Vた　＋ところ

1）「あることをしたら、こうだった」と改まって説明するときに使う。特に、普通のできごとを説明するのではなく、「あることをした結果、こんな状況だった、または、こんな新しいことがわかった」と言いたいときに使う。　2）後の文にはたまたま生じた結果を言うので、話者の意志を表す文は来ない。　◆×両親と相談したところ、日本への留学を決めた。→○両親と相談したところ、日本へ留学してもいいということだった　3）①④のように期待したこととは違っていたと言いたいときは「たところが」という形になる。

1）Explains formally that when one event occurs, things become certain way. Not used to explain very average phenomena, but to indicate as a result of one thing, another situation developed or speaker learned some new fact.　2）Result indicated is something that happened by chance, and thus cannot reflect speaker's volition. →◆　3）When expressing outcome that differs from expectations, becomes たところが, as in sentences ① and ④.

1）在想要郑重其事的说明“一做了某事，就变成这样”之意时使用本句型。值得一提的是，本句型并不是说明一般的事情，而是表达“做完某事的结果，变成了现在这种状况，或者了解了这种新情况”的意义。　2）由于有时会在后半句说的事偶然产生的结果，所以后半句不出现表示说话人意志的句子。→◆　3）如例句①④，在描述与期待相反的事时，变成「たところだ」的形式。

1）「어떤 일을 하니까, 이랬었다」라고 다시 한번 설명할 때에 사용한다. 특히, 일반적인 사건을 설명하는 것이 아니라,「어떤 일을 한 결과, 이러한 상황이 되었다, 또는, 이런 새로운 사실을 알게 되었다」고 말하고자 할 때에 사용한다.　2) 뒤에 오는 문장에는 어쩌다가 생긴 결과를 말하는 것이므로, 말하는 사람 (話者) 의 의지를 나타내는 문장은 오지 않는다.→◆　3) ①④처럼 기대했던 것과는 달랐다고 말하고자 할 때는「たところが」라는 형태로 된다.

たところだ　➡ところだ　235

たところで 【～ても supposing; even if／即使…也／－한다고 해도/－라 하더라도】★1

①今から走っていったところで、開始時間に間に合うはずがない。

②周りの人が何を言ったところで、彼は自分の意見を曲げないだろう。

③いくら働いたところで、こう物価が高くては生活は楽にはならない。

④専門書はどんなに売れたところで、2,000 冊くらいだろう。

⑤わたしは才能がないから、いくら練習したところで、きれいに弾けるようにはならない。

⑥専門の知識がない人がこの本を何回読んだところで、理解できるようにはならない。

Vた　＋ところで

1）「～たところで」の形で「仮に～が成立しても、結果は予期に反して無駄なことになってしまう／程度が低い結果にしかならない」という話者の判断を述べるときに使う。　2）後の文は話者の主観的断定、推量などが多い。　3）文末に過去形は使わない。　4）④～⑥のように「どんなに・いくら・たとえ・疑問詞・助数詞」とともに使うことも多い。

1）Describes speaker's judgment that even if something does occur, result will defy expectations and end in vain, or level of result can only be low. 2）Often phrase following indicates speaker's subjective judgment or surmise. 3）Past tense cannot be used at end of sentence. 4）As in sentences ④ to ⑥, often used with どんなに，いくら，たとえ，interrogatives, and numerical classifiers.

1）采用「～たところで」的形式，表示“假使～成立，结果也是与预期的相反，得到一种徒劳无用的结果／只能达到这种程度较低的结果”之意。表示说话人的判断。 2）后半句多为表示说话人主观的判断、推测的句子。 3）句末不使用过去形。 4）如例句④～⑥，多和「どんなに／いくら／疑问词／量词」等前后呼应使用。

1）「～たところで」의 형태로「만일에 ~가 성립한다고 해도，결과는 예상과 반대로 쓸데없는 일이 되어 버린다/ 정도가 낮은 결과밖에 되지 않는다」라고 하는 말하는 사람（話者）의 판단을 진술할 때에 사용한다． 2）뒤에 오는 문장은 말하는 사람（話者）의 주관적인 단정，추측 등이 많다． 3）문말에는 과거형은 사용하지 않는다．4）④～⑥과 같이「どんなに・いくら・たとえ・의문사・조수사」와 함께 사용하는 경우가 많다．

たとたん（に）【～したら、その瞬間に just at the very moment／就在做～的那一瞬间／ – 하자마자 / – 한 순간】★3

①ずっと本を読んでいて急に立ち上がったとたん、めまいがしました。

②わたしが「さようなら」と言ったとたん、彼女は泣き出した。

③出かけようと思って家を出たとたんに、雨が降ってきた。

④電話のベルが鳴ったとたんに、みんなは急にシーンとなった。みんなが待っていた電話なのだ。

◎ Vた ＋とたん（に）

1）「～たとたん（に）…」の形で、「～」が終わったのとほとんど同時に「…」という予期しないことが起こった、と言いたいときに使う。前のことと後のことは、互いに関係があることが多い。 2）「たとたん（に）」は現実のできごとを描写するのであるから、意志的な行為を表す文や「よう・つもり」などの意志の文・命令文・否定文などが後に来ることはない。また、自分のことには使えない。 ◆×国へ帰ったとたんに、結婚しようと思います。 3）同様の意味·用法を持つ表現には次のものがある。 参（か）とおもうと・か～ないかのうちに・がはやいか・なり・やいなや

1) Some unanticipated event begins to occur almost simultaneously with the ending of another. In many cases the two events are related. 2) Since たとたん（に）describes actual events, sentence ending cannot take expressions of willful actions, volitional words such as よう (try to) or つもり (intends to), commands, or negatives. Cannot be used for speaker. →◆ 3) Patterns with similar meanings and usage are: →参

1）采用「～たとたん（に）…」的形式，意为，几乎和「～」的结束同时，发生了「…」这种无法预料的事。前面的事情和后面的事情多为相互间有关联的事情。 2）由于「たとたん（に）」是描述现实中发生的事的句型，所以后半句不出现意志性行为或带「よう・つもり」等的意志句、命令句、否定句等。另外，不用来描述自己的事情。→◆ 3）意义、用法相同的表达方式如下。→参

1）「～たとたん（に）…」의 형태로,「～」가 끝남과 거의 동시에「…」라고 하는 예기치 않은 일이 일어났다, 고 말하고자 할 때에 사용한다. 앞의 일과 뒤의 사항은 서로 관련 있는 경우가 많다. 2）「たとたん（に）」는 현실의 사건을 묘사하는 것이므로, 의지적인 행위를 나타내는 문장이나「よう・つもり」등의 의지문, 명령문, 부정문 등이 뒤에 오는 일은 없다. 또한, 자기 일에는 사용하지 않는다. →◆ 3）같은 용법을 갖는 표현에는 다음과 같은 것이 있다. →参

たなら～だろうに ➡たら～だろう（に） 142

だに【～だけでも／～も even just ～ /also ／连～都…／ ~ 만이라도 / ~ 도】★1

①わたしがこのような立派(りっぱ)な賞(しょう)をいただくなどとは夢(ゆめ)にだに思(おも)わなかった。

②このように地球温暖化(ちきゅうおんだんか)が進(すす)むとは、30年前(ねんまえ)には、想像(そうぞう)だにしなかった。

③テロで大勢(おおぜい)の人(ひと)が殺(ころ)されるなんて考(かん)えるだに恐(おそ)ろしい。

N／Vる／する動詞(どうし)のN ＋ だに

1）文語的(ぶんごてき)な言(い)い方(かた)で慣用的(かんようてき)に使(つか)われる。 2）それぞれの意味(いみ)は①「夢(ゆめ)にだに思(おも)わない」は「夢(ゆめ)にも思(おも)わない」、②「想像(そうぞう)だにしない」は「想像(そうぞう)さえしない」、③「考(かん)えるだに」は「考(かん)えるだけでも」である。 3）③のように「考(かん)える・聞(き)く」などの動詞(どうし)とともに「～するだけでも」の意味(いみ)で慣用的(かんようてき)に使(つか)われる。

1) A literary term used in idioms. 2) Meaning in sentence ① is: 夢にも思わない (I never even dreamed); sentence ②: 想像さえしない (never even imagined); sentence ③: 考えるだけでも (even just thinking about). 3) Used as idiom with verbs 考える (think), and 聞く (hear) to convey the meaning of "even just doing…," as in sentence ③.

1）书面语，作为惯用语使用。 2）各句的意思为：例句①「夢だに思わない」意为「夢にも思わない」(做梦也想不到)；例句②「想像だにしない」意为「想像さえしない」(连想象也想象不到)；例句③「考えるだに」意为「考えるだけでも」(只要一想到) 3）如例句③和「考える・聞く」等动词一起使用，意为「～するだけでも」(即使只做～)，是惯用表达。

1）문어체적인 표현으로 관용적으로 사용된다. 2）각각의 의미는 ①「夢だに思わない」는「夢にも思わない」(꿈에도 생각 못한다) ②「想像だにしない」는「想像さえしない」(상상도 하지 않는다) ③「考えるだに」는「考えるだけでも」(생각만 해도)의 뜻이다. 3）③처럼「考える・聞く」등의 동사와 함께「～하는 것 만으로도」의 의미로 관용적으로 사용된다.

たばかりだ【just (finished, did)／刚／막 - 한 참】★4

①A：もしもし、夏子さん、わたしが送った写真、もう見た？
　B：あ、ごめんなさい。今、うちに帰ってきたばかりで、まだ見ていないのよ。
②入社したばかりなのに、毎日とてもいそがしいです。
③日本に来たばかりのころは、日本語がぜんぜんわからなかった。
④うちには生まれたばかりの子犬が３びきいます。
⑤去年日本に来たばかりなので、まだ敬語がじょうずに使えません。

Vた　＋ばかりだ

１）動作が終わってからの時間が短いことを特に言いたいときに使う。①②⑤のように「Vたばかりなので、…」「Vたばかりなのに、…」という形で、そのことによって引き出される状況を言いたいときによく使う。　２）「Vたところだ」と意味は似ているが、「Vたところだ」は直後の時点であるということだけを示す。また「Vたばかりだ」は⑤のように「Vたところだ」より、時間の幅がある。　◆×わたしは去年日本に来たところです。

参ところだ

1) Only a short while has lapsed since action ended. As in sentences ①, ②, and ⑤, V-たばかりなので (because just), and V たばかりなのに (even though just) often describe a condition.　2) Similar in meaning to V たところだ, but V たところだ only indicates time just after action. V たばかりだ has wider time reference than V たところだ, as in sentence ⑤. →◆ →参

１）某个动作刚结束不久，特别要表达时间很短的时候使用本句型。如例句①②⑤，采用「Vたばかりなので、…」「Vたばかりなのに、…」的形式，在想要表达由这件事而引发出的状况时，常使用本句型。
２）和「Vたところだ」的意义相似，但「Vたところだ」只表示该事情刚刚发生过后的时刻。另外，如例句⑤，「Vたばかりだ」比「Vたところだ」的时间幅度要大。→◆ →参

１）동작이 끝나고 나서의 시간이 짧은 것을 특별히 말하고자 할 때에 사용한다. ①②⑤와 같이「V たばかりなので、…」「V たばかりなのに、…」라고 하는 형태로, 그로 인해 일어나는 상황을 말하고자 할 때에 자주 사용한다.　２）「Vたところだ」와 의미는 비슷하지만,「Vたところだ」는 직후의 시점이라는 것 만을 나타낸다. 또한「Vたばかりだ」는 ⑤와 같이「Vたところだ」보다, 시간적인 폭이 넓다. →◆ →参

たび(に)【～のときはいつも　every time／每次／－할 때마다】★3

①出張のたびにレポートを書かなければならない。
②あの人は会うたびにおもしろい話を聞かせてくれる。
③父は外国に行くたびに珍しいおみやげを買ってくる。

Vる／Nの　＋たび（に）

「あることが起こると、そのときはいつも同じことになる」と言いたいときに使う。

When one event happens, another always happens at the same time.

“一件事如果发生，当时总是会有相同的另一件事发生”在想要表达这样的意思时使用本句型。

たび（に）

「어떤 일이 일어나면 , 그 때는 항상 같은 상황이 된다」고 말하고자 할 때에 사용한다 .

たほうがいい【it would be best to／还是做～比较好／－하는 편이 좋다 (낫다)】★4

①A：この部屋、空気が悪いですね。少し窓を開けた方がいいですよ。

B：そうですね。ちょっと開けましょう。

②A：ダイエットのためには、ちゃんと食べてから運動した方がいいですよ。

B：そうですか。

③A：このことは会議の前に課長に報告しておいた方がいいですよ。

B：わかりました。

④父　　：雨が降りそうだから、かさを持っていった方がいいよ。

子ども：はあい。

⑤息子：お父さん、あまりたばこを吸わない方がいいですよ。

父　：そうだね。

⑥A：夜、遅い時間にものを食べない方がいいですよ。

B：そうですね。

⑦森川：田中さん、あしたはミーティングがあるから、遅刻しない方がいいですよ。

田中：わかっていますよ。

⑧A：危ないから、あまりバイクには乗らない方がいいよ。

B：わかってるよ。

◎ Vた／Vない　＋ 方がいい

1）自分の意見や一般的な意見を相手に提案したり、勧めたりする言い方。そうするかしないかは、相手が判断して決めることだが、⑧のように、命令に近い意味になる場合もある。　2）目上の人に指図をするような意味ではあまり使わない。

1）Proposes or recommends to someone the speaker's own opinion or conventional wisdom. Other party is to decide whether to do what is suggested, but there are cases, such as in sentence ⑧, when is nearly command. 2）Not usually used to give instructions to social superiors.

1）在向对方提出自己的意见或一般性的意见时，或劝导对方时的表达方式。虽然究竟要不要这样做还是由对方的判断来作决定，但也有如例句⑧那样接近命令语气的情况。 2）在对上司或长辈进行指挥或调遣的时候，基本不使用本句型。

1）자기의 의견이나 일반적인 의견을 상대방에게 제안하거나, 권유하거나 하는 표현이다. 그렇게 할 것인지 하지 않을 것인지는, 상대방이 판단해서 결정할 일이지만, ⑧처럼, 명령에 가까운 의미가 되는 경우도 있다. 2）손윗사람에게 지도하는 듯한 의미로는 잘 사용하지 않는다.

ため(に)〈目的〉【in order to／为了／－하기 위해（서）】★4

①西洋美術を勉強するために、イタリア語を習っています。
②田中さんはサッカーの試合に勝つために、毎日 10 キロ走っています。
③国際会議に出席のため、ドイツのフランクフルトへ行きました。
④人は何のために生きているのだろう。

Vる／Nの ＋ため（に）

1）行為の目的を言う言い方。「ために」の前で目的を言い、「ために」の後で何をするかを言う。 2）「ために」は意志を含む動詞につく。 ◆×話がよく聞こえるために、前の方にすわります。→○話をよく聞くために、前の方にすわります。

1）Objective of an action. Objective is given before ために, and action to be taken follows. 2）ために appends to verbs that include volition. →◆

1）表示某行为的目的。「ために」之前陈述目的，「ために」之后陈述做什么。 2）「ために」接在含有意志性的动词之后。→◆

1）행위의 목적을 설명하는 표현법이다.「ために」의 앞에서 목적을 이야기하고,「ために」의 뒤에서 무엇을 할 것인가를 이야기한다. 2）「ために」는 의지를 포함한 동사에 붙는다.→◆

ため(に)〈恩恵〉【for／为…／－를 위한】★4

①これは日本語を勉強する人のための本です。
②田中さんは会社のために 40 年間働いてきました。
③お年寄りのために、使い方の説明をもっと大きい字で書いてください。

Nの ＋ため（に）

人や団体などの「利益になるように」という意味を表す。

Hopes that a person or group will benefit from something.

表示“为了”给别人或团体“带来利益”。

사람이나 단체 등의「이익이 되도록」이라는 의미를 나타낸다.

ため(に)〈原因〉【because of／因为／－때문에】★4

①（駅のホームで）大雪のため、電車が遅れています。
②田中さんは出席日数が足りなかったために、卒業できませんでした。
③この町は交通が不便なため、バイクを利用する人が多い。
④数学の問題は数が多かったため、時間が足りなかった。

普通形（ナAな／Nの） ＋ ため（に）

1）「～ため（に）、…」の形で普通ではない結果となった原因について言う。書き言葉でよく使う。普通のことに使うと不自然な文になる。 ◆△おいしかったため、たくさん食べました。（普通の事実）→○おいしかったため、食べすぎてしまいました。（普通ではない事実） 2）「…」には、話す人の意志を表す文や依頼などの表現は来ない。 ◆×うるさいため、静かにして。→○うるさいから、静かにして。

1）Cause of result that is uncommon. Often used in writing. If used for normal events, sounds unnatural. →◆ 2）Words expressing speaker's volition and requests do not follow. →◆

1）采用「～ため（に）,…」的形式，用来表示导致某种不同寻常之结果的原因。常作为书面语使用。如果用于普通的句子，则显得该句子很不自然。 →◆ 2）「～ため」之后的「…」不能出现表示说话人意志的或请求的句子。→◆

1）「～ため（に）、…」의 형태로，일반적이지 않은 결과가 된 이유에 대해서 설명한다．문어체에서 자주 사용한다．일반적인 사항에 대해 사용하면 부자연스러운 문장이 된다．→◆ 2）「…」에는 말하는 사람（話者）의 의지를 나타내는 문장이나 의뢰 등의 표현은 오지 않는다．→◆

たら〈その後で〉【after／之后／－하면／－되면】★4

①夏休みになったら、国へ帰ります。
②京都駅に着いたら、わたしに電話をください。すぐ迎えに行きます。
③今撮った写真ができたら、わたしにも1枚ください。

Vたら

1）「Vたら、…」の形で、Vの動作・作用（未来のこと）が完了した後、「…」をする、「…」になるという意味を表す。この「Vたら」には仮定の意味はない。 2）「…」には話す人の意志や考え・意見・助言などを表す文が来ることが多い。 3）この使い方は「Vたら」だけの特別の用法である。

1）After completion of verb action or operation (future), will do something. This V たら is not suppositional. 2）Often verb conveys the speaker's volition, thoughts, opinions, or advice. 3）This usage is specific to V たら.

1）采用「Vたら、…」的形式,「Vたら」的动作、作用（将来的事情）结束之后,做「～」或成为「～」。这个「Vたら」并没有假定的含义。 2）「～」部分经常是表达说话人的意志、想法、意见、劝导等的句子。 3）只有本用法是「Vたら」的一个特别用法。

1）「Vたら、…」의 형태로, V 의 동작 · 작용（미래의 일）이 완료된 후「～」을 한다,「～」이 된다, 고 하는 의미를 나타낸다. 이「V たら」에는 가정의 의미는 없다. 2）「～」에는 말하는 사람（話者）의 의지나 생각, 의견, 조언 등을 나타내는 문장이 오는 경우가 많다. 3）이 사용법은「V たら」만의 특별한 용법이다.

たら〈条件〉【if／如果／－라면】★4

①もし、おもしろい本があったら、買ってきてください。

②気分が悪かったら、帰ってもいいんですよ。

③もし、かばんが高くなかったら、わたしも一つ買いたいです。

④さと子の病気が心配だったら、電話をかけてみたらいいじゃないか。

⑤もし、男の子だったら、「あきら」という名前をつけましょう。

⑥もし、あした雨でなかったら、海へ遊びに行きましょう。

Vたら／イAかったら／ナNだったら／Nだったら

1）「～たら、…」は「もし～が成立した場合には、…が成立する」という仮定の条件を表す。 2）「たら」の文の文末には、話す人の意志のある文や相手への働きかけの文を使うことができる。「たら」には「ば・なら・と」などのような文末の制限がない。

1）This たら indicates supposition that if something occurs, then something else will happen. 2）Sentence endings with たら can take words expressing speaker's volition or appeal to others. No limitations on sentence endings as with ば, なら and と.

1）「～たら、…」是表示“如果～成立的条件下，…也就成立”这种假定条件的句型。 2）「たら」句的句末可以出现表示说话人意志的句子,或者说话人指使别人做某事等内容。「たら」不像「ば・なら・と」等句子，句末不受限制。

1）「～たら,…」는「만약 ～가 성립한 경우에는, …가 성립한다」라고 하는 가정의 조건을 나타낸다. 2）「たら」문의 문말에는, 말하는 사람（話者）의 의지가 들어 있는 문장이나 상대방에 대해 적극적으로 대응하는 문장을 사용할 수 있다.「たら」에는「ば・なら・と」등과 같은 문말의 제한이 없다.

たら ➡たらどうですか 143

たら～(のに) 【if (only) ／要是…就能～了（实际上不能～）／－했었으면 (－였을 텐데)】★3

①(遅れてパーティーに来た友だちに)もうおいしい料理は残っていないよ。もっと、早く来たら食べられたのに。

②（婚約者に）ぼくの父が生きていて、君を紹介することができたらよかったのに。

③昨夜、あのレストランはとても込んでいた。もし予約していなかったら、入ることもできなかっただろう。

◎ Vたら／イAかったら／ナAだったら／ Nだったら ＋～（のに）

1）「～たら、…（のに）」の形で、「～たら」で事実とは違うことを仮想して、「…」で実現しなかったことなどについて、残念な気持ちやよかったという気持ちなどを述べる。　2）文末は「よかった・よかったのに・けれど」などの表現が多い。

参 と～（のに）〈反実仮想〉・ば～（のに）〈反実仮想〉

1）Speaker supposes something different from the actual situation, and expresses feelings of regret or gladness that event was not realized.　2）Often phrases such as よかった, よかったのに, and けれど come at end of sentence. →参

1）采用「～たら、…（のに）」的形式，在「～たら」部分提出一个与事实相反的假设，在「…」部分陈述对于没有实现这件事而感到遗憾或“如果实现了该多好”等心情。　2）句末常出现「よかった・よかったのに・けれど」等表达方式。 →参

1）「～たら、…（のに）」의 형태로 ,「～たら」로 사실과는 다른 것을 가상해서 ,「…」가 실현되지 않은 것 등에 대해 ,「유감스러운 기분」이나「좋았었다」고 하는 기분 등을 설명한다 .　2）문말에는「よかった・よかったのに・けれど」등의 표현이 많다 . →

たらいい〈勧め〉【why don't (you)? ／建议（做～就好）／－하는 것이 좋다/－하면 좋다】★4

①疲れているようですね。今、仕事も忙しくないから、2、3日休んだらいいですよ。

②わからないことがあるときは、何でも先生に質問してみたらいいじゃないか。

③眠れないときはどうしたらいいんですか。

④外国人に道を聞かれたら、ジェスチャーを交えて日本語で教えてあげたらいいんですよ。

◎ Vたら ＋いい

1）ほかの人に勧めたり提案したり助言したりするときに使う。③のようにどんな方法をとるのがいいかの助言を求める場合などにも使う。　2）同じ意味の表現に「といい・ばいい」があるが「といい・たらいい」は話し言葉的である。

参 といい〈勧め〉・ばいい〈勧め〉

1) Recommends, proposes, or gives advice to someone. Also used as in sentence ③ to seek advice on best course. 2) Similar constructions are といい and ばいい, but といい and たらいい are spoken. →参

1) 用于表示对别人的劝导、提议或建议等。如例句③，询问对方自己应该采用哪种方法时，也可以使用本句型。 2) 同义的表达方式还有「といい･ばいい」，但「といい･たらいい」是口语表达。 →参

1) 다른 사람에게 권유하거나 제안하거나 조언을 할 때에 사용한다. ③처럼 어떤 방법을 취해야 좋은지의 조언을 구하는 경우 등에도 사용한다. 2) 비슷한 표현에는「といい・ばいい」가 있으나「といい・たらいい」는 구어체적인 표현이다. →参

たらいい〈希望(きぼう)〉【it would be nice if／(希望)要是…该多好／－하면 좋겠다】★4

①（運動会(うんどうかい)の前(まえ)の日(ひ)）A：あした、晴(は)れ<u>たらいい</u>な。

B：そうですね、いい天気(てんき)だっ<u>たらいい</u>ですね。

②あした、マリアさんに会(あ)え<u>たらいい</u>なあ。

③結婚式(けっこんしき)の日(ひ)まで、おばあさんが元気(げんき)だっ<u>たらいい</u>んだけど。

④寮(りょう)の食事(しょくじ)がもう少(すこ)しおいしかっ<u>たらいい</u>のになあ。

◎ Vたら／イAかったら／ナAだったら／Nだったら　＋いい

1）そうなってほしいという希望(きぼう)や願望(がんぼう)がある場合(ばあい)に使(つか)う。文末(ぶんまつ)に詠嘆(えいたん)の気持(きも)ちを表(あらわ)す「～なあ」をつけることが多(おお)い。 2）実現(じつげん)が難(むずか)しいと感(かん)じている場合(ばあい)には③④のように「けど・のに・が」などをつけることが多(おお)い。 3）「～たらいい」の「～」には話(はな)す人(ひと)の意志(いし)を含(ふく)む言葉(ことば)は来(こ)ない。 ◆×あした、マリアさんに会(あ)ったらいいなあ。 4）「といい・ばいい」と互(たが)いに言(い)い換(か)えが可能(かのう)である。

参といい〈希望(きぼう)〉・ばいい〈希望(きぼう)〉

1) Desire or hope that some outcome will occur. Often exclamatory なあ appends to end of sentence. 2) Often when event seems difficult to realize, as in sentences ③ and ④, けど, のに, or が are used. 3) Words expressing speaker's volition cannot precede たらいい. →◆ 4) Possible to interchange with といい, and ばいい. →参

1) 表示非常希望能够成为那样，有此种希望、愿望时使用本句型。句末常伴随有表示咏叹意味的「～なあ」。 2) 当感觉到实现起来颇为困难的时候，如例句③④，加上「けど・のに・が」等。 3)「～たらいい」当中的「～」部分，不能出现含有说话人意志的句子。→◆ 4) 可以和「といい・ばいい」互换使用。 →参

1) 그렇게 되기를 바란다고 하는 희망이나 바램이 있을 경우에 사용한다. 문말에 감탄의 기분을 나타내는「～なあ」를 붙이는 경우가 많다. 2) 실현되기 어렵다는 느낌이 있을 경우에는 ③④처럼「けど・のに・が」등을 붙이는 경우가 많다. 3)「～たらいい」의「～」에는 말하는 사람 (話者) 의 의지를 내포한 말은 오지 않는다. →◆ 4)「といい・ばいい」와 서로 교환해서 사용할 수 있다. →参

たらいい ➡といい 212

たらいいですか【may I?／怎么做才好呢／－하면 좋겠습니까】★4

①A：予約をキャンセルしたいんですが、どうしたらいいですか。

B：お名前は？

②A：市役所へ行きたいんですが、どう行ったらいいですか。

B：あの３番のバスで三つ目ですね。

③学生：レポートはいつまでに出したらいいですか。

先生：30日までに出してください。

④A：すきやきを作りたいんですが、肉のほかに何を買ったらいい？

B：野菜と豆腐と……。

疑問詞 ＋ Vたら ＋ いいですか

１）相手に指示を求める言い方。　２）「疑問詞〜ばいいですか」と意味・用法はだいたい同じ。

参ばいいですか

１）Speaker seeks direction from listener. ２）Pattern "interrogative 〜ばいいですか" is almost same in meaning and usage. →参

１）为征求对方指导的表达方式。　２）和「疑問詞〜ばいいですか」的意义用法基本相同。→参

１）상대방에게 지시를 요청하는 표현법이다. ２）「의문사 〜ばいいですか」와 의미 · 용법이 대체로 비슷하다. →参

だらけ【見たところ〜がたくさんある／よくない〜がたくさんついている　covered in; full of／所见之处尽是不好的东西，粘带着许多不好的东西／투성이】★3

①子どもたちは泥だらけになって遊んでいる。

②わたしが英語で書いた間違いだらけの手紙をジムに直してもらった。

③けんかでもしたのか、彼は傷だらけになって帰ってきた。

④休暇でわたしが家に帰ると、祖母はしわだらけの顔をくしゃくしゃにして、うれしそうに「よく帰ってきたね。待ってたよ」と言って迎えてくれる。

N ＋ だらけ

「よくないものがたくさん見える・たくさんついている」という意味。ほかに「ほこりだらけ・ごみだらけ・血だらけ・灰だらけ・穴だらけ」などがある。

Many unpleasant things are visible or on something. Other expressions: ほこりだらけ, ごみだらけ, 血だらけ, 灰だらけ, 穴だらけ, etc.

随处可见不好的东西，粘带着许多不好的东西之意。此外还有 ほこりだらけ・ごみだらけ・血だらけ・灰だらけ・穴だらけ 等用法。

안 좋은 것이 많이 보인다, 더덕더덕 붙어 있다고 하는 의미이다. 그 외에,「ほこりだらけ・ごみだらけ・血だらけ・灰だらけ・穴だらけ」등이 있다.

たらさいご【もし～のようなことをしたら／もし～のようなことになったら if…that will be the end of it／一旦～就完了／－하면 그만으로】★1

①まさおは遊びに出かけ<u>たら最後</u>、暗くなるまで戻ってきません。

②ファイルは1度削除し<u>たら最後</u>、元に戻せないから、気をつけたほうがいいですよ。

③彼は国境を1歩でも出<u>たが最後</u>、2度と故郷には戻れないことを知っていた。

④あの人にお金を貸し<u>たが最後</u>、返してもらえないから、気をつけたほうがいいよ。

Vたら ＋ 最後

1）「最後」という言葉の示すとおり、「～のようなことをしたら、もうすべてがだめになる、最後だ」という気持ちで使う。　2）④の「たが最後」も用法は同じだが、「たら最後」のほうが口語的。

1）Feeling that if someone does some particular action everything will be lost or over.　2）In sentence ④, たが最後 has same usage, but たら最後 is more colloquial.

1）正如「最後」这个词所示，表示说话人一种“一旦做了～，别的事情就都不能做了，就”的心情。　2）例句④的「たが最後」用法也和本句型相同，但是「たら最後」更为口语化。

1）「最後（마지막）」이라고 하는 말이 가리키는 것처럼,「～한다면, 이제 모든 것이 잘못된다, 마지막이다」라고 하는 느낌으로 사용한다.　2）④의「たが最後」도 용법은 같지만,「たら最後」쪽이 구어체 표현이다.

たら～た　➡と～た　243－244

たら～だろう(に)

【もし～たら、～のに
would have if／如果～本可以…（实际上没有…）／－하면（－했으면）－했을 텐데】★3

①先月お会いしたとき、彼が日本に戻っているのを知っていたら、お話ししたでしょうに。

②田中課長が今回の担当だったら、契約は成立していただろう。

③きのうのうちにあなたからのメールを読んでいれば、今朝すぐに連絡したでしょうに。

④若いうちにもっと語学を勉強しておけば、好きな旅行の仕事ができただろう。

⑤もう少し値段が安ければ、わたしにも買えるだろうに。

◎ Vたら／イAかったら／ナAだったら／Nだったら ＋～だろう（に）
Vば／イAければ／ナAなら／Nなら ＋～だろう（に）

1）「過去または現在の事実に反することを仮想して、その場合は違う状況が起こっていただろう。事実はそうならなかったが」という意味で使う。　2）文の終わりに「に」「のに」をつけると、そうならなかったことを残念に思う気持ちが強まる。　3）⑤は「(事実は) 高いから、買えない」という現在の状況を言う。①③のように丁寧な言い方では「たら～でしょうに」という形になる。

1）Supposes an event contravening past or present actuality; suggests some different situation would have arisen if contravention had been true. Implies that things did not turn out as hoped.　2）If に or のに are appended to end of sentence, feeling of regret is strengthened.　3）In sentence ⑤, speaker implies she can't buy the item because it is actually too expensive.　In polite speech, becomes たら～でしょうに, as in sentences ① and ③.

1）"假设一个与过去事实相反或与现在事实相反的情况，那种情况下会发生不同的事吧。虽然事实并非如此"之意。　2）如果句末加上「に」「のに」的话，则强化了遗憾于事实不是这样的心情。
3）例句⑤陈述的是"(实际上）因为贵，买不起"的现在的情况。如例句①③，在礼貌体中变为「たら～でしょうに」的形式。

1）「과거 또는 현재의 사실에 반하는 것을 가상해서，그 경우에는 다른 상황이 일어났을 것이다．사실은 그렇게 되지는 않았지만」이라고 하는 의미로 사용한다．　2）문장의 끝에「に」「のに」를 붙이면，그렇게 되지 않은 것을 유감스럽게 생각하는 기분이 강해진다．　3）⑤는「(사실은) 비싸서 못 산다」라고 하는 현재의 상황을 가리킨다．①③과 같이 정중한 표현법에서는「たら～でしょうに」라는 형태가 된다．

たらどうですか【how about if you…／如果～怎么样呢／－하면 어떻겠습니까】★4

①A：すみません、3番のバスはどこから出ますか。

　B：さあ、あそこの案内所で聞いたらどうですか。

　A：ありがとうございます。

②A：このごろ体の具合がよくないんです。

　B：そうですか。病院へ行ってみたらいかがですか。

③A：バイト、そんなに大変なら、やめたらどう？

　B：やめられないんですよ。

④妻：もう10時よ。一休みしたら？

　夫：そうだね。そうしよう。

◎ Vたら　＋どうですか

1）ある行動をするように相手に提案する言い方。「た方がいい」より直接的な提案である。　2）くだけた会話では③④のように「たらどう？・たら？」という形になる。

1）Suggests plan of action. Is more direct proposal than pattern たほうがいい. 2) In informal speech, becomes たらどう？ or たら？, as in sentences ③ and ④.

1）建议对方去做某个行动的表达方式。比「たほうがいい」的提议更为直接。　2）在较为通俗的对话中，例如③④那样，变为「たらどう？・たら？」的形式。

1）어떤 행동을 하도록 상대방에게 제안하는 표현법이다.「たほうがいい」쪽이 직접적인 제안이다.　2）허물없는 사이에서의 대화에서는 ③④처럼「たらどう？・たら？」라는 형태가 된다.

たり～たりする〈複数の行為〉

【do…and do…／或者～或者～，做各种各样的事／－하기도 하고 －하기도 한다】★5

①日曜日には、本を読んだり、テレビを見たりします。

②子どものころ、野球をしたり、魚をとったりして、よく外で遊びました。

③去年は大雨が降ったり、地震が起きたりして、大変でした。

④公園で子どもたちがボール投げをしたり、水遊びをしたりしています。

⑤もっと広い家に引っ越して犬を飼ったりしたい。

⑥たばこの吸いがらを道路に捨てたりしないでください。

◎ Vたり ＋ Vたり　＋ する

1）いろいろなことをするとき、またはいろいろなことが起こるとき、そのうちの2、3を取りあげて並べて示すときの言い方。①②のように、一人がいろいろな動作をする場合と、④のように、複数の人がいろいろな動作をする場合がある。　2）⑤のように「Vたり」を1回だけ使い、ほかにもあるということを暗示する言い方、また、⑥のように婉曲表現として使う場合もある。

1）Lists up two or three activities or events among several. As in sentences ① and ②, describes one person doing several things, or as in sentence ④, several people doing several things.　2）When only one Vたり is used implies that other activities are being done as well, as in sentence ⑤. Can also be used euphemistically, as in sentence ⑥.

1）做各种各样的事，或有各种各样的事发生的时候，选取其中的2、3件，摆在一起来说的时候，使用本句型。有如例句①②，一个人做各种各样的动作的情况，也有如例句④很多人做各种各样的动作的情况。　2）如例句⑤，有时只使用一次「Vたり」，但暗示着除此之外还有别的，另外，如例句⑥，也可以作为委婉表达来使用。

1）여러 가지 일을 할 때나 여러 가지 일이 일어날 때，그 가운데의 2，3을 예를 들어 나열하여 가리킬 때의 표현법이다．①②처럼，한 사람이 여러 가지 동작을 하는 경우와，④처럼，복수의 사람이 여러 가지 동작을 하는 경우가 있다．　2）⑤처럼「Vたり」를 한 번만 사용하여，그 외에도 있다고 하는 것을 암시하는 표현법，또는，⑥처럼 완곡한 표현으로써 사용하는 경우도 있다．

たり～たりする〈不定〉

【sometimes…and sometimes…／有的～，有的～／－하기도 하고 －하기도 한다】★4

①庭のそうじは父がしたり、母がしたり、兄がしたりします。

②うちでは夕食の時間は7時だったり8時だったりして、決まっていません。

③1週間に1度かならず来てください。来たり来なかったりでは困ります。

④このごろの天候は暑かったり寒かったりですから、風邪をひきやすいです。

◎ Vたり ＋ Vたり／イＡかったり ＋ イＡかったり／
ナＡだったり ＋ ナＡだったり／Ｎだったり ＋ Ｎだったり　＋ する

一定していないことを表す。動詞以外の品詞にも使う。③④のように「たり～たりだ」の形で使うことも多い。

Shows unstable situation. Also used with parts of speech other than verbs. Often used in pattern ～たり～たりだ, as in sentences ③ and ④.

表示某事物不是一定的。也可以用于动词之外的其他词类。也有很多时候像例句③④那样，采用「～たり～たり」的形式。

일정하지 않은 것을 나타낸다．동사 이외의 품사에도 사용한다．③④처럼「～たり～たりだ」의 형태로 사용하는 경우도 많다．

たり～たりする〈反復〉

【repeatedly do …and…／反复进行一些相反相对的动作、作用／－했다 － 했다 한다】★4

①退院してから１週間ぐらいは毎日寝たり起きたりしていました。

②子どもたちがプールで、水から出たり入ったりして遊んでいます。

③あの人は門の前を行ったり来たりしています。どうしたのでしょう。

④バスの運転手：バスの中では立ったりすわったりしないでください。危ないですから。

Vたり ＋ Vたり ＋ する

反対の動作･作用が反復することを表す言い方。二つの対立する動詞（出る･入る、行く･来る、上がる・下がるなど）を使う。

Shows repetition of opposite action or movement. Uses verb antonyms such as 出る / 入る , 行く / 来る , 上がる / 下がる , etc.

反复进行一些相反相对的动作、作用时，使用本句型。使用两个意思相反的动词（出る・入る、 行く・来る、 上がる・下がる等)。

반대의 동작 · 작용이 반복되는 것을 나타내는 표현법이다 . 2 개의 대립하는 동사 (出る・入る・行く・来る・上がる・下がる 등) 를 사용한다 .

たりとも～ない【～も not even ／即使～也不…／－조차도 － 하지 않는다】★1

①彼の働きぶりは１分たりとも無駄にしたくないという様子だった。

②開会式までの日数を考えると、工事は１日たりとも遅らせることはできない。

③１日２時間給水という厳しい制限の中で、この夏は水を１滴たりとも無駄にすることはできなかった。

１助数詞 ＋ たりとも～ない

「１助数詞＋たりとも～ない」の形で最低のものを挙げて、「１～も～ない」と全否定を強調する言い方。同様の言い方に「といえども～ない」がある。 参 といえども～ない

Emphasizes complete denial by stating that there isn't even one minimal factor. Similar pattern is といえども～ない. →参.

采用「１量词＋たりとも～ない」的形式，举出最低限度的事物，"即使是一～也不能～"，是全部否定的强调表达。同义表达方式还有「といえども～ない」。 →参

「１조수사＋たりとも～ない」의 형태로 가장 적은 것을 예로 들어 ,「１～も～ない」라고 전체부정을 강조하는 표현법이다 . 같은 표현으로는「といえども～ない」가 있다 . →参

たる【～の立場にある has the job of; who is ／作为／ － 라고 하는 /- 라는】★1

①国を任された大臣たる者は、自分の言葉には責任を持たなければならない。

②一国一城の主たる者、１回や２回の失敗であきらめてはならぬ。

③国の代表たる機関で働くのだから誇りと覚悟を持ってください。

◎N　＋たる

1）「～たるN」の形で「～のような立場にあるのだから、それにふさわしい態度でなければならない」と言いたいときに使う。　2）「Nたる者」の形でよく使われる。Nは話者が高く評価している立場を表す語。文語的な硬い表現である。

1）In pattern ～たるN, someone is in certain position so they should act accordingly.　2）Often used in pattern Nたる者. Implies that N is highly evaluated by speaker.　Literary, formal expression.

1）采用「～たるN」的形式，"因为处在那个立场上，所以必须要有符合该立场的态度"，在想要表达这个意思时使用本句型。
2）常采用「Nたる者」的形式。N是表示说话人给与高度评价的某种立场的词语。是较为生硬的书面表达方式。

1）「～たるN」의 형태로「그와 같은 입장에 있기 때문에, 거기에 적합한 태도여야 한다」고 말하고자 할 때 사용한다.　2）「Nたる者」의 형태로 자주 사용된다. N은 말하는 사람 (話者) 을 높게 평가하고 있는 입장을 나타내는 말이다. 문어적인 딱딱한 표현이다.

たる　➡にたる　310

だろう〈推量〉【probably, most likely ／可能～吧／ － 일 것이다 /- 겠지】★4

①田中さんは旅行には行かないだろう。忙しいと言っていたから。

②今年は家族旅行は無理だろう。

③10年後にはこの町も公園の数がもっと多くなっているでしょう。

④久しぶりにいなかに帰ります。村もずいぶん変わったでしょう。

⑤松本選手は今度の試合に出られるでしょうか。

◎**普通形**（ナA／N）＋だろう

1）はっきり断定できないことや天気予報など、未来の予測を表すのによく使われる。④のように、現在や過去のことの推測にも使われる。　2）話す人の、意志的な行為の予測には使わない。　◆×わたしは来年、結婚するでしょう。　3）「でしょう」は「だろう」の丁寧な形。⑤のように「でしょうか」は話す人が自分も推測をしながら軟らかく聞く言い方。

1）Often used to express predictions for future concerning inconclusive or weather forecasts. Used for conjecture about both present and past events, as in sentence ④. 2）Not used for predicting speaker's intentional actions. → ◆ 3）Copula でしょう is polite form of だろう. In sentence ⑤, でしょうか is used to soften speaker's question while making conjecture.

1）常用于表示无法确切断定的事，或者预测天气预报等未来的事时，常使用本句型。如例句④，有时也用来推测现在以及过去的事。2)不能用于预测说话人的意志性行为。→◆ 3)「でしょう」是「だろう」的礼貌体。例句⑤的「でしょうか」是说话人自己的推断，同时也是一种柔和的疑问。

1）확실하게 단정지을 수 없는 일이나 일기예보 등，미래의 예측을 나타내는 데에 자주 사용된다．④처럼，현재와 과거의 일에 대한 추측에도 사용된다． 2）말하는 사람（話者）의 의지적인 행위의 예측에는 사용하지 않는다．→◆ 3）「でしょう」는「だろう」의 정중한 형태이다．⑤와 같이「でしょうか」는 말하는 사람（話者）이 자기도 추측을 하면서 부드럽게 묻는 표현법이다．

だろう〈気持ちの強調〉【非常に～だ how very!／非常～／정말 - 하다】★3

① （夕日を見て）ああ、なんときれいな夕日だろう。

② （果物を食べながら）なんておいしい果物だろう。

③ 子どもってなんてかわいいんでしょう。

④ 新しい芽が出る新緑とはなんと美しいのだろう。

◎ **普通形**（イAい・イAいの／ナA・ナAなの／N・Nなの） ＋ だろう

1）心に強く感じたことや感激したことを感情を込めて言うときの表現。 2）「なんと・なんて・どんなに・いかに」とともに使うことが多い。 参**ことか**

1）Expresses deep feelings or strong emotions. 2）Often used with なんと，なんて，どんなに，or いかに． →参

1）非常动情地叙述心中强烈的感受，感动时的表达形式。 2）多采用「なんと・なんて・どんなに・いかに」的形式。→参

1）심리적으로 강한 느낌이나 감격한 것에 대해 감정을 넣어서 말할 때의 표현이다． 2）「なんと·なんて·どんなに·いかに」와 함께 사용하는 경우가 많다． →参

だろう ➡でしょう〈同意求め 確認〉 187

だろうとおもう【I think perhaps／觉得可能会～／－일 것이라고 생각한다/－일 것이다】★4

①キャンプの参加者は50人ぐらいだろうと思います。

②みんなが集まるので、パーティーはきっと楽しいだろうと思います。あなたもぜひ来てください。

③あしたの運動会では、きっと白組が勝つだろうと思う。

④父はこの結婚には反対するだろうと思う。

⑤子どもにはわたしの説明がわからなかっただろうと思う。

◎ **普通形**（ナA／N） ＋ だろうと思う

1）話す人が推量、推測したことを言うときに使う。「だろう〈推量〉」より話す人の気持ちがはっきりしている。「だろう」を使わないで「と思う」だけでも推量の意味を表すことができるが、その場合、「だろうとおもう」より確信の度が強い。　2）話す人の意志的な行為の予測には使わない。

参 だろう〈推量〉

1）Speaker's conjecture or surmise. Expresses speaker's feelings more definitively than だろう. Conjecture can be conveyed with と思う alone, without だろう, and indicates stronger conviction.　2）Not used to predict speaker's intentional action.
→参

1）用于说话人推量或推测某事。说话人的态度比表推量的「だろう」更明确。即使不使用「だろう」，单独的「と思う」也可以表示推量的意义，但是语气比「だろうと思う」更为确定。　2）不用于预测说话人的意志性行为。
→参

1)말하는 사람(話者)이 추량, 추측한 것을 말할 때에 사용한다.「だろう (추량)」보다 말하는 사람(話者)의 감정이 훨씬 명확하다.「だろう」를 사용하지 않고「と思う」만으로도 추량의 의미를 나타낼 수 있지만, 그 경우,「だろうと思う」보다 확신의 강도가 강하다.　2) 말하는 사람(話者)의 의지적인 행위의 예측에는 사용하지 않는다.
→参

ちがいない ➡にちがいない　310

ちゃ ➡ては　191

ちゃいけない ➡てはいけない　193

ちゃう ➡てしまう　185－186

ちゃかなわない ➡てはかなわない　194

ちゅうしんにする ➡をちゅうしんとして　425

ついて ➡について　311

ついでに 【～する機会につけ加えて while; incidentally; at the same time ／在此顺便机会上／ – 하는 김에 /– 하는 차에】★3

①パリの国際会議に出席するついでに、パリ大学の森先生をお訪ねしてみよう。

②買い物のついでに図書館に寄って本を借りてきた。

③上野の美術館に行ったついでに久しぶりに公園を散歩した。

④林：森さん、悪いけど、立ったついでにお茶いれて。

Ⅴる・Ⅴた／する動詞のＮの ＋ ついでに

「ものごとを行う機会を利用して、都合よくほかのこともつけ加えて行う」と言うときの言い方。前の文は初めからの予定の行動で、後の文は追加的な行動。

Uses opportunity of one event to conveniently accomplish something else as well. Clause preceding ついでに contains originally planned action, while clause succeeding describes supplementary action.

“利用做某事的机会，由于时机上十分合适，所以附带着做了别的事情”之意。前半句为一开始就预定好的行动,后半句为追加的行动。

「어떤 일을 할 기회를 이용해서 , 다른 일도 한다」고 말할 때의 표현법이다 . 앞의 문장은 처음부터 예정되어 있던 행동이고 , 뒤에 오는 문장은 추가적인 행동이다 .

つうじて ➡をつうじて 425－426

つき ➡につき 311

っけ 【～？／～だった？ what was that?/was it…? ／是～吗？曾经是～吗？ ／ – 였나 ?/– 였지 ?】★3

①Ａ：英語の試験は５番教室だっけ。
　Ｂ：８番じゃない？

②弟 ：「ケン討する」の「ケン」は、キヘンだっけ、ニンベンだっけ。
　姉：キヘンに決まってるでしょ。

③Ａ：今度の研修旅行には、工場見学も日程に入っていましたっけ。
　Ｂ：時間的に無理だというんで除かれたんだよ。

普通形（「～ましたっけ・～でしたっけ」もある） ＋ っけ

はっきりしないことに対する疑問の気持ちを持って相手に念を押したり、確かめたりする言い方。

Draws attention to or confirms speaker's uncertainty about some event when speaking to someone.

对于自己不甚确定的事，带着一种疑问的语气叮嘱对方，或向对方确认时的表达方式。

확실하지 않은 일에 대한 의문을 나타내며 , 상대방에게 다짐을 받거나 , 확인하는 표현법이다 .

つけて ➡につけ（て） 312

っこない【絶対(ぜったい)に～ない there's no chance, no way ／绝不／ – 할 리가 없다】★2

①こんな難(むずか)しい本(ほん)を買(か)ってやったって、小学校(しょうがっこう)１年生(ねんせい)の太郎(たろう)にはわかりっこない。

②こんなにひどい嵐(あらし)じゃテニスはできっこない。今日(きょう)はやめておこう。

③（雑誌(ざっし)を見(み)ながら）妻(つま)：いいマンションね。でも、家賃(やちん)が 30 万円(まんえん)よ。

夫(おっと):30 万円(まんえん)！　そんな高(たか)い家賃(やちん)、ぼくたちに払(はら)えっこないよ。

V ~~ます~~ ＋ っこない

可能性(かのうせい)を強(つよ)く否定(ひてい)するときに使(つか)う。可能表現(かのうひょうげん)を使(つか)うことが多(おお)い。話者(わしゃ)の判断(はんだん)を表(あらわ)す。「するわけがない・はずがない」とよく似(に)た意味(いみ)に使(つか)う。親(した)しい人(ひと)との会話(かいわ)で使(つか)う。

Emphatically denies some possibility. Often expresses possibility and indicates speaker's judgment. Similar in meaning to patterns するわけがない and はずがない. Used in familiar speech.

用于强烈地否定某事发生的可能性。多使用可能表现。表示说话人的判断。和「するわけがない・はずがない」的意义非常相似。在与关系较为亲密的人的对话中使用本句型。

가능성을 강하게 부정할 때에 사용한다 . 가능표현을 사용하는 경우가 많다 . 말하는 사람 (話者) 의 판단을 나타낸다 .「するわけがない・はずがない」와 매우 비슷한 의미로 사용한다 . 친한 사람과의 대화에서 사용한다 .

ったらない ➡といったらない 227

つつ〈逆接(ぎゃくせつ)〉【～ているが even though ／却，但是／ – 하면서도】★2

①悪(わる)いと知(し)りつつ、友達(ともだち)の宿題(しゅくだい)の答(こた)えを書(か)いてそのまま出(だ)してしまった。

②毎日(まいにち)お返事(へんじ)を書(か)かなければと思(おも)いつつ、今日(きょう)まで日(ひ)がたってしまいました。

③悪(わる)いと知(し)りつつも、ごみを分別(ぶんべつ)せずに捨(す)ててしまう。

④佐藤(さとう)さんの顔色(かおいろ)の悪(わる)いことが気(き)になりつつも、急(いそ)いでいたので何(なに)も聞(き)かずに帰(かえ)ってきてしまった。

V~~ます~~ ＋ つつ

1）「Vつつ」の形で「Vしているが」という逆接の意味を表す。話者が後悔したり告白したりする場合に使われることが多い。　2）慣用表現が多い。例文の例のほかに「言いつつ・感じつつ」などがよく使われる。　3）④の「Vつつも」も同じように使われる。

1）Something is done even though such is not expected. Often used when speaker regrets or confesses something.　2）Often found in idioms, such as 言いつつ，感じつつ.　3）Used the same way as Vつつも.

1）采用「Vつつ」的形式，意为「Vしているが」，表示逆接。常用于说话人的后悔、告白等场景。　2）多为惯用表达方式。除了上述例句，还有「言いつつ・感じつつ」等、都是很常用的。
3）「Vつつも」也有同样用法。

1）「V つつ」의 형태로「V하고 있지만」이라고 하는 역설적인 의미를 나타낸다. 말하는 사람（話者）이 후회하거나 고백하거나 하는 경우에 사용되는 일이 많다.　2）관용표현이 많다. 예문에 있는 예 이외에도「言いつつ・感じつつ」등이 자주 사용된다.
3）④의「V つつも」도 마찬가지로 사용된다.

つつ〈同時進行〉【～ながら while／一边～，一边～／－하면서】★2

①電車に揺られ<u>つつ</u>、2時間ほどいい気持ちで眠った。
②夜、仕事を終えてウイスキーを味わい<u>つつ</u>、お気に入りの推理小説を読むひとときは最高である。
③この問題については、会員の皆さんと話し合い<u>つつ</u>よく考えてみましょう。
④山に登り<u>つつ</u>、人は人生についてさまざまなことを考える。
⑤最近わたしはCDで好きな音楽を聞き<u>つつ</u>、小説の構想を練る。

V~~ます~~ ＋ つつ

1）一人の人が一つのことをしながら、同時にもう一つのことをするという意味の表現。「～つつ…する」では「～」の動作が副で「…」の動作が主である。　2）「ながら」と同じような使い方をするが、「ながら」より文語的な表現。　参 **ながら〈同時進行〉**

1）Someone does two things at the same time. Second action listed is main action.　2）Usage is same as for ながら, but more literary. →参

1）表示一个人在做一件事的同时还做着另一件事。「～つつ…する」中，「～」的动作为辅，「…」的动作为主。　2）和「ながら」的用法相同，但比「ながら」的文语意味更重。 →参

1）한 사람이 한가지 일을 하면서，동시에 또 하나의 일을 한다고 하는 의미를 나타낸다.「～つつ…する」에서는「～」의 동작이 부차적이고「…」의 동작이 주체가 된다.　2）「ながら」와 같은 사용법을 갖지만，「ながら」보다 문어체적인 표현이다. →参

つ～つ 【～たり～たり and; or; now…now ／有时～有时～／－하기도 하고 －하기도 하고/－했다 －했다】 ★1

①マラソンの最後の500メートルで二人の選手は抜きつ抜かれつの競争になった。

②風に飛ばされた赤いぼうしは木の葉のように浮きつ沈みつ川を流れていった。

③変な男の人がうちの前を行きつ戻りつしている。何をしているんだろう。

◎ V~~ます~~ ＋つ＋ V~~ます~~ ＋つ

後に来る動詞の動作や作用がどんな様子で行われるかを言う。「つ～つ」は二つの対立する動詞（浮く・沈むなど）に接続する。慣用的に使う。

Explains how verbal action following is carried out. Appends to two contrasting verbs, such as 浮く (float), and 沈む (sink). Used idiomatically.

后面出现的动词所表示的动作或作用以什么样的样态在进行，在要表达这个意义时使用本句型。「つ～つ」接两个相互对立的动词（浮く・沈む等）。作为惯用句来使用。

뒤에 오는 동사의 동작이나 작용이 어떤 상태로 행해지고 있는가를 나타낸다.「つ～つ」는 두 개의 대립되는 동사（浮く・沈む）등에 접속한다. 관용적으로 사용한다.

つつある 【今ちょうど～している (progression) be doing ／现在正在进行～／－하고 있는】 ★2

①わたしはホテルの窓から山の向こうに沈みつつある夕日を眺めながら、1杯のコーヒーをゆっくりと楽しんだ。

②わたしの会社では、休み時間が長くなり、明るい社員食堂もできた。職場の環境は改善されつつある。

③この国はこの1年ほどの間に政治的に安定した。経済も次第に安定しつつある。

◎ V~~ます~~ ＋つつある

1）ものごとがある方向に向かって進行しているという意味。特に進行中であるということをはっきり言いたいときに使う。　2）会話の中ではほとんど使わない。

1）Some event progresses in a certain direction. Specifically denotes something is in process of progression.　2）Rarely used in conversation.

1）事物正向某个方向前进之意。特别是在想要确切地表达正在行进过程中之意时，使用本句型。　2）基本不用于对话当中。

1）사건이나 사안이 어떤 방향으로 진행하고 있다는 의미이다. 특히 진행 중이라는 것을 명확하게 말하고자 할 때 사용한다.
2）대화 중에는 거의 사용하지 않는다.

つづける【keep on; do on and on ／持续／계속 - 하다】★4

①山道を１日中歩き<u>続けて</u>、足が痛くなりました。

②わたしは小学校から高校まで 12 年間もこの学校に通い<u>続けました</u>。

③一つのことをやると決めたら、やり<u>続ける</u>ことが大切です。

④うちの庭では、冬の間もいろいろな花が咲き<u>続けます</u>。

◎ V~~ます~~ ＋ 続ける

動作や習慣を続けたり、作用が続いたりするという意味を表す。「ずっとしている・ずっと続いている」ことを特に言いたいとき使う。　参おわる・はじめる

Movement, practice, or action continues. Specifically stresses length of time of action. →参

表示持续做某个动作、某种习惯，或某种作用在持续之意。在特别要强调「ずっとしている・ずっと続いている」时使用本句型。→参

동작이나 습관을 계속하거나, 작용이 계속되고 있다고 하는 의미를 나타낸다.「계속 하고 있다 · 죽 계속되고 있다」는 것을 특별히 말하고자 할 때 사용한다. →参

つつも　➡つつ〈逆接〉 150

って〈伝聞〉【～ということだ (hearsay) they say that ／据说～／ – 래 /– 라고 하던데】★3

① A：来週の授業は休みだ<u>って</u>。

　B：ほんと。よかった。

②兄：今日の天気はどう？

　妹：天気予報では、午後から晴れる<u>って</u>。

③後藤さんは明日来られない<u>って</u>。

④ A：これいくらで買ったの。

　B：お姉さんにもらったんだけど、2,000 円だったんだ<u>って</u>。

◎ 普通形 ＋ って

1）伝聞・引用の「と」が「って」に変形したもの。「と言っている・と書いてある」などの動詞の部分が省略されたと考えられる。日常生活で広く使われている。

2）①は「休みだそうだ」の意味。①～③は下降調。

1）The と of hearsay or quotation abbreviates to って. The と言っている (saying) or と書いてある (is written) that follows と has been omitted. Widely used in daily conversation. 2）Sentence ① means: 休みだそうだ. Sentences ① to ③ are said with falling intonation.

1)「って」是由表传闻、引用的「と」变形而来。一般认为是省略了「と言っている・と書いてある」等的动词部分。本句型在日常生活中广泛使用。 2）例句①意为「休みだそうだ」。例句①～③为降调。

1）전달문, 인용의「と」가「って」로 변형된 것이다.「と言っている（라고 말하고 있다）・と書いてある（라고 쓰여져 있다）」등의 동사 부분이 생략된 것이라고 생각할 수 있다. 일상생활에서 널리 사용되고 있는 표현이다. 2）①은「休みだそうだ」의 의미이다. ①～③은 하강조의 인토네이션을 갖는다.

って〈主題〉【～とは／～というのは who; what; that／所谓～／－라니/－라는 것은】★3

① A：PCって何ですか。

　B：パソコンのことですよ。

② A：子どもを持つのって、大変ですか。

　B：ええ。でも、うれしいことも多いですよ。

③昔「大きいことっていいことだ」という言葉があった。

Vる（の）／イAい／ナA／N ＋って

ものごとの定義、意味について説明するときの言い方。くだけた話し言葉。書き言葉では①は「PCとは」②は「～というのは」という意味になる。 参とは〈定義〉

Defines something or explains its meaning. Informal. In written speech, sentence ① would be p.c.とは. Sentence ② would be というのは. →参

在说明一个事物的定义、意义时，使用本句型。是较为通俗的口语表达方式。在书面语中，例句①为「PCとは」之意，例句②为「～というのは」之意。 →参

어떤 사항에 대한 정의, 의미에 대해서 설명할 때의 표현법이다. 허물없는 사이에서 사용하는 회화체이다. 문어체에서는 ①은「PCとは（PC라는 것은）」②는「～というのは（～라고 하는 것은）」이라는 의미가 된다. →参

って〈名前〉【named／说明名字／－라는/－라고 하는】★4

①伊藤さん、チャヤさんって人から電話がありましたよ。

②「ミラノ」っていうイタリア料理の店、知ってる？

③これは村上春樹って作家が書いた『海辺のカフカ』っていう小説です。

N ＋って

1）「～ってN」の形で話し言葉で、よく知らない人や物や場所などの名を言うときの言い方。　2）「～ってN」とも「～っていうN」とも言う。　3）書き言葉では「NというN」である。

参という〈名前の紹介〉

1）In form ってN is spoken expression. Tells names of little known people, things, or places. 2）Forms ～ってN and ～っていうN are also used. 3）Written form is NというN. →参

1）在口语中，说明不太熟悉的人、物、地点的名字等时，使用本句型。2）有时说成「～ってN」，有时说成「～っていうN」。3）书面语为「NというN」。→参

1）「～ってN」형태로 회화체에서, 잘 모르는 사람이나 사물, 장소 등의 이름을 말하고자 할 때의 표현법이다. 2）「～ってN」이라고도 하고「～っていうN」이라고도 한다. 3）문어체에서는「NというN」으로 쓴다. →参

って　➡と〈直接話法〉〈間接話法〉 208－209

っていう　➡って〈名前〉 154

っていうことは　➡というものは 222

っていうのは　➡というのは 219

っていえば　➡といえば 225

ってことは　➡というものは 222

っぱなし

【～したままだ
leave on; leave out; leave as is／只做了～，不做后面必须得做的事／계속 - 한 상태 / 계속 - 인 채】★2

①道具が出しっぱなしだよ。使ったら、かたづけなさい。

②あのメーカーは売りっぱなしではなく、アフターケアがしっかりしている。

③この仕事は立ちっぱなしのことが多いので、疲れる。

④講演会では休憩もなしに2時間も話しっぱなしで、とても疲れた。

V~~ます~~ ＋っぱなし

1）「～したままで、後の当然しなければならないことをしないでいる」という意味である。　2）③④は、「その状態がずっと続く」という意味になる。　3）マイナスの評価をもって使われることが多い。

1) After an action is taken, some subsequent action that should be taken is left undone. 2) In sentences ③ and ④, means the situation continues. 3) Often used in negative evaluations.

1)"只做了～，不做后面必须得做的事"之意。 2)例句③④意为"那种状态始终保持持续不变"。 3)多用于含有负面评价的语气。

1)「～한 채로, 그 뒤에 당연히 해야 하는 것을 하지 않고 있다」고 하는 의미이다. 2) ③④는「그 상태가 죽 이어진다」라고 하는 의미가 된다. 3) 마이너스의 평가를 가지고 사용되는 경우가 많다.

っぽい 【その感じがする／よくそうする -ish; somewhat／总是～／ – 같은 느낌이 든다 / 자주 그렇게 - 한다 /– 한 계통의】 ★2

①きみ子はもう20歳なのに話すことが子どもっぽい。

②花子は飽きっぽくて何をやってもすぐやめてしまう。

③母は年のせいかこのごろ忘れっぽくなって、いつも物を探している。

④あの白っぽいセーターを着ている人が田中さんです。

⑤この部屋は日当たりが悪いので、いつもなんとなく湿っぽい。

◎ V~~ます~~／N ＋ っぽい

1)回数の多さではなく、ものの性質について言う。よくないことに使うことが多い。

2) ほかに「男っぽい・うそっぽい・色っぽい・黒っぽい・疲れっぽい」などの例がある。

1) Used not for frequency, but for quality of something. Often used for adverse things. 2) Other expressions: 男っぽい (masculine), うそっぽい (seems like a lie), 色っぽい (sexy), 黒っぽい (blackish), 疲れっぽい (easily fatigued), etc.

1)并不是陈述次数之多，而是针对事物的性质而言的。多用于不好的事物。 2)此外还有男っぽい・うそっぽい・色っぽい・黒っぽい・疲れっぽい等用例。

1) 횟수의 많고 적음보다는, 사물의 성질에 대해서 이야기한다. 안 좋은 일에 사용하는 경우가 대부분이다. 2) 그 밖의 예로, 男っぽい (남자 같다)・うそっぽい (거짓말 같다)・色っぽい (야하다)・黒っぽい (검은색 같다)・疲れっぽい (피곤한 것 같다) 등을 들 수 있다.

つもりだ〈意志〉【intends to／打算／－할 예정이다／－할 생각이다】★4

①先生：今度のレポートで、君は何について書くつもりですか。
　学生：まだ決めていません。

②今年からテニスを始めるつもりだったけど、忙しくてできそうもない。

③今のアパートは会社から遠いので、7月中に引っ越すつもりです。

④弟は東京で仕事を探すつもりらしい。

⑤わたしは夏のキャンプには行かないつもりです。

⑥春休みは忙しくなりそうなので、図書館でのアルバイトはしないつもりです。

⑦マリさんは30歳まで結婚しないつもりだそうだ。

⑧ぼくは父の会社に入るつもりはありません。

◎ Vる・Vない　＋ つもりだ

1）将来、何かをする、またはしない、という話す人の意志や予定や計画を表す。
2）意味は「ようと思う」とだいたい同じだが、計画はより具体的で、実現する可能性が高い。また実現までの時間が短いことにはあまり使わない。　◆×では、今から朝のミーティングをするつもりです。→○では、今から朝のミーティングをします。
3）3人称の意志については、「ようと思う」と同じで、「つもりだそうだ・つもりらしい・つもりのようだ」などの形で使う。　4）「つもりはありません」は「ないつもりです」より強い否定の気持ちを表す。　5）目上の人には「～つもりですか」という質問を直接しないほうがいい。　◆△先生、この夏どこかへいらっしゃるつもりですか。→○先生、この夏どこかへいらっしゃるご予定ですか。

参 ようとおもう

1）Speaker's intention or plan for what to do or not to do in future.　2）Meaning is similar to ようと思う (I think I'll), but plan is more specific and event more likely to occur. Not often used for events in immediate future. → ◆　3）For third person volition, usage is same as ようと思う. Used in patterns such as つもりだそうだ, つもりらしい, and つもりのようだ.　4）つもりはありません is stronger negation than ないつもりです.　5）Best not to address social superior with つもりですか. →◆ →参

1）表示说话人将来想要做什么或不做什么，陈述说话人的意志、预定、计划等。　2）和「ようと思う」的意义基本相同，但本句型的计划更为具体、可实施性更强。另外，基本不用于短时间内就要实现的计划。→◆　3）当描述第三人称的意志时，和「ようと思う」一样，要采用「つもりだそうだ・つもりらしい・つもりのようだ」等形式。　4）「つもりはありません」比「ないつもりです」的否定意味更强。　5）对上司或长辈最好不要直接使用「～つもりですか」→◆ →参

1）장래에 뭔가를 한다거나 또는 하지 않는다, 고 하는 말하는 사람（話者）의 의지나 예정, 계획을 나타낸다.　2）의미는「ようと思う」와 대체로 동일하지만, 계획은 보다 구체적이고, 실현할 가능성이 높다. 또한 단시간에 실현되는 것에는 잘 사용하지 않는다.→◆　3）3인칭의 의지에 대해서는,「ようと思う」와 용법이 동일하고,「つもりだそうだ・つもりらしい・つもりのようだ」등의 형태로 사용한다.　4）「つもりはありません」은「ないつもりです」보다 강한 부정의 느낌을 나타낸다.　5）손 윗사람에게는「～つもりですか」라고 직접적으로 질문하는 것은 피하는 것이 좋다.→◆ →参

つもりだ〈意図(いと)と実際(じっさい)の不一致(ふいっち)〉

【その意図(いと)はあるが
supposed to be, but／就只当是／－ 한 셈 치고／- 하다고 생각하고】★3

①ダイエット中(ちゅう)の娘(むすめ)：ああ、ケーキ食(た)べたいな。
　　　　　母(はは)：食(た)べた<u>つもりに</u>なって、がまんしなさい。

②A：それは何(なん)の絵(え)？
　B：ねこをかいた<u>つもりなんだ</u>けど……。

③自分(じぶん)では正(ただ)しい<u>つもりでした</u>が、答(こた)えは間違(まちが)っていました。

④父(ちち)は元気(げんき)な<u>つもりで</u>いるけれど、やはり年(とし)を取(と)りましたね。

⑤あの子(こ)はきれいなドレスを着(き)て、お姫(ひめ)さまの<u>つもりだ</u>よ。

◎ **普通形**（ナAな／Nの）＋ つもりだ　　**例外(れいがい)**　動詞(どうし)は「Vた」の形(かたち)だけを使(つか)う

そういう意図(いと)は持(も)っているが、事実(じじつ)や実際(じっさい)の行動(こうどう)の結果(けっか)は違(ちが)うという意味(いみ)を表(あらわ)す。

Someone has certain intention, but actuality or result of actual action differ.

虽然抱有那样的意图，但事实或实际行动的结果却与此不同之意。
그런 의도는 가지고 있지만, 사실이나 실제 행동의 결과는 그렇지 않다고 하는 의미를 나타낸다.

つれて　➡につれて　312

て　➡って　154

て〈並列・対比〉【then／表并列、对比／－하고／－해서】★5

①朝はパンを食べて、コーヒーを飲みます。

②3時にヤンさんが来て、4時にカンさんが来ました。

③毎日、7時にうちを出て、6時ごろうちへ帰ります。

④わたしは昼は学校で勉強して、夜は英語学校で英語を教えています。

Vて

動詞の「て形」(Vて) を使って、前の文と後ろの文を緩やかに結びつけている。①②は並列、③④は対比の意味になっている。

Loosely connects what precedes て form of verb to what follows. In sentences ① and ② the two clauses are in parallel. Sentences ③ and ④ stand in contrast.

使用动词的「て形」(Vて)，将前后两个半句松缓地结合在一起。例句①②为并列之意，例句③④为对比之意。

동사의「て형」(V て) 를 사용해서 , 앞의 문장과 뒤에 오는 문장을 부드럽게 연결시키고 있다 . ①②는 병렬 , ③④는 대비의 의미이다 .

て〈順次・前段階〉【then／之后／－하고／－해서】★5

①電気を消して、部屋を出ます。

②A駅まで電車で行って、B駅で乗りかえて、C駅で降ります。

③すみませんが、コピーを10枚取って、木村さんのところへ持っていってください。

④スーパーへ行って、たまごを買った。

⑤田中君はいつもノックしないでわたしの部屋に入る。

Vて

1) 動詞の「て形」(Vて) を使って、前と後を緩やかに結びつけている。①～③では動作の順番を表している。　2) ④⑤は後の動作のために必要な前段階である。3)②のように「Vて」を二つ使うこともできる。　4)前後関係をはっきり言うときは「Vてから」を使う。　5) この使い方の否定形は「Vないで・Vずに」である。

参 ずに・ないで

1）Loosely links clauses preceding or following Vて. In sentences ① to ③, action is listed in sequence. 2）Vて in sentences ④ and ⑤ are prerequisites for action following. 3）Two Vて patterns can be used, as in sentence ②. 4）To express sequence relations more definitively, use Vてから. 5）Negative is Vないで or Vずに. →参

1）使用动词的「て形」(Vて)，将前后两个半句松缓地结合在一起。例句①～③表示动作的顺序。 2）例句④⑤是为了做后面的动作而必须进行的前半阶段的准备。 3）如例句②，也可以连续使用两个「Vて」。 4）如果要明确表示前后的顺序关系，则使用「Vてから」。5）此种用法的否定形为「Vないで・Vずに」。 →参

1）동사의「て형」(Vて) 를 써서，앞과 뒤를 부드럽게 연결시키고 있다. ①～③에서는 동작의 순번을 나타내고 있다. 2）④⑤는 뒤의 동작을 위해 필요한 전 단계이다. 3）②처럼「Vて」를 두번 사용하는 경우도 있다. 4）전후 관계를 명확하게 말할 때는「Vてから」를 사용한다. 5）부정형은「Vないで・Vずに」이다. →参

て〈方法(ほうほう)・状態(じょうたい)〉【by; while／表方法，状态／－하고/－한 상태로】★4

①CDを聞(き)いて発音(はつおん)の練習(れんしゅう)をします。

②女(おんな)の子(こ)たちは芝生(しばふ)にすわって、話(はな)しています。

③暑(あつ)いので、子(こ)どもたちはふとんをかけないで寝(ね)ています

④こちらの名前(なまえ)と住所(じゅうしょ)を書(か)かないで手紙(てがみ)を出(だ)した。

Vて

1）動詞(どうし)の「て形(けい)」(Vて) によって、前後(ぜんご)を緩(ゆる)やかに結(むす)びつけている。 2）①は方法(ほうほう)・手段(しゅだん)を表(あらわ)し、③はどんな状態(じょうたい)で動作(どうさ)をするか、どんなことが起(お)こるかを表(あらわ)している。 3）この意味(いみ)での否定(ひてい)は「Vないで・Vずに」である。 参ずに・ないで

1）Loosely connects what precedes and follows it. 2）Sentence ① describes method and means; sentence ③ describes what happens or what action occurs in what state. 3）Negative is Vないで or Vずに. →参.

1）使用动词的「て形」(Vて)，将前后两个半句松缓地结合在一起。 2）例句①表示方法、手段，例句③表示以什么样的状态做动作、发生了什么事之意。 3）这个意义的「て」的否定形为「Vないで・Vずに」。 →参

1）동사의「て형」(Vて) 으로 전후를 부드럽게 연결하고 있다. 2）①은 방법 · 수단을 나타내고，③은 어떤 상태로 동작하는지，어떤 일이 일어나는지를 나타내고 있다. 3）이 의미로서의 부정형은「Vないで・Vずに」이다. →参

て〈理由・原因〉【for; because／由于／－해서／－하기 때문에】★4

①用事があって会には参加できません。

②遅くなって、すみません。

③手伝ってくれて、ありがとう。

④田中さんの声は小さくてよく聞こえません。

⑤母のことが心配で眠れなかった。

⑥台風で木が倒れた。

⑦歯が痛かったので、ご飯が食べられなくて困った。

◎ Vて／イAくて／ナAで／Nで

1）理由・原因の意味を表す。「から・ので」よりその意味は弱い。　2）後の文には「困る・大変だ・疲れた」などの心的、身体的な状態や不可能を表す表現を使うことが多い。　3）文末に話す人の意志や相手への働きかけを表す文は来ない。　◆×暑くて、窓をあけましょう。→○暑いから、窓をあけましょう。　4）②③のように、あいさつとして慣用的に使う。　5）この使い方の場合、否定の形は「なくて」である。

参 なくて〈並列・理由〉〈理由〉

1）Reason or cause. Weak connection.　2）Clause following often contains 困る, 大変だ, and 疲れた, or other expressions of emotional or physical conditions or impossibility.　3）Expressions of speaker's volition or appeal to listener do not appear at end of sentence.　4）Sentences like ② and ③ are used as idiomatic salutations.　5）Negatives take なくて.　→参

1）表示原因、理由，但是意义没有「から・ので」那么强烈。　2）后面常常出现「困る・大変だ・疲れた」等表示心理、身体等状态的词句，或表示不可能的词句。　3）句末不能出现表示说话人意志的词句或让对方做某事的表达方式。　→◆　4）如例句②③,是寒暄用语的固定表达法。　5）本用法的否定形为「なくて」。　→参

1）이유・원인의 의미를 나타낸다.「から・ので」보다 그 의미는 약하다.　2）뒤에 오는 문장에는「困る・大変だ・疲れた」등의 정신적, 육체적인 상태나 불가능을 나타내는 표현을 사용하는 경우가 많다. 3) 문말에 말하는 사람 (話者) 의 의지나 상대방에 대한 일정한 역할을 나타내는 문장은 오지 않는다. 4) ②③처럼 인사말로서 관용적으로 사용한다.　5）이 사용법의 경우, 부정의 형태는「なくて」이다.　→参

て〈緩い連結〉【both; and／润滑、连接前后文／－하고 /－해서】★4

①新幹線は速くて、安全です。

②この部屋は広くて、明るい。

③昨夜は暑くて、寝られなかった。

④山崎さんは親切で、やさしい人です。

⑤（10年ぶりに会った人に）あなたが元気で、ほんとうによかった。

⑥林さんは中国人で、林さんは日本人です。

◎イAくて／ナAで／Nで

1）イ形容詞、ナ形容詞、名詞の「て」の形、「で」の形によって、緩やかにつながれた文である。 2）前後の言葉によっていろいろな意味になる。①②④は重ね、③⑤は意味の弱い原因、⑥は対比になっている。

1）Loosely connects イ-adjectives or ナ-adjectives and nouns. 2）Meaning differs depending on what precedes or follows. Sentences ①, ②, and ④ are in tandem; sentences ③ and ⑤ show weak cause; sentence ⑥ shows contrast.

1）由イ形容词、ナ形容词、名词的「て形」, 以及「で」形, 松缓地连接前后两个半句。 2）前后使用的词语不同，意义的变化也就很不同。例句①②④为叠加、例句③⑤为轻微意义上的原因，例句⑥为对比之意。

1）イ형용사，ナ형용사，명사의「て형」으로 부드럽게 이어진 문장이다． 2）전후에 오는 말에 따라 여러 가지 의미를 갖는다．①②④는 중복，③⑤는 약한 의미의 원인，⑥은 대비로 되어 있다．

で ➡て 159－162

てあげる【give; do for; be kind and／给／－해 드리다】★4

①パーティーの後、中山さんは春子さんを家まで送ってあげました。

②山田さんは林さんにいいアルバイトを紹介してあげたそうです。

③先生がとても忙しそうだったので、わたしたちは先生の食事を作ってさしあげました。

④きのう、林さんのおばあさまが大きい荷物を持っていらっしゃったので、持ってさしあげました。

⑤わたしは毎日犬を散歩に連れていってやります。

⑥ A：林さんは、夜、お子さんたちに本を読んであげますか。

　B：ええ、毎晩読んでやります。

◎ Vて　＋ あげる

1）相手のために親切な行為をすることを表す言い方。親切な行為をする人は「わたし」、または行為を受ける人より心理的に「わたし」に近い人である。　◆×メリーさん（＝親切な行為をする人）はわたしの妹に英語を教えてあげました。→○兄（＝親切な行為をする人）はメリーさんに折り紙を教えてあげました。　2）自分の行為を「Vてあげる」で言うと、自分の親切な心を強調するような感じになってしまうことがある。仕事の上の当然の行為には使わない。会話の相手が目上の人の場合もあまり使わない方がいい。　◆×案内係：では、お部屋に案内してあげます。お荷物を持ってあげましょう。／×先生、わたしの両親の写真を見せてさしあげますよ。　3）動詞によって助詞の使い方が違うから注意すること。　◆子ども**を**助けてあげます。／森さん**に**かさ**を**貸してあげます。／花子さん**の**荷物**を**持ってあげます。／子ども**に**歌**を**歌ってあげます。　4）「Vてさしあげる」は、③④のように行為を受ける人が目上の場合に使う。「Vてやる」は、⑤のように動植物などの場合に使う。また、⑥のように、自分の家族に対してすることを、家族以外の人に話すときにも使う。

参 **あげる**

1）Acts of kindness. Person doing the kindness is speaker or someone psychologically closer to speaker than person receiving the act of kindness. →◆ 2）If Vてあげる is used for speaker, speaker's kindness becomes overly emphasized. Not used for situations that call for actions as part of the job. Best not to use toward social superiors. →◆ 3）Note that the particles change depending on the verb. →◆ 4）Vてさしあげる is used when social superiors are recipients of action, as in sentences ③ and ④. Vてやる is used for animals and plants, as in sentence ⑤. Vてやる is also used about one's own family to people outside the family, as in sentence ⑥. →参

1）为对方做某种亲善的事时的表达方式。做这种亲善的行为的人为“我”或在心理上比接受这个行为的人更靠近“我”的人。→◆ 2）如果用「Vてあげる」来描述自己的行为的话，容易让人觉得自己在强调自己那种亲善的态度。不能用于工作上那种理所当然的事情。听话人为上司或长辈时，最好不要使用本句型。→◆ 3）由于动词不同，助词的使用方法也会不同，这一点要特别注意。→◆ 4）「Vてさしあげる」的使用如例句③④，用于行为的接受者为上司或长辈时。如例句⑤，「Vてやる」则是对象为动植物时使用。另外，如例句⑥，在对家庭以外的人讲述自己对家里人所做的事时也可以使用。→参

1）상대방을 위해 친절한 행위를 한 것을 나타내는 표현법이다. 친절한 행위를 하는 사람은「わたし（나）」, 또는 행위를 받을 사람보다 심리적으로「わたし（나）」에 가까운 사람이다. →◆ 2）자기의 행위를「Vてあげる」라고 말하면, 자기의 친절한 마음을 강조하는 듯한 느낌으로 되어 버리는 경우가 있다. 일 때문에 생기는 당연한 행위에는 사용하지 않는다. →◆ 3）동사에 따라서 조사의 사용법이 다르므로 주의해야 한다. →◆ 4）「Vてさしあげる」는, ③④와 같이 행위를 받는 사람이 손 윗사람인 경우에 사용한다.「V てやる」는 ⑤와 같이 동식물 등의 경우에 사용한다. 또한, ⑥과 같이, 자신의 가족에 대한 것을, 가족 이외의 다른 사람에게 말할 때에도 사용한다. →参

てある【is; are…／某动作结果存留／－되어 있다/－해 두다】★4

①A：これ、見てください。わたしの部屋の写真です。

B：へえ。机の上に人形がたくさんかざってありますね。あ、テレビの上にも人形が置いてありますね。

②リンさんの持ち物には、みんなリンさんの名前が書いてあります。

③駅のかべに、いろいろなポスターがはってある。

④A：お迎えに来ました。門の前にわたしの車を止めてありますから、すぐに出発できます。

B：それはどうもありがとうございます。

⑤A：旅行は来週ですよね。準備はもうしてありますか。

B：ええ、3時の新幹線と駅前のホテルを予約してありますから、だいじょうぶです。

⑥わたしはもう夏休みの計画表を作ってあります。

Vて ＋ある

「V（他動詞）＋てある」の形で、人が何かの目的を持って行った行為の結果が残っているという状態を表す。①〜③のように、目で見た様子を表すときには、「N**が**Vてある」という形を使う。④〜⑥のように直接目で見たことではなく、準備が整った状態を言いたいときには、「N**を**Vてある」という形になることが多い。この場合、人が主語になるが、省略されることが多い。

Verb is transitive. Result of action taken by someone with an objective continues. As in sentences ① to ③, when expressing some situation witnessed, N **が** V てある is used. In sentences ④ to ⑥, when event is not directly witnessed but preparations are already in place for a situation, N **を** V てある is often used. In those cases, people become the subjects, but are often omitted.

采用「V（他動詞）＋てある」的形式，表示人抱着一定的目的而做的某种行为，其结果保留下来的状态。如例句①～③，在表达一眼就能看得到的样子时，采用「N**が**Vてある」的形式。如例句④～⑥，在表达没有亲眼看到，但是已经做好准备的状态时，则采用「N**を**Vてある」的形式。这种情况多为人作句子的主语，而这个主语常常被省略。

「V（타동사）＋てある」의 형태로, 사람이 뭔가 목적을 가지고 행한 행위의 결과가 남아 있다고 하는 상태를 나타낸다. ①～③과 같이, 눈으로 본 상태를 나타낼 때에는,「N**が**Vてある」라는 형태를 사용한다. ④～⑥처럼 직접 눈으로 본 것이 아니라, 준비가 완료된 상태를 말하고자 할 때에는,「N**を**Vてある」라는 형태로 되는 경우가 많다. 이 경우, 사람이 주어가 되지만, 생략되는 경우가 대부분이다.

自動詞＋ています Intransitive Verbs+ています 自动词＋ています 자동사+ ています ・ドアが開いています。	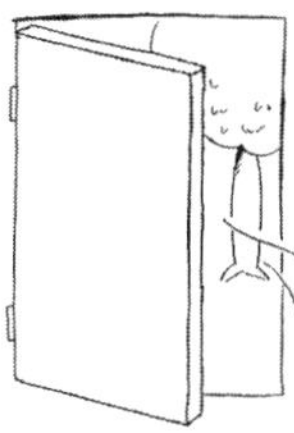	見える状態をそのまま言うとき When describing exactly what one sees.／直接叙述看到的状态时使用／보이는 상태를 있는 그대로 묘사할 때 사용
他動詞＋てあります Transitive Verbs+てあります 他动词＋てあります 자타동사+ てあります ・ドアが開けてあります。		ある目的をもってそうしたと言うとき When describing an action that was done with a certain objective in mind.／表示有目的地进行某个行为时使用／어떤 목적을 가지고 그런 행동을 했다고 말하고자 할 때 사용

◆ A：あ、ドアが少し開いていますね。寒くないですか。
B：うちのねこが自由に出入りできるように、少し開けてあるんです。

であれ【～でも regardless of／即使／－이든 /－라고 하더라도】★1

①命令されたことが何であれ、きちんと最後までやらなければならない。
②たとえ相手が大臣であれ、一市民であれ、自分の意見をはっきり言うべきだ。
③どんな国であろうと、教育を重視しない国は発展しない。

N ＋であれ

1）「～であれ」の形で、「～に関係なく」という意味で使う。後の文には「事態は同じだ」という意味の文が来る。話者の主観的判断や推量を表す文が来ることが多い。　2）②のように「N1 であれ N2 であれ」の形もある。「たとえ～であれ・疑問詞～であれ」の形で使うことが多い。

1）"No relationship to." Clause following signifies situation stays same regardless of what is listed in preceding clause. Often speaker's subjective judgment or conjecture follows.　2）As in sentence ②, variation N1 であれ N2 であれ is used. Patterns たとえ～であれ, and interrogative ～であれ are also common.

1）采用「～であれ」的形式，意为"与～无关"，后半句出现"事态还是一样的"之意的句子。多使用表说话人主观的判断、推量等意义的句子。　2）如例句②，也有「N1 であれ N2 であれ」的形式。很多句子采用「たとえ～であれ・疑問詞～であれ」的形式。

1）「～であれ」의 형태로,「～에 관계없이」라는 의미로 사용한다. 뒤에 오는 문장에는「사태는 같다」라는 의미의 문장이 온다. 말하는 사람（話者）의 주관적인 판단이나 추량을 나타내는 문장이 오는 경우가 많다.　2）②처럼「N 1 であれN 2 であれ」의 형태도 있다.「たとえ～であれ・疑問詞～であれ」의 형태로 사용하는 경우가 많다.

であれ～であれ【～でも～でも whether it is…or…／～也是～也是／－이든지 －이든지】★1

①着るものであれ食べるものであれ、むだな買い物はやめたいものです。
②物理学であれ化学であれ、この国は基礎研究が遅れている。
③学校教育であれ家庭教育であれ、長い目で子どもの将来を考えた方がいい。
④論文を書くのであれ、研究発表をするのであれ、十分なデータが必要だ。

N ＋であれ＋N ＋であれ

1）「～でも～でも」と例をいくつかあげて「その全部に当てはまる」と言いたいときに使う。　2）同様の意味を持つ「にしても～にしても・にしろ～にしろ・にせよ～にせよ」よりも硬い言い方。

参 にしても～にしても・にしろ～にしろ・にせよ～にせよ

1）Judgment applies to all examples listed. 2）More formal than expressions of same meaning, such as にしても～にしても，にしろ～にしろ，and にせよ～にせよ． →参

举若干例子“～也是～也是”，“所有的都适用”。在想要表达这样的意义时使用本句型。 2）比同义的句型「にしても～にしても・にしろ～にしろ・にせよ～にせよ」等的语气更生硬一些。 →参

1）「～라도 ～라도」라고 예를 몇 개 들어서「그 전부에 다 들어맞는다」고 말하고자 할 때에 사용한다． 2）비슷한 의미를 갖는「にしても～にしても・にしろ～にしろ・にせよ～にせよ」보다 더 딱딱한 표현법이다． →参

であろうと ➡であれ 166

ていく ➡てくる 177－181

ていただく ➡てもらう 205

ていない【not yet／没有／－하지 않았다】★4

①どこの大学を受けるかまだ決め<u>ていません</u>。

②A：もう４時になりましたか。

　B：いいえ、まだなっ<u>ていません</u>。

③A：もう朝ご飯を食べた？

　B：ううん、まだ食べ<u>てない</u>。

◎Vて ＋いない

1）当然そうなるはずのことがまだ未完了だという意味。完了していない結果がその後（現在）の状態に影響を及ぼしている場合に使う。単純な過去のことについて話す場合は過去形を使う。 ◆A：きのう朝ご飯を食べましたか。B：×いいえ、食べていません。→○いいえ、食べませんでした。 2）③のようにくだけた会話では「Vていない」が「Vてない」になる。

1）Something should have been completed but is not yet. Used when incomplete result affects present situation. Past tense is used when speaking about simple past. → ◆ 2）In informal speech, V ていない becomes V てない，as in sentence ③．

1）表示理所当然会那样发展的事情还没有完成。没有完成的这个结果影响到其后（也就是现在）的状态，在这种情况下使用本句型。说到单纯的过去的事情时，使用过去形。→◆ 2）如例句③，较为通俗的对话中「Vていない」变成「Vてない」。

1）당연히 그렇게 될 일이 아직 완료되지 않았다고 하는 의미이다．완료되지 않은 결과가 그 후（현재）의 상태에 영향을 미치고 있는 경우에 사용한다．단순한 과거에 대해서 말하는 경우에는 과거형을 사용한다．→◆ 2）③과 같이 허물없는 사이의 대화에서는「V ていない」가「Vてない」로 된다．

ていらい【~してから、今までずっと ever since／自从~以来／－한 이후/－한 후】★2

①大学を卒業して以来、田中さんには１度も会っていません。
②一人暮らしを始めて以来、ずっと外食が続いている。
③あの画家の絵を見て以来、あの画家にすっかり夢中になっています。
④来日以来、父の友人のお宅にホームステイしています。

◎ Vて／する動詞のN ＋ 以来

1）「ある行動の後、ある状態がずっと続いている」という意味。　2）「てからは」とほとんど同じ意味。　3）後の行動が１回限りのことには使えない。　◆×退院して以来、山に出かけました。→○退院して以来、家で静かに暮らしています。

参てからは

1）Certain state continues after action is completed.　2）Nearly same meaning as てからは.　3）Not used when later action occurs only once. →◆　→参

1）"某行动之后，某种状态一直在持续"之意。和「てからは」意义基本相同。　3）如果后面的行为只发生一次的话，是不能使用本句型的，→◆　→参

1）「어떤 행동을 한 후，어떤 상태가 죽 계속되고 있다」고 하는 의미이다．　2）「てからは」와 거의 같은 의미이다．　3）뒤에 오는 행동이 일회성인 경우에는 사용하지 않는다．→◆　→参

ている〈進行･継続〉【is -ing／正在／－하고 있다】★5

①父は部屋で新聞を読んでいます。
②わたしが家に帰ってきたとき、子どもたちは庭で遊んでいました。
③（テレビのニュース）北海道では雪が降っています。
④冷たい風が吹いています。
⑤わたし、ここで待ってるわ。

◎ Vて ＋いる

1）動作や作用が進行中・継続中であることを表す。動詞は継続動詞を使う。③④のように自然現象を表すのにも使う。　2）くだけた会話では「Vている」が「Vてる」になる。

1）Progression or continuation of action or operation. Verbs of continuation are used. Also used as in sentences ③ and ④ for natural phenomena. 2）In informal speech V ている becomes V てる.

1）表示动作、作用正在进行、正在持续。动词使用持续动词。如例句③④也可以用来表示自然现象。 2）较为通俗的对话中，「Vている」变为「Vてる」。

1）동작이나 작용이 진행 중 · 계속 중인 것을 나타낸다. 동사는 계속동사를 사용한다. ③④처럼 자연현상을 나타내는 데에도 사용한다. 2）허물없는 사이의 대화에서는「V ている」가「V てる」로 된다.

ている〈習慣・反復・職業・身分〉【always／表示习惯形的行为 · 动作／－하고 있다】★5

①わたしは毎年富士山に登っています。

②この道ではよく交通事故が起きているから気をつけてください。

③父は昨年から仕事で毎月１回中国へ行ってるんです。

④山田さんはタイの大学で日本語を教えています。

⑤弟はドイツの大学でヨーロッパの歴史を勉強しています。

⑥林さんは貿易会社の社長をしている。

Vて ＋いる

1）習慣や行為の反復を表す。習慣・反復の意味の場合は②のように瞬間動詞（瞬間的な動作・作用を表す動詞）も使える。④～⑥は職業、身分などを表す。 2）③のようにくだけた会話では「V ている」が「V てる」になる。

1）Practice or repetition of action. For practice and repetition, verbs of momentary action or operation can also be used, as in sentence ②. Sentences ④ to ⑥ express occupation or position. 2）In informal speech, V ている becomes V てる, as in sentence ③.

1）表示习惯以及反复进行的行为。在表示习惯、反复的意义时，也可以如例句②那样，使用瞬间动词（表示该动作发生于瞬间的动词）。例句④～⑥表示职业、身份。 2）如例句③，较为通俗的对话中，「Vている」变为「Vてる」。

1）습관이나 행위의 반복을 나타낸다. 습관, 반복의 의미인 경우에는 ②처럼 순간동사(순간적인 동작 · 작용을 나타내는 동사)도 사용할 수 있다. ④~⑥은 직업, 신분 등을 나타낸다. 2）③처럼 허물없는 사이의 대화에서는「V ている」가「V てる」로 된다.

ている〈変化の結果の残存〉

【has been; is／表示主体发生变化后，留下的结果所处的状态／－인 상태다】★4

①あ、この時計は止まっています。

②あ、かばんの口が開いていますよ。さいふが落ちますよ。

③遠山さんは今フィリピンに行っています。マニラにいます。

④田中さんは結婚しています。子どもが３人います。

⑤みちこさんは、白いスカートをはいて、白いぼうしをかぶっています。

⑥Ａ：あの、サングラスをかけている人はどなたですか。

Ｂ：ああ、あの赤いシャツを着た人ね。あれはリーさんですよ。

⑦あ、電気がついてるよ。部屋にだれかいるんだね。

◎Ｖて　＋いる

１）主体の変化の結果が残っている状態を表す。動詞は瞬間動詞（瞬間的な動作を表す動詞）を使う。①②は、人が何かの目的を持ってそうしたのか、自然にそうなったのかに関係なく、ただ見える状況を言う場合に使う。③④は行為の後の状態がそのまま続いていることを表す。⑤⑥は「着脱を表す他動詞＋ている」で、服装を表す言い方。　２）名詞を説明するときは、⑥のように、「ＶているＮ」を「ＶたＮ」で置き換えることができる。動作の進行中であることを表す「Ｖている」にはこの使い方はない。◆めがねをかけている人（状態）＝めがねをかけた人／ピアノを弾いている人（進行中）≠ピアノを弾いた人　３）くだけた会話では⑦のように「Ｖている」が「Ｖてる」になる。

1）Result of change continues. Uses verbs of momentariness (verbs that express momentary action). In sentences ① and ② describes externally certain state, whether someone had a purpose in causing that state or it naturally came about. Sentences ③ and ④ show that action continues unabated. Sentences ⑤ and ⑥ describe clothing using transitive verb for clothing + ている. 2）When explaining nouns, V ている N can be replaced with V た N, as in sentence ⑥. Forms V ている N and V た N are interchangeable. Forms V ている N and V た N are interchangeable, but not for action in progress. →◆ 3）In informal speech, V ている becomes V てる, as in sentence ⑦.

1）表示主体发生变化后，留下的结果所处的状态。动词使用瞬间动词（表示该动作发生于瞬间的动词）。例句①②与究竟是人带着一定的目的去做才成为那样还是自然变化成为那样的无关，只是用于将自己看到的情况说出来。例句③④表示行为之后的状态一直在持续。例句⑤⑥,以「表穿脱的他动词＋ている」的形式,表示服装。2）在说明名词的时候,如例句⑥,可以将「Vている N」置换成「Vた N」。表示动作正在进行中的「Vている」没有这种用法。→◆
3）如例句⑦，在较为通俗的对话中，「Vている」变为「Vてる」。
1）주체의 변화 결과가 남아있는 상태를 나타낸다. 동사는 순간동사（순간적인 동작을 나타내는 동사）를 사용한다. ①②는 사람이 뭔가의 목적을 가지고 그렇게 했는지, 자연스럽게 그렇게 되었는지에 관계없이, 단지 보이는 상황을 말하는 경우에 사용한다. ③④는 행위 후의 상태가 그대로 계속되고 있는 것을 나타낸다. ⑤⑥은「착탈을 나타내는 타동사＋ている」의 형태로 복장을 나타내는 표현법이다. 2）명사를 설명할 때는, ⑥과 같이,「VているN」를「VたN」으로 바꿔 넣을 수 있다. 동작이 진행 중인 것을 나타내는「V ている」에는 이 사용법은 없다. →◆ 3）허물없는 사이의 대화에서는 ⑦과 같이「Vている」가「Vてる」로 된다.

ている〈初(はじ)めからの外見(がいけん)、状態(じょうたい)〉【-s, -ing／外表、状态／－하다/－인 상태다】★4

①弟(おとうと)は父(ちち)によく似(に)<u>ています</u>。

②500メートルぐらい行(い)くと、この道(みち)は少(すこ)し左(ひだり)に曲(ま)がっ<u>ています</u>。

③この道(みち)は海(うみ)の方(ほう)まで続(つづ)い<u>ています</u>。

◎ Vて ＋いる

もともとの形状(けいじょう)、性質(せいしつ)などを表(あらわ)す。ほかに「優(すぐ)れている・面(めん)している」などがある。

Original shape or essence of something. Other expressions include: 優れている and 面している.

表示事物原本的形状、性质等。此外还有「優れている・面している」等用例。
원래의 형상, 성질 등을 나타낸다.「優れている・面している」등의 예도 있다.

ている〈経歴(けいれき)・経験(けいけん)〉【過去(かこ)に～した narrative present tense／过去曾经～／－했다】★2

①アポロ11号(ごう)は1969年(ねん)に月(つき)に着陸(ちゃくりく)し<u>ている</u>。

②モーツァルトは12歳(さい)のときに、オペラを作曲(さっきょく)し<u>ている</u>。

③わたしは3歳のときにこの病気(びょうき)（はしか）にかかっ<u>ている</u>から、もうかかることはない。

◎ Vて ＋いる

歴史的な事柄、経歴・経験などを述べる言い方。

Describes historical events, careers, or experience.

将历史性的事件、经历、经验等描述时，使用本句型。

역사적인 사항 , 경력 · 경험 등을 진술하는 표현법이다 .

ているところだ ➡ところだ 235

ておく【in advance; leave ／把～做好了准备着／ – 해 두다】★4

①A：山田君、コピー用紙がないから、買っておいてください。

B：はい、わかりました。

②引っ越しは9月の初めだから、夏休みに国へ帰る前に準備をしておこうと思います。

③A：窓を閉めましょうか。

B：いえ、開けておいてください。

④A：この箱、どうしましょうか。

B：ちょっとそこに置いといてください。後でかたづけますから。

◎ Vて ＋おく

1）何かの目的のために、その準備としてある行為をするという意味を表す。意志動詞につく。また、③④のように、一時的な処置を表す言い方もある。 2）④のように、話し言葉では「Vておく→Vとく」となる。 参ないでおく

1）Preparation is done for an action to achieve some purpose. Appends to verbs of volition. Also applies to temporary measures, such as in sentences ③ and ④. 2）In speech, V ておく becomes V とく. →参

1）表示为了达到某种目的，作为事前的准备而做某个行为。接在意志动词之后。另外，如例句③④，也可以表示一时性的处理。 2）如例句④，在口语中「Vておく」变为「Vとく」。 →参

1）뭔가의 목적을 위해 , 그 준비의 일환으로서 어떤 행위를 한다고 하는 의미를 나타낸다 . 의지동사에 접속한다 . 또한 ③④처럼 , 일시적인 조치를 나타내는 표현법도 있다 . 2）④와 같이 , 회화체에서는「Vておく→Vとく」가 된다 . →参

てから〈動作の順序〉【after／…后再…／－해서 /－한지 /－하고부터】★5

①この仕事をぜんぶやってからビールを飲みます。
②新しい家を買うときは、よく調べてから買いましょう。
③先にお金を払ってから、3番の窓口に行ってください。
④バスが止まってから席を立ってください。
⑤みんなが帰ってから、そうじをしよう。

◎Vて ＋から

1）「Vてから…」の形で、「Vて」の行為を先に、または必ずする、ということを強調する言い方。前後関係がはっきり決まっていることについては使わない。　◆×ドアを開けてから、外に出た。→○ドアを開けて、外に出た。　2）後には状態を表す文ではなく、動作を表す動詞が来る。　◆×みんなが帰ってから、ごみがいっぱいだった。　3）一つの文の中で「Vてから」を2度以上使うことはできない。

1）Emphasizes that V て action will definitely be done first. Not used for explicit time relationships. →◆　2）Verbs expressing action rather than state of being follow. →◆　3）More than one V てから cannot be used in a sentence.

1）采用「Vてから…」的形式，强调先做，或者必须要做「Vて」的行为。先后的顺序关系已经十分确定勿庸置疑的情况下，不使用本句型，→◆　2）后半句不是出现表示状态的句子，而是出现表示动作的动词。→◆　3）同一个句子中不可重复使用「Vてから」两次以上。

1）「Vてから…」의 형태로,「Vて」의 행위를 먼저 하거나 또는 반드시 한다고 하는 것을 강조하는 표현법이다. 전후 관계가 명확하게 정해져 있는 것에 대해서는 사용하지 않는다. →◆　2）뒤에는 상태를 나타내는 문장이 아니라, 동작을 나타내는 동사가 온다. →◆　3）하나의 문장 속에서「Vてから」를 두 번 이상 사용할 수는 없다.

てから〈起点〉【since／从～／－하고 나서】★4

①わたしが日本に来てから、もう4年たちました。
②林さんがこの会社に入ってきてから、会社の中が明るくなりました。
③たばこをやめてから、体重が急に増えた。
④赤ちゃんが生まれてから、わたしは毎日とても忙しいです。

◎Vて ＋から

「Vてから…」の形で「Vて」はある変化や、継続的なことの起点を表す。後には事態の変化、または継続している状態を表す文が来る。

A starting point from which change or continuation occurs. Change or continuation of a condition follows.

采用「Vてから…」的形式。「Vて」表示某变化或某种持续状态的起点。后半句使用表示事态的变化、或者持续性的状态等的句子。

「Vてから…」의 형태로「Vて」는 어떤 변화나 계속적인 일의 기점을 나타낸다. 뒤에는 사태의 변화, 또는 계속되고 있는 상태를 나타내는 문장이 온다.

てからでないと【～した後(あと)でなければ not until after／如果不从～开始的话／－하지 않으면/－가 되지 않으면】★3

①野菜(やさい)を生(なま)で食(た)べるなら、よく洗(あら)ってからでないと、農薬(のうやく)が心配(しんぱい)だ。

②木村教授(きむらきょうじゅ)には前(まえ)もって電話(でんわ)してからでないと、お会(あ)いできないかもしれません。

③そのことについては、よく調査(ちょうさ)してからでなければ、責任(せきにん)ある説明(せつめい)はできない。

④田中(たなか)さんは出張中(しゅっちょうちゅう)だから、来週(らいしゅう)からでないと出社(しゅっしゃ)しません。

◎ Vて ＋からでないと

1）「あることをした後(あと)でなければだめだから、まずそうすることが必要(ひつよう)だ」という意味(いみ)。後(あと)には、困難(こんなん)や不可能(ふかのう)の意味(いみ)の文(ぶん)が来(く)る。　2）普通(ふつう)は動詞(どうし)のて形(けい)に続(つづ)くが、④のように、時間(じかん)を表(あらわ)す言葉(ことば)に直接(ちょくせつ)つく場合(ばあい)もある。　3）③の「てからでなければ」も意味(いみ)・用法(ようほう)は同(おな)じである。

1）Something must be done first before something else can be done. Phrases showing difficulty or impossibility follow. 2）Usually follows the て form of the verb, but can also append directly to words expressing time, as in sentence ④. 3）In sentence ③, てからでなければ also has same meaning and usage.

1）"如果不先做完某件事就不行，所以有必要先做那件事"之意。后半句出现困难、不可能等意义的句子。　2）一般接在动词的て形之后，也有如例句④那样，直接接在表时间的词后面的情况。3）例句③的「でからでなければ」的意义、用法与本句型相同。

1）「어떤 일을 한 후가 아니면 안되기 때문에, 우선 그렇게 하는 것이 필요하다」라고 하는 의미이다. 뒤에는, 곤란이나 불가능의 의미를 가진 문장이 온다.　2）보통은 동사의「て형」에 이어지지만, ④와 같이, 시간을 나타내는 말에 직접 붙는 경우도 있다. 3）③의「てからでなければ」도 의미, 용법은 같다.

てからでなければ ➡てからでないと 174

てからというもの(は)【～してから、今(いま)までずっと from the time…／自从～一直…／－하고부터는】★1

①たばこを止(や)めてからというもの、食欲(しょくよく)が出(で)て体(からだ)の調子(ちょうし)がとてもいい。

②あの本(ほん)を読(よ)んでからというものは、どう生(い)きるべきかについて考(かんが)えない日(ひ)はない。

③円高(えんだか)の問題(もんだい)は深刻(しんこく)だ。今年(ことし)になってからというもの、円高傾向(えんだかけいこう)は進(すす)む一方(いっぽう)だ。

Vて ＋からというもの

1)「その行為やできごとが後の状態の契機になって」という意味を表す。以後の変化が大きいことに対して話者が心情を込めて言う。 2)「てからは」と意味·用法がだいたい同じであるが、「というもの」があるために、より詠嘆的になっている。

参てからは

1) Something creates a chance for a situation after some action or event. Speaker expresses emotions about a dramatic change that occurs later. 2) Meaning and usage of てからは is nearly the same, but addition of というもの makes the phrase exclamatory. →参

1) 表示这个行为或事件成为后述状态的契机，之后的变化很大。说话人带着感情叙述这件事。 2) 意义、用法和「てからは」大致相同，由于后接「というもの」感叹的意味更强一些。 →参

1)「그 행위나 사건이 뒤에 일어나는 상태의 계기가 되어서」라는 의미를 나타낸다. 이후의 변화가 큰 것에 대해서 말하는 사람(話者) 이 심정적으로 말하는 것이다. 2)「てからは」와 의미 · 용법이 대체적으로 비슷하지만,「というもの」가 있기 때문에 보다 감탄적이 되고 있다. →参

てからは【~してから、今までずっと ever since／自从~，一直到现在都…／－하고 부터는】★3

①先月、禁煙してからは、1度もたばこを吸っていません。
②2年前に社会人になってからは、ひまな時間はほとんどありません。
③毎日飲んでいた薬を止めてからは、かえって食欲も出て元気に過ごしています。
④就職してからは、旅行に行くチャンスがありません。

Vて ＋からは

1)「ある行動の後、ある状態がずっと続いている」と言いたいときに使う。 2)「ていらい」とほとんど同じ意味。 3)「てから」と違って、1回限りのことには使えない。
◆×就職してからは、外国旅行に行きました。→○就職してから、外国旅行に行きました。

参ていらい・てから〈起点〉

1) A condition has continued since advent of certain action. 2) Nearly same meaning as ていらい. 3) Unlike てから, cannot be used for independent events. →◆ →参

1) 在想要表达"一个行动之后，某种状态一直在持续"之意时使用本句型。 2) 和「ていらい」的意义基本相同。 3) 与「てから」不同，不能用于之发生一次的事。→◆ →参

1)「어떤 행동이 일어난 후, 어떤 상태가 죽 계속되고 있다」고 말하고자 할 때에 사용한다. 2)「ていらい」와 거의 비슷한 의미이다. 3)「てから」와 달리, 딱 한번만 일어나는 사안이나 지속성이 없는 사안에 대해서는 사용할 수 없다. →◆ →参

できる ➡ことができる 82

てください【please do…／请／－해 주세요 /－해 주십시오】★5

①あのう、もう少しゆっくり言ってください。

②疲れたでしょう。ここでどうぞゆっくり休んでください。

③ここに名前を書いて、事務所に出してください。

④（教室で）キムさん、15 ページを読んでください。

⑤（立て札）ここにごみを捨てないでください。

⑥すみません、そこに荷物を置かないでください。

⑦（カラオケで）ぼくは歌がへただけど、笑わないでくださいね。

⑧ご用のない方は、ここに車を止めないでください。

Vて／Vないで　＋ください

1）①～④は、人に依頼したり、勧めたり、軽く指示したりする言い方。　2）⑤～⑧は、禁止したり、人に何かをしないように頼む言い方。

1）In sentences ① to ④, てください is used to ask favors, make recommendations, or casually instruct someone.　2）In sentences ⑤ to ⑧, is used to ask someone to refrain from something or prohibit them from doing something.

1）例句①～④是表示请求别人做某事、规劝别人做某事，或轻微意义上的指示别人做某事的表达方式。　2）例句⑤～⑧是表示禁止别人做某事、劝别人不要做某事时的用法。

1）①～④는 , 사람에게 의뢰하거나 , 권유하거나 , 가볍게 지시하거나 하는 표현법이다 .　2）⑤～⑧은 , 금지하거나 , 사람에게 뭔가를 하지 않도록 부탁하는 표현법이다 .

てくださいませんか【won't you…?／您可以～吗／－해 주시지 않겠습니까？】★5

①上田さん、ちょっとこの文をチェックしてくださいませんか。

②ちょっとテレビの音を小さくしてくださいませんか。

③すみません、課長に会議の予定を伝えてくださいませんか。

④出入り口ですから、ここに自転車を置かないでくださいませんか。

Vて／Vないで　＋くださいませんか

「てください」より丁寧な依頼や指示の言い方。

More polite form of request and directive than てください.

比「てください」更为礼貌的请求、指示的表达法。

「てください」보다 정중한 의뢰나 지시의 표현법이다 .

てくださる　➡てくれる　182

てくる〈行って戻る〉【go and／出去再回来／－하고 오다】★4

①えっ、もうお茶の時間ですか。じゃ、ちょっと手を洗ってきます。

②もう 12 時ですね。じゃあ、わたしはお弁当を持っていないので、あそこの食堂で食べてきます。

③あっ、コーヒー豆がない。ちょっと待っていてください。すぐ近くの店で買ってきますから。

◎ Vて ＋くる

ちょっとした目的のために一時的にその場を離れることを表す。この使い方には「Vていく」の形はない。

Describes leaving somewhere for temporary time for trivial purpose. No V ていく form of this pattern.

表示因为某个小小的目的而暂时离开某地。这种用法没有「Vていく」形。

작은 목적을 위해 일시적으로 그 상황을 벗어나는 것을 나타낸다. 이 사용법에는「Vていく」의 형태는 없다.

てくる〈順次〉【first, then／先～，再来…／－해서 오다】★4

①森さん、あした、ここへ来るとき駅で地図をもらってきてください。

②（会社で）あしたは市役所に寄ってきますから、1時間ぐらい遅くなります。

③中国へ行く前に中国語を勉強していきます。

④病院へ行く途中で、お見舞いの花を買っていきましょう。

◎ Vて ＋くる　Vて ＋いく

ある地点で何かをして、それから移動することを表す。

Do something somewhere and then move on.

在某个地点做某事，之后再移动到别处去之意。

어떤 지점에서 뭔가를 하고, 그리고 나서 이동하는 것을 나타낸다.

てくる〈変化〉【has become ／変得／ – 해지다 /– 하게 되다】★4

①日本語の授業はだんだん難しくなってきました。

②寒くなって風邪をひく人が増えてきた。

③日本の生活にだいぶ慣れてきました。

④（天気予報）今夜から風と雨がだんだん強くなっていくでしょう。

⑤日本では子どもの数がだんだん減っていくだろうと言われています。

⑥新しい駅ができたので、この町の人々の生活は少しずつ変わっていくだろう。

◎ Vて ＋くる　Vて ＋いく

1）「Vてくる」は、過去から現在（話す人の見ている時点）まで変わりつづけていることを表す。「Vていく」は、現在（話す人の見ている時点）から未来に向かって変わりつづけることを表す。　2）変化を表す動詞といっしょに使う。

1）Vてくる describes situation continually changing from past to present (speaker's point of view). Vていく is for action that will continue to change from present (speaker's point of view) to future.　2）Used with verbs that express change.

1）「Vてくる」表示从过去到现在（说话人说话的时间点）变化一直在进行，而「Vていく」表示从现在（说话人说话的时间点）到将来变化会一直进行下去。　2）和表示变化的动词搭配使用。

1）「V てくる」는 과거부터 현재 (말하는 사람 (話者) 이 보고 있는 시점) 까지 계속 변하고 있는 것을 나타낸다 .「V ていく」는 현재 (말하는 사람 (話者) 이 보고 있는 시점) 에서부터 미래를 향해서 계속 변해가는 것을 나타낸다 .　2）변화를 나타내는 동사와 함께 사용한다 .

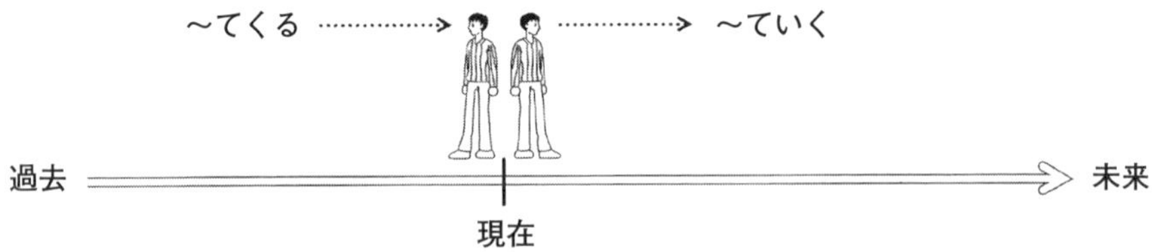

てくる〈継続〉【have…; will continue ／一直…／ – 해 오다】★4

①森さんは若いころからずっと、カメラの仕事をしてきました。

②今まで都会で生活してきました。これからはいなかで暮らします。

③これからもこの仕事を続けていくつもりです。

④今日まで一人でがんばってきました。これからはあなたといっしょになかよくやっていきましょう。

◎ Vて ＋くる　Vて ＋いく

1）時間的継続を表す。　2）「Vてきた」は過去から現在まで続いていること、「Vていく」は現在から未来へ続くことを表す。話す人の視点は現在、またある一定の時にある。よく「今まで・これから」などの言葉とともに使う。

1）Describes temporal continuation. 2)Vてきた is present perfect tense; Vていく is for continuation from present to future. Speaker's focus is on present or specified time. Often used with 今まで and これから.

1）表示时间上的持续。　2）「Vてきた」表示从过去一直持续到现在的事，「Vていく」表示从现在一直持续到将来的事。说话人的视点为现在，或某个特定的时间。常和「今まで・これから」等词语搭配使用。

1）시간적인 계속을 나타낸다.　2）「V てきた」는 과거부터 현재까지 계속되고 있는 것,「V ていく」는 현재부터 미래로 계속될 것을 나타낸다. 말하는 사람（話者）의 시점은 현재, 또는 어떤 일정한 시기에 있다.「今まで・これから」등의 말과 함께 자주 사용한다.

てくる〈移動の状態〉【state of movement／…过来，…下去／－한 상태로 오다】★4

①飛行機の中で眠ってきました。

②あしたは、お弁当を持ってきてください。

③荷物が多いから、タクシーに乗っていきましょう。

④日曜日に弟を動物園へ連れていきました。

◎ Vて ＋くる　Vて ＋いく

移動する手段・状態、移動のときに並行して行うことを表す。

Means of movement, situations, and actions occurring in tandem during motion.

表示移动的方式、状态，或移动时同时发生的事。

이동하는 수단 · 상태, 이동할 때에 병행해서 행하는 것을 나타낸다.

てくる〈方向性〉【to; into／表示朝着这个方向（～过来）／－해 오다】★4

①ほら、マリがこちらの方へ走ってきますよ。

②この川は富士山からこの町へ流れてくるのです。

③美しい女の人がとなりの部屋に引っ越してきました。

④ジムが話し始めると、みんながジムのところへ集まってきました。

⑤秋になると、夏の鳥は南の国へ飛んでいきます。

⑥わたしが大きな声を出したので、犬は驚いて逃げていきました。

Vて ＋くる　Vて ＋いく

1）移動動詞や移動の意味を持つ動詞に方向性を与え、話者や話題にしている人への接近、離反を表す。　2）移動動詞は「歩く・走る・通る・飛ぶ・流れる」など。単独では方向性がないので、方向を示したい場合には「Vてくる･Vていく」の形で使う。

1）For leaving or approaching speaker or topic by giving directionality to verbs of movement or verbs that have meaning of movement. 2）Verbs of movement include 歩く, 走る, 通る, 飛ぶ, and 流れる. These words have no intrinsic directionality, so Vてくる or Vていく are appended for directionality.

1）赋予移动动词或含有移动意味的动词以方向性。表示靠近或离开说话人、话题人。　2）移动动词如「歩く・走る・通る・飛ぶ・流れる」等。这些词单独使用时只表移动而没有方向，在想要表示它们的方向的时候使用「Vてくる・Vていく」的形式。

1）이동동사나 이동의 의미를 갖는 동사에 방향성을 주어, 말하는 사람 (話者) 이나 화제로 하고 있는 사람에 대한 접근, 멀어짐을 나타낸다.　2）이동동사는「歩く・走る・通る・飛ぶ・流れる」등이 있다. 단독으로서는 방향성이 없기 때문에, 방향을 나타내고 싶을 경우에는「Vてくる・Vていく」의 형태로 사용한다.

てくる〈話者への接近･離反〉【approaching or leaving the speaker／~过来／- 한다】★4

学生たちが教室から出ていきます
学生たちが教室から出てきます

①授業が終わって、学生たちが教室から出てきます。
②授業が始まって、学生たちが教室に入っていきます。
③授業が始まって、学生たちが教室に入ってきます。
④授業が終わって、学生たちが教室から出ていきます。
⑤（電車の中で）電車が駅に着くと、遠足に行く子どもたちがおおぜい乗ってきました。

Vて ＋くる　Vて ＋いく

1）移動の意味を持つ、対の動詞について、話す人への接近、離反を表す。　2）話す人の視点の位置によって「ていく・てくる」が変わる。話す人は①②では教室の外にいる。③④では教室の中にいる。移動の意味を持つ、対の動詞とは「入る・出る、上がる・下りる、上る・下る、乗る・降りる」など。

1）For leaving or approaching speaker for verb pairs of motion. 2）Use of ていく or てくる depends on speaker's point of view. In sentences ① and ②, speaker is outside classroom. In sentences ③ and ④, is in classroom. Verb pairs of motion include 入る, 出る, 上がる, 下りる, のぼる, くだる, 乗る, 降りる, etc.

1）接在表示移动意义的、成对的动词后，表示靠近或离开说话人。2）由于说话人的视点在不同的位置上，导致有时使用「ていく」有时使用「てくる」。例句①②说话人在教室外面，例句③④说话人在教室里面。所谓的表式移动意义的、成对的动词是指「入る・出る、上がる・下りる、のぼる・くだる、乗る・降りる」等。

1）이동의 의미를 갖는, 한 쌍으로 존재하는 동사에 붙어서, 말하는 사람 (話者) 에 대한 접근과 멀어짐을 나타낸다. 2）말하는 사람 (話者) 의 시점이 놓인 위치에 따라서「ていく・てくる」가 바뀐다. 말하는 사람 (話者) 은 ①②에서는 교실 밖에 있다. ③④에서는 교실 안에 있다. 이동의 의미를 갖는, 한 쌍이 되는 동사란「入る・出る、上がる・下りる、のぼる・くだる、乗る・降りる」등을 가리킨다.

てくる〈話者への接近〉【come to／～过来／－해 온다】★3

①となりの部屋から何かいいにおいがしてきます。

②小学校が近いので、いつも子どもたちの元気な声が聞こえてきます。

③九州にいる妹がみかんを送ってきた。

④きょうもユキのところにイタリアから電話がかかってきました。

Vて ＋くる

1）ものや感覚（におい、声など）が話者に接近することを表す。 2）この使い方に「Vていく」の形はない。

1）Things or sensations (odors, voices, etc.) approach speaker. 2）No V ていく form of this usage.

1）表示某事物或某种感觉（如气味、声音等）接近说话人。
2）这种用法没有「Vていく」形。

1）물건이나 감각 (냄새・목소리 등) 이 말하는 사람 (話者) 에게 접근하는 것을 나타낸다. 2）이 사용법에「V ていく」형태는 존재하지 않는다.

てくる〈変化の出現〉【start to／开始变得～／－하기 시작하다】★3

①あ、またおなかが痛くなってきた。

②あーあ、眠くなってきた。

③寒いと思ったら、ほら、雪が降ってきましたよ。

Vて ＋くる

1）変化の出現、開始を表す。 2）話す人の意志とは関係なく、自然発生的に起ることに使う。心理的、感覚的現象の体感がある場合が多い。「V ていく」の形はない。

1）Beginning or emergence of change. 2）Used with natural occurrences regardless of speaker's volition. Often used for psychological or emotive sensations. No V ていく form.

1）表示一种变化的出现、开始。 2）用于和说话人的意志无关的、客观自然发生的事。多为心理上的、感觉上的身体感受。没有「V ていく」形。

1）변화의 출현，개시를 나타낸다． 2）말하는 사람（話者）의 의지와는 관계없이，자연발생적으로 일어나는 것에 사용한다．심리적，감각적인 현상의 감각이 있는 경우가 많다．「V ていく」의 형태는 없다．

てくれる【does for (me)／给我～／－해 주다】★4

①よう子さんはとても親切で、わたしが困っているといつも助け<u>てくれます</u>。

②町田さんはクラス会の時間が変わったことを、わたしたちに知らせ<u>てくれませんでした</u>。

③中川さんはわたしの壊れたパソコンを直し<u>てくれました</u>。

④今日わたしは学校を休んだ。午後リーさんがお見舞いに来<u>てくれた</u>。

⑤山田先生はわたしの話をよく聞い<u>てくださいました</u>。そして静かな声でいろいろなことを話し<u>てくださいました</u>。

◎ Vて ＋くれる

1)「わたし」または心理的に「わたし」に近い人がほかの人の行為をうれしい、ありがたいと感じたときの言い方。ありがたくないと感じたときは受け身の文で表す。 2)行為の方向を示したいときにも、この言い方を使う。 ◆カンさんが写真を見せました。(だれに見せたかわからない) ／カンさんが写真を見せてくれました。(わたしに見せたことがわかる) 3）助詞の使い方（わたし**を**　わたし**に**～**を**　わたし**の**～**を**）に注意。 4)「Vてくださる」は⑤のように行為をする人が目上の場合に使う。 参**くれる**

1）Feeling of happiness or gratitude by speaker or someone psychologically close to speaker about another's action. When not for gratitude, passive is used. 2）Also used to describe direction of action. → ◆ 3）Note use of particles such as わたし**を**, わたし**に**～**を**, わたし**の**～**を**. 4）V てくださる used toward social superiors who do action, as in sentence ⑤. →参

1）"我"或心理上接近"我"的人，对别人为我做的事心感欢喜或心存感谢等时候使用本句型。感到不喜欢的时候句子采用被动句。 2）在想要表示行为的方向的时候，也可使用本句型。→◆ 3）注意助词的用法（わたし**を**　わたし**に**～**を**　わたし**の**～**を**） 4）如例句⑤，当发出行为的人为尊长时，使用「Vてくださる」。→参

1)「わたし（나)」또는 심리적으로「わたし」에 가까운 사람이 다른 사람의 행위를 기쁘다，감사하다고 느꼈을 때의 표현법이다．고맙지 않다고 느꼈을 때는 수동문으로 나타낸다． 2）행위의 방향을 나타내고 싶을 때에도，이 표현법을 사용한다．→◆ 3）조사 사용법（わたし**を**　わたし**に**～**を**　わたし**の**～**を**）에 주의한다． 4)「Vてくださる」는 ⑤처럼 행위를 하는 사람이 손 윗사람일 경우에 사용한다．→参

同じできごとを表すのにも、話す人がありがたいと感じた場合は「Vてくれる」を、ありがたくないと感じた場合は受け身を使う。

Even for same action, gratitude of speaker is expressed by V てくれる , and lack of gratitude by passive.

表示同一件事，说话人感到喜欢的情况，使用「Vてくれる」；不喜欢的情况，使用被动句。

같은 사건을 나타내는 데에도 , 말하는 사람 (話者) 이 감사하다고 느낀 경우는「V てくれる」를 , 고맙지 않다고 느꼈을 경우는 수동형을 사용한다 .

・カンさんが窓を閉めました。(話す人の感情を含まない、事実を言う文)
・カンさんが窓を閉めてくれました。(ありがたいと感じた)
・カンさんに窓を閉められました。(ありがたくないと感じた)

てこそ 【～が実現することによって it's only when; by ／正应为…才 ,(又有)…才／ – 해야 비로소】★2

①試合に勝ってこそ、プロのスポーツ選手と言える。
②スポーツでもゲームでも自分でやってこそ、そのおもしろさがわかる。
③野の花は自然の中にあってこそ、美しい。

◎ Vて ＋こそ

「～てこそ、…」の形で、「～してはじめて、何かがわかる。何かになれる」と言いたいときに使う。「～しなければ／～するまでは、わからない」という意味になる。「…」にはプラスに評価する言葉、可能の言葉をよく使う。

Learn or become something for first time only by doing something. If hadn't tried something, wouldn't have known about it. Often positive evaluations and possibilities follow.

采用「～てこそ、…」, 在想要表达“做了～才明白了某事、才能成为…”时使用本句型。意为“不做～就不明白, 或直到做～之前都不明白”「…」处中常使用褒义的评价或表可能的词语。

「～てこそ、…」의 형태로 ,「～하고나서야 처음으로、뭔가를 안다 . 뭔가가 될 수 있다」고 말하고자 할 때에 사용한다 .「～하지 않으면 / ～할 때까지는 모른다 」라고 하는 의미가 된다 .「…」에는 플러스적으로 평가하는 말 , 가능의 말을 자주 사용한다 .

でさえ ➡さえ 94

てさしあげる ➡てあげる 163

てしかたがない【非常に～だ extremely／非常／－해서 견딜 수가 없다】3

①いよいよあした帰国できるかと思うと、うれしくてしかたがありません。
②毎日会社に行って、人に会うのがいやでしかたがない。
③朝から寒気がしてしかたがない。熱が出るのかもしれない。
④体の調子が悪いときは、周りの人たちがうるさく思えてしかたがない。

Vて／イAくて／ナAで ＋しかたがない

1）ある感情や体の感覚が起こってその状態が「強くて抑えられない」というときに使う。　2）話者の感情・体の感覚・欲求などを表す言い方であるから、3人称に使うときは文末に「ようだ・らしい・のだ」をつける必要がある。　3）④のように「思える・泣ける」などの自発を表す動詞とともに使える。　4）「てしょうがない」は話し言葉。

参てしょうがない

1) Speaker cannot repress strong emotions or sensations.　2) Necessary to add to end of sentence ようだ, らしい, or のだ for the third person because only describes speaker's feelings, bodily sensations, or demands.　3) Can also be used with reflexive verbs such as 思える, or 泣ける.　4) てしょうがない is spoken form. →参

1）产生了某种感情或身体的感觉,这种状态“十分强烈、无法抑制”时使用本句型。　2）由于是描述说话人的感情、身体感觉、欲求等的表达方式,所以在用于第三人称时句末要加上「ようだ·らしい·のだ」　3）如例句④, 可以和「思える、泣ける」等表示自发的动词一起使用。　4）「てしょうがない」是其口语形式。 →参

1）어떤 감정이나 몸의 감각이 솟구쳐서 그 상태가「너무 강해서 억제할 수 없다」고 할 때에 사용한다 .　2）말하는 사람 (話者) 의 감정 , 몸의 감각 , 욕구 등을 나타내는 표현법이기 때문에 , 3 인칭에 사용할 때는 문말에「ようだ·らしい·のだ」를 붙일 필요가 있다 .　3）④처럼「思える·泣ける」등의 자발을 나타내는 동사와 함께 사용할 수 있다 .　4）「てしょうがない」는 회화체 표현이다 . →参

でしかたがない ➡てしかたがない 184

てしまう〈完了〉【do the whole thing; end up／…完／－해 버리다/－을 끝내다】★4

①A：あの本、読み終わりましたか。

B：ええ、もうぜんぶ読んでしまいましたから、どうぞ。

②そうじやせんたくなどの家事は、いつも土曜日にやってしまいます。そして、土曜日の夜や日曜日はゆっくりします。

③A：ミーティング、始まるんですか。

B：いえ、始まるのは7時ですから、先に食事をしてしまってください。

④この仕事はもっと時間がかかると思いましたが、30分でできてしまいました。

⑤A：そろそろ出かけようか。

B：このお皿、洗っちゃうから、ちょっと待って。

◎ Vて　＋しまう

1）「全部、完全に、早く」…を済ませる（済ませた）ということを特に心理的に強調したいときに使う。強調する必要がないときに使うと不自然である。　◆×もう東西大学に合格してしまいました。→○東西大学に合格しました。／×(説明を聞いた後で)もうわかってしまいました。→○わかりました。　2）③のように、未来のことにも使える。　3）④のように、話す人の意外な気持ちを表すときにも使う。　4）話し言葉では⑤のように、「Vてしまう→Vちゃう」となる。

1）Emphasizes psychologically total and quick completion. When emphasis is not necessary sounds forced. → ◆　2）Can be used for future, as in sentence ③．3）Used for surprise on speaker's part, as in sentence ④．4）In spoken language, V てしまう becomes V ちゃう, as in sentence ⑤．

1）"全部都、完全，快些"，在特别强调心理上把…做完（已经做完）之意时使用本句型。在不需要强调的时候使用本句型的话会显得很不自然。→◆　2）如例句③，也可用于描述未来的事。3）如例句④，在想要表达说话人感到意外时，也可以使用本句型。4）如例句⑤，在口语中「Vてしまう」变为「Vちゃう」。

1）「전부 · 완전히 · 빨리」…을 끝내다（끝냈다）라는 것을 심리적으로 강조하고자 할 때 사용한다. 강조할 필요가 없을 때에 사용하면 부자연스럽다. →◆　2）③처럼 미래의 일에도 사용할 수 있다.　3）④처럼 말하는 사람（話者）의 의외의 기분을 나타낼 때에도 사용한다.　4）회화체에서는 ⑤처럼「Vてしまう→Vちゃう」가 된다.

てしまう〈残念〉【ended up／表示遗憾／－하게 되다】★4

①A：けさは遅かったですね。

　B：すみません、いつものバスに遅れてしまったんです。

②買ったばかりの時計が壊れてしまった。

③銀行のカードをなくしてしまって、困っています。

④ライトをつけないで自転車に乗っていたので、警官に注意されてしまいました。

⑤かぎをそんなところに置いておくと、また忘れちゃうよ。かばんの中に入れなさい。

⑥今日もまた、お酒を飲んじゃった。今週は飲み過ぎた。

◎Vて　＋しまう

1）話す人の「失敗した・残念だ・困った」などという気持ちを表す。　2）⑤のように、未来のことにも使える。　3）話し言葉では⑤⑥のように、「Vてしまう→Vちゃう」となる。

1）Speaker's feelings of failure, regret, vexation.　2）Can also be used for future, as in sentence ⑤.　3）In speech, Vてしまう becomes Vちゃう as in sentences ⑤ and ⑥.

1）表示说话人的“失败了、很遗憾、很困扰”等情绪。　2）如例句⑤，也可用于未来的事。　3）如例句⑤⑥，在口语中「Vてしまう」变为「Vちゃう」。

1）말하는 사람（話者）의「실패했다・유감이다・난처하다 등」이라는 기분을 나타낸다．　2）⑤처럼 앞으로 일어날 일에 대해서도 사용할 수 있다．　3）회화체에서는 ⑤⑥처럼「Vてしまう→Vちゃう」가 된다．

でしょう〈同意求め　確認〉【don't you think?／是～对吧／어때요 - 이지요?】★5

① A：このセーター、わたしが編んだんです。いい色でしょう。

B：ほんとうにきれいですね。

② A：これ、いいだろう。きのう買ったんだ。

B：うん、いいバイクだね。ぼくにも貸してよ。

③ A：ただいま。

B：おかえりなさい。外は寒かったでしょう。

④子ども：お父さん、はさみはどこ？

父　　：ほら、机の上にちゃんとあるだろう。

⑤ A：あした、お茶の会があるでしょう。あなたは出席しますか？

B：ええ、行きます。いっしょに行きましょうよ。

普通形（ナA／N）＋でしょう

1）①②のように、自分の側のものについて相手に同意を求めたり、③のように、相手の気持ちや状況を思いやって同情したりするときの言い方。④⑤のように、相手に確認する場合にも使われる。⑤のように会話を始めるきっかけの言葉として使われることもある。　2）「だろう」は主として男性が親しい相手に話すときに使う。

1）As in sentences ① and ②, used to seek agreement for speaker's opinion, or as in sentence ③ to express sympathy for listener's feelings or situation. Also used for verification from listener, as in sentences ④ and ⑤. Can be used to start a conversation, as in sentence ⑤.　2）The copula だろう is mainly used in familiar male speech.

1）如例句①②，对于自己一方的事物向对方征求同意，或者如例句③，替对方着想，考虑到对方的心情、状况等，对其表示同情等的表达方式。如例句④⑤，也可以用于向对方确认某事。也可以像例⑤那样，作为开始一段对话的切入语来使用。　2）「だろう」主要是男性用语，男性对和自己关系较为亲密的人可以使用。

1）①②처럼, 자기 쪽의 사물에 대해서 상대방에게 동의를 구하거나, ③과 같이 상대방의 기분이나 상황을 배려해서 동정하거나 할 때의 표현법이다. ④⑤처럼 상대방에게 확인하는 경우에도 사용된다. ⑤처럼 대화를 시작하는 계기를 만드는 말로서 사용되는 경우도 있다.　2）「だろう」는 주로 남성이 친한 상대에게 말할 때 사용한다.

でしょう ➡だろう　146－147

てしょうがない【非常に～だ extremely／非常／어쩌면 좋을지 모르겠다／– 해서 죽겠다】★3

①小さいノートパソコンを使い始めたためか、このごろ目が疲れてしょうがない。
②姉からの手紙によると母が病気だそうだ。母の苦労を思うと、泣けてしょうがない。
③彼がどうして突然サッカー部をやめたのか、わたしは気になってしょうがない。
④朝寝坊をしたために入学試験に間に合わなかった。残念でしょうがない。

Vて／イAくて／ナAで ＋しょうがない

1）ある感情や体の感覚が起こってその状態が「強くて抑えられない」というときに使う。　2）話者の感情・体の感覚・欲求などを表す言い方だから、3人称に使うときは文末に「ようだ･らしい･のだ」をつける必要がある。　3）②のように「思える・泣ける」などの自発を表す言葉とともに使える。　4）「てしかたがない」のくだけた話し言葉

参てしかたがない

1）Speaker cannot repress strong emotions or sensations.　2）Necessary to add to end of sentence ようだ, らしい, or のだ for the third person because only describes speaker's feelings, bodily sensations, or demands.　3）Can also be used with reflexive verbs such as 思える, or 泣ける.　4）てしょうがない is spoken form. →参

1）产生了某种感情或身体的感觉,这种状态“十分强烈、无法抑制”时使用本句型。　2）由于是描述说话人的感情、身体感觉、欲求等的表达方式,所以在用于第三人称时句末要加上「ようだ･らしい･のだ」　3）如例句②，可以和「思える、泣ける」等表示自发的动词一起使用。　4）如例句②，是「てしかたがない」的较为通俗的口语表达形式。 →参

1）어떤 감정이나 몸의 감각이 일어나서 그 상태가「너무 강렬해서 억제할 수 없다」고 할 때에 사용한다.　2）말하는 사람(話者)의 감정, 몸의 감각, 욕구 등을 나타내는 표현법이므로, 3인칭에 사용할 때는 문말에「ようだ･らしい･のだ」를 붙일 필요가 있다.　3）②처럼「思える・泣ける」등의 자발을 나타내는 동사와 함께 사용할 수 있다.　4）「てしかたがない」는 친밀한 관계에서 사용하는 회화체 표현이다. →参

ですら　➡すら〈強調〉114

てたまらない

【非常に～、我慢できないほど～
be dying to; unbearably ／非常～，已经到了无法忍受的地步。／－해서 견딜 수가 없다 /－해서 죽겠다】★3

①風邪薬を飲んだから、眠くてたまらない。

②試験のことが心配でたまらず、夜もよく眠れない。

③若いころは親元を離れたくてたまらなかったが、今は親のことがとても懐かしい。

④どうしたんだろう。今日は朝からのどが渇いてたまらない。何か飲みたくてたまらない。

◎Vて／イAくて／ナAで ＋ たまらない

1）ある感情や体の感覚が起こってその状態が「強くて抑えられない」というときに使う。　2）話者の感情･体感･欲求を表すときに使う。3人称に使うときは文末に「ようだ・らしい・のだ」をつける必要がある。　3）自発を表す言葉「思える・泣ける」などといっしょには使えない。　◆×病気の母のことを思うと泣けてたまらない。→○病気の母のことを思うと泣けてならない。

1）Inability to repress strong feelings or physical sensations.　2）Describes speaker's feelings, physical senses, or desires. For the third person, must append ようだ, らしい, or のだ to sentence ending. 3）Cannot be used with reflexive verbs such as 思える or 泣ける. →◆

1）产生了某种感情或身体的感觉，这种状态“十分强烈、无法抑制”时使用本句型。　2）描述说话人的感情、身体感觉、欲求等时使用本句型。用于第三人称时句末要加上「ようだ・らしい・のだ」。3）不可以和「思える、泣ける」等表示自发的动词一起使用。→◆

1）어떤 감정이나 몸의 감각이 일어나서 그 상태가「너무 강렬해서 억제할 수 없다」고 할 때에 사용한다.　2）말하는 사람（話者）의 감정，몸의 감각，욕구를 나타낼 때에 사용한다. 3 인칭에 사용할 때는 문말에「ようだ·らしい·のだ」를 붙일 필요가 있다.　3）자발을 나타내는 말인「思える・泣ける」등과는 함께 사용할 수 없다. →◆

てでも

【～のような手段をとってでも
even if have to ／就算～也要…／－해서라도】★2

①わたしが演劇をすることに父は反対をしている。しかし、わたしは父と縁を切ってでも、やりたい。

②駆け落ちしてでも、わたしは彼女と結婚する。

③交通事故で足を折って出演できなかったが、わたしはこの舞台だけははってでも行きたかった。

◎ Vて ＋でも

したい気持ちが強いことや希望を実現するために、極端な強い手段をとることもちゅうちょしないという強い決意を表すときの表現。後の文にはふつう、やりたいこと、希望などを表す文が来る。

Extreme determination to realize some strong feeling or desire even if must take extreme measures. Sentence endings expressing speaker's desires or hopes are common.

强烈地想要做某事，或者为了实现某个愿望，采取一种极端的手段也在所不惜，要表现这种坚定的决心时使用本句型。后半句一般会出现想要做的事、希望达成的事等句子。

어떤 일을 하고 싶다는 강한 욕구나, 희망을 실현하기 위해서는 극단적으로 강한 수단을 취하는 것도 주저하지 않는다고 하는 강한 결의를 나타낼 때의 표현이다. 뒤에 오는 문장에는 보통 하고 싶은 일, 희망 등을 나타내는 문장이 온다.

てない ➡ていない 167

でなくてなんだろう

【これこそ～そのものだ
if this isn't…, then what is it? ／这个就可以叫做～／ – 이 아니고 뭐겠는가】★1

①彼は体の弱い妻のために空気のきれいな所へ引っ越すことを考えているようだ。これが愛でなくてなんだろう。

②親鳥は北の国へ帰る日が来てもけがをした子鳥のそばを離れようとはしなかった。これが親子の情愛でなくてなんだろう。

③上田氏はぜいたくはせず、つねに人々のためを考えていた。これが指導者の姿勢でなくてなんだろう。

◎ N ＋でなくてなんだろう

抽象名詞を取り上げて、「これが～と言えるものだ」と感情を込めて言うときの表現。小説・随筆などに見られる書き言葉。

Expresses feeling by mentioning abstract noun and saying that it is …par excellence. Written form seen in novels, essays, etc.

选取一个抽象名词，"这个就可以叫做～"带着感情色彩来说某事时的表达方式。常见于小说、随笔等文章中的书面用语。

추상명사를 예로 들어, 「이것이 ~라고 할 수 있는 것이다」라고 감정적으로 말할 때의 표현이다. 소설, 수필 등에 보여지는 문어체적인 표현이다.

てならない【抑えられないほど～ can't help but／不可遏制的感情、感觉／－해서 견딜 수가 없다】★2

①この写真を見ていると故郷の友だちのことが思い出されてなりません。
②地球温暖化の問題を考えると、子どもたちの将来のことが気になってならない。
③田中さんは今の収入でこれから家族４人が生活していけるのか、心配でならないようだ。

Ｖて／イＡくて／ナＡで　＋ならない

1）「自然にある感情や体の感覚が起こってきて抑えられない」というときに使う。
2）話者の感情・体感・欲求を表す言葉であるから、３人称に使うときは③のように文末に「ようだ・らしい・のだ」をつける必要がある。　3）自発を表す言葉「思える・思い出される・泣ける」などとともに使って、マイナスの気持ちを表すことが多い。

1）Inability to repress emotions or physical sensations that naturally arise. 2）Expresses speaker's emotions, senses, and demands, so in the third person sentence endings must take ようだ, らしい, or のだ.　3）Used with reflexive verbs such as 思える, 思い出される, or 泣ける. Often expresses negative feelings.

1）某种感情或身体感觉自然而然地发生"压抑不住"，在想要表达这样的意义时使用本句型。　2）由于表达的是说话人的感情、身体感觉、欲求等，在用于第三人称时，需要如例句③那样，在句末加上「ようだ・らしい・のだ」。　3）和表自发的「思える・思い出される・泣ける」等词语一起使用，多表达不好的心情。

1）자연스럽게 어떤 감정이나 몸의 감각이 살아나「억제할 수 없다」고 말할 때에 사용한다.　2）말하는 사람(話者)의 감정, 감각, 욕구를 나타내는 말이므로, 3 인칭에 사용할 때는 ③과 같이 문말에「ようだ・らしい・のだ」를 접속할 필요가 있다.　3）자발의 의미를 나타내는 말「思える・思い出される・泣ける」등과 함께 사용하며, 마이너스적인 기분을 나타내는 경우가 많다.

ては【何度も～して、～して alternately did…and…／一次又一次地反复做…／－하고는】★2

①夫はさっきから味を見てはなべの中をかき回している。どんな料理ができるのだろうか。
②正月は食べては寝、飲んでは寝の日を過ごしていた。
③山田さんはパソコンのキーボードをたたいては考え、たたいては考えています。
④石田さんは報告書を課長に出しちゃ直されてるよ。

Ｖては

「ＶてはＶ」の形で二つの動作を繰り返し行う様子を表す。③の「ＶてはＶ、ＶてはＶ」のように２回繰り返して反復性を強調する使い方もある。④の「ちゃ」は口語。

In pattern V ては V, two actions are performed alternately. Also has usage of V ては V, V ては V to emphasize repetitiveness by stating action twice, as in sentence ③. Phrase ちゃ in sentence ④ is colloquial.

采用「VてはV」的形式,表示两个动作的反复进行,也有如例句③,采用「VてはV、VてはV」这种重复两遍的形式,来强调其反复性。例句④的「ちゃ」是口语。

「VてはV」의 형태로 두 가지의 동작을 반복해서 하는 상태를 나타낸다. ③의「VてはV、VてはV」처럼 두 번 반복해서 반복성을 강조하는 사용법도 있다. ④의「ちゃ」는 구어체이다.

ではありません ➡んじゃない 438

ではあるまいし【～ではないのだから it's not as though／又不是～，所以…／－도 아니고】★1

①神様ではあるまいし、10年後のことなんかわたしにわかりませんよ。

②子ども：この虫とこの虫はよく似ているけど、どこか違うのかなあ。

祖　父：昆虫学者じゃあるまいし、そんな難しいことはおじいちゃんにはわからないよ。

③学生：先生、この申込書、どう書けばいいのですか。

先生：外国語で書くのじゃあるまいし、あなたの母国語で書けばいいんだから読んで考えなさい。

◎ Nでは ＋ あるまいし

1）「Nではないのだから、当然…」と言いたいときの表現。後の文には、相手に対する話者の判断や、主張、話し相手への忠告、勧めなどが来る。　2）古い感じのする言葉であるが、会話的な表現である。公式な文章には使わない。

1）Since N is not true, it is only natural that…. What follows is speaker's judgment, assertion, advice, or recommendation for listener.　2）Though somewhat old-fashioned, is also conversational. Not used in formal writing.

1）在想要表达"因为不是N，所以当然…"之意时使用本句型。后半句多出现说话人对听话人的判断、主张，给对方的忠告、规劝等。　2）虽然是较为古老的表达方式，但却是对话中的表现形式。不能用于公式文章。

1)「N은 아니므로, 당연히 …」라고 말하고자 할 때의 표현이다. 뒤에 오는 문장에는, 상대방에 대한 말하는 사람 (話者) 의 판단이나 주장, 말하는 상대방에의 충고, 권유 등이 온다.　2) 예스러운 느낌의 말이지만, 회화체적인 표현이다. 공식적인 문장에는 사용하지 않는다.

てはいけない【(you) must not／不可以／－하면 안된다/－는 안된다】★4

①(立て札)ここは危険です。この川で泳いではいけません。

②病院の中で携帯電話を使ってはいけません。

③図書館の電気は暗くてはいけません。

④証明書の写真はスピード写真ではいけませんか。

⑤父：それ、さわっちゃいけないよ。
　子：うん。

⑥子どもはお酒を飲んじゃいけないんだよ。

◎ Vては／イAくては／ナAでは／Nでは　＋いけない

1）禁止や規制を表す言い方。教師が生徒に対して、親が子に対して注意をしたり公のルールを示したりするときなどに言う。　2）④の「てはいけませんか」は「てもいいですか」と同じように許可を求める言い方であるが、遠慮しながら聞く言い方である。　3）話し言葉では、⑤⑥のように「ちゃいけない・じゃいけない」となる。

1）Prohibitions and rules used by teachers to admonish students, parents toward children, and in public rules.　2）The てはいけませんか in sentence ④ is like てもいいですか in that asks permission, but has nuance of hesitation to ask.　3）In speech, becomes ちゃいけない，じゃいけない，as in sentences ⑤ and ⑥.

1）是申明禁止、规制等的表达方式。老师对学生或父母对孩子发出警告以及表示公共规则时，常用本句型。　2）例句④的「てはいけませんか」和「てもいいですか」一样，是征求对方同意时的说法，但是是非常客气的问法。　3）在口语中变为如例句⑤⑥的「ちゃいけない・じゃいけない」。

1）금지나 규제를 나타내는 표현법이다．교사가 학생에게，부모가 자식에게 주의를 주거나 공공법규를 가리키거나 할 때 등에 사용한다．　2）④의「てはいけませんか」는「てもいいですか」와 마찬가지로 허가를 구하는 표현법이지만，정중하게 묻는 표현법이다．　3）회화체 표현에서는 ⑤⑥처럼「ちゃいけない・じゃいけない」가 된다．

ではいられない　➡ないではいられない　261

てはかなわない

【～のはいやだ、困る
doesn't like; be vexed; be more than one can bear ／受不了～／－할 수 없다 / 견딜 수 없다 / 골치 아프다】★2

①課長にこう毎晩のように飲みに誘われてはかなわない。

②辛い料理はきらいではないけど、こんなに辛くてはかなわない。

③説明書がこんなに複雑ではかなわない。もっと易しい説明書はないかな。

④毎日こう暑くちゃかなわないね。

⑤毎日残業ばかりじゃかないませんよ。たまには早く帰りたいですよ。

◎ Vては／イA~~い~~くては／ナAでは／Nでは　＋かなわない

1）現時点での苦情、不満を言うときの表現。「こう・こんなに」などの言葉といっしょに現時点での状態を言うことが多い。その状態を「ては・では」で受けて、それは困るという意味の「かなわない」をつけた言い方。　2）④⑤のようにくだけた会話では「ては」は「ちゃ」、「では」は「じゃ」となる。

1）Complaint of current grievances and disappointments. Often used with こう or こんなに to describe present situation. The meaning of "distressing" of かなわない is appended using ては、では for situation. 2）In informal speech ては becomes ちゃ, and では becomes じゃ, as in sentences ④ and ⑤.

1）表示现在这个时间点上的苦恼、不满等。常和「こう・こんなに」等表示现在这个时间点上的状态的词语一同使用。用「ては・では」接在那个（令人不满意的）状态之后，用「かなわない」来表示那是让人很苦恼的。　2）如例句④⑤，在较为通俗的会话中，「ては」变成「ちゃ」，「では」变成「じゃ」。

1）현 시점에서의 불평，불만을 말할 때의 표현이다.「こう・こんなに」등의 말과 함께 현 시점에서의 상태를 말하는 경우가 많다. 그 상태를「ては・では」로 받아서，그것은 곤란하다고 하는 의미의「かなわない」를 붙인 표현방법이다.　2）④⑤와 같이 허물 없는 사이의 대화에서는「ては」는「ちゃ」로,「では」는「じゃ」로 변한다.

ではかなわない　➡てはかなわない　194

てはじめて

【～た後でようやく
it is/ was not until…that ／直到～才／－하고 나서 비로소】★3

①入院してはじめて健康のありがたさがわかりました。

②スポーツは自分でやってみてはじめてそのおもしろさがわかるのです。

③大きな仕事は十分な準備があってはじめて成功するのだ。

◎ Vて ＋はじめて

「Vてはじめて…」の形で、あることをする前はそうではなかったが、した後、それがきっかけとなってやっと「…であること」がわかった、または「…」になるという意味。

After speaker does something, becomes an impetus that leads to realization or new development.

采用「Vてはじめて…」的形式，意为，做某事之前并没有那样，而做了～之后，以此为契机才明白了「…」，或终于变成了「…」。

「Vてはじめて…」의 형태로 , 어떤 일을 하기 전에는 그렇지 않았었는데 , 그 후에 , 그것이 계기가 되어 어렵사리「～한 것」을 알게 되었다거나 ,「…」하게 된다고 하는 의미이다 .

ではないか〈感動〉【驚いたことに～ to (my) amazement／让人吃惊的是～／ – 는 것이 아닌가 !/– 이 아닌가 !】★2

①朝起きてみたら、何年も咲かなかった花が咲いているではないか。今日はきっと何かいいことがあると思った。

②いつもは頼りない5歳の子どもが、病気のわたしを一生懸命看病してくれるではないか。

③彼の引っ越し先はなんと人口1,000人の小さな孤島ではないか。

④なんとこの犬はわたしの喜びや悲しみをみんなわかってくれるではありませんか。

◎ **普通形**（ナA／N） ＋ ではないか

「～ではないか」の「～」で述べることを　驚き・感嘆・感動などの気持ちで表す言い方。小説やエッセーなどに使われる書き言葉。

What is described before ではないか indicates surprise, amazement, or impression. Written expression used in novels and essays.

把「～ではないか」的「～」，用惊讶、感叹、感动等心情表达出来时的表现形式。是小说、散文等常用的书面语。

「～ではないか」의「～」에서 이야기하는 것을 놀람 · 감탄 · 감동 등의 기분으로 나타내는 표현방법이다 . 소설이나 수필 등에 사용되는 문어체적인 표현이다 .

ではないか〈判断〉【～だと思う it seems (to me)／不是～吗／ – 이다 /– 이지 않느냐】★2

①あの子はまだ子どもではないか。親はどうして彼を外で遊ばせないのだろう。

②彼女はあなたのことをあんなに心配しているではありませんか。連絡してあげたらどうですか。

③外は大雪じゃありませんか。こんな日に外出するのは危険ですよ。

④勉強したくなければしなければいいじゃないか。自分のことは自分で判断しろ。

◎ **普通形**（ナA／N） ＋ではないか

1）「～ではないか」の形の「～」で自分の判断を言い、相手にその自分の判断への同意を求めたり、相手に反論したりするときに使う。　2）丁寧な言い方では②のように「ではありませんか」、くだけた会話では④のように「じゃないか」になる。

1）Speaker states her judgment before ではないか to seek agreement from listener with speaker's judgment or to disagree with listener. 2）In polite speech, becomes ではありませんか, as in sentence ②; in informal speech becomes じゃないか, as in sentence ④.

1）在「～ではないか」的「～」处表明自己的判断，或用来征求对方对自己判断的同意，或用来向对方提出自己的反对意见。
2）如例句②，在礼貌体中，变为「ではありませんか」；如例句④，在较为通俗的对话中变为「じゃないか」。

1）「～ではないか」형태의「～」에서 자기의 판단을 말하고, 상대방에게 자기의 판단에 대한 동의를 구하거나, 상대방에게 반론하거나 할 때에 사용한다.　2）정중한 표현법으로는 ②처럼「ではありませんか」로, 허물없는 사이의 대화에서는 ④처럼「じゃないか」가 된다.

てほしい【want to happen or be done／希望（想要～）／– 하길 바란다 /– 했으면 좋겠다】★3

①クラス会の予定が決まったら、すぐわたしに知らせ<u>てほしい</u>のですが。よろしくお願いします。

②（手紙）毎日、寒い日が続いています。早く暖かくなっ<u>てほしい</u>ですね。

③このことはほかの人には言わない<u>でほしい</u>のです。

④子どもには漫画ばかり読むような大人になっ<u>てほしくない</u>。

⑤姉：この部屋、ずいぶん汚いね。
　妹：お姉さんだって全然かたづけないじゃない。わたしにそんなこと言わ<u>ないでほしい</u>。

◎ Vて・Vないで ＋ほしい

1）話す人が相手やほかの人、ものごとに対して要望や希望がある場合に使う。2）否定には「Vないでほしい」と「Vてほしくない」の二つの形がある。　3）「Vないでほしい」は③のように「Vないでください」の意味で使うことが多い。　4）「Vてほしくない」は④のように相手と関係なく自分の要望や希望を述べるだけの場合にも使う。また、⑤のように、相手を非難するときにも使う。

1）Speaker has expectation or desire of listener, third party, or thing. 2）Two forms of negation: Vないでほしい and Vてほしくない. 3）Vないでほしい often means Vないでください, as in sentence ③. 4）Vてほしくない is also used to state speaker's expectation or wishes independent of listener, as in sentence ④. Also used to criticize listener, as in sentence ⑤.

1）说话人对听话人或其他人有要求或希望时，使用本句型。 2）否定有「Vないでほしい」「Vてほしくない」这两种。 3）如例句③，「Vないでほしい」的意义多为「Vないでください」。 4）如例句④，「Vてほしくない」的意义多为与对方无关，而只是说话人陈述自己的要求、希望。另如例句⑤，有时也用于责难对方。

1）말하는 사람（話者）이 상대방이나 그 외의 다른 사람，또는 어떤 사안에 대해서 요망이나 희망이 있는 경우에 사용한다． 2）부정형으로는「V ないでほしい」와「V てほしくない」의 두 가지 형태가 있다． 3）「V ないでほしい」는 ③과 같이「V ないでください」의 의미로 사용하는 경우가 많다． 4）「V てほしくない」는 ④처럼 상대방과 관계없이 자기의 요망사항이나 희망을 말하는 것뿐인 경우에도 사용한다．또한，⑤와 같이，상대를 비난할 때에도 사용한다．

てほしいものだ

【〜たらいいなあ
really wish／对别人的一种强烈的愿望（想要〜）／－하길 바란다/－해 주었으면 좋겠다】★2

①親は生まれた子に、早く歩けるようになってほしいものだと願う。

②医者：健康のために、だれでも歩くことを生活の中に習慣として取り入れてほしいものです。

③工事がうるさくて仕事ができない。なんとか早く終わってほしいもんだ。

④災害がもうこれ以上ひどくならないでほしいものだ。

◎ Vて・Vないで ＋ほしいものだ

1）他者への強い願いを表す表現。 2）③のように「なんとか・なんとかして」がよくともに使われる。 3）話し言葉では「Vてほしいもんだ」となる。

参ものだ〈感慨〉

1）Strong desire that someone else will do what speaker wants. 2）Often used with なんとか or なんとかして as in sentence ③. 3）In conversation Vてほしいもんだ is common. →参

1）表达对别人的一种强烈的愿望。 2）如例句③，常和「なんとか・なんとかして」一起使用。 3）口语中变为「Vてほしいもんだ」。→参

1）다른 사람에 대한 강한 부탁을 나타내는 표현이다． 2）③와 같이「なんとか・なんとかして」라는 문형이 함께 자주 사용된다． 3）회화체에서는「V てほしいもんだ」가 된다． →参

てほしいもんだ ➡てほしいものだ 197

てまえ 【～した自分のメンツがあるから because I said/did, to save face, I must／为了面子而做～／－한 주제라서/－했기 때문에】 ★1

①妻に「来年の休みには外国へ連れていく」と約束した<u>手前</u>、今年はどうしても行かなければならない。

②その場の雰囲気で「趣味はスケート」と彼女に言ってしまった<u>手前</u>、今になって「実はできないんだ」とは言えないので、あわてて練習している。

③人の前でスピーチをするのは得意ではないが、「何事も経験が大事」といつも言っている<u>手前</u>、断ることはできなかった。

◎ Vる・Vている・Vた／Nの　＋手前

「何か言ったり、したりしてしまった後、自分のメンツを保つために何かをする」という場面で使う表現。

Speaker has said or done something unfortunate and feels need to do something to save face.

“由于说了某话或做了某事之后，为了保全面子而做某事”的场景下使用本句型。

「뭔가 말하거나, 어떤 일을 해 버린 후, 자기의 체면을 지키기 위해서 뭔가를 한다」고 하는 장면에서 사용하는 표현이다.

てまで 【～のような程度まで will go so far as to／即使～也要…／－해서까지】 ★2

①裁判で争っ<u>てまで</u>、彼女は離婚したかったのだ。

②家族を犠牲にし<u>てまで</u>、会社のために働く必要はないよ。

③わたしは人とけんかをし<u>てまで</u>、この計画を実行しようとは思わない。

◎ Vて　＋まで

1）極端なものごとを受けて「こんな極端な程度にまで」と気持ちを込めて言う言い方。　2）後の文には人の意志・主張・判断・評価などを表す文が多い。②のように相手への働きかけのある言い方もある。

1）Takes something extreme and expresses with feeling going to extreme lengths.　2）Clause following often expresses person's volition, assertion, judgment, or evaluation. Also sometimes used to urge listener to do something, as in sentence ②.

1）接在一个极端的事例之后，说话人在带着某种感情来表达“到这钟极端的程度”之意时，使用本句型。　2）后半句多是表示人的意志、主张、判断、评价等的句子。如例句②，也有向对方要求对方做某事的用法。

1）극단적인 사안을 받아서「이런 극단적인 정도까지」라고 감정을 실어서 말하는 표현법이다.　2）뒤에 오는 문장에는 사람의 의지・주장・판단・평가 등을 나타내는 문장이 많다. ②처럼 상대방에게 일정 역할을 기대하는 표현방법도 있다.

てみせる【がんばって～するつもりだ determined to accomplish／努力做～／－하겠다】★2

①ぼくはあしたの柔道の試合で必ず勝ってみせる。がんばるぞ。

②こんな不況に負けるものか。必ず会社を立て直してみせる。

③こんな簡単な仕事、わたしなら１日でかたづけてみせますよ。

④彼はみんなの前で見事な手品をやってみせた。

Vて ＋みせる

がんばって達成しよう、達成できる、という話者の強い気持ちを他に示す表現。他人に示すことで自分自身を励ましたいときの言い方。④のようにほかの人の前で実際の動作で何かを紹介するという意味でも使われる。

Speaker's strong resolve to indicate working work hard to accomplish something or conviction that speaker can succeed. Used to encourage speaker by telling someone speaker's intentions. Sometimes used to show something through actions, as in sentence ④.

说话人强烈地想要向别人表达自己经过努力一定要做到或能做到时的表达方式。用通过向别人展示而达到鼓励自己的目的。如例句④，在别人面前以实际的动作来介绍某物时也可使用本句型。

"열심히 노력해서 달성하자, 달성할 수 있다" 라고 하는 말하는 사람（話者）의 강한 의지를 타인에게 나타내는 표현이다. 다른 사람에게 알림으로써 자기자신을 스스로 격려하고자 할 때 사용하는 표현방법이다. ④와 같이 다른 사람의 앞에서 실제 동작으로 뭔가를 소개한다고 하는 의미로도 사용된다.

てみる【try doing／试着做～／－해 보다】★4

①この新しいボールペンを使ってみました。とても書きやすいですよ。

②A：休みの日に日光へ行きませんか。
　B：日光ですか。いいですね。ぜひ１度行ってみたいと思っていたんです。

③（デパートで）客　：ちょっとこのスカートをはいてみてもいいですか。
　　　　　　　　店員：はい、こちらでどうぞ。

④A：コンサートの切符がまだあるか聞いてみましたが、もうないそうです。
　B：それは残念ですね。

Vて ＋みる

何かを知るために、試しにすることを表す。意志動詞につく。

Try something in order to find out more about it. Follows volitional verbs.

为了弄清楚一件事是什么而试着做某事。接在意志动词之后。

뭔가를 알기 위해서, 시험 삼아 해 보는 것을 나타낸다. 의지동사에 붙는다.

ても【even if／就算～／－해도／－하더라도】★4

①わたしはタイ語を知らないので、読んでもわかりません。

②A：いい仕事があったら、アルバイトをしますか。

　B：いいえ、勉強が大変なので、いい仕事があってもアルバイトはしません。

③この会社は給料は安いんですが、給料が高くなくても、わたしはこの会社で働きたいです。

④ジム：その仕事は日本語が下手でも、できるでしょうか。

　社員：ええ、この仕事は日本語が上手に話せなくても、できますよ。

⑤部屋の外から「山田さーん」と何回呼んだって、返事がないんです。

⑥こんな言葉、いくら調べたって、辞書にはありませんよ。

Vても／イAくても／ナAでも／Nでも

1）「～ても／でも、…」の形で、「～」が成立すると、当然「…」が成り立つはずなのに、成り立たないという意味を表す(逆接仮定)。譲歩の意味でも使う。　2）②のように「たら・ば・と」の質問に「いいえ」で答える場合にも使う。　3）①②のように仮定のことにも、③④のように既定のことにも、⑥のように両方になる場合にも使う。　4）⑤⑥のように、疑問詞とともによく使う。　5）くだけた会話では⑤⑥のように「でも」が「だって」、「ても」が「たって」になる。

参たって

1）Something that naturally should occur does not (paradoxical supposition). Also used to indicate compromise.　2）Used as negative answer to questions using たら, ば, and と.　3）Used for suppositions, as in sentences ① and ②, for established facts, as in sentences ③ and ④, and for situations that are both, as in sentence ⑥.　4）Often used in pattern "interrogative + ても," as in sentences ⑤ and ⑥.　5）In informal speech でも becomes だって, ても becomes たって as in sentences ⑤ and ⑥. →参

1）采用「～ても／でも、…」的形式，意为「～」成立的话，理所当然「…」也应该成立，但却没有成立（逆接假定）。也可用于表示让步。　2）如例句②，有时也用于以「いいえ」来回答「たら・ば・と」等的疑问。　3）无论是如例句①②的假定的事，还是如例句③④的既定的事，或者如例句⑥，既可能是假定也可能是既定的事，都可使用本句型。　4）如例句⑤⑥，常采用「疑问词＋～ても」的形式。　5）在较为通俗的对话中，如例句⑤⑥，「でも」变为「だって」，「ても」变为「たって」。 →参

1）「～ても／でも、…」의 형태로, 「～」가 성립하게 되면, 당연히 「…」가 성립되어야 하는데, 그렇지 않다고 하는 의미를 나타낸다 (역접가정). 양보의 의미로도 사용한다.　2）②와 같이 「たら・ば・と」의 질문에 「いいえ」로 대답하는 경우에도 사용한다.　3）①②처럼 가정의 문장에도, ③④처럼 기정 사실인 문장에도, ⑥과 같이 양쪽 모두인 경우에도 사용한다.　4）⑤⑥처럼, 의문사와 함께 자주 사용한다.　5）허물없는 사이의 대화에서는 ⑤⑥과 같은 「でも」는 「だって」, 「ても」는 「たって」가 된다. →参

でも　➡ても　200

てもいい〈許可〉【may／也可以／－해도 좋다/－해도 괜찮다】★4

①今日の会議は303号室を使ってもいいですよ。

②（部屋のドアをノックして）A：入ってもいいですか。

B：はい、どうぞ。

③A：同窓会の雑誌の原稿をメールで送ってもいいですか。

B：どうぞ、メールで送ってください。

④A：ここで、たばこを吸ってもいいでしょうか。

B：すみません。ここはちょっと。

◎ Vても　＋いい

1）許可を求めたり、与えたりする言い方。主に動詞につく。主語はふつう、省略される。 2）求めに対しての答えは「はい、Vてもいいです」「いいえ、Vてはいけません」より②③の「はい、どうぞ」「Vてください」、④の「すみません。ちょっと」「すみませんが、Vないでください」「すみませんが、…禁止になっています」などと言うことが多い。　3）先輩や目上の人に対して「てもいいです」は使わない方がいい。　◆△先生、わたしのカメラを使ってもいいです。→○先生、わたしのカメラを使ってください。

1）Seeks or grants permission. Generally follows verb; subject is omitted.　2）More common to answer petition with: はい、どうぞ. V てください, as in sentence ②③; すみません, ちょっと, as in sentence ④; すみませんが、V ないでください、or すみませんが、…禁止になっています than with はい、V てもいいです;いいえ、V てはいけません.　3）Best not to use てもいいです toward superiors. →◆

1）请求对方许可或同意对方的请求的表达方式。主要接在动词之后。一般会省略主语。　2）对于请求，与其回答「はい、Vてもいいです」「いいえ、Vてはいけません」，不如象例句②③那样，回答「はい、どうぞ」「Vてください」或象例句④那样，回答「すみません。ちょっと」「すみませんが、Vないでください」「すみませんが、…禁止になっています」等更为常见。　3）对于上司或长辈最好不要使用「てもいいです」。→◆

1）허가를 요구하거나，부여하거나 하는 표현방법이다．주로 동사에 붙는다．주어는 보통 생략된다．　2)요구에 대한 대답은「はい、Vてもいいです」「いいえ、Vてはいけません」보다는 ②③의「はい、どうぞ」「Vてください」④의「すみません。ちょっと。」「すみませんが、Vないでください」「すみませんが、…禁止になっています」등의 표현으로 말하는 경우가 많다．　3）선배나 손윗 사람에 대해서「てもいいです」는 사용하지 않는 편이 좋다．→◆

てもいい〈譲歩〉【(I) don't mind if／～倒也行／－해도 좋다/－해도 괜찮다】★4

①弟：兄さん、お金貸して。
　兄：え、またお金。貸し<u>てもいい</u>けど、1万円だけだよ。

②アパートを探しているんです。狭く<u>てもいい</u>んですが……。いい部屋はありませんか。

③簡単<u>でもいい</u>から、駅からの地図を描いてください。

④きのうのプリントなくしてしまったんです。コピー<u>でもいい</u>からもらえませんか？

⑤何時になっ<u>てもいい</u>から、今夜電話ください。

◎ Vても／イＡくても／ナＡでも／Ｎでも　＋いい

1）譲歩を表す言い方。最上ではないが、これでいいという意味を表す。　2）⑤は「疑問詞＋～てもいい」の形で「どの場合もいい」の意味に使う。

参 てもかまわない〈譲歩〉

1）Used for compromises. Something is not optimal but still acceptable.　2）In sentence ⑤, "interrogative + てもいい" indicates all possibilities are acceptable. →参

1）表示让步。意为虽然不是最高程度，但这样已经可以了。
2）例句⑤采用的「疑问词＋～てもいい」形式，意为"无论什么情况都可以"。 →参

1）양보를 나타내는 표현방법이다. 최고로 만족스러운 것은 아니지만, 이 정도로 만족한다고 하는 의미를 나타낸다.　2）⑤는「의문사＋～てもいい」의 형태로「어떤 경우라도 좋다」라는 의미로 사용한다. →参

でもいい　➡てもいい　201－202

てもかまわない〈許可〉【all right to／即使…也可以～／－해도 좋다/－해도 괜찮다】★4

①学生：授業中に飲み物を飲ん<u>でもかまいません</u>か。
　先生：あ、教室の中は、飲食禁止になっています。

②父　：子どもの運動会のとき、ビデオをとっ<u>てもかまいません</u>か。
　先生：ええ、いいですよ。どうぞ。

③燃えないごみはここに捨てないでください。燃えるごみは捨て<u>てもかまいません</u>。

④山崎　　：シャンナさん、寮に夜電話し<u>てもかまわない</u>でしょうか。
　シャンナ：大丈夫です。どうぞ、電話してください。

◎ Vても　＋ かまわない

1）許可を求めたり、与えたりする言い方。主に動詞につく。主語はふつう、省略される。求めに対しての答えは「はい、Vてもかまいません」「いいえ、Vてはいけません」より、②④のように「ええ」「どうぞ。Vてください」、また、不許可の場合は「すみませんが、ちょっと」「すみませんが、Vないでください」などを使うことが多い。　2）先輩や目上の人に対して、「てもかまいません」は使わない方がいい。　◆△先生、わたしのカメラを使ってもかまいません。→○先生、わたしのカメラを使ってください。
3）②の「Vてもかまいませんか」は自分の行為が支障がないかどうか聞く言い方で、「てもいいですか」より遠慮した聞き方である。　参 **てもいい〈許可〉**

1）Seeks or grants permission. Generally follows verb; subject is omitted. More common to answer petition with: ええ, どうぞ. Vてください as in sentence ②④; すみませんが, ちょっと or すみませんが, Vないでください when not permissible, than with はい, Vてもかまいません; いいえ, Vてはいけません.　2）Best not to use てもかまいません toward social superiors.　→◆
3）In sentence ②,Vてもかまいませんか asks if speaker's action will bother listener and is more reserved than てもいいですか.
→参

1）请求对方许可或同意对方的请求的表达方式。主要接在动词之后。一般会省略主语。对于请求，与其回答「はい、Vてもかまいません」「いいえ、Vてはいけません」，不如象例句②④那样，回答「ええ」「どうぞ。Vてください」。或者,不允许的时候回答「すみませんが、ちょっと」「すみませんが、Vないでください」等更为常见。　2）对于上司或长辈最好不要使用「てもかまいません」。→◆　3）例句②的「Vてもかまいませんか」是询问自己是否可做某事的表达方式，比「てもいいですか」更为客气。 →参

1）허가를 요구하거나，부여하거나 하는 표현방법이다．주로 동사에 붙는다．주어는 보통 생략된다．요구에 대한 대답은「はい、Vてもかまいません」「いいえ、Vてはいけません」보다는，②④와 같이「ええ」「どうぞ。Vてください」또한，요구를 불허하는 경우에는「すみませんが、ちょっと」「すみませんが、Vないでください」등을 사용하는 경우가 많다．　2）선배나 손 윗사람에게「てもかまいません」는 사용하지 않는 편이 좋다．→◆　3）②의「Vてもかまいませんか」는 자기의 행위가 지장이 있는지 없는지를 묻는 방법으로，「てもいいですか」보다 정중하게 묻는 표현이다．
→参

てもかまわない〈譲歩〉【all right with (me)／～也没关系／ - 해도 괜찮다 /- 해도 좋다】★4

①あなたが読みたいと言っていた本を持ってきましたよ。わたしはもう読んだから、返してくれなくてもかまいませんよ。
②狭くてもかまわないんですが安いアパートはありませんか。
③A：結婚する相手は、料理が上手な人がいい？
　B：別に。いい人なら、料理が下手でもかまわないよ。
④A：お昼ご飯は何を食べましょうか。
　B：わたしはおそばでも、カレーライスでも、何でもかまいませんよ。
⑤何時でもかまいませんから、かならず今夜電話をください。待っています。

◎ Vても／イAくても／ナAでも／Nでも　＋ かまわない

1）譲歩を表す言い方。最上ではないがこれでいいという意味を表す。　2）④⑤は「疑問詞＋～てもかまわない」の形で「どの場合も大丈夫」の意味に使う。

参 てもいい〈譲歩〉

1）Used for compromises. Something is not optimal but still acceptable. 2）Sentence ④ ⑤ uses pattern "interrogative + てもかまわない" to indicate that all possibilities are acceptable. →参

1）表示让步的句型。虽不是最高程度，但这样已经可以了之意。
2）例句④⑤采用「疑问词＋～てもかまわない」的形式，意为"无论什么情况都没关系"。→参

1）양보를 나타내는 표현방법이다. 최상의 조건은 아니지만 이것으로 만족한다고 하는 의미를 나타낸다. 2）④⑤는「의문사＋～てもかまわない」의 형태로「어떤 경우라도 괜찮다」는 의미로 사용한다. →参

でもかまわない　➡てもかまわない　202－204

てもさしつかえない

【～ても問題ない
no problem even if／～也没问题／ - 해도 괜찮다 /- 해도 상관없다】★2

①A：この写真、見てもさしつかえないですか。
　B：ええ、どうぞ。
②医者：少しぐらいならお酒を飲んでもさしつかえありませんよ。
③申込用紙はコピーでもさしつかえありません。
④支払いは今すぐでなくてもさしつかえありません。後でもいいですよ。
⑤ぼくは寝るときは部屋が明るくてもさしつかえない。どこでも寝られる。

◎ Vても／イAくても／ナAでも／Nでも ＋ さしつかえない

「〜ても・〜でも」で表される条件でも支障はない、と言いたいときに使う。「てもいい・てもかまわない」とだいたい同じ意味だが、「てもさしつかえない」の方が消極的な許可、消極的な譲歩、または遠慮した質問になる。

Means no problem with situation described before ても・でも. Nearly same as てもいい or てもかまわない but てもさしつかえない conveys more passive granting of permission or compromise, or is more reserved question.

即使是「〜ても・〜でも」所表示的条件也无妨，在想要表达这个意思时使用本句型。和「てもいい・てもかまわない」的意义大致相同，但「てもさしつかえない」更为消极，表示消极的许可、消极的让步或客气地询问。

「〜ても・〜でも」로 나타나는 조건이라도 지장은 없다라고 말하고자 할 때 사용한다.「てもいい・てもかまわない」와 대체로 비슷한 의미이지만,「てもさしつかえない」라고 하는 쪽이 소극적인 허가, 소극적인 양보, 또는 정중한 질문이 된다.

でもさしつかえない ➡てもさしつかえない 204

でもない ➡ないでもない 262

てもらう【have someone do something for (me)／请求／－해 주다】★4

①わたしは朝起きられないので、いつも母に頼んで起こしてもらいます。
②急にお金が必要になったので、友だちにお金を貸してもらった。
③わたしは、10年前おじに買ってもらった辞書を、今も使っています。
④わたしは、高橋先生にスピーチの作文を直していただきました。
⑤先生に教えていただいた歌を今でも覚えております。

◎ Vて ＋ もらう

1）親切な行為を受けることを表す言い方。行為を受ける人は「わたし」、または親切な行為をする人より心理的に「わたし」に近い人である。 ◆×メリーさん（＝行為を受ける人）は兄に折り紙を教えてもらいました。→○妹（＝行為を受ける人）はメリーさんに英語を教えてもらいました。 2）「Vてもらう」は、「Vてくれる」と違って、その行為を頼んだという感じがある。 3）「Vていただく」は④⑤のように行為をする人が目上の場合に使う。

参 もらう

1）Receipt of act of kindness. Person receiving kindness is speaker or someone psychologically close to speaker. → ◆ 2）Unlike Vてくれる, Vてもらう gives impression of having requested action. 3）Vていただく is used when person doing action is social superior, as in sentences ④ and ⑤. →参

1）表示接受对方的一个亲善的行为。接受行为的人为“我”，或和发出该亲善的动作的人相比，在心理上更靠近“我”的人。→◆ 2）「Vてもらう」和「Vてくれる」不同，语义中含有自己拜托别人做那个行为之意。 3）如例句④⑤「Vていただく」用于上司或长辈。 →参

1）친절한 행위를 받는 것을 나타내는 표현방법이다. 행위를 받는 사람은「わたし（나）」, 또는 친절한 행위를 하는 사람보다 심리적으로「わたし」에 가까운 사람이다. →◆ 2）「Vてもらう」는,「Vてくれる」와 달리, 그 행위를 부탁했다고 하는 느낌이 있다. 3）「Vていただく」는 ④⑤처럼 행위를 하는 사람이 손 윗사람인 경우에 사용한다. →参

てやまない【心から〜ている from the depths of one's heart ／衷心地〜／계속 - 하고 있다】★1

①くれぐれもお大事に。1日も早いご回復を祈ってやみません。

②今後も会員の皆さまのご活躍を願ってやみません。

③水不足で水道が止まっているそうですが、1日も早く雨が降るように祈ってやみません。

④震災地の復興を願ってやみません。

ⓞ Vて ＋やまない

1）「祈る・願う・愛する」などの動詞について、相手に対する気持ちが強く、ずっとそう思っていると言いたいときに使う。 2）話者の気持ちを表す言葉であるから、3人称の文にはほとんど使わない。

1）Verbs 祈る, 願う, and 愛する indicate speaker has held certain strong feelings toward someone for long time. 2）Expresses speaker's feelings; almost never used in the third person.

1）接在「祈る・願う・愛する」等动词之后，在想要向对方表明关怀对方的心情极为强烈、且一直不变之意时使用本句型。 2）由于本句型是用来表明说话人心情的，所以基本不用于第三人称的句子。

1）「祈る・願う・愛する」등의 동사에 대해서, 상대방에 대한 감정이 강하게, 죽 그렇게 생각하고 있다고 말하고자 할 때 사용한다. 2）말하는 사람（話者）의 기분을 나타내는 말로써, 3인칭 문장에는 거의 사용하지 않는다.

てやる ➡てあげる 163

てる ➡ている 168－171

てるところ ➡ところだ 235

と〈条件〉【once; when ／表示条件关系／ – 하면】★4

①暖かくなると、桜の花が咲きます。

②ここを強く押さないと、電気はつきません。

③となりの部屋がうるさいと、眠れません。

④外国語が上手だと、いろいろな仕事ができます。

⑤この学校は外国人でないと入れません。

⑥この道を右に曲がると、駅が見えます。

⑦わたしはおなかがすくと、いつもラーメンを作って食べます。

⑧A：会議の時間が変わったことを木村さんにも知らせないと。

　B：そうですね。

⑨母：ともちゃん、早く起きないと。もう7時半ですよ。

◎ **普通形**の現在形　＋と

1）「～と、…」の形で、「～」が成立した場合、必然的に「…」が成立する、という意味を表す。「…」の文末は現在形。　2）「…」には話す人の意志・依頼などを表す文は来ない。　◆×春になると、山へ遊びに行きましょう。→○春になると、きれいな花が咲きます。　3）話す人の意志のある行動でも、⑦のように習慣的な行為の場合は意志性が薄いので使える。　4）⑧⑨は話し言葉。このように「Vないと」は日常生活の中で相手や自分にある行動を取るように促す警告の意味でよく使われる。「Vないと」の後には「いけない・だめだ・困る」などの否定的な言葉が省略されている。

1）Second action inevitably occurs after first action. Sentence ending is in present tense.　2）Speaker's volition or request does not follow と. → ◆　3）Speaker's volitional actions can be used for habitual actions such as in sentence ⑦, since volition is muted.　4）Sentences ⑧ and ⑨ are spoken forms, and as is apparent, can often be used to urge speaker or others by using V ないと to take certain actions in daily life. Negatives such as いけない, だめだ, and 困る are omitted after V ないと.

1）采用「～と、…」的形式，意为「～」成立的情况下，「…」必然成立。「…」的句末采用现在时形式。　2）「…」处不出现表说话人的意志、请求等的句子。→◆　3）即使是说话人的意志性行为，但也如例句⑦那样，是习惯性的行为，其中的意志性含义很弱所以也可以使用本句型。　4）例句⑧⑨为口语。此种「Vないと」在日常生活中常用于催促对方或自己做某事，含有警告的意义。「Vないと」后面的表否定的「いけない・だめだ・困る」等词语被省略了。

1）「～と、…」의 형태로，「～」가 성립한 경우，필연적으로「…」가 성립한다，고 하는 의미를 나타낸다.「…」의 문말은 현재형이 온다.　2）「…」에는 말하는 사람（話者）의 의지，의뢰 등을 나타내는 문장은 오지 않는다.→◆　3）말하는 사람（話者）의 의지가 들어있는 행동이라도，⑦처럼 습관적인 행위의 경우는 의지성이 희박하므로 사용할 수 있다.　4）⑧⑨는 회화체 표현이다. 이처럼「V ないと」는 일상생활 속에서 상대방이나 자기 자신에게 어떤 행동을 취하도록 재촉하는 경고 의미로 자주 사용된다.「V ないと」의 뒤에는「いけない・だめだ・困る」등의 부정적인 말이 생략되어 있다.

と〈継起〉【～てすぐ (conditions) when ／～就／ – 하자 /– 하고 나서】★3

①兄は上着を着るとだまって出ていきました。
②次郎は手紙を読み終わると、すぐに返事を書き始めました。
③このごろ、マリはうちに帰ってくると、すぐどこかへ電話をかけます。

Vる ＋と

1）「～と、…」の形で「～の動作に続いてすぐ…の動作をする様子」を表す。
2）「～と…」の主語は同じ。　3）「…」には、話す人の意志や依頼を表す文は来ない。
4）③のように文末が現在形のときは、習慣的によくすることを表す。

1）Indicates that as soon as what precedes pattern is completed, second action takes place.　2）Subject of both verbs is same.　3）Speaker's volition or request does not appear in succeeding action.　4）When sentence ending is in present tense, as in sentence ③, indicates habitual action.

1）采用「～と、…」的形式，意为“紧接着～的动作马上就做了…的动作”　2）「～」和「…」的主语相同。　3）「…」处不能出现表说话人的意志或请求的动词。　4）如例句③，当句末为现在时形式的情况下，表示习惯性地经常做某事。

1）「～ と、…」의 형태로,「～의 동작에 이어서 바로 …의 동작을 하는 상태」를 나타낸다.　2）「～」과「…」의 주어는 같다.　3）「…」에는, 말하는 사람（話者）의 의지나 의뢰를 나타내는 문장은 오지 않는다.　4）③과 같이 문말이 현재형인 경우에는, 습관적으로 자주 그렇게 하는 것을 나타낸다.

と〈直接話法〉【says; said ／提示直接引语的内容／ – 라고】★4

①花子さんは「サッカーの試合をはじめて見ました」と言いました。
②祖母は「いち、に、さん」と言わないで「ひとつ、ふたつ、みっつ」と数えます。
③犬は「ワンワン」、ねこは「ニャーニャー」と鳴きます。
④あの子はぼくに「こんにちは」って言ったよ。

丁寧形・普通形　＋と　　1）参照

1）直接的な引用を表す。言う言葉をそのままの形で「　」に入れて「と」で受ける。②③のように「言う」以外の動詞でも使う。　2）話し言葉では④のように「って」を使う。

1）Direct quotations. Quoted phrase is repeated exactly as spoken, followed by to. Verbs other than 言う can be used, as in sentences ② and ③.　2）In conversation, って is used, as in sentence ④.

1）表示直接引语。说的话原封不动地放入「」内，后面接「と」。如例句②③，也可用于「言う」以外的动词。　2）在口语中，如例句④，使用「って」。

1）직접적인 인용을 나타낸다. 이야기하는 말을 그대로의 상태로「」에 넣어서「と」로 받는다. ②③처럼「言う」이외의 동사에서도 사용한다.　2）회화체 표현에서는 ④처럼「って」를 사용한다.

と〈間接話法〉【said／提示间接引语的内容／－라고】★4

①花子さんはサッカーの試合をはじめて見たと言いました。

②英語の“Thank you.”は日本語で「ありがとう」と言います。

③次郎はお父さんに早く会いたいと手紙に書きました。

④今日の漢字の試験は簡単だったと思う。

⑤初めてコアラを見たとき、かわいいなって思った。

◎ **普通形** ＋と

1）間接的な引用を表す。言った内容を「　」に入れないで「と」で受ける。2）直接話法を間接話法にするとき、丁寧体で話したことや書いたことを普通形にして「と」で受ける。　3）間接話法にすると、人称の言い方や視点のある動詞「行く－来る」なども変わる。　◆マリは「わたしは来週あなたの家に行きます」と言った。→マリは、来週わたしの家に来ると言った。　4）話し言葉では⑤のように「って」を使う。

1）Indirect quotations. Quotation does not precede と.　2）When converting direct discourse into indirect, polite spoken speech or written forms are put into plain form and followed by と.　3）With indirect discourse, verbs that reflect person or point of view change, e.g., 行く becomes 来る, etc. →◆　4）In speech, って is used, as in sentence ⑤.

1）表时间接引用。说的内容放入「 」中，后面接「と」。2）将直接引语变为间接引语的时候，把礼貌体或书面语变成普通形，后面接「と」。　3）变为间接引语时，人称的表达方式以及带有视点的动词，如「行く－来る」等也要跟着发生变化。→◆　4）在口语中，如例句⑤使用「って」。

1）간접적인 인용을 나타낸다. 말한 내용을「」에 넣지 않고「と」로 받는다.　2）직접화법을 간접화법으로 할 때, 정중체로 말한 것이나 쓴 것을 보통형으로 해서「と」로 받는다.　3）간접화법으로 하면, 인칭의 표현방법이나 시점이 있는 동사「行く－来る」등도 변한다. →◆　4）회화체 표현에서는 ⑤처럼「って」를 사용한다.

と～(のに)〈反実仮想〉

【(non-actual supposition) if only／与事实相反的假设／－하면 (－할 텐데)】★3

①伊藤：きのうのパーティーは楽しかったですよ。木村さんも来られるとよかったのに。

木村：そうですか。行けなくて、残念でした。

②田中さんは、もう少し友だちの意見を聞くといいのに……。

③（助手をする人について）もっと経験のある人だとよかったんだけれど。

◎ **普通形**の現在形 ＋ と～（のに）

1）「～と、…のに／けれど」の形で、「～と」で事実とは違うことを仮想して、「…」で実現しなかったことについて、残念な気持ちを述べる。2）文末は「のに・けれど」などの表現が多い。

参 たら～（のに）・ば～（のに）〈反実仮想〉

1）Using the form ～と、…のに／けれど, imagines something contrary to fact and expresses feelings of regret or gladness that fact was not realized.　2）Often words such as のに、or けれど occur at end of sentence. →参

1）采用「～と、…のに／けれど」的形式，在「～と」部分提出一个与事实相反的假设，在「…」部分对其没能实现表示一种遗憾的心情。　2）句末多为「のに・けれど」等表达方式。→参

1）「～と、…のに／けれど」의 형태로,「～と」로 사실과는 다르다는 것을 가정해서,「…」로 실현하지 못한 것에 대해서, 유감스러움을 진술한다. 2)문말은「のに·けれど」등의 표현이 많다. →参

とあいまって 【～と影響し合って go hand in hand with／再加上／－과 합쳐져서／－과 섞여서】★1

①彼の才能は人一倍の努力と相まって、みごとに花を咲かせた。

②彼の厳しい性格は、社会的に受け入れられなかった不満と相まって、ますますその度を増していった。

③日本の山の多い地形が、島国という環境と相まって、日本人の性格を形成しているのかもしれない。

◎ N ＋ と相まって

「～と相まって」の形で「ある事柄に、～という別の事柄が加わって、よりいっそうの効果を生む」という意味。

Second element is added to first to increase intensity of result.

采用「～とあいまって」的形式，表示“在某件事之上，再加上～这一特别的事，产生了更加有力的效果”之意。

「～とあいまって」의 형태로「어떤 사항에 ～라고 하는 다른 사항이 부가되어서, 가일층의 효과를 낳는다」라는 의미이다.

とあって 【～という状況なので／～ので being／因为处在～的情况下，所以…／－라서】★1

①アフリカへ行くのは初めてとあって、会員たちは興奮気味であった。

②夏物の売り出しが始まったが、景気が上向きとあって、商店街の人出はよかった。

③久しぶりの晴天の休日とあって、山は紅葉を楽しむ人でいっぱいだ。

④苦しい練習を乗り越えての優勝とあって、どの選手の顔も喜びにあふれていた。

◎ N／普通形 ＋とあって

「～とあって、…」の形で、「～」では特別な様子や状況について述べ、「…」ではそれが理由となって起こることについて言う。話者の観察したことを述べることが多い。ニュースなどでよく使われる。

Special situation or appearance is described before pattern; resultant situation is described following pattern. Often used to describe speaker's observations. Often used in news.

采用「～とあって、…」的形式，意为在「～」这种特别的样子或状态之下，「…」部分陈述以此为理由而发生的事。多为说话人阐述自己观察到的某事。常用于新闻报道语言。

「～とあって、…」의 형태로,「～」에서는 특별한 상태나 상황에 대해서 진술하고,「…」에서는 그것이 이유가 되어 일어난 일에 대해 말한다. 말하는 사람 (話者) 이 관찰한 것을 진술하는 경우가 많다. 뉴스 등에서 자주 사용한다.

とあれば【～なら if for…／只要是～就一定…／－라면 /－라고 한다면】★1

①子どもの教育費<u>とあれば</u>、多少の出費もしかたがない。

②彼は人柄がいいから、彼のため<u>とあれば</u>協力を惜しまない人が多いだろう。

◎ N ＋とあれば

1）「～とあれば」の形で、「～のためなら、または、～のためだから、そのことは必要だ、受け入れられる」と言いたいときに使う。 2）慣用的に「～ためとあれば」の形で使われることが多い。後には依頼や誘いの文は来ない。

1）Necessary or acceptable because is for something. 2）Often used in idiom ためとあれば. Requests and invitations do not follow.

1）采用「～とあれば」的形式，意为"如果是为了～，或正是因为～，则有必要那么做，可以接受"。 2）惯用形多采用「～ためとあれば」的形式。后半句不能出现表示请求或劝诱的句子。

1）「～ とあれば」의 형태로「～을 위해서라면, 또는, ～을 위해서이니까, 그것은 필요하다, 받아들일 수 있다」라고 말하고자 할 때 사용한다. 2）관용적으로「～ためとあれば」의 형태로 사용되는 경우가 많다. 뒤에는 의뢰나 권유의 문장은 오지 않는다.

といい〈希望〉【(hope) would be good if／要是～该多好／－면 좋겠다】★4

①（スポーツ大会の前日）A：あした、雨が降らないといいですね。
B：そうですね。いい天気になるといいですね。

②A：赤ちゃんができたんだって？　おめでとう。男の子と女の子とどっちがいい？
B：そうだなあ。今度は女の子だといいな。

③学校がもうちょっと駅から近いといいんだけど。

④正月には国へ帰れるといいなあ。

◎ **普通形**の現在形　＋といい

1）そうなってほしいという希望や願いを伝えるときに使う。　2）文末に詠嘆の気持ちを表す「なあ」をつけることが多い。　3）実現が難しいと感じている場合には③のように文末に「けど･のに･が」などをつけることが多い。　4）「～といい」の「～」には話す人の意志を含む言葉は使わない。　◆×正月には国へ帰るといいなあ。
5）「たらいい・ばいい」とは互いに言い換えができる。

参たらいい〈希望〉・ばいい〈希望〉

1）Expresses hope that something will happen or conveys wishes.　2）Often ends with exclamatory なあ.　3）When situation seems difficult to realize, phrases such as けど, のに, or が are appended to end of sentence, as in sentence ③.　4）Words expressing speaker's volition are not included before といい. →◆　5）Interchangeable with たらいい and ばいい.　→参.

1）用于传达“希望成为那样”的希望、愿望。　2）句末常出现表示感叹语气的「なあ」。　3）感到很难实现时候，如例句③，多在句末加上「けど・のに・が」等。　4）「～といい」的「～」部分，不能使用包含说话人意志的词语。→◆　5）可以和「たらいい・ばいい」互换使用。　→参

1）그렇게 되기를 바란다고 하는 희망이나 바람을 전할 때에 사용한다.　2）문말에는 감탄의 기분을 나타내는「なあ」를 붙이는 경우가 많다.　3）실현하기 어렵다고 느끼고 있는 경우에는 ③처럼 문말에「けど・のに・が」등을 붙이는 경우가 많다.　4）「～といい」의「～」에는 말하는 사람（話者）의 의지를 내포한 말은 사용하지 않는다. →◆　5）「たらいい・ばいい」와 서로 교환해서 사용할 수 있다.　→参

といい〈勧め〉【(recommendation) good if (you)／请你做～，你最好做～／－하면 좋다】★4

①眠れないときは、ちょっとお酒を飲むといい。

②海外旅行には、軽い電子辞書を持っていくといい。

③この結婚式場は夏ならすいているから、夏に式を挙げるといいですよ。

④クリーニング屋なら、A店に行くといいです。サービスがいいから。

V る ＋といい

1）「そうするのがいい案だ」という意味を表し、ほかの人に勧めたり提案したり助言したりするときに使う。 2）同じ意味の表現に「たらいい・ばいい」がある。 3）「どうするのが適切か」と質問する場合には「どうするといいか」は使えない。「どうしたらいいか」か「どうすればいいか」を使う。 ◆×眠れないとき、どうするといいですか。→○眠れないとき、どうしたらいいですか。 4）しないことを勧める場合は「V ない方がいい」を使う。 ◆×しないといい。→○しない方がいい。

参たらいい〈勧め〉・ばいい〈勧め〉

1）Advises or recommends plan considered good to someone. 2）Forms たらいい and ばいい have same meaning. 3）どうするといいか is not used when asking what would be appropriate approach to something. →◆
4）For negative, use V ない方がいい. →◆
→参

1）表示"那样做是个好提议"，规劝别人，给别人提议或劝导时使用本句型。 2）同义表达方式还有「たらいい・ばいい」。
3）在想要问"怎么做合适"时，不能使用「どうするといいか」，而是使用「どうしたらいいか」或「どうすればいいか」。 →◆
4）在劝别人不要做某事时，使用「V ない方がいい」。→◆ →参
1）「그렇게 하는 것이 좋은 제안이다」라는 의미를 나타내고, 다른 사람에게 권하거나 제안하거나 조언하거나 할 때에 사용한다. 2）같은 의미의 표현으로「たらいい・ばいい」가 있다. 3）「どうするのが適切か」로 질문하는 경우에는「どうするといいか」는 사용할 수 없다.「どうしたらいいか」나「どうすればいいか」를 사용한다. →◆
4）하지 않도록 권유하는 경우에는「V ない方がいい」를 사용한다. →◆
→参

といい〜といい 【〜も〜も both…and／〜也〜也／－도 좋고 －도 좋고/－도 그렇고 －도 그렇고】 ☆1

①デザイン<u>といい</u>色<u>といい</u>、彼の作品が最優秀だと思う。
②頭のよさ<u>といい</u>気のやさしさ<u>といい</u>、彼はリーダーとしてふさわしい人間だ。
③リーさん<u>といい</u>ラムさん<u>といい</u>、このクラスにはおもしろい人が多い。
④額の広いところ<u>といい</u>あごの四角いところ<u>といい</u>、この子は父親にそっくりだ。

N ＋といい＋N ＋といい

ある事柄について、いくつかの例を取り上げて「どの点から見ても〜だ」と話者の評価を言いたいときに使う。

Speaker gives evaluations by enumerating several examples to show that no matter what angle issue is viewed from, result is same.

对于某个事物，举出若干例子，在要表达说话人对于该事物"无论从哪个角度看都〜"的评价时，使用本句型。
어떤 사항에 대해서, 몇 가지 예를 들어「어떤 점에서 보더라도 ~이다」라고 말하는 사람(話者)의 평가를 말하고자 할 때 사용한다.

という〈名前の紹介〉【is called／介绍名字／－라고 하다/－라고 부르다】★5

①この花の名前は「スミレ」といいます。

②A：会長さんは何というお名前ですか？

　B：会長は木村といいます。

③はじめまして。前田と申します。

④わたし「ちあき」っていうの。どうぞ、よろしく。

◎ N　＋という

1）人や物の名を言うときの言い方。　2）③の「と申します」は「という」の謙譲の言い方。　3）④のように、話し言葉では「っていう」を使う。　参って〈名前〉

1）Gives names of people or things. 2）と申します in sentence ③ is humble form of という. 3）In conversation, っていう is used, as in sentence ④. →参

1）人或物的名字的表达方式。　2）例句③的「と申します」是「という」的自谦语。　3）如例句④,在口语中使用「っていう」。→参

1）사람이나 물건의 명칭을 말할 때의 표현방법이다. 2）③의「と申します」는「という」의 겸손한 표현방법이다. 3）④와 같이, 회화체에서는「っていう」를 사용한다. →参

という〈名前〉【N called N／提示名字／－라는/－라고 하는】★4

①むかしむかし、桃太郎という男の子がいました。

②山口県の萩という所へ行ってきました。

③わたしは小林というものですが、ラヒムさんという方はいらっしゃいませんか。

④ニュージーランドの「キウイ」っていう鳥はとてもかわいいです。

◎ N　＋という

1）「～というN」の形で、よく知らない人や物や場所の名を言うときに使う。

2）話し言葉では④のように、「っていう」となる。くだけた話し方では「ってN」と言う。

参って〈名前〉

1）Gives names of someone, something, or somewhere that is not well known. 2）In conversation っていう is used, as in sentence ④. In informal speech, って N is used. →参

1）采用「～というN」的形式, 在说到不太了解的人、物或场所的名字时使用本句型。　2）如例句④,在口语中变为「っていう」。较为通俗的说法为「ってN」。→参

1）「～というN」의 형태로, 잘 모르는 사람이나 물건, 장소의 명칭을 말할 때에 사용한다. 2）회화체에서는 ④처럼,「っていう」가 된다. 허물없는 사이에서는「ってN」이라고 한다. →参

という〈内容説明〉【explaining that／提示内容／－라고 하는】★3

①母から来月日本へ来るという手紙が来ました。

②兄から結婚するという知らせが来た。

③日本では少子化がもっと進むだろうという記事を読んだ。

④この学校には、生徒は髪を染めてはいけないっていう規則があるんだ。

◎ **普通形** ＋ という

1）「～というN」の形で、Nの内容を説明する言い方。Nは電話・知らせ・記事などの情報関係のもののほか、規則・意見・事件などの内容を説明する場合にも使う。

2）話し言葉では、④のように「っていう」や「って」を使う。

1）Describes nominal, which represents telephone calls, notices, articles, other information, as well as rules, opinions, incidents, etc.　2）In conversation, っていう or って is used, as in sentence ④.

1）采用「～というN」的形式，是说明N的内容的表达方式。N为电话、通知、报道等与信息有关的内容，以及规则、意见、事件等的内容。　2）如例句④,在口语中使用「っていう」或「って」。

1)「～というN」의 형태로，N의 내용을 설명하는 표현방법이다．N은 전화 · 알림 · 기사 등의 정보관계 이외에，규칙，의견，사건 등의 내용을 설명하는 경우에도 사용한다．　2)회화체에서는，④와 같이「っていう」나「って」를 사용한다．

というか～というか

【～と言ったらいいのか～と言ったらいいのか
don't know if should call it…or…／说成是～还是～／－라고 해야 할지 －라고 해야 할지】★2

①A：山の方に別荘をお持ちなんですって。

　B：ええ、まあ、別荘というか小屋というか、たまに週末を過ごしに行くだけなんですがね。

②わたしが子どものころ住んでいた所には、川というか小川というかきれいな流れがあって、そこでよく魚をとって遊んだものです。

③この店の従業員は親切というかよく気がつくというか、とにかくみんな感じがいい。

◎ N／**普通形**（ナA／N） ＋ というか ＋ N／**普通形**（ナA／N） ＋ というか

話題になっているものごとについて、一つの言い方での断定を避けて、いろいろ言葉を変えて説明してみる言い方。

When explaining topic, speaker avoids deciding on one description and instead tries a variety of ways to explain problem.

对于话题中的事物，避免只将其断定为一种说法，而是变换各种说法来说明它。

화제가 되고 있는 사항에 대해서 , 한마디로 단정짓는 것을 피해서 이런 저런 말로 바꾸어서 설명해 보는 표현방법이다 .

ということだ〈伝聞〉【～そうだ／～と聞いている (I) hear that／据说，听说／－라고 한다】★3

①今は田畑しかないが、昔はこの辺りが町の中心だったということだ。

②新聞によると、あの事件はやっと解決に向かったとのことです。

③大統領の来日は今月 10 日ということだったが、来月に延期されたそうだ。また、今回は夫人は同行しないだろうとのことだ。

④お手紙によると、太郎君も来年はいよいよ社会人になられるとのこと、ご活躍を心から祈っています。

◎ 2）参照

1）伝聞の言い方。　2）伝聞の「そうだ」が普通形だけを受けるのに対し、「ということだ」は、基本的には普通形に続くが、直接的な引用という感じが強いので、命令や、③のように推量の形なども来る。また、「～ということだった」という過去の形もある。②～④の「とのことだ」も同じ意味、用法である。　3）④のように、「とのこと」は特に手紙文で「～だそうですが」の意味で使う。

1）Hearsay.　2）In contrast with hearsay form そうだ, which takes only plain form, ということだ normally follows plain form, but because of strong sense of direct quotation, can be used with commands or conjecture, as in sentence ③. Past tense form: ということだった. In sentences ② to ④ とのことだ has same meaning and usage.　3）とのこと is especially common in letters with meaning だそうですが, as in sentence ④.

1）表示传闻。　2）表示传闻的「そうだ」相比，「そうだ」只能接普通形，而「ということだ」基本上是接普通形的，但是本句型包含强烈的直接引用的语感，所以也可以接命令形，或者像例句③那样，接推量形。此外，本句型还有过去形「～ということだった」。②～④的「とのことだ」与本句型意义、用法相同。　3）如例句④，特别是在书信用语中，「～とのこと」意思是「～だそうですが」。

1）타인의 말을 전달하는 표현방법이다 .　2）전문의「そうだ」가 보통형 만을 받는 것에 반해 ,「ということだ」는 , 기본적으로는 보통형에 이어지지만 , 직접적인 인용이라고 하는 느낌이 강하므로 , 명령이나 , ③처럼 추측의 형태 등도 온다 . 또한 ,「～ということだった」라고 하는 과거형도 있다 . ②～④처럼「とのことだ」도 같은 의미 , 용법을 지닌다 .　3）④처럼「とのこと」는 특히 서간문 (편지) 에서「～だそうですが」의 의미로 사용한다 .

ということだ〈結論〉【つまり～だ (conclusion) in other words／总之就是～／－이다 /－라는 것이다】★3

①社長は急に出張したので、今日は会社に来られません。つまり、会議はできないということです。

②山田さんはまだ来ていませんか。つまり、また遅刻ということですね。

③係の人：明日は特別の行事のため、この駐車場は臨時に駐車禁止になります。

　客　　：ということは、つまり車では来るなということですね。

◎２）参照

１）ある事実を受けて、そこから「つまり～だ」と結論を引き出したり、それについて解釈を述べたりする言い方。③は相手の言ったことを受けて、相手に確かめたりする言い方。　２）接続は基本的には普通形につくが、話者がたまたま述べる解釈や結論につくので、さまざまな形に続く。

1) Infers conclusions or gives interpretations about events. Also used as in sentence ③ to confirm what other party has said.　2) Usually appends to plain form, but because speaker occasionally uses with interpretation or conclusions, can be appended to various forms.

1）在某一事实的基础上，用「つまり～だ」引出结论，或者对该事实进行解释的表达方式。例句③为听了对方的话后向对方核实等。2）接续主要是接普通形，但由于是接在说话人偶尔作出的解释或结论之后，所以也就不排斥接各种形。

1) 어떤 사실을 받아서, 그로부터「즉 ~이다」라고 결론을 이끌어 내거나, 그에 대한 해석을 진술하거나 하는 표현방법이다. ③은 상대방이 말한 것을 받아서, 상대방에게 확인하거나 하는 표현방법이다.　2) 접속은 기본적으로는 보통형에 붙지만, 말하는 사람 (話者) 이 때마침 진술하는 해석이나 결론에 이어지므로, 여러 가지 형태에 이어진다.

ということは　➡というものは　222

というと〈連想〉【～という言葉を使うと whenever…comes to mind／一提到～／－라고 하면】★2

①この町に新しく病院ができた。病院というとただ四角いだけの建物を想像するが、この病院はカントリーホテルという感じのものだ。

②わたしは草花研究会で野草の研究をしています。研究をしているというと難しいことを想像するでしょうが、野や山を歩いて野草の観察をするんです。

③小学校というと大勢の子どもたちや広い校庭がまず頭に浮かぶでしょうが、わたしの通った小学校は山の中の小さな寺のようなものでした。

◎N／普通形 ＋というと

あることを話題にしたとき、すぐ浮かぶイメージを言う言い方。

Expresses image that immediately comes to mind when speaking on some topic.

当以某个事物为话题的时候，马上就能让人联想到的画面。
어떤 일을 화제로 했을 때, 바로 떠오르는 이미지를 말하는 표현 방법이다.

というと〈確認〉【あなたが今言った～は when (you) say… do (you) mean…／你刚才说的～／－라면 / 그렇다면】★2

①A：林さんが結婚したそうです。あいさつ状が来ました。
　B：林さんというと、前にここの受付をしていた林さんのことですか。
②A：リーさんは荷物を整理して、もう国へ帰りました。
　B：帰ったというと、もう日本には戻らないということでしょうか。
③A：ヤンさんの家族は今３人ですよ。
　B：というと、赤ちゃんが生まれたのですね。

◎2）参照

1）相手の言った言葉を受けて、それが自分の思っている内容と同じかどうか確かめるときに使う。　2）接続は、取り上げようとする言葉にそのまま続ける場合が多い。
3）③のように「というと」の前を省略して接続詞的に使う場合もある。

1）Verifies that what other party says coincides with what listener thinks about topic.　2）Often appended directly to topic brought up.　3）Sometimes used as conjunction after discourse that has been omitted, as in sentence ③.

1）听了对方的话后，确认其和自己所想的内容是否一致时，使用本句型。　2）接续方面，多原封不动的接在选取的话语之后。
3）如例句③,省略「というと」之前的内容,整体上作接续词使用。
1）상대방이 한 말을 받아서, 그것이 자기가 생각하고 있는 내용과 같은지 어떤지를 확인할 때에 사용한다.　2）접속은, 예를 들려고 하는 말에 그대로 이어지는 경우가 많다.　3）③처럼「というと」의 앞을 생략해서 접속사적으로 사용하는 경우도 있다.

というと　➡はというと　349

というところだ【最高でも～だ／せいぜい～だ at the most／最多不过～／－라고 하는 정도다】★1

①来年度わたしがもらえそうな奨学金はせいぜい５万円というところだ。
②わたしが作れる料理ですか。そうですねえ。卵焼き、みそ汁といったところです。
③毎日の睡眠時間？　だいたい６時間といったところです。

◎N　＋というところだ

「せいぜい〜だ・最高でも〜だ・〜以上ではない」と言いたいときの言い方。あまり多くないと思える数量や、軽いと感じられる言葉に接続する。②③の「といったところだ」も同じ意味・用法である。

Upper limits. Conjunction with amounts not considered very high, or with something that seems insignificant. In sentence ②③, といったところだ has same meaning and usage.

在想要表达“充其量〜，最多只能〜，无法超出〜”之意时，使用本句型。接在表示数量不太多或程度较轻等词语之后。例句②③的「といったところだ」，其意义、用法与本句型相同。

「기껏해야 ~다 / 아무리 좋아도 ~다 / ~이상은 아니다」라고 말하고자 할 때 사용하는 표현방법이다. 그리 많지 않다고 생각할 수 있는 수량이나, 가볍게 느껴지는 말에 접속한다. ②③의「といったところだ」와도 같은 의미, 용법이다.

というのは【〜は a…is…／所谓〜就是…／ − 라고 하는 것은 /− 란】★3

①教育ママというのは自分の子どもの教育に熱心な母親のことです。

②「いたしかたがない」というのはどういう意味ですか。

③パソコンで「上書き保存」というのは訂正した文書を保存するという意味です。

④A：空梅雨って何ですか。

B：空梅雨っていうのは、ほとんど雨が降らない梅雨のことだよ。

◎N　＋というのは

1）ある語句の意味や定義を言うときに使う。「〜というのは…ことだ・…ものだ・…という意味だ」という形を取ることが多い。「とは」と同じ意味・用法だが、「とは」より話し言葉的である。　2）くだけた会話では「っていうのは・って」という形になる。

参って〈主題〉・とは〈定義〉

1）Explains meaning or definition of phrase. Often in patterns 〜というのは…ことだ,…ものだ…という意味だ. More colloquial than とは, but has same meaning and usage.　2）In informal speech becomes っていうのは, or って. →参

1）用于说明一个短语的意义或定义。多采用「〜というのは…ことだ、…ものだ、…という意味だ」的形式。与「とは」的意义、用法基本相同，但较「とは」更为口语化。　2）在较为通俗的会话中，变为「っていうのは・って」等形式。 →参

1）어떤 어구의 의미, 정의를 말할 때 사용한다.「~라고 하는 것은 …것이다, …것이다, …라고 하는 의미다」라는 형태를 취하는 경우가 많다.「とは」와 같은 의미, 용법이지만,「とは」보다 회화체적인 표현이다.　2）허물없는 사이의 대화에서는「っていうのは・って」라는 형태가 된다. →参

というもの【～という長い間 for this long time／这么长时间／－라고 하는 긴 시간동안】★1

①結婚して以来30年というもの、刺激に満ちた楽しい日々であった。

②地震が起こって以来、この5日というもの食事らしい食事は1度もしていない。

③彼は山の中で迷ってしまい、12時間というもの何も食べないでぐったりしているところを救援隊に救われた。

④突然子どもがいなくなって以来のこの10年というものは、わたしにとっていつも霧の中をさ迷っているような気分だった。

期間を表す言葉　＋というもの

期間や時間を表す言葉について、それが長いことを感情を込めて言う。後には継続を表す文が来る。「というもの」に「は」がつくと、より詠嘆的になる。

Time period or time that feels long. Clauses of continuation follow. When は is appended to というもの, sentence becomes more exclamatory.

接在表示期间、时间的词语之后，带着感情来讲述这段时间之长。后半句使用在时间上有延续性的句子。如果「というもの」在之上再加一个「は」的话，更加深了感叹语气。

기간이나 시간을 나타내는 말에 붙어서, 그것이 상당히 오래되었다고 하는 것을 감정을 넣어서 말한다. 뒤에는 계속을 나타내는 문장이 온다.「というもの」에「は」가 붙으면, 보다 감탄적인 표현이 된다.

というものだ【本当に～だと思う feel from the heart／认为实在是…，觉得确实是／－라고 할 수 밖에 없다】★2

①親が子どもの遊びまでうるさく言う……。あれでは子どもがかわいそうというものだ。

②あの議員は公費で夫人と私的な海外旅行をした。それはずうずうしいというものだ。

③困ったときには助けるのが真の友情というものでしょう。

④長い間の研究がようやく認められた。努力のかいがあったというものだ。

普通形（ナA／N）　＋というものだ

1）話者がある事実を見て、それについて感想・批判を断定的に言うときに使う。

2）過去形や否定形はない。いつも「というものだ」の形で使う。

1) Speaker gives impressions, criticisms, or conclusive remarks about some issue. 2) No past or negative forms. Always in form というものだ.

1）说话人看到某个事实，对此发表断定式的感想、评论等时，使用本句型。 2）没有过去形、否定形。常采用「～というものだ」的形式。

1) 말하는 사람 (話者) 이 있는 사실을 보고, 그에 대한 감상, 비판을 단정적으로 말할 때에 사용한다. 2) 과거형이나 부정형은 없다. 항상「というものだ」라는 형태를 사용한다.

というものではない

【～とはいえない
It can't be said that; it's not the case／不能说～／항상 - 라고 할 수는 없다】★2

①楽器は習っていれば自然にできるようになる<u>というものではない</u>。練習が必要だ。

②会議では何を言うかが大切だ。ただ出席していればいい<u>というものではない</u>。

③鉄道は速ければいい<u>というものでもありません</u>。乗客の安全が第一です。

④まじめな人だから仕事ができる<u>というものでもない</u>。

普通形 ＋ というものではない

1）「いつも必ず～とは言えない」と言いたいときの表現。ある主張や考えが正しいと言えないこともあると婉曲に、または部分的に否定する言い方。 2）②③のように「～ばいいというものでは（も）ない」という形でよく使う。

1) Something isn't always the case. Euphemistically states certain assertion or idea cannot be considered correct. Also used to partially negate something. 2) Often used in pattern ～ばいいというものでは（も）ない as in sentences ② and ③.

1）在想要表达"不能说总是～"之意时使用本句型。委婉地表达某种主张或想法并不能说十分正确，或部分否定该主张或想法。 2）如例句②③，常采用「～ばいいというものでは（も）ない」的形式。

1)「항상 반드시 ～라고 할 수는 없다」라고 말하고자 할 때의 표현이다. 어떤 주장이나 생각이 반드시 맞다고 할 수만은 없다고 완곡하게, 또는 부분적으로 부정하는 표현방법이다. 2) ②③과 같이「～ばいいというものでは（も）ない」라는 형태로 자주 사용한다.

というものでもない ➡というものではない 221

というものは【~は is; are ／所谓的~就是…／ – 라는 것은 /– 라고 하는 것은】★2

①親<u>というものは</u>ありがたいものだ。
②外国で一人で暮らす大変さ<u>というものは</u>、経験しないとわからない。
③ふるさと<u>というものは</u>遠く離れるといっそう懐かしくなる。
④社会を変える<u>ということは</u>大変なことだ。
⑤体が丈夫だ<u>ということは</u>ありがたいことだと思っています。
⑥自由時間が十分にある<u>ってことは</u>ほんとうにいいことだ。

◎ N ＋というものは　**普通形**　＋ということは

1）本質や普遍的な性質を感情を込めて述べるために、あることを話題として取り上げるときに使う。後の文には話者の感想・感慨などを表す文が来る。　2）名詞を受ける場合には①~③のように「というものは」、文を受ける場合には④~⑥のように「ということは」の形になる。　3）くだけた会話では⑥のように「ってことは」「って」という形になる。

1）Raises issues to describe with emotion essence or universal nature of something. Words expressing speaker's impressions or deep-felt emotions follow.　2）When describing nouns, というものは is used, as in sentences ① to ③. For phrases, ということは is used, as in sentences ④ to ⑥.　3）In informal speech, becomes ってことは or って, as in sentence ⑥.

1）为了带着感情去描述事物的本质或一般性质，把一件事作为话题提出来。后半句使用表示说话人的感受、感慨的句子。　2）接名词时，如例句①②③，采用「~というものは」的形式；接句子时，如例句④⑤⑥，采用「~ということは」的形式。　3）较为通俗的会话中变为「ってことは」、「って」等形式。

1）본질이나 보편적인 성질을 감정을 넣어서 이야기하기 위해，어떤 일을 화제로 채택할 때에 사용한다．뒤에 오는 문장에는 말하는 사람（話者）의 감상，감회 등을 나타내는 문장이 온다．　2）명사를 받는 경우에는 ①~③처럼「というものは」，문장을 받을 경우에는 ④~⑥과 같이「ということは」의 형태가 된다．　3）허물없는 대화에서는 ⑥처럼「ってことは」「って」라는 형태가 된다．

というより

【～という言い方をするより、むしろ
more than calling it…; rather than calling it…／与其说～不如说…／ - 라기 보다 /- 라고 하기 보다】★3

①コンピューターゲームは子どものおもちゃというより、今や大人向けの一大産業となっている。

②A：この辺はにぎやかですね。

B：にぎやかというより、人通りや車の音でうるさいくらいなんです。

③子ども：選挙で投票するというのは、国民の義務なんでしょう。

父親　：義務というよりむしろ権利なんだよ。

④部下：やはり田中さんにあいさつに行った方がいいでしょうか。

課長：というより、行かなければならないでしょうね。

◎ 2）参照

1）あることについて表現したり判断したりするとき、「～と言うより、(言葉を変えて)～と言った方が当たっている」と言いたいときに使う。　2）接続は、取り上げようとする言葉にそのまま続ける場合が多い。④は、取り上げようとする内容を省略して、接続詞的に使った例文。

1）Rather than express something or judge something to be one way, might be better to call it something else.　2）Often appends directly to phrase it describes. Sentence ④ is example of case in which subject is omitted, and pattern is used as conjunction.

1）在表现或判断一件事的时候，要表达“与其说～（转换语言），不如说～更为合适”之意时使用本句型。　2）接续方面，原封不动的接在引用的词语之后即可。例句④省略了引用的内容，作为接续词使用。

1）어떤 일에 대해 표현하거나 판단하거나 할 때에 ,「～라고 하기 보다 ,（말을 바꾸어서）～라고 말하는 편이 맞는다」고 말하고자 할 때에 사용한다 .　2）접속은 화제로 삼으려고 하는 말에 그대로 이어지는 경우가 많다 . ④는 화제로 삼으려고 하는 내용을 생략해서 , 접속사적으로 사용한 예문이다 .

といえども

【～であっても／といっても
even though／虽说～／비록 - 라고 하더라도】★1

①高齢者といえども、まだまだ意欲的な人が大勢いる。

②副主任といえども、監督者なら事故の責任は逃れられない。

③彼は暴力で友だちから金を取り上げるということをしたのだから、未成年といえども罰を受けるべきだ。

N／普通形 ＋ といえども

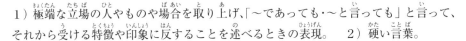

1）極端な立場の人やものや場合を取り上げ､「～であっても･～と言っても」と言って、それから受ける特徴や印象に反することを述べるときの表現。　2）硬い言葉。

1）Expresses disagreement (even if, even if you say) with characteristic or impression of people or things in extreme situations. 2）Formal expression.

1）提出一个极端的立场上的人、物或情况,“即使是～也”“就算是～也”,从而陈述一件与已有的印象、特征相反的事。　2）语气较为生硬。

1)극단적인 입장의 사람이나 사물, 경우를 예를 들어,「～であっても・～と言っても」라고 하여, 그것으로부터 받는 특징이나 인상에 반대하는 것을 진술할 때의 표현이다.　2)딱딱한 표현이다.

といえども～ない【～も not even (one)／即使是～也不能…／－조차도 /－라고 하더라도】★1

①日本は物価が高いから、1円といえども無駄に使うことはできない。

②わたしは1日といえども仕事を休みたくない。

③熱帯雨林に住む動物たちの中には、森を離れたら1日といえども生きられない動物がいるそうだ。

1助数詞 ＋ といえども～ない

「1助数詞＋といえども～ない」の形で最低の単位のものを挙げて、「1～も～ない」と全否定を強く言う言い方。やや古めかしい言葉。同様の言い方に「たりとも～ない」がある。

参 たりとも～ない

Strong overall negation stressing that not even one of some minimal unit exists. Slightly old-fashioned. Similar pattern is たりとも～ない. →参

采用「1量词＋といえども～ない」的形式，举出事物最低限度的单位，“即使一（量词）～也不能～”。全部否定地强调表达。较为古老的说法。同样的表达方式还有「たりとも～ない」 →参

「1조수사＋といえども～ない」의 형태로 최저 단위를 예로 들어서,「1～も～ない」라고 강한 완전부정을 나타내는 표현방법이다. 조금 예스러운 표현이다. 비슷한 표현으로는「たりとも～ない」가 있다. →参

といえば【〜を話題にすれば speaking of which ／说到〜的话／ – 라고 하면 /– 라고 한다면】★2

①今年は海外旅行をする人が多かったそうです。海外旅行<u>といえば</u>、来年みんなでタイへ行く話が出ています。

②A：娘の専門は幼児教育なんですよ。子どもが好きなんです。

B：そうですか。幼児教育<u>といえば</u>、うちの近くに新しい幼稚園ができたんですよ。

③A：きのうの台風はすごかったねえ。記録的な大雨だったようですよ。

B：記録的<u>っていえば</u>、今年の暑さも相当でしたね。

◎ 2）参照

1）その場のだれかが話題にしたこと、または自分の心に思い浮かんだ事柄を取り上げて話題にするときの言い方。　2）接続は、取り上げようとする言葉にそのまま続ける場合が多い。　3）くだけた会話では③のように「っていえば」になる。

1）Raises thoughts that come to mind independently or when speaker hears someone discuss certain topic.　2）Often appends directly to phrase described. 3）In informal speech becomes っていえば, as in sentence ③.

1）将某一场合下某人提出的事物作为话题，或将自己心里浮现出的事物作为话题时的表达方式。　2）接续方面，多原封不动的接在引用的词语之后。　3）如例句③,在较为通俗的会话中变为「っていえば」。

1）그 자리에 누군가가 화제로 한 것，또는 자기 마음에 떠오른 사항을 예를 들어서 화제로 할 때의 표현방법이다．2）접속은，화제로 하려고 하는 말에 그대로 이어지는 경우가 많다．3）허물없는 사이의 대화에서는 ③처럼「っていえば」가 된다．

といった【〜のような like, such as ／〜那样的／ – 라는 /– 라고 하는】★2

①インド料理やタイ料理<u>といった</u>南の国の食べ物には辛いものが多い。

②駅とかレストラン<u>とかいった</u>所では、全面禁煙が望ましい。

③うちの祖父母はパソコンとかデジタルカメラ<u>といった</u>機械が大好きだ。

◎ N ＋といった

1）「〜といったN」の形で、あるものごとの同類の具体例をいくつか示したいときの言い方。「とか〜とか」と意味・用法が同じ。　2）「〜とか〜と（か）いった」の形で使うことが多い。

参 とか〜とか

1) In pattern ～といったN, indicates similar concrete examples of something. Same meaning and usage as とか～とか. 2) Often used in pattern ～とか～と(か)いった. →参

1) 采用「～といったN」的形式，对于与一个事物同类的事物，举出它的几个具体例子时使用本句型。与「とか～とか」的意义、用法相同。 2) 常采用「～とか～と（か）いった」的形式。 →参

1)「～といったN」의 형태로, 어떤 사항의 같은 종류의 구체적 예를 몇 가지 들고자 할 때의 표현방법이다.「とか～とか」와 의미・용법이 같다. 2)「～とか～と（か）いった」의 형태로 사용하는 경우가 많다. →参

といったところだ ➡ということろだ 218

といったら【～は when it comes to／要说～／－은/－는】★2

①あの学生(がくせい)のまじめさ<u>といったら</u>、教師(きょうし)の方(ほう)が頭(あたま)が下(さ)がる。

②広(ひろ)いキャンパスや市民開放(しみんかいほう)のプールなど、この大学(だいがく)の施設(しせつ)<u>といったら</u>驚(おどろ)くものばかりです。

③山(やま)の中(なか)の一軒家(いっけんや)にたった一人(ひとり)で泊(と)まったんです。あのときの怖(こわ)さ<u>といったら</u>、今(いま)思(おも)い出(だ)してもゾッとします。

④この夏(なつ)の暑(あつ)さ<u>といったら</u>ひどかった。観測史上最高(かんそくしじょうさいこう)だったそうだ。

◎N ＋といったら

驚(おどろ)いたり、あきれたり、感動(かんどう)したりなどの感情(かんじょう)を持(も)って、程度(ていど)を話題(わだい)にするときに使(つか)う。

Expresses degree of surprise, disgust, amazement and other emotions about topic.

带着吃惊、哑然、感动等感情来描述其程度时使用本句型。

「놀라거나, 질리거나, 감동하거나」등의 감정을 가지고 그 감정의 정도를 화제로 할 때에 사용한다.

といったらありはしない ➡といったらない 227

といったらありゃしない ➡といったらない 227

といったらない

【口では表現できないほど～と思う／非常に～だ
inexpressibly; extremely ／非常～，到了用语言无法形容的程度。／－는 말로 다 할 수 없다】★1

①この仕事は毎日毎日同じことの繰り返しだ。つまらないといったらない。
②海を初めて見たときの感激といったらなかった。今でもよく覚えている。
③外国で一人暮らしを始めたときの心細さといったらありはしない。
④となりの人は大きな音でロックを聴く。うるさいといったらありゃしない。
⑤弟の部屋の汚さったらない。3日前に使った食器がそのままおいてある。

◎イAい／N　＋といったらない

1）「～といったらない」の形で、「～」の程度が極端だと言いたいときに使う。プラス評価でもマイナス評価でも使える。　2）例文③～⑤の「といったらありはしない・といったらありゃしない・ったらない」は「といったらない」とほとんど同じ意味だが、マイナス評価にだけ使う。　3）④の「といったらありゃしない」、⑤の「ったらない」はくだけた話し言葉である。

1）Extreme degree in either positive or negative evaluation.　2）The patterns といったらありはしない, といったらありゃしない, and ったらない in sentences ③ to ⑤ have nearly same meaning but are used as negative evaluations.　3）The forms といったらありゃしない in sentence ④ and ったらない in sentence ⑤ are used in informal speech.

1）采用「～といったらない」的形式，表达「～」的程度已至极端之时使用本句型。可用于褒义也可用于贬义。　2）例句③～⑤的「といったらありはしない・といったらありゃしない・ったらない」与「といったらない」意义基本相同，但只用于贬义。　3）例句④的「といったらありゃしない」、例句⑤的「ったらない」是较为通俗的口语表达。

1）「～といったらない」의 형태로,「～」의 정도가 극단적이라고 말하고자 할 때에 사용한다. 플러스적인 평가에서도 마이너스적인 평가에서도 사용할 수 있다.　2）예문 ③～⑤의「といったらありはしない・といったらありゃしない・ったらない」는「といったらない」와 거의 비슷한 의미이지만, 이것은 마이너스적인 평가에서만 사용한다.　3）④의「といったらありゃしない」,⑤의「ったらない」는 허물없는 사이에서 사용하는 표현방법이다.

といっても

【～というけれども、実は
may be, but…in name only ／虽说～，但实际上…／－라고는 해도】★3

①わたしの住んでいる所はマンションといっても9戸だけの小さなものです。
②旅費は高いといっても払えない額ではなかった。
③アフリカで暮らしたことがあるといっても、実は1か月だけなんです。
④彼はロシア語ができるといっても日常会話だけで、読み書きはできない。
⑤わたしは日本人だといっても外国育ちだから漢字はほとんど読めないんです。

◎ N／**普通形** ＋といっても

「～といっても、…」の形で、「～から予想されるものと違って、実は…だ」と実態の説明をするときの言い方。

Unlike what was expected, actual situation is different.

采用「～といっても、…」的形式, “与从～推断出的预想不同, 实际上～” 用来说明某事物的实际样态。

「～といっても、…」의 형태로 ,「～로 부터 예상되는 것과 달리 , 실제로는 …」라고 실태에 대한 설명을 할 때의 표현방법이다 .

といわず～といわず

【～も～も区別なく
not only, but／无论是～还是～／－도 －도/－도 그렇고 －도 그렇고】★1

①彼の部屋は机の上といわず下といわず、紙くずだらけです。

②手といわず足といわず、子どもは体中どろだらけで帰ってきた。

③新聞記者の山田さんは国内といわず海外といわずいつも取材で飛び回っている。

④母はわたしのことが心配らしく、昼といわず夜といわず電話してくるので、ちょっとうるさくて困る。

◎ N ＋といわずN ＋といわず

いくつか例をあげて、「～も～も区別なく、どこも（いつも・どれも・みんな、など）」と強調して言いたいときに使う。

Strongly emphasizes by listing several examples that cannot be distinguished. Also can mean everywhere, always, all, etc.

举出几个例子, “无论是～还是～都没有差别”, 在强调 “不管哪里都（不管何时都、不管哪个都、所有人都等）” 时使用本句型。

몇 가지 예를 들어서 ,「～도 ～도 구별 없이 , 어디라도 (언제라도 / 어느 것이라도 / 모두 , 등)」라고 강조하고 싶을 때에 사용한다 .

とおして ➡をとおして 426－427

とおもいきや【～かと思ったが、そうではなく though (I) thought…, it wasn't the case ／本以为～，却…／ – 라고 생각했는데】★1

①父は頑固だから兄の結婚には反対するかと思いきや、何も言わずに賛成した。

②彼はマリに会いたがっていたから、帰国したらすぐに彼女のところに行くかと思いきや、なかなか行かない。どうしたんだろう。

③お兄さんが大酒飲みだから彼もたくさん飲むのだろうと思いきや、1滴も飲めないんだそうだ。

◎ 3）参照

1）「～と思いきや」の形で「普通に予想すると～だが、この場合は～ではなかった」と意外な気持ちを表す。　2）やや古い感じの表現だが、軽妙に言い表す場合に使われることが多く、公式の文や論文などの硬い文章には使われない。　3）引用の「と」で受けるので、前にはさまざまな形が来る。

1）Surprise at something that does not turn out as expected.　2）Slightly old-fashioned, but often used for humor. Not for formal language or essays.　3）Takes と of quotation so various forms precede it.

1）采用「～と思いきや」的形式，意为“按照一般情况推想的话应该～，但这次却没有～”，表现说话人的意外之感。　2）虽然是有些老的表达方式，但多用于轻快的话语中，一般不用于正式文章或论文等较为生硬的文章中。　3）由于后接表示引用的「と」，所以前面可以出现各种词形。

1）「～と思いきや」의 형태로，「일반적으로 예상을 하면 ~이지만 이 경우는 ~가 아니었다」라고 의외적인 기분을 나타낸다．　2）약간 예스러운 표현이지만，경묘함을 나타내는 경우에 사용되는 경우가 많고，공식적인 문장이나 논문 등의 딱딱한 문장에는 사용할 수 없다．　3）인용의「と」로 받기 때문에，앞에는 여러가지 형태가 온다．

とおもうと　➡（か）とおもうと　52

とおり(に)【～と同じに same as; just as ／同样～／ – 대로 /– 한 그대로】★3

①ものごとは自分の考えのとおりにはいかないものだ。

②わたしの言ったとおりにやってみてください。

③この本の作者に初めて直接会うことができた。わたしが前から思っていたとおりの方だった。

④案内書を見ながら日光を歩いた。そのすばらしさは案内書どおりだった。

◎ Vる・Vた／Nの ＋とおりに　N ＋どおりに

一致する内容であることを表す。「ように」と意味・用法が同じだが「ように」より「まったく同じに」という感じが強い。

参ように〈同様〉

Indicates agreement in content. Same meaning and usage as ように, but has stronger emphasis on being exactly the same. →参

表示内容的一致。与「ように」的意义、用法基本相同，但比「～ように」的"完全一致"的意味更重。→参

일치하는 내용임을 나타낸다.「ように」와 의미, 용법이 비슷하지만,「ように」보다「まったく同じに（정말 똑같이)」라는 느낌이 강하다. →参

どおり（に）➡とおり（に） 229

とおりだ ➡とおり（に） 229

とか【～そうだが／～と聞いたが I heard something to the effect that／听说／- 라던데/- 라고 하던데】★2

①A：テレビで見たんだけど北海道はきのう大雪だったとか。

B：そうですか。いよいよ冬ですねえ。

②課長の話では、打ち合わせの資料を２時前には用意しておかなければならないとか。間に合うかなあ。

③来年は妹さんが日本へ留学のご予定だとか。楽しみに待っています。

◎ ２）参照

１）伝聞の言い方。同じく伝聞の「そうだ」や「ということだ」より不確かな気持ちがあったり、はっきり言うことを避けたりするときに使う。　２）接続は基本的には普通形につくが、その他の形につくこともある。　３）ややくだけた言い方。

参ということだ〈伝聞〉

１）Hearsay. Not as definitive as そうだ or ということだ of hearsay or avoids being definite.　２）Usually appends to plain form, but can also append to other forms. ３）Somewhat informal. →参

１）表示传闻。与同是表示传闻的「そうだ・ということだ」相比，语气中不确定的成分更多，或有意避免明确说明。　２）接续方面基本接在普通形之后，但有时也可接在别的词形后面。　３）是较为通俗的表达方式 →参

１）전달식 문장의 표현방법이다. 마찬가지로 전달문의「そうだ」나「ということだ」보다 정확하지 못한 기분이 있거나, 확실하게 말하는 것을 피하고자 할 때에 사용한다.　２）기본적으로 접속은 보통형에 이어지지만, 그 외의 형태에 붙는 경우도 있다.　３）약간은 허물없는 표현방법이다. →参

とか～とか【～や～など and such／…啦…啦／－라든가 －라든가】★3

①科目の中ではわたしは数学とか物理とかの理科系の科目が好きです。

②学校とか図書館とかでは静かに勉強するのが礼儀だ。

③親と話し合うとか先輩に相談するとかして早く進路を決めてください。

④わからないところは、詳しい人に聞くとか、ネットで調べるとかしてください。

⑤好きだとかきらいだとか言わないで、ちゃんと食べなさい。

⑥いつも仕事をやめるとか続けるとか言っているけど、どうするつもりですか。

◎ N／Vる／**普通形** ＋とか＋N／Vる／**普通形** ＋とか

1）あるものごとや方法の同類の具体例をいくつか示したいときの言い方。「NとかNとかの…」は「NとかNとかいった…」の言い方もある。　2）③のように方法の具体例の場合は「～とか～とかして」の形になる。　3）⑤⑥は、対立する言葉を並べて、言うことや態度がいつも変わってはっきりしないことを非難する文。　参といった

1）Gives several concrete examples of similar things or methods. Variant of NとかNとかの is NとかNとかいった. 2）For concrete examples of methods, ～とか～とかして is used, as in sentences ③. 3）In sentences ⑤ and ⑥, contrasting pairs of words are listed to express criticism of shifting attitudes or discourse. →参

1）对于与一个事物同类的事物，举出它的几个具体例子时使用本句型。「NとかNとかの…」有时也有「NとかNとかいった…」的用法。　2）如例句③，举具体的方法的例子时，变为「～とか～とかして」的形式。　3）例句⑤⑥为列举出对立的词语，指责对方说话或态度变来变去，不明确。 →参

1）어떤 사항이나 방법이 비슷한 구체적인 예를 몇 가지 나타내고자 할 때의 표현방법이다.「N とかNとかの…」는「N とかNとかいった…」라는 표현도 있다. 2）③처럼 방법이 구체적인 예인 경우는「～とか～とかして」의 형태가 된다. 3）⑤⑥은, 대립관계에 있는 말을 나열해서, 말하는 것이나 태도가 항상 바뀌어서 명확하지 않다는 것을 비난하는 문장이다. →参

とき【when／时候／－일 때/－였을 때】★5

①母は本を読むとき、めがねをかけます。

②わたしがけがをしたとき、母はとても心配しました。

③うれしいときもさびしいときも、わたしはよくこの音楽を聞きます。

④地震のときは、すぐに火を消しなさい。

◎ **普通形**（ナAな／Nの）＋とき

「～とき…」の形で、「…」の動作、状態の時間を「～」で表す。「～」が現在形になるか、過去形になるかは、文全体の時制に関係なく、「～」と「…」との時間差によって決まる。「～」の方が先なら「Vたとき」、同時または後なら「Vるとき」を使う。

Time of action or state. Clause preceding とき can be either present or past tense regardless of tense of sentence overall. What precedes and follows とき is determined by time difference. If what precedes とき comes first, V たとき is used. If what follows とき comes first or at same time, V るとき is used.

采用「～とき…」的形式，用「～」来表示「…」中动作、状态的时间。「～」究竟采用现在形还是过去形与整个句子的时态无关，而是取决于「～」和「…」的时间差。如果「～」时间在前，则使用「Vたとき」，如果是同时或「～」时间在后，则使用「Vるとき」。

「～とき…」의 형태로，「…」의 동작，상태의 시간을「～」로 나타낸다．「～」가 현재형이 될지，과거형이 될지는，문장 전체의 시제에 관계없이，「～」과「…」과의 시간차에 의해 결정된다．「～」쪽이 먼저라면「V たとき」，동시 또는 뒤라면「Vるとき」를 사용한다．

朝、人に会った　とき、「おはようございます」と言います。

「～」先	「…」後
「～」before	「…」after
「～」在前	「…」在后
「～」전	「…」후

きのう、寝る　とき、まどを閉めました。

「～」後	「…」先
「～」after	「…」before
「～」在后	「…」在前
「～」후	「…」전

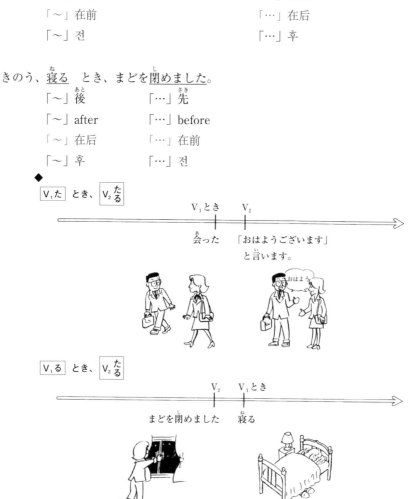

◆

V₁た とき、V₂たる

V₁る とき、V₂たる

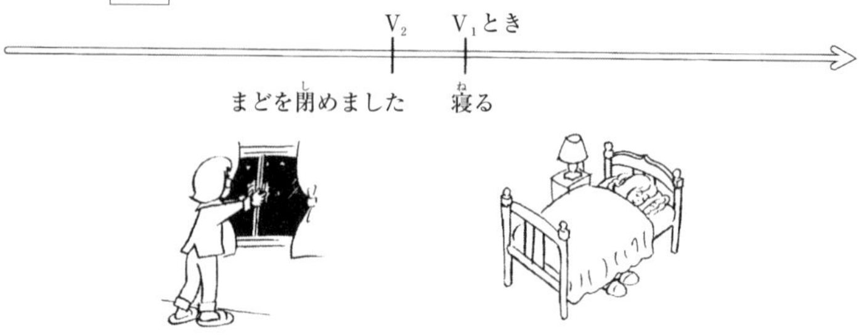

ときたら【～は as for／提到～／－은/－는】★1

①お宅の息子さんは外でよく遊んでいいですね。うちの子ときたらテレビの前を離れないんですよ。

②周りの家はみんなきれいなのに、わが家ときたら草がいっぱい生えている。

③この自動販売機ときたらよく故障する。取り替えた方がいいと思う。

N　＋ときたら

非難、不満の気持ちを持って身近なものを話題にするときに使う。

Discusses something trivial in criticizing or dissatisfied manner.

带着责难、不满等情绪，以与自己关系很深的人或事为话题时，使用本句型。

비난, 불만의 기분을 가지고 생활주변의 것을 화제로 할 때에 사용한다.

とく　➡ておく　172

ところ＋助詞（で・に・へ・を）　➡ところだ　235

どころか〈正反対〉

【～なんてとんでもない、事実は～だ (exact opposite) hardly the case that; actually／別说～／－하기는커녕/－하기는 고사하고】★2

①タクシーで行ったら道が込んでいて、早く着くどころかかえって30分も遅刻してしまった。

②休日に子ども連れで遊園地に出かけるのは、楽しいどころか苦しみ半分だ。

③A：先日お貸しした本、どうでしたか。たいくつだったんじゃありませんか。

B：たいくつなどころか寝るのも忘れて読んでしまいました。

④専門家どころか小学生がこの難しいゲームソフトを作ったのだそうだ。

N／**普通形**（ナAな・ナAである／Nである）＋どころか

1）「～どころか…」の形で、「～という予想や期待を完全に否定して、事実はその正反対の…だ」と言いたいときに使う。　2）「どころか」は「～どころではなく」の言い方もある。

1）Completely negates some prediction or estimation; actually complete opposite is true. 2）どころか can also take form どころではなく.

1）采用「～どころか…」的形式，在想要表达“把预想中的～全盘否定掉，事实完全与其相反”时，使用本句型。 2）「どころか」也有「～どころではなく」的说法。

1）「～どころか…」의 형태로，「～라고 하는 예상이나 기대를 완전히 부정하고，사실은 그 정반대의 …이다」라고 말하고자 할 때에 사용한다. 2）「どころか」는「～どころではなく」의 표현방법도 있다.

どころか〈程度の対比〉

【～はもちろん、～も
(contrast in level) of course…, but also…, of course…, can't even ／别说～，（就连…都）／－에서는 물론 /－는 고사하고】★2

①この製品はアジア諸国<u>どころか</u>南米やアフリカにまで輸出されている。

②彼は中国語<u>どころか</u>、タイ語やベトナム語もよくできます。

③うちの父はお酒は全くだめで、ウイスキー<u>どころか</u>ビールも飲めない。

④となりの部屋に住む人は変な人だ。出会っても話をする<u>どころか</u>、あいさつもしない。

◎ N／**普通形**（ナAな・ナAである／Nである） ＋ どころか

①②のように「N1 どころか N2 も（肯定文）」の形では、「N1 はもちろん、もっと程度の重い N2 もそうだ」という意味を表す。③④のように「N1 どころか N2 も（否定文）」の形では、「N1 はもちろん、もっと程度の軽い N2 もそうではない」という意味を表す。

As in sentences ① and ②, affirmative form (N1 どころか, N2 も), indicates that naturally N 1 is true, and in fact for N2, degree is even greater. In negative form, N1 どころか N2 も, as in sentences ③ and ④, of course N1 isn't true, let alone N2, which is of lesser degree.

如例句①②，采用「N 1 どころか N 2 も（肯定句）」的形式，“不用说N 1，就是程度更深的N 2 也是那样的”之意。如例句③④，采用「N 1 どころか N 2 も（否定句）」的形式，意为“不用说N 1，就是程度更轻的N 2 也不是那样的”。

①②처럼「N 1 どころか N 2 も（긍정문）」의 형태에서는，「N 1 은 물론이고，좀 더 정도가 무거운 N 2 도 그렇다」라는 의미이다. ③④처럼「N 1 どころか N 2 も（부정문）」의 형태에서는，「N 1 은 물론，좀 더 정도가 가벼운 N 2 도 그렇지는 않다」라는 의미를 나타낸다.

ところから ➡ことから 83

ところだ【about to／的时候／－할 예정이다 /－하려는 참이다】★★ 43

①（時報前に）時刻は間もなく３時になるところです。

②会場に着いたのは３時だった。ちょうど会議が始まるところだった。間に合ってよかった。

③コンサートは６時に始まります。今、会場の用意をしているところです。

④Ａ：マリアさん、お茶を飲みますか。
　Ｂ：今、手紙を書いているところなので、後で飲みます。

⑤（車の中で）Ａ：ホテル、どのへんかなあ。
　　　　　　　Ｂ：ちょっと待って。今地図で調べてるところだから。

⑥Ａ：このニュース、もう山田さんに知らせましたか。
　Ｂ：ええ、今、ファクスを送ったところです。

⑦Ａ：もしもし、夏子さん、わたし、ゆり子。
　Ｂ：あ、ちょうどよかった。わたし、今、帰ってきたところなの。

⑧いい夢を見ていたのに、ごちそうを食べるところで目が覚めてしまった。

⑨ご飯を食べているところに電話がかかってきた。

⑩会議が終わったところへ小林さんがあわてて入ってきた。

⑪家を出るところを母に呼び止められ、いろいろ用事を頼まれた。

◎ Vる・Vている・Vた　＋ところだ

１）ある動作、作用の流れの中で、行為や変化のどの時点であるかを特に言いたいときに使う。「Vるところ」は直前の時点を表す。「Vているところ」は進行中の時点を表す。「Vたところ」は直後の時点であることを示す。　２）「Vるところ」は、そうするだろう、そうなるだろうと予想する場合には使わない。意図のある行為やはっきりそうなるとわかっている変化を表す場合に使う。　◆×あの二人は今けんかをするところです。→○あの二人は、今新幹線に乗るところです。　３）「Vているところ」は状態性のこと、意図のない行為などには使わない。　◆×今日本に住んでいるところです。×彼は今、せきをしているところです。　４）くだけた会話では⑤のように「ているところだ」が「てるところだ」になる。　５）後の文にどんな動詞が来るかによって「ところ」の後ろにつく助詞が「ところ**で**・ところ**に**・ところ**へ**・ところ**を**」のように変化する。

1）Indicates specific point of time in change of action or certain process. V るところ indicates time just prior to action; V ているところ, the middle; and V たところ, just after action.　2）V るところ is not used for predicting future action, but only for intentional actions definitely known to be about to occur. →◆　3）V ているところ is not used for state or unintentional actions. →◆　4）In informal speech ているところだ becomes てるところだ, as in sentence ⑤.　5）Depending on verb following ところ, particles can be **で**, **に**, **へ**, or **を**.

1）在一个动作、作用的流程中，特别要说明某个行为、变化是在哪个时间点上发生的时候使用本句型。「Vるところ」是事情即将发生之前时间，「Vているところ」是事情正在进行中的时间，「Vたところ」是事情刚刚发生完的时间。　2）「Nるところ」不能用于设想某事“会那么做吧”“会变成那样吧”的预想阶段，而是表示有意图的行为或非常确切地了解某变化时才能使用。→◆　3）「Vているところ」不能用于表示状态性的行为以及非计划性行为。→◆　4）如例句⑤，在较为通俗的对话中，「ているところだ」变为「てるところだ」。　5）根据后面出现的动词不同,「ところ」后面出现的助词也不同，有「ところ**で**・ところ**に**・ところ**へ**・ところ**を**」等变化形式。

1）어떤 동작, 작용의 흐름 속에서, 행위나 변화의 어떤 시점인가를 특별히 말하고자 할 때 사용한다.「Vるところ」는 직전의 시점을 나타낸다.「Vているところ」는 진행중의 시점을 나타낸다.「Vたところ」는 직후의 시점인 것을 나타낸다.　2）「Vるところ」는, “그렇게 할 것이다, 그렇게 되리라” 고 예상하는 경우에는 사용하지 않는다. 의도가 있는 행위나 확실히 그렇게 되리라고 알고 있는 변화를 나타내는 경우에 사용한다. →◆　3）「Vているところ」는 상태성의 일이나 의도 없는 행위 등에는 사용하지 않는다. →◆　4）허물없는 사이의 대화에서는 ⑤처럼「ているところだ」가「てるところだ」로 된다.　5）뒷문장에 어떤 동사가 오느냐에 따라「ところ」의 뒤에 붙는 조사가「ところ**で**・ところ**に**・ところ**へ**・ところ**を**」처럼 변화한다.

ところだった【もう少しで〜のような結果になりそうだった nearly ended up／差一点儿〜／－할 뻔 했다】★2

①誤解がもとで、危うく大切な親友を失うところだった。

②考えごとをしながら歩いていたので、もう少しで横道から出てきた自転車にぶつかるところだった。

③切符売り場に来るのがもう少し遅かったら、映画の予約券が買えないところだった。

④ 200 メートルの平泳ぎの競泳でもう少しで 1 位になるところだったのに、タッチの差で 2 位だった。

◎ Vる・Vない　＋ ところだった

「〜のような結果になりそうだったが、実際にはならなかった」と言いたいときに使う。悪い結果になる直前だったことを言う場合が多く、「もう少しで・危なく（危うく）」などの副詞とよくいっしょに使う。

Some result nearly occurrcd, but did not actually. In many cases is used to indicate state just prior to adverse result, and is often used with adverbs もう少しで，危なく or 危うく.

在想要表达“马上就要发生～这种很差的情况了，实际上并没有发生”之意时使用本句型。多用来表示就在那种恶果发生之前的一瞬间，常和「もう少しで・危なく（危うく）」等副词一起使用。

「～와 같은 결과가 될 것 같았지만，실제로는 되지 않았다」라고 말하고자 할 때에 사용한다. 나쁜 결과가 되기 직전이었던 것을 말하는 경우가 많고，「もう少しで・危なく（危うく）」등의 부사와 함께 자주 사용한다.

どころではない 【～はとてもできない no way／实在不能～／－할 여유는 없다/－하기는 커녕】★2

①A：高橋さん、今度の休みに京都へ行くんだけど、いっしょに行きませんか。

B：ごめんなさいね。わたし、今忙しくて、旅行<u>どころじゃない</u>んです。

②当時はお金もなく、誕生日といっても祝う<u>どころではなかった</u>。

③桜の季節だというのに、お花見<u>どころじゃなく</u>、夜遅くまで仕事をしている。

◎ Vる／する動詞のN ＋ どころではない

「～どころではない」の形で、「～のようなことをする余裕はない」と強く否定する言い方。会話的表現で、公式の文や論文などの硬い文章には使われない。

Strongly emphasizes that speaker has no margin to do activity. Conversational. Not used in official speech, essays, or other formal written forms.

采用「～どころではない」的形式，加强否定语气，“没有做～之类的事的闲假，财力等”。是对话用语，不能用于正式文章、论文等较为正规生硬的文体中。

「～どころではない」의 형태로，「～와 같은 것을 할 여유는 없다」고 강하게 부정하는 표현방법이다. 회화적인 표현으로，공식적인 문장이나 논문 등의 딱딱한 문장에는 사용하지 않는다.

どころではない ➡どころか 233－234

どころではなく ➡どころではない 237

ところを 【～のに／～だったのに even though／虽说是～这种情况，却还做了～／－임에도 불구하고/－인데도】★1

①お忙しい<u>ところを</u>ご出席くださり、ありがとうございました。

②黙っていてもいい<u>ところを</u>彼は「わたしがやりました」と自分から正直に言った。

③お疲れの<u>ところを</u>、わざわざおいでくださり恐縮しております。

普通形（ナAな／Nの）＋ところを

「～という状況なのに…した」と言いたいとき、相手の状況を配慮した表現。あいさつで、感謝の言葉を言うときの慣用的な表現が多い。「お休みのところを・ご多忙のところを」など。

Shows consideration for other party's situation and that speaker has done something regardless of that situation. Often used idiomatically in greetings to show gratitude. Also seen in お休みのところを, ご多忙のところを, etc.

在想要表达“虽说是～这种情况，却还做了～”之意时，站在对方立场上考虑的说法。多作为惯用表达方式用于寒暄、感谢等用语中。如「お休みのところを・ご多忙のところを」等。

「～라고 하는 상황인데도 …했다」라고 말하고자 할 때, 상대방의 상황을 배려한 표현이다. 인사말로, 감사표현을 할 때의 관용적인 표현이 많다.「お休みのところを・ご多忙のところを」등이 있다.

ところをみると【～から判断すると when looked at from this point of view／从～来判断／－인 것을 보면】★2

①部屋の電気がまだついているところをみると、森さんはまだ起きているようだ。

②互いに遠慮しあっているところをみると、あの二人はそう親しい関係ではないのだろう。

③今回の募集に対して、予想以上に申し込みが多かったところをみると、この企画は成功するかもしれない。

普通形（ナAな／Nの）＋ところをみると

1）「～ところをみると、…」の形で、「～という事実を見て、…ということが推測される」と言いたいときに使う。　2）「～」は状態を表す言い方がよく使われる。

1) Some event can be predicted by looking at a fact. 2) Often description of condition precedes ところをみると.

1）采用「～ところをみると、…」的形式，在想要表达“看到了～的事实，可以推测…”之意时使用本句型。　2）「～」部分常使用表示状态的词句。

1)「～ところをみると、…」의 형태로「～라고 하는 사실을 보고, …라고 하는 것을 추측할 수 있다」라고 말하고자 할 때에 사용한다.　2) 주로 상태를 나타내는 표현에 접속되어 사용된다.

としたって ➡としても 240

としたって ➡にしたところで 298

としたところで ➡にしたところで 298

としたら【〜と仮定したら if judged that／假设〜／－라고 한다면】★3

①もし、ここに 100 万円あったとしたら、何に使いますか。

②この名簿が正しいとしたら、まだ来ていない人が二人いる。

③わたしの言葉が彼を傷つけたのだとしたら、本当に申し訳ないことをしたと思う。

普通形 ＋ としたら

1）「今はそのような状況にはないが、その状況を仮定したら」「不明なことを、そうだと仮定したら」という意味で使う。　2）同様の表現に「とすれば・とすると」がある。

参 とすると・とすれば

1）Signifies that something is not true now, but if the speaker supposed such a situation or something uncertain to be true, then there could be a certain result. 2）Similar expressions are とすれば and とすると. →参

1）"现在虽然不是那样的情况，但如果假定为那样的情况的话""假设一件情况不明的事是那样的话"之意。　2）同样的表达方式还有「とすれば・とすると」。→参

1）「지금은 그와 같은 상황에 있는 것은 아니지만，그런 상황을 가정한다면」「명확하지 않은 것에 대해，그렇다고 가정한다면」이라는 의미로 사용한다． 2）비슷한 표현으로는「とすれば・とすると」가 있다． →参

として【〜の立場で／〜の資格で／〜の名目で as／作为，以〜的名义／－로서】★3

①わたしは前に 1 度観光客として日本に来たことがある。

②わたしは卒業論文のテーマとして資源の再利用の問題を取り上げることにした。

③今回の事故につきましては、会社側としてもできるだけのことをさせていただきます。

④古代ギリシャで初めて学問としての数学が始まった。

⑤この問題についてわたしとしては特に意見はありません。

⑥S 氏は医者としてよりも小説家として有名だ。

N ＋ として

①〜③のように何かをするときや、④〜⑥のように何かを評価するときの立場・資格・名目を述べる。

As in ①〜③, states position, qualification, or name when doing something, or as in ④〜⑥, when evaluating something.

如例句①〜③，在做某事时，或如④〜⑥，在评价某事物时，用「として」表明其立场、资格、名义等。

①〜③과 같이 어떤 행위를 할 때나 ④〜⑥처럼 무엇인가를 평가할 때의 입장，자격，명목을 말하고자 할 때 사용한다．

として〜ない【まったくない not even (one)／完全没有〜，一点也没〜／－도/－조차도】★2

①火事で焼けてしまったので、わたしの子どものころの写真は１枚として残っていない。

②ぼくは１日として君のことを考えない日はない。愛しているよ。

③犯人が通った出入り口の近くに人が何人かいたのだが、だれ一人として気がついた人はいなかった。

1助数詞 ＋として〜ない

「１助数詞＋として〜ない」の形で最低の単位のものを挙げて、全否定を強く言う言い方。また、③のように疑問詞を前につけて「疑問詞＋１助数詞＋として〜ない」の形で使うことが多い。他の例「何一つとしてない」など。

Strong overall negation given by selecting some minimal unit as example. Also often used as in sentence ③, preceded by interrogative (interrogative + one numerical classifier + として〜ない). Other examples include 何一つとしてない.

采用「１量词＋として〜ない」的形式，举出最低单位，加强全部否定的语气。另外如例句③采用「疑问词＋１量词＋として〜ない」的形式也很常见。其他的例子有「何一つとしてない」等。

「１조수사＋として〜ない」의 형태로 최저 단위의 것을 예로 들어, 완전부정을 강하게 어필하는 표현방법이다. 또한, ③처럼 의문사를 앞에 붙여서「의문사＋１조수사＋として〜ない」의 형태로 사용하는 경우가 많다. 또 다른 예로는「何一つとしてない」가 있다.

としても【〜と仮定しても even supposing／即使假设〜也…／－라고 하더라도/－라고 해도】★3

①たとえわたしが大金持ちだとしても、毎日遊んで暮らしたいとは思わない。

②仮にわたしが病気で倒れたとしても、これだけの蓄えがあれば大丈夫だろう。

③彼ほどの才能があれば、どんな家に生まれたとしても音楽家になっていただろう。

④もし彼がわたしの親しい友人であったとしても、わたしは彼を許さなかっただろう。

⑤どんな事業を始めるとしたって、お金は必要だ。

普通形 ＋としても

１）「〜としても、…」の形で、「実際は〜ではないが、もしそうなっても」と言いたいときに使う。「…」では逆接の事柄を述べる。　２）話者の主張、意見などを述べるときによく使われる。　３）「たとえ〜としても・仮に〜としても・疑問詞〜としても」などとともによく使う。　４）くだけた話し言葉では⑤のように「としたって」を使う。

1）Something isn't actually true; examines what would happen if it were. Adversative conjunctions follow. 2）Often used to give speaker's assertion or opinion. 3）Often used with たとえ～としても，仮に～としても，interrogative ～としても．4）In informal speech, としたって is used, as in sentence ⑤.

1）采用「～としても、…」的形式，在想要表达“虽然实际上不是～，但即使是那样也…”之意时使用本句型。「…」的部分陈述和前面内容相反的事。 2）多用来陈述说话人的主张、意见等。 3）常和「たとえ～としても・仮に～としても・疑问词～としても」等一起使用。 4）如例句⑤，在较为通俗的口语中，使用「としたって」。

1）「～としても、…」의 형태로，「실제로는 ～가 아니지만，만약에 그렇게 되더라도」라고 말하고자 할 때 사용한다．「…」에서는 역접의 사항을 진술한다． 2）말하는 사람（話者）의 주장，의견 등을 진술할 때에 자주 사용된다． 3）「たとえ～としても·仮に～としても·의문사～としても」등과 함께 자주 사용한다． 4）허물없는 사이의 회화체에서는 ⑤와 같이「としたって」를 사용한다．

としない ➡ようとしない 399

とする ➡ようとする 400

とすると【～と仮定したら supposing／如果／－라고 한다면 /－라고 가정하면】★3

①運転免許証を取るのに30万円以上もかかる<u>とすると</u>、今のわたしには無理だ。
②車を持っている彼が来ない<u>とすると</u>、だれが荷物を運んでくれるのだろうか。
③あの男が犯人だ<u>とすると</u>、警察はつかまえるチャンスを逃したことになる。

普通形 ＋とすると

1）「そのように仮定すると、どういうことになるか」と言いたいときに使う。
2）同様の表現に「としたら・とすれば」がある。 **参としたら・とすれば**

1）Examines what could happen if supposition were true. 2）Similar patterns are としたら and とすれば. →参

1）在想要表达“如果假定为那样的话，将会发生什么”之意时使用本句型。 2）同类表达方式还有「としたら・とすれば」。 →参

1）「그렇게 가정하면，어떻게 될까」라고 말하고자 할 때에 사용한다． 2）같은 표현으로「としたら・とすれば」가 있다． →参

とすれば【〜と仮定したら supposing／如果／－라고 하면/－라고 치면】★3

①時給800円で1日4時間、1週間に5日働くとすれば、1週間で1万6,000円になる。

②3x＝yで、yが9だとすれば、xは3である。

③報告書の数字が間違っているとすれば、結論はまったく違うものになるだろう。

④転勤になるかどうかわからないけど、もし行くとすれば、一人暮らしをすることになる。

普通形 ＋とすれば

1）「〜とすれば…」の形で、「〜と仮定すれば、…という論理的な結果になる」という意味で使うことが多い。　2）同様の表現に「としたら・とすると」がある。

参としたら・とすると

1）Often used to convey that if some supposition were true, some logical result would occur. 2）Similar expressions are としたら and とすると.　→参

1）采用「〜とすれば、…」的形式，多表达"如果假定为〜，则会导致…这种逻辑性的结果"之意。　2）同类表达方式还有「としたら・とすると」。　→参

1）「〜とすれば…」의 형태로,「〜라고 가정한다면, …라고 하는 논리적인 결과가 된다」고 하는 의미로 사용하는 경우가 많다.　2）같은 표현으로는「としたら・とすると」가 있다.　→参

と〜た〈きっかけ〉【when…did…／一〜就〜／－하니까 - 했다】★3

①のり子が「タロー」と呼ぶと、その犬は走ってきました。

②CDをかけると、子どもたちはおどりはじめました。

③お酒を飲んだら、気分が悪くなりました。

Vると ＋〜た　Vたら ＋〜た

1）「V1と、V2た」の形で、「V1」の行為がきっかけとなって「V2」のことが起こった、という場合に使う。　2）「V2」に、話す人の意志のある行為を表す文は来ない。③のように「たら〜た」も意味・用法は同じだが「たら〜た」の方がやや口語的。

1) In form V1 と V2 た, means action of V1 is impetus for occurrence of V2. 2) No expressions of speaker's volitional actions in V2. Same meaning and usage as たら～た in sentence ③, but たら～た is slightly colloquial.

1）采用「V1と、V2た」的形式，以「V1」的行为为契机，「V2」发生了，在想要表达这种意思时使用本句型。 2）「V2」部分不出现表示说话人意志的句子。如例句③，「たら～た」的意义、用法与本句型相同，但更为口语化。

1）「V 1と、V 2た」의 형태로,「V 1」의 행위가 계기가 되어서「V 2」가 일어났다, 고 하는 경우에 사용한다. 2)「V 2」에는, 말하는 사람 (話者) 의 의지가 들어있는 행위를 나타내는 문장은 오지 않는다. ③처럼「たら～た」와 의미, 용법은 같지만 약간 구어적인 표현이다.

と～た〈発見〉【when, whenever／一～就发现…／－니까 －했다】★4

①ドアを開けると、大きい犬がいました。
②部屋に入ると、会議はもう始まっていた。
③机の上を見ると、彼女からの手紙がありました。
④携帯の電源を入れたら、メールが7通も来ていました。
⑤Mデパートへ行ったら、今日は休みでした。

◎ Vると ＋～た　Vたら ＋～た

1）「Vと、～」の形で、「Vと」の行為によって、すでに起こっていたこと、あったこと、継続していたこと、などを発見した、という意味を表す。「～」は「Vていた」の形が多い。 2）「Vと」の前後の主語は違う。 3）意外なことがあったときに使われ、驚きの気持ちを表すことが多い。 4）次の二つの文の違いに注意すること。 ◆窓を開けると、富士山が見えます。（いつものこと）／窓を開けると、富士山が見えました。（ある特定のときのこと）

1) Through V と action, one discovered what occurred or has been continuing. Often found in pattern Vていた. 2) Subjects before and after V と differ. 3) Often used for unexpected events or to express surprise. 4) Note difference in meaning between following. →◆

1）采用「Vと、～」的形式，由于做了「Vと」的行为，从而发现了已经发生的事、已经存在的事、持续着的事。「～」多采用「Vていた」的形式。 2)「Vと」之前的主语和之后的主语一定不同。 3）多用于发现了意外的事而感到惊讶的心情。 4）须注意下面两个句子的差异：→◆

1）「V と、～」의 형태로,「V と」의 행위에 의해서, 이미 일어났었던 일, 있었던 일, 계속되고 있던 일 등을 발견했다, 고 하는 의미를 나타낸다.「～」는「Vていた」형태가 많다. 2)「Vと」의 전후 주어는 다르다. 3) 의외의 일이 있을 때에 사용되며, 놀람의 기분을 나타내는 경우가 많다. 4) 다음 두 가지 문장의 차이에 대해 주의할 것.→◆

と～た〈偶然〉【ちょうど、そのとき just when／正在～的时候，忽然…／－는데 - 했다/－니까 - 했다】★3

①本を読んでいると、窓から鳥が入ってきました。

②弟の家族のことを心配しながら地震のニュースを見ていると、弟から「ぼくたちは大丈夫だよ」と電話がかかってきました。

③山道を歩いていたら、林の中からさるの親子が出てきました。

④スーパーで買い物をしていたら、マリさんも来ました。

◎ Vると ＋～た　Vたら ＋～た

1）「V1 と、V2 た」の形で、「V1」のことをしているとき、「V2」が起こった、または、何かに出合った、と言いたいときに使う。　2）「V1 と／たら」の V は「～ている」の形が多い。偶然、思いがけなく、という感じがある。　3）「V2」の文はできごとなどを表す文で、状態や話者の行為を表す文は来ない。　4）③④のように「たら～た」も意味、用法は同じだがやや口語的。

1）In form V1 と V2 た, while one action is happening, V2 occurs, or encounters something.　2）OftenV1 verb is in form ～ている. Gives sense of coincidence or something unexpected.　3）V2 states events, and not conditions or people's actions.　4）Same meaning and usage as たら～た as in sentences ③ and ④, but slightly colloquial.

1）采用「V 1 と､V2 た」的形式,「V 1」的行为正在进行的过程中,发生了「V2」,或遇到了某件事,在想要表达这个意义时使用本句型。　2）「V1 と／たら」的「V」多采用「～ている」的形式。有一种偶然、没想到之类的语感。　3）「V2」的句子是表示发生的事的,所以句中不可以出现表示状态或说话人行为的词句。　4）如例句③④,「たら～た」的意义、用法与本句型相同，但更为口语化。

1）「V 1と、V 2」의 형태로,「V 」라는 일을 하고 있을 때,「V 2」가 일어났다, 또는 우연히 뭔가와 마주쳤다 라고 말하고자 할 때에 사용한다.　2）「V 1と／たら」의 V 는「～ている」의 형태가 많다. 우연히, 뜻밖으로, 라는 느낌이 있다.　3）「V 2」의 문장은 일어난 일 등을 나타내는 문장으로, 상태나 말하는 사람（話者）의 행위를 나타내는 문장은 오지 않는다.　4）③④처럼「たら～た」와 의미, 용법은 같지만 약간 구어적인 표현이다.

とたん（に）➡たとたん（に）131

どちら ➡と～とどちら 245

どっち ➡と～とどちら 245

とって ➡にとって 313

と ～とどちら【of A and B, which ／～和～，哪个更…／－과 －중 어느쪽】★4

①A：あなたは紅茶とコーヒーとどちらが好きですか。
　B：紅茶の方が好きです。
②A：土曜日と日曜日とどちらがつごうがいいですか。
　B：どちらでもいいですよ。
③A：あなたはスポーツをするのと見るのとどちらが好きですか。
　B：どちらも好きです。
④A：このセーターとあのセーターとどっちがいい？
　B：あっちの方がきれいよ。

Nと ＋ Nと ＋ どちら

１）二つのものを話題として取り上げて、それを比べる聞き方。この形の比較の質問には、ふつう、「Ｎ１よりＮ２の方が…」の「Ｎ１より」を省略して、「Ｎ２の方が…」で答える。　２）くだけた話し言葉では「どちら」が「どっち」になる。

１）Comparison of two topical items. Answer to this comparative question is usually N2 のほうが, where N1 より is contracted in the pattern N1 より N2 のほうが.　２）In informal speech, どちら becomes どっち.

１）举出两个事物作为话题，将这两个进行比较的提问方式。回答这种两相比较的问题，一般将「N1 より N2 のほうが…」中的「N1 より」省略掉，直接用「N2 のほうが…」来回答。　２）在较为通俗的口语中，将「どちら」改为「どっち」。

１）두 개의 물건을 화제로 채택해서，그것을 비교하면서 묻는 방법이다．이 형태는 비교의 질문에는 보통，「Ｎ１よりＮ２のほうが…」의「Ｎ１より」를 생략해서，「Ｎ２のほうが…」로 대답한다．
２）허물없는 사이의 회화체로는「どちら」가「どっち」가 된다．

とどまらず　➡にとどまらず　314

とともに〈いっしょに〉【～といっしょに／～に添えて　together with ／与～一起／－과 함께】★3

①手紙とともに当日の写真も同封した。
②彼はその薬をコップ１杯の水とともに飲んだ。
③この国では、今でも結婚した長男が両親とともに暮らすかのが普通だそうだ。

N ＋ とともに

「といっしょに・と共同で・に添えて」などの意味を表す。書き言葉的。

Expresses notions of being together, with, added to, etc. Written language.

表示“和…一起”“和…共同”“在…之上添加”之意。书面用语。
「~과 함께 · ~과 공동으로 · ~에 첨가해서」등의 의미를 나타낸다. 문어체적인 표현이다.

とともに〈相関関係〉【~すると、それに応じてだんだん as…gradually…／随着／－과 함께／－과 같이】★2

①日差しが強まり、気温が高くなるとともに次々と花が開き始める。
②秋の深まりとともに今年も柿がおいしくなってきた。
③この国では内戦の拡大とともに、人々の生活の安定は次第に失われていった。
④体が慣れていくとともに、トレーニングの種類を増やそうと思っている。

◎ Vる／N ＋とともに

1）「～とともに、…」の形で、「～が変化すると、…も変化する」という表現。
2）「～」にも「…」にも変化を表す言葉が来る。

1）When one thing changes, another does, too. 2）Words expressing change appear both before and after.

1）采用「～とともに、…」的形式，表示“如果～变化的话，…也会变化”。 2）「～」处「…」处都使用表示变化的词句。
1）「～とともに,…」의 형태로,「~가 변화하면, …도 변화한다」라고 하는 표현이다. 2）「～」에도「…」에도 변화를 나타내는 말이 온다.

とともに〈同時〉【~すると同時に at the same time／同时／－과 동시에】★2

①ベルが鳴るとともに、子どもたちはいっせいに運動場へ飛び出した。
②彼は京都に転勤するとともに、結婚して家庭を持った。
③試合の終了とともに、観客は総立ちとなって勝者に盛大な拍手を送った。
④佐藤さんはわたしの親友であるとともに、人生の大先輩でもある。
⑤この賞をいただいて、うれしいとともに感謝の気持ちでいっぱいです。

◎ Vる／イAい／ナAである／する動詞のN・Nである ＋とともに

1）「～とともに…」の形で、「～」が起こるとほとんど同時に「…」が起こると言いたいときに使う。 2）④⑤は「～」でもあり「…」でもある、という意味。

1) Two actions occur nearly simultaneously. 2) In sentences ④ and ⑤, means both… and.

1) 采用「～とともに、…」的形式,表示几乎和「～」发生的同时,「…」也发生了。 2) 例句④⑤表示即是「～」也是「…」之意。

1)「～とともに…」의 형태로,「～」가 일어남과 거의 동시에「…」가 일어난다고 말하고자 할 때 사용한다. 2) ④⑤은「～」이기도 하고 동시에「…」이기도 하다 라는 의미이다.

とともに〈付加〉【～と、さらに and in addition／有～还有～／－과 함께】★2

①病気の子どものことととともに、いなくなった犬のことも気になって今日は仕事が手につきませんでした。

②現代の親は教育問題とともに子どもの健康や安全について頭を悩ませている。

③JRとしては、今後サービスの向上を図るとともに、よりいっそうの安全性の向上を図っていかなければならない。

◎ N／**普通形**(ナAである／Nである) ＋ とともに

「～とともに…」の形で「～のほかに、さらに…も(を)」という意味を表す。

Not only will one thing occur, but so will another.

采用「～とともに、…」的形式，表示“除了～，甚至还有…”

「～とともに…」의 형태로「～이외에, 또 다른 …도(을)」라는 의미를 나타낸다.

となると〈新事態の仮定・確定〉

【もしそうなった場合は／そうなったのなら if…happens, then／如果那样的话／－하게 되면 /－하게 된다면】★2

①夫：太郎が大阪へ行くことになるかもしれないよ。

妻：そう。太郎が大阪転勤となると、これからメールや電話のやりとりで忙しくなるね。

②学生：試験の成績が悪い場合は、レポートを書かされるらしいよ。

学生：そうか。夏休み前にレポートを書くとなると、ちょっと大変だなあ。

③管理人：こちらの駐車場は工事中なので、しばらく使えません。

A：え、この駐車場が使えないとなると、ちょっと不便だなあ。

④A：たばこの税金が上がったらしいですよ。

B：たばこの値上がりとなると、喫煙者は減るでしょうね。

ↀ N／**普通形** ＋となると

1）「もしそういう事態になった場合は、別の新しい事態が発生する」と言いたいときに使う。　2）①②は「もし、仮に」とそういう事態を仮定して言う場合で、③④は、「そういうことに決まったのなら」と既定の事態を言う場合である。

1）If one situation arises so will another. 2）Sometimes supposes some hypothetical situation, as in sentences ① and ②. Also describes prearranged state (if such a thing is decided), as in sentences ③ and ④.

1）在想要表达“如果发生了那样的事的话，会有别的新的事发生”之意时使用本句型。　2）例句①②表示“如果、假如”，描述的是假设一件（尚未发生的）事发生，例句③④表示“如果已经决定为那样”，描述的是既定的（已经发生的）事。

1）「만일에 그런 사태가 된 경우는，다른 새로운 사태가 발생한다」고 말하고자 할 때 사용한다．　2）①②는「만약，가정해서」라는 그런 사태를 가정해서 말하는 경우에，③④는，「그렇게 하기로 결정되었다면」이라고 기정 사실의 사태를 말하는 경우이다．

となると〈話題〉【～のような特別なことは when it comes to／说到～／－가 되니까/－가 되면】★2

①専門の生物学では今までいろいろな動物を扱ったが、自分の赤ん坊となるとどう扱っていいのかわからない。

②現在、台風などの予報についてはかなりの水準に達しているが、地震の予知となると、まだまだだ。

③わたしはどんな魚の料理も好きです。でも、サメとなると料理法も知らないし、食べる気もしません。

ↀ N ＋となると

1）ある話題を取り上げ、その話題の持っている本質的な条件や事情を思い浮かべて、それに関する話者の判断や感想を述べるときに使う。　2）後の文は話者の判断文。話者の意向を表す文は来ない。　◆×日本は科学技術が進んだが、宇宙開発となるとわたしもやってみたいことだ。→○日本は科学技術が進んだが、宇宙開発となるとまだまだ先が長い。

1）Speaker conveys judgment or impressions concerning conditions or situation of given topic.　2）Clause following pattern is speaker's judgment. Speaker's intention is not reflected. →◆

1）提出一个话题，联想到该话题的本质性的条件、情况，说话人对此发表自己的判断或感想时使用本句型。　2）后半句为说话人的判断，不能出现表示说话人意向的词句。→◆

1）어떤 화제를 예로 들어，그 화제가 가지고 있는 본질적인 조건이나 사정을 떠올려서，거기에 관한 말하는 사람（話者）의 판단이나 감상을 진술할 때에 사용한다．　2）뒤에는 말하는 사람（話者）의 판단문이 온다．→◆

とのことだ　➡ということだ〈伝聞〉216

とは〈定義〉【～は is defined as ／～是…／－라는 것은 /－은 (－는)】★2

①水蒸気とは気体の状態に変わった水のことである。
②季語とは季節を表す言葉で、俳句の中で必ず使われるものです。
③赤字とは収入より支出が多いことです。
④ねえ、エンゲル係数って何？

N ＋とは

1）ある語句の意味や定義を言うときに使う。「～とは…ことだ、…ものだ、…という意味だ」という形を取ることが多い。「というのは」と同じ意味・用法だが、「とは」の方が書き言葉的である。　2）くだけた会話では④のように「って」になる。

参 というのは

1）For meaning or definition of phrases. Often found in patterns ～とは…ことだ (N is), ものだ (is), という意味だ (has the meaning). Same meaning and usage as というのは, but とは is written form. 2）In informal speech become って, as in sentence ④. →参

1）用于说明一个词句的意义、定义。多采用「～とは…ことだ、…ものだ、…という意味だ」的形式。与「というのは」的意义、用法相同,「とは」是书面用语。　2）如例句④在较为通俗的会话文中变为「って」。→参

1）어떤 명사의 의미나 정의에 대해 말할 때 사용한다.「～とは…ことだ・…ものだ・…という意味だ」라는 형태를 취하는 경우가 많다.「というのは」와 같은 의미, 용법이지만,「とは」쪽이 문어체적인 표현이다.　2）허물없는 사이의 대화에서는 ④처럼「って」로 된다. →参

とは〈驚き〉【～という事実は／～ということは the fact that ／～这一事实／－하는 것은】★1

①いつもはおとなしい田中さんがはっきりと反対の意見を言うとは意外でした。
②驚きました。先生がわたしの誕生日を覚えていてくださったとは。
③14歳の少女がオリンピックで優勝するなんて誰も予想しなかった。

普通形 ＋とは

1）「～とは…」の形で、予想していなかった「～」という事実を見たり聞いたりしたときの驚きや感慨を言うときの表現。「～」で知ったことについて言い、「…」で驚きなどを表現する。　2）②は倒置の言い方。　3）話し言葉では③のように「なんて」と言う。

参 なんて

1）Disbelief or deep emotion about unexpected fact seen or heard. Fact precedes pattern; expression of surprise follows.　2）Sentence ② is inverted.　3）Spoken form is なんて, as in sentence ③. →参

1）采用「～とは…」的形式，看到或者听到「～」这一没有预料到的事实时，说话人发表自己的惊讶、感慨等心情时使用本句型。在「～」部分讲述了解到的事实，在「…」部分表达吃惊等情绪。　2）例句②为语序倒置的表达方式。　3）如例句③，在口语中变为「なんて」 →参

1）「～とは…」의 형태로, 예상하지 않았던「～」라는 사실을 보거나, 듣거나 했을 때의 놀라움이나 감회를 말할 때의 표현이다.「～」로 알게 된 사실에 대해 말하고,「…」에서 놀람 등을 표현한다.　2）②는 도치된 표현방법이다.　3）회화체표현에서는 ③과 같이「なんて」라고 한다. →参

とはいうものの【～だが、しかし granted that; it's true, but ／虽说～／－라고는 하지만】★2

①立春とはいうものの、春はまだ遠い。

②彼は20歳とはいうものの、まだ子どもだ。

③オリンピックは「参加することに意味がある」とはいうものの、やはり自分の国の選手には勝ってほしいと思う。

◎ N／**普通形**　＋とはいうものの

1）「～とはいうものの、…」の形で、「～の事柄は一応認めるが、実際はそのことから予想されるとおりにはいかない」という意味に使う。　2）③のように、「～の事柄を一応認め、譲歩した上で、…で別の事柄を主張する場合にも使う。

1）Speaker acknowledges some fact, but believes things will not actually turn out as predicted.　2）Also used as in sentence ③, where some event listed before the pattern is acknowledged and conceded, but some separate matter is emphasized.

1）采用「～とはいうものの、…」的形式，意为“虽然承认～，但事实却与由上述事件推想出的结论不同”。　2）如例句③，也可用于“承认～，在让步的基础上，以提出了别的主张”的情况。

1）「～とはいうものの、…」의 형태로,「～의 사항에 대해 일단은 인정하지만, 실제는 그 일로부터 예상되는 상황대로는 가지 않는다」라는 의미로 사용한다.　2）③과 같이,「～의 사항을 일단은 인정하고, 양보한 위에서, …에서 다른 사항을 주장」하는 경우에 사용한다.

とはいえ【～けれども／～といっても nevertheless; be that as it may ／虽说／－라고는 하지만 /－이기는 해도】★1

①彼は留学生とはいえ、日本語を読む力は普通の日本人以上です。

②ここは山の中とはいえ、パソコンもファクスもあるから不便は感じない。

③大新聞に書いてあるとはいえ、それがどこまで本当のことかはわからない。

④山の夏は、8月とはいえ、朝夕は涼しくて少し寒いぐらいだ。

N／**普通形** ＋とはいえ

「〜とはいえ」の形で、「〜」から受ける印象や特徴の一部を否定して実際のことを説明する表現。ふつう、後の文には話者の意見・判断などが来ることが多い。

Explains true situation while negating part of impression or characteristic implied from what comes before とはいえ. Often speaker's opinions or judgments follow.

采用「〜とはいえ」的形式，否定对「〜」的印象的一部分，并说明实际情况的表达方式。一般后半句会出现表说话人意见、判断的词句。

「〜とはいえ」의 형태로,「〜」로부터 받는 인상이나 특징의 일부를 부정해서 실제 사항을 설명하는 표현이다. 보통은 뒤에 오는 문장에는 말하는 사람（話者）의 의견, 판단 등이 오는 경우가 많다.

とはかぎらない【〜ということがいつも本当だとは言えない not necessarily; not always true that／未必／－라고는 할 수 없다】★3

①天気予報がいつも当たるとはかぎらない。ときにははずれることもある。

②話題の映画だからといって、かならずしもおもしろいとはかぎらない。

③新聞に書いてあることがいつも真実（だ）とはかぎらない。

④事故が起きないとはかぎらないから、高い山に登るときはしっかり準備をした方がいい。

普通形 ＋とはかぎらない

「…ということが必ず、いつも本当であるとは言えない、ときには例外もある」と言いたいときの文型。いつも・全部・だれでも・必ずしも、などの副詞といっしょに使われることが多い。また、②のように「〜からといって」などの言葉に導かれることが多い。

Something isn't always or necessarily true, but are exceptions. Often used with adverbs such as いつも, 全部, だれでも, or 必ずしも. Also often introduced by からといって, as in sentence ②.

在想要表达“…未必都是对的（真的），有时也会有例外”之意时使用本句型。多和いつも・全部・だれでも・必ずしも等副词一起使用。如例句②，由「〜からといって」等词语引导的用例也不在少数。

「…라고 하는 것이 반드시, 그리고 언제나 진실이라고는 할 수 없다, 때에 따라서는 예외도 있다」라고 말하고자 할 때의 문형이다. いつも・全部・だれでも・必ずしも 등의 부사와 함께 사용되는 경우가 많다. 또한, ②처럼「〜からといって」등의 말에 연관되는 경우가 많다.

とばかり(に) 【いかにも～というような様子で virtually seems to; as if ／～的样子／ – 처럼 /– 같이】 ★1

①あの子はお母さんなんかきらい<u>とばかりに</u>、家を出ていってしまいました。
②彼はお前も読め<u>とばかり</u>、その手紙を机の上に放り出した。
③みんなが集まって相談していると、彼女はわたしには関係ない<u>とばかりに</u>横を向いてしまった。

◎ 丁寧形・**普通形** ＋とばかりに

1）言葉で言うのではなく、いかにもそのような態度や様子である動作をする、という意味。ほかの人の様子を表現する言い方であるから、話者の様子には使わない。
2）後にはふつう、勢いの強い、激しい動作を表す文が来る。

1）Some attitude or appearance is not conveyed verbally, but appears certain way through actions. Describes other people so not used to describe speaker.　2）Usually clause following conveys forceful, extreme action.

1）不是用语言来表达，而是显出那种态度或摆出那种样子之意。只能用来描述别人的样子，不能用于描述说话人自己的样子。
2）后半句多使用表示很强的态势或很激烈的动作的词句。

1）말로 하는 것이 아니라 , 어디까지나 정말 그런 듯한 태도나 상태인 동작을 한다 , 고 하는 의미이다 . 다른 사람의 상태를 나타내는 표현방법이기 때문에 , 말하는 사람 (話者) 의 상태에는 사용하지 않는다 .　2）뒤에는 일반적으로 , 강력한 위세나 격렬한 동작을 나타내는 문장이 온다 .

とみえて 【～らしく／～らしい seems; looks like ／看起来／ – 처럼 /– 같이】 ★3

①夜遅く雨が降った<u>とみえて</u>、庭がぬれている。
②母はまだ病気からすっかり回復していない<u>とみえて</u>、何をしても疲れると言う。
③この子は絵が好きだ<u>とみえて</u>、暇さえあれば絵を描いている。
④彼の話を聞いたところでは、彼はこの計画にそうとう自信を持っている<u>とみえる</u>。

◎ **普通形** ＋とみえて

1）「～とみえて」の「～」で推量することを言い、後にその根拠を述べる言い方。
2）④は、始めに根拠を言い、後にそこから推量したことを述べる形である。

1）Conjecture precedes とみえて; basis for statement follows. 2）In sentence ④, basis is stated first; surmise follows.

1）在「～とみえて」中的「～」部分陈述推测出的结果，后面阐述这种推测的根据。 2）例句④是先说根据，之后再说从这个根据推测出的结论的表现形式。

1）「～とみえて」의「～」에서 추측하는 것을 말하고，뒤에 그 근거를 진술하는 표현방법이다. 2）④는 처음에 근거를 말하고，뒤에 그것으로부터 추측하는 것을 진술하는 형태이다.

とみえる ➡とみえて 252

ともあろう【～のようなりっぱな for such a prestigious…／那种了不起的～／－처럼 훌륭한/명색이 －라고 하는】★1

①大会社(だいがいしゃ)の社長(しゃちょう)ともあろう人(ひと)が、軽々(かるがる)しい発言(はつげん)をしてはいけない。

②あなたともあろう人(ひと)がどうしてあんな簡単(かんたん)なうそにだまされたのですか。

③国会(こっかい)ともあろう機関(きかん)であのような強行(きょうこう)な採決(さいけつ)をするとは許(ゆる)せない。

N ＋ともあろう

「～ともあろうN」の形(かたち)で話(はな)す人(ひと)が高(たか)く評価(ひょうか)している人(ひと)やものにつき、高(たか)く評価(ひょうか)しているのに実際(じっさい)はそれにふさわしくない行動(こうどう)をした、または高(たか)く評価(ひょうか)しているのだからそれにふさわしい行動(こうどう)をしてほしいなどと、話者(わしゃ)の感想(かんそう)を述(の)べたいときに使(つか)う。

In form ～ともあろう N, speaker's impressions about person or thing highly evaluated. Person or thing does not act in accordance with high evaluation, or speaker desires person or thing to act in accordance with expectations.

采用「～ともあろうN」的形式，说话人给与较高评价的人或事物，实际上却并没有做出符合该评价的行动，或者由于评价较高所以希望对方能作出符合该评价的实际行动，在想要表达说话人的这类感受的时候，使用本句型。

「～ともあろうN」의 형태로 말하는 사람（話者）이 높이 평가되고 있는 사람이나 사물에 대해서，높이 평가받고 있는데도 불구하고 실제로는 그에 걸맞지 않는 행동을 했다，또는 높이 평가하고 있기 때문에 거기에 걸맞은 행동을 해 주기 바란다 등으로，말하는 사람（話者）의 감상을 진술하고자 할 때 사용한다.

ともかく（として） ➡はともかく（として） 349

ともなく【特にそうしようというつもりでなく unconsciously; without paying attention ／不经意／흘낏 / 문득 / 작정없이】★1

①祖父は何を見るともなく窓の外をながめている。

②ラジオを聞くともなしに聞いていたら、とつぜん飛行機墜落のニュースが耳に入ってきた。

③夜、考えるともなしに会社でのことを考えていたら、課長に大切な伝言があったことを思い出した。

④彼はいつからともなく、みんなに帝王と呼ばれるようになった。

⑤彼は置き手紙をすると、どこへともなく去って行った。

Vる　＋ともなく

「特に目的や意図がなくある行為をする」と言いたいときに使う。「ともなく」の前後には同じ意味の動作性の動詞（見る・言う・聴く・考える、など）が来る。「ふと～すると（なんとなく～していたら）、こんな意外なことが起こった」と言いたいときによく使われる。④⑤のような慣用的な使い方もある。

Act with no particular purpose or intent in mind. Verbs of same type of action precede and follow, such as 見る、言う、聴く、考える、etc. Often used when unconsciously doing something and an unexpected event occurs. Also used in idiomatic expressions, as in sentences ④ and ⑤.

并没有什么特别的目的或意图而做某事，「ともなく」的前后使用意义相同的动作性动词（見る・言う・聴く・考える等）。多用于想要表达“不经意做了～（并不是有心地做了～），却发生了这种意外的情况”之意时。例句④⑤也可以作为惯用句来使用。

특별한 목적이나 의도가 없이 어떤 행위를 한다고 말하고자 할 때에 사용한다.「ともなく」의 전후에는 같은 의미의 동작성 동사(見る・言う・聴く・考える 등) 이 온다.「문득 ～하니까 (그냥 생각 없이 ～하고 있었더니), 이런 의외의 일이 일어났다」라고 말하고자 할 때에 자주 사용한다. ④⑤와 같은 관용적인 사용법도 있다.

ともなしに　➡ともなく　254

ともなって　➡にともなって　314

ともなると【～という程度の立場になると when you get to the position of／要是到了～的程度则…／－이 되면/－정도가 되면】★1

①普通の社員は決まった時間に出勤しなければならないが、社長<u>ともなると</u>いつ出勤しても退社してもかまわないのだろう。

②１国の首相<u>ともなると</u>、忙しくて家族旅行などゆっくりしてはいられないだろう。

③１、２歳の幼児はおとなしく家の中で遊ぶが、４、５歳の子ども<u>ともなると</u>外で遊びたがる。

④３人の子の親<u>ともなれば</u>、自由時間はかなり制限される。

⑤大学の教授<u>ともなれば</u>自分の研究だけでなく、学生や後輩の指導もしなければならない。

◎N　＋ともなると

１)「～ともなると」の「も」は、ある幅をもった範囲のうち、程度がそこまで進んだことを表すから、③④のように、より程度が進んだことを示す名詞につく。　◆×子どもともなると、外で遊びたがる。　２) ④⑤の「ともなれば」も同じ意味、用法である。

1) The も of ～ともなると describes progression to high level within certain range. Appends to nouns expressing advanced level, as in sentences ③ and ④. 2) In sentences ④ and ⑤ ともなれば has same meaning and usage. →◆

1)「～ともなると」当中的「も」表示在一个有一定额度的范围内，程度已经到了那一步，所以如例句③④，接表示程度更进一步的名词。→◆　2) 例句④⑤的「ともなれば」与本句型意义、用法相同。

1)「～ともなると」의「も」는, 어떤 폭을 가진 범위 가운데, 정도가 거기까지 진행했다는 것을 나타내기 때문에, ③④와 같이, 보다 정도가 진행되었다는 것을 가리키는 명사에 붙는다. →◆
2) ④⑤의「ともなれば」도 같은 의미, 용법을 갖는다.

ともなれば　➡ともなると　255

とわず　➡をとわず　428

な〈禁止〉【don't! no…!／不许／－하지 마라 /－금지】★4

①（立て札）危険。入るな！

②（子ども同士で）ぼくのボールペンを使うな。

③あきらめるな。最後までがんばれよ。

④このことはぜったいに人に言うなよ。

⑤この入り口から入るなと書いてあるから、裏から入ろう。

Vる ＋な

1）「Vるな」で終わる文は、主に男性が人に何かを禁止する命令の言い方。　2）⑤のように、間接話法で文中に使われるときは、男女に関係なく使われる。

参しろ〈命令〉と（言う）・な〈禁止〉と（言う）

1）Sentences ending in V るな are injunctions that men mainly use to prohibit someone from doing something.　2）When used as indirect discourse, as in sentence ⑤, is used by both men and women. →参

1）由「Vるな」结尾的句子主要是男性用语，用于命令别人、禁止别人做某事。　2）如例句⑤，作为间接引语在句中使用时，不分男女都可使用。→参

1）「Vるな」로 끝나는 문장은 , 주로 남성이 다른 사람에게 무엇인가 금지시키는 명령의 표현방법이다．　2）⑤와 같이 , 간접화법으로 문장 가운데에 사용될 때는 , 남녀에 관계없이 사용된다 .

→参

な〈禁止〉と（言う）【says not to…／～说不要…／－하지 말라고 (하다)】★3

①父はわたしにたばこを吸うなと言います。

②レストランで携帯電話を使ったら、兄に食事中に携帯を使うなとしかられた。

③試合の前に監督はわたしたちにいつもの注意を忘れるなと言った。

Vる＋な ＋と

1）忠告や禁止などを、間接話法で簡潔に示す言い方。　2）禁止や忠告の言葉の例として、①父「たばこを吸ってはいけない」 ②兄「携帯を使わない方がいいよ」 ③監督「いつもの注意を忘れないで」などがある。

1）Concisely expresses indirect warnings or commands. 2)Direct command versions of sentences listed are: sentence ① Father: You must not smoke; sentence ② Older brother: You really shouldn't use a cell phone, you know; sentence ③ Coach: Don't forget what I always tell you, etc.

1）表示忠告、禁止等的间接引语的简洁表达方式。 2）表禁止、忠告的用例：例句①，父亲说「たばこを吸ってはいけない」(不准吸烟)。例句②，哥哥说「携帯を使わないほうがいいよ」(最好别用手机电话)。例句③教练说「いつもの注意を忘れないで」(不要忘了平时的嘱咐)。

1）충고나 금지 등을，간접화법으로 간결하게 나타내는 표현법이다． 2）금지나 충고를 나타내는 말로써， ①父 (아버지)「たばこを吸ってはいけない (담배를 피우면 안 된다)」②兄 (형)「携帯を使わないほうがいいよ (휴대전화는 사용하지 않는 편이 좋다)」③監督 (감독)「いつもの注意を忘れないで (항상 하는 주의를 잊지 말아라)」

ないうちに ➡うちに 34－35

ないか ➡ませんか 367－368

ないかぎり 【～しなければ unless／只要不～／－가 없는 한/－가 없으면】 ★2

①この建物は許可がないかぎり、見学できません。
②責任者の田中さんが賛成しないかぎり、この企画書を通すわけにはいかない。
③参加各国の協力が得られないかぎり、この大会を今年中に開くことは不可能だ。
④化学の実験で水といえば、特に断らないかぎり、普通の水ではなく蒸留水のことを指す。

◎ Vない ＋ かぎり

1）「前の条件が満たされない間は、後の事柄が実現しない」という意味。また、「その条件が満たされれば、後の状況も変わる」という意味合いを含む。 2）後の文には、否定や困難の意味を表す文が来る。

1）Unless conditions listed before pattern are realized, event following will not occur. Also, if conditions are realized, succeeding situation will change.　2）Succeeding phrases include expressions of negation or difficulty.

1）意为“在没满足前面条件的期间内，后面的事无法实现”。还含有“如果满足了前面的条件，后面的状况也会有所改变”之意。
2）后半句使用表示否定或困难等意义的句子。

1）「앞의 조건이 충족되지 않는 동안은 , 뒤의 모든 사항이 실현되지 않는다」라는 의미이다 . 또한「그 조건이 충족되면 , 뒤의 상황도 변한다」라는 의미를 내포하고 있다 .　2）뒤의 문장에는 , 부정이나 곤란함의 의미를 나타내는 문장이 온다 .

ないかのうちに　➡か～ないかのうちに　54

ないことがある　➡ことがある　81

ないことにする　➡ことにする　89

ないことになる　➡ことになる　90－91

ないことには【～しなければ / unless／如果不做～／－하기 전에는 /－하지 않고서는】★2

①ある商品が売れるかどうかは、市場調査をしてみないことには、わからない。
②山田さんが資料を持っているんだから、彼が来ないことには会議が始まりません。
③体が健康でないことには、いい仕事はできないだろう。
④田中さんがどうして会社をやめたのか、いろいろ言われているけれど、本当の理由は本人に聞いてみないことにはわからない。
⑤ダンス教室を開きたいんですが、部屋がある程度広くないことにはダンスの練習はできませんね。

◎ Vない／イAくない／ナAでない／Nでない　＋ ことには

1）「あることをしなければ、または、あることが起こらなければ、後の事柄は実現しない」と言いたいときに使う。後には否定の意味の文が来る。　2）話者の消極的な気持ちを表す場合が多い。

1）Unless something is done or occurs, event following will not happen. Negatives are used in clause following.　2）Often expresses the speaker's passive feelings.

1）在想要表达“如果不做某事，或者如果某件事不发生的话，后面的事则无法实现”之意时使用本句型。后半句使用表否定意义的句子。　2）多表现说话人的消极情绪。

1）「어떤 일을 하지 않으면 , 또는 어떤 일이 일어나지 않으면 , 뒤의 사항은 실현되지 못한다」라고 말하고자 할 때 사용한다 . 뒤에는 부정의 의미를 갖는 문장이 온다 .　2）말하는 사람（話者）의 소극적인 기분을 나타내는 경우가 많다 .

ないことはない

【～かもしれない
perhaps／可能／충분히 − 하지 않을까 ?/− 하기는 하다 /− 가 아닌 것은 아니다】★2

①A：司会は、林さんに頼めばやってくれるかな。
　B：うん、林さんなら頼まれれば引き受けないことはないんじゃない。

②東京駅まで快速で 20 分だから、今すぐ出れば間に合わないことはない。

③A：先輩、今、お忙しいですか。
　B：忙しくないこともないけど、どんな用事ですか。

④祖父は、前は携帯電話が大嫌いだったんですが、最近は「便利でないこともない」と言うようになった。

Vない／イAくない／ナAでない／Nでない　＋ことはない

1）「～ないことはない」の形で、「～という可能性があるかもしれない」または「～のように言える面もある」という意味を表す。二重否定を使って消極的に肯定する言い方である。　2）断定を避ける言い方でもある。　3）①は「引き受けてくれるかもしれない」、②は「間に合うかもしれない」、③は「忙しいが少しなら時間がある」という意味を表している。　4）「なくもない」と同じように使う。　参なくもない

1）Possibility of something, or aspect could be said to be certain way. Double negative to express passive affirmation.　2）Avoids definite affirmation.　3）In sentence ①, Hayashi might agree to take on the work; in sentence ②, they might make it in time; and in sentence ③, B is busy, but has a little time. 4）Used same way as なくもない. →参

1）采用「～ないことはない」的形式，“也有～的可能性”或“也有可以称得上是～的一面”使用双重否定来表达一种消极的肯定意义。 2）也是一种避免断言某时地说。　3）例句①意为「引き受けてくれるかもしれない」(可能会接受)；例句②意为「間に合うかもしれない」(可能会来得及)；例句③意为「忙しいが少しなら時間がある」(虽说有点忙，但一点时间的话，还是有的)。　4）与「なくもない」用法相同。 →参

1）「～ないことはない」의 형태로,「～라고 하는 가능성이 있을지도 모른다.」또는「～처럼 말할 수 있는 면도 있다」고 하는 의미를 나타낸다. 이중부정을 사용해서 소극적으로 긍정하는 표현방법이다.　2）단정을 피하는 표현방법이다.　3）①은「맡아 줄지도 모른다」②는「시간 안에 도착할 수 있을지도 모른다」③은「바쁘지만 잠시라면 시간을 낼 수 있다」는 의미를 나타내고 있다.　4）「なくもない」와 비슷하게 사용한다. →参

ないこともない　➡ないことはない　259

ないつもりだ　➡つもりだ　157－158

ないで【without／没有、不／－하지 않고 /－하지 않은 채로】★4

①昨夜は顔も洗わないで寝てしまいました。
②兄は上着を着ないで出かけました。
③指定席を取らないで新幹線に乗ったら、すわれなかった。
④はさみを使わないで、この紙を２枚にしてください。
⑤サンドイッチを買わないで、おにぎりを買いました。

Vないで

1）動詞の否定形には「Vなくて」と「Vないで」がある。どんな状況で動作をしたかを表す場合は「Vないで」を使う。　2）「Vないで」は、①～③では「どんな状態で動作作用が起こったか」、④では「手段・方法」、⑤では「代わりに」などの意味がある。　3）「Vなくて」を使うのは理由を表す場合だけである。　◆×兄は上着を着なくて出かけました。

1）Negations of verbs have forms Vなくて and Vないで. When expressing how some action occurs, use Vないで.　2）In sentences ① to ③, type of situation where action occurs is described; in sentence ④, means and methods are delineated; in sentence ⑤, "instead of" is meant.　3）The form Vなくて is used only for stating reasons. →◆

1）动词的否定形有「Vなくて」和「Vないで」两种。如例句②，表示在何种情况下做的该动作之意时，使用「Vないで」。　2）「Vないで」有如下几个意义：例句①～③表示"在什么情况下发生的动作，作用"；例句④表示"方法、手段"；例句⑤表示"取而代之"之意。　3）使用「Vなくて」则是单纯表示理由的。→◆

1）동사의 부정형에는「V なくて」와「V ないで」가 있다. 어떤 상황에서 동작을 했는지를 나타내는 경우에는「Vないで」를 사용한다.　2）「V ないで」는 ①～③에서는「어떤 상황에서 동작 작용이 일어났는지」, ④에서는「수단・방법」, ⑤에서는「대비・대신에」등의 의미가 있다. 3）「V なくて」를 사용하는 것은 이유를 나타내는 경우에 한해서이다. →◆

ないでおく【refrain from／故意不做～从而准备着做…／－하지 않은 채로】★4

①健康診断の日は、朝食を食べないでおいてください。
②A：卵を冷蔵庫に入れましょうか。
　B：いえ、ケーキを作るにはあまり冷たくない方がいいので、入れないでおいてください。
③午後から会議の続きをするので、資料はかたづけないでおきました。
④この書類はわからないところがあるので、今は書かないでおきます。
⑤心配するから、母には言わないどこう。

Ⓒ Vないで ＋ おく

1）何かの目的のために、意図的にある行為をしないままにするという意味を表す。意志動詞につく。また、③～⑤のように、一時的な処置を表す言い方もある。

2）⑤のように、話し言葉では「Vないでおく→Vないどく」となる。 参ておく

1）Someone should deliberately avoid action to achieve purpose. Appends to verbs of volition. Also for temporary provisions, as in sentences ③ to ⑤. 2）In conversation, Vないでおく becomes Vないどく, as in sentence ⑤. →参

1）为了某个目的，有意识地不做某事，使其保持原状之意。接在意志动词之后。另外，也有时如例句③～⑤那样，表示暂时性的处理。
2）如例句⑤，在口语中，「Vないでおく」变为「Vないどく」。 →参

1）어떤 목적을 위해서，의도적으로 어떤 행위를 하지 않은 채로 버려 둔다고 하는 의미를 나타낸다. 의지동사에 붙는다. 또한，③～⑤처럼，일시적인 조치를 나타내는 표현방법도 있다.
2）⑤와 같이，회화체의 표현에서는「Vないでおく→Vないどく」로 된다. →参

ないでください ➡てください 176

ないではいられない

【どうしても～しないでいることはできない
can't help but; feel must ／无论如何不能不做～／ – 하지 않을 수 없다】★2

①動物園のサルを見ると、いつもわたしは笑わ<u>ないではいられない</u>。

②店の仕事と、子どもの世話と、お父さんの看病という花子の忙しさを見たら、何か手伝わ<u>ないではいられない</u>。

③会議中だったが、気分が悪くて体を横にし<u>ないではいられなかった</u>。

Ⓒ Vないでは ＋ いられない

1）身体的にがまんできないことを言うとき、または様子や事情を見て、話者の心の中に非常に～したいという気持ちが起こり、抑えられない、と言いたいときに使う。

2）話者の気持ちや体感などを表す言葉であるから、3人称に使うときは文末に「ようだ・らしい・のだ」をつける必要がある。 3）「ずにはいられない」と意味・用法が同じ。

参ずにはいられない

1）To physically not be able to bear something. Expresses that when speaker sees a situation, cannot suppress strong feeling of wanting to do something about it. 2）Describes speaker's feelings or physical senses; when appending to sentence endings in the third person, must append ようだ, らしい, or のだ. 3）Same meaning and usage as ずにはいられない. →参

1）身体上无法忍受的事。以及看到了事物的样子或情况，在说话人心里有一种「非常想…」的情绪，是以意志力“无法压制得住”的。2）由于是表达说话人的心情、身体感觉的表达方式，所以用于第三人称时，句末需要加上「ようだ·らしい·のだ」等。3）和「ずにはいられない」的意义用法相同。 →参

1）신체적으로 참을 수 없는 것을 가리킨다. 사건의 상황이나 사정을 보고 말하는 사람（話者）의 마음속에서「Vしよう（V하자）」라는 기분이 들어서 의지력만으로는「억제할 수 없다」고 할 때에 사용한다. 2）말하는 사람（話者）의 기분이나 체감 등을 나타낼 때 사용하는 말이므로, 3인칭에 사용할 때는 문말에「ようだ・らしい・のだ」를 붙일 필요가 있다. 3）「ずにはいられない」와 의미, 용법이 같다. →参

ないではおかない ➡ずにはおかない 113

ないではすまない ➡ずにはすまない 114

ないでもない【まったく〜ないのではない not totally unable／也并不全都不〜／－하지 않는 것은 아니다/－할 수도 있다】★2

① A：日本酒は全然飲まないんですか。
　B：いえ、飲まないでもないんですが、ビールやワインの方が好きです。
②明日は時間が取れないでもないです。1時間くらいならお話しできますよ。
③今度の試合に勝てそうな気がしないでもない。

Vない ＋ でもない

「Vない」を受けて「ある場合にはそうすることもある」「条件が合えばそうするかもしれない」という意味を表す。消極的に肯定する言い方。個人的な判断・推量について言うことが多い。①の「飲まないでもない」は「少し飲む」、③の「気がしないでもない」は「少しそんな気がする」という意味を表す。

Sometimes person does something or may do something if situation is just right. Passive affirmation. Often expresses individual judgment or conjecture. Sentence ① indicates speaker does drink some; sentence ③ indicates speaker thinks there is possibility of winning.

接在「Vない」之后，表示“有时也会那样做”“有条件的话也会那样做”之意。表示消极的肯定意义。多用于表示个人的判断、推测等。例句①「飲まないでもない」意为「少し飲む」(会少喝一点) ③「気がしないでもない」意为「少しそんな気がする」(有点那样的感觉)。

「Vない」를 받아서「때로는 그렇게 할 때도 있다」「조건이 맞으면 그렇게 할지도 모른다」는 의미를 나타낸다. 소극적으로 긍정하는 표현법이다. 개인적인 판단, 추측에 대하여 말할 때가 많다. ①의「마시지 않는 것도 아니다」는「 조금 마신다」, ③의「 마음이 없지도 않다」는「그런 마음이 조금 있다」라는 의미를 나타낸다.

ないと ➡と〈条件〉 207

ないどく ➡ないでおく 260

ないほうがいい ➡たほうがいい 134

ないまでも

【～まではできないが／～まではできなくても
can't go so far as; even if can't go as far as to／就算不能～／－하지는 못하지만 /－하지는 못해도】★1

①休みごとには帰ら<u>ないまでも</u>、1週間に1回位は電話をしたらどうですか。
②大会に出られ<u>ないまでも</u>、趣味としてスポーツを楽しみたい。
③給料は十分とは言え<u>ないまでも</u>、これで親子4人がなんとか暮らしていけます。
④営業目標は100パーセント達成したとは言え<u>ないまでも</u>、一応満足すべき結果だと言える。

Vない ＋までも

「～の程度には達しなくても、それより下の程度には達する」という意味。「せめて・少なくとも」という気持ちを込めて使う。

Even if something can't attain certain level, at least is attaining slightly lower level. Nuance of “at least,” or “at the minimum.”

“虽然达不到～的程度，但可以达到其以下的程度”之意。使用本句型的时候，带着「せめて・少なくとも」(至少) 等感情色彩。

「～의 정도까지는 이르지 않지만, 그보다 아래 정도에는 이른다」는 의미이다.「적으나마 · 그런대로」라는 기분을 넣어 사용한다.

ないものか 【～ないだろうか isn't there some way? ／难道不能～吗／ – 하지 못하는 것일까 ?/– 할 수 없는 것일까 ?】★2

①人々は昔からなんとかして年を取らずに長生きできないものかと願ってきた。

②なんとかして世界を平和にできないものか。

③なんとか母の病気が治らないものかと、家族はみんな願っている。

V ない ＋ ものか

1）実現が難しい状況で、強い願いを何かの方法で実現させたいという気持ちを言いたいときに使う。可能の動詞とともに使うことが多い。　2）②③のように「なんとかして・なんとか」とともに使うことが多い。

1）Strong desire to achieve something difficult to realize. Often used with potential verbs.　2）Often used as in sentences ② and ③, with なんとかして, and なんとか.

1）在难以实现的情况下，希望通过某种方法实现自己的强烈愿望，无论如何想要把那件事实现了，想要表达这种心情的时候使用本句型。多与表示可能的动词搭配。　2）如例句②③，多和「なんとかして・なんとか」等一起使用。

1）실현이 어려운 상황에서 , 강한 염원을 어떤 방법을 사용해서라도 실현하고 싶은 마음을 말하고자 할 때 사용한다 . 가능의 동사와 함께 사용할 때가 많다 .　2）②③ 과 같이「なんとかして・なんとか」와 함께 사용할 때가 많다 .

ないものでもない

【まったく～ないのではない／～可能性がある it isn't that…can't/don't ／也不是完全不～，也有可能～／전혀 – 못 할 것도 없다 /– 할 수도 있다】★1

①３人でこれだけ集中してやれば、４月までに完成しないものでもない。

②東さんは中国語ができないものでもありませんよ。３か月北京に住んでいたんだから。

③わたしだってロックを聞かないもんでもないよ。今度いいコンサートがあったら教えてくださいよ。

V ない ＋ ものでもない

1）「まったく～しないのではない」「可能性がある」「ある場合には～することもある」などの意味で、消極的に肯定する表現である。個人的な判断・推量・好き嫌いについて言うことが多い。　2）くだけた話し言葉では③のように「ないもんでもない」となる。

1）Passive affirmation indicating possibility, something happens in some cases, or something cannot be completely ruled out. Often for personal judgment, conjecture, likes, or dislikes.　2）Informal form: ないもんでもない, as in sentence ③.

1）"也并不是全不～"，"有可能性" "某些时候可能会做～" 等意义，表示消极的肯定。多用于表达个人的判断、推测、爱憎等。
2）在较为通俗的口语中如例句③那样，变为「ないもんでもない」。

1）「전혀 ～아닌 것은 아니다」「가능성이 있다」「어떤 경우에는 ～할 수도 있다」등의 의미로써，소극적으로 긍정하는 표현이다．개인적인 판단，추측，좋고 싫음에 대하여 말하는 경우가 많다．
2）허물없는 사이의 회화체에서는 ③처럼「ないもんでもない」가 된다．

ないもんでもない　➡ないものでもない　264

ないように　➡ように　401－402

ないようにする　➡ようにする　404

ないわけにはいかない

【どうしても～しなければならない
can't avoid; can't help; must ／不得不／ － 하지 않을 수 없다 /－ 해야만 한다】★3

①今日は37度の熱があるけれど、会議でわたしが発表することになっているので、出席しないわけにはいかない。

②25日には本社の社長が初めて日本に来るので空港まで迎えに行かないわけにはいかない。

③今度の試験に失敗したら、卒業できない。今週は勉強しないわけにはいかない。

V ない　＋　わけにはいかない

1）心理的、社会的、人間関係などの事情で「それをしないことは避けられない」または「しなければならない」と言いたいときに使う。　2）「する義務がある・する必要がある」と事情を説明する場合によく使う。　**参 わけにはいかない**

1）Owing to reasons of psychological or social issues, or interpersonal relations; something cannot be avoided or must be done.　2）Often indicates responsibility or need to do something. →参

1）鉴于心理上的、社会性的或和人际关系等情况，在想要表达"不做那件事是躲不过去的"或"必须做"之意时使用本句型。　2）在"有义务做" "有必要做" 等说明事情情况时也使用本句型。 →参

1）심리적，사회적，인간관계 등의 사정으로「그것은 피할 수 없는 일이다」또는「하지 않으면 안 된다」라고 말하고자 할 때 사용한다．　2）「할 의무가 있다．할 필요가 있다」라는 사정을 설명할 경우에 자주 사용한다． →参

ながら〈同時進行〉【while／一边～一边～／－하면서/－함과 동시에】★5

①わたしはいつも料理の本を見ながら料理を作ります。

②毎晩父はビールを飲みながらテレビを見ます。

③わたしはこれからも医者の仕事をしながら、この子を育てます。

④学生時代、わたしはアルバイトをしながら、日本語学校に通っていた。

⑤発音のテープを聞きながら、日本語の勉強をした。

◎ V~~ます~~ ＋ ながら

1）一人の人が二つの動作を同時に行うことを表す。③④のように、長い時間のことにも使える。　2）「ながら」の後ろが主要な動作である。　◆×日本語の勉強をしながら、発音のテープを聞いた。　3）ふつう、「ながら」の前後は継続的な動作を表す動詞を使う。　◆×すわりながら本を読んだ。→○すわって本を読んだ。

1）Describes one person doing two actions simultaneously. Can also be used for long periods of time, as in sentences ③ and ④. 2）Main action follows ながら.→◆ 3）Verbs of continuation precede and follow ながら.→◆

1）表示一个人同时做两个动作。如例句③④，有时也用于持续时间较长的事。　2)「ながら」之后是主要的动作。→◆　3)一般「ながら」的前后要使用表持续性动作的动词。→◆

1）한 사람이 두 개의 동작을 동시에 행하는 것을 나타낸다. ③④처럼 오랜 시간일 경우에도 사용된다. 2)「ながら」의 뒤가 주요한 동작이다.→◆ 3）보통「ながら」의 전후는 계속적인 동작을 나타내는 동사를 사용한다.→◆

ながら〈逆接〉【～ているのに／～ですが even while; although／虽然…但是／－이면서/－이지만】★2

①松下さんは本当のことを知りながら、知らないふりをしている。

②お手紙をいただいていながら、お返事も差し上げずに失礼いたしました。

③残念ながらわたしたちのチームは負けてしまった。

④一郎という子は、子どもながら将棋では大人も勝てないほど強い。

⑤わたしたちは貧しいながら幸せに暮らしています。

⑥兄はこのごろゆっくりながら歩けるようになった。

◎ V~~ます~~／イAい／ナA・ナAであり／N・Nであり　＋ながら

1）「～ながら、…」の形で、「～から予想されることとは違って、実際は…だ」と言いたいときに使う。「～」には状態性の動詞、「Vている」、形容詞や名詞などが来る。わずかだが⑥のように副詞につく例もある。　2）「～」に動作動詞がある場合は「同時進行」の意味になる。　3）「勝手ながら・いやいやながら・陰ながら・及ばずながら」などの慣用表現をよく使う。

参ながらも

1）Describes result different from expected. Verbs of state, Vている, adjectives or nouns precede ながら. Rarely also used as adverb, as in sentence ⑥.　2）When preceded by action verbs, means "simultaneous progression."　3）Often used in idioms such as 勝手ながら (I know this is probably an inconvenience, but), いやいやながら (grudgingly); 陰ながら (secretly, silently); and 及ばずながら (to the best of my poor ability). →参

1）采用「～ながら、…」的形式，在想要表达"与从～推测出的预想不同，实际上…"之意时使用本句型。「～」处多使用状态性动词、「Vている」、形容词、名词等。虽然不多见，但如例句⑥那样使用副词的情况也是存在的。　2）「～」处如果有动作动词的话，则变为"同时进行"之意。　3）常使用「勝手ながら・いやいやながら・陰ながら・及ばずながら」等惯用表现。 →参

1）「～ながら、」의 형태로「～로부터 예상되는 것과는 달리，실제는 …다」리고 말하고자 할 때 사용한다．「～」에는 상태성의 동사，「Vている」，형용사나 명사 등이 온다．드물지만 ⑥과 같이 부사에 이어지는 예도 있다．　2）「～」에 동작동사가 있는 경우는「동시진행」의 의미가 된다．　3）「勝手ながら・いやいやながら・陰ながら・及ばすながら」등의 관용표현도 자주 사용한다． →参

ながら〈そのまま〉【～の状態のまま as, with／保持～的状态／－하면서／－서부터】★1

①戦火を逃れてきた人々は涙<u>ながら</u>にそれぞれの恐ろしい体験を語った。

②彼には生まれ<u>ながら</u>に備わっている品格があった。

③10年ぶりに昔<u>ながら</u>の校舎や校庭を見て懐かしかった。

④モーツァルトは生まれ<u>ながら</u>にして音楽の天才であった。

◎ N　＋ながら

1）「～ながら」の形で、「～の状態のまま」という意味を表す。慣用的な表現が多く意味はそれぞれ次のようになる。①「涙ながらに」は「涙を流して」、②「生まれながらに」は「生まれつき」、③「昔ながらの」は「昔のままの」。　2）④の「生まれながらにして」は「生まれながらに」と同じように使う。

1）Something is just as condition implies. The many idioms with this pattern include: 涙ながらに (shed tears), 生まれながらに (born with or as), 昔ながらの (as in the past). 2）The 生まれながらにして in sentence ④ also means "to be born with or as."

1）采用「〜ながら」的形式，表示"保持〜的状态"之意。多为惯用表达，各种意义如下所示。例句①「涙ながらに」意为「涙を流して」(流着泪)；②「生まれながらに」意为「生まれつき」(从生下来就)；③「昔ながらの」意为「昔のままの」(保持以前的样子)。 2）例句④的「生まれながらにして」和「生まれながらに」用法相同。

1）「〜ながら」의 형태로「〜의 상태인 채」란 의미를 나타낸다. 관용적인 표현이 많고 의미는 각각 다음과 같다. ①「涙ながらに」는「눈물을 흘리고」②「生まれながらに」는「천성」③「昔ながらの」는「옛날 그대로의」. 2）④의「生まれながらにして」는「선천적으로」와 같은 쓰임으로 사용한다.

ながらに ➡ながら〈そのまま〉 267

ながらにして ➡ながら〈そのまま〉 267

ながらの ➡ながら〈そのまま〉 267

ながらも【〜けれども／〜のに even though／虽然／－임에도 불구하고／－이면서도】★1

①彼は金持ちでありながらも、とても地味な生活をしている。
②移転したばかりの新しい事務所は、狭いながらも駅に近いので満足している。
③彼は豊かな才能に恵まれながらも、その才能を生かせないうちに病に倒れ、若くして亡くなってしまった。

◎ V~~ます~~／イAい／ナA・ナAであり／N・Nであり ＋ ながらも

1）「〜ながらも…」の形で、「〜から予想されることとは違って、実際は…だ」と言いたいときに使う。「〜」には状態性の動詞、「Vている」、形容詞や名詞などが来る。
2）「ながら〈逆接〉」と意味・用法が同じだが、「ながら」より硬い表現。参 **ながら〈逆接〉**

1) Describes result different from expected. Verbs of state, V ている, or adjectives or nouns precede ながら. 2) Same meaning and usage as ながら (adversative conjunction), but more formal. →参

1) 采用「〜ながらも…」的形式,表达"与预想的不同,实际上是…"。「〜」处使用状态性动词、「Vている」、形容词、名词等。和「ながら」意义、用法相同。 2) 本句型与「ながら」(逆接) 的意思,用法相同,但语气较「ながら」(逆接) 生硬。 →参

1)「〜ながらも…」의 형태로「〜로부터 예상되는 것과는 달리, 실제는 …다」라고 말하고자 할 때 사용한다.「〜」에는 상태성의 동사,「Vている」, 형용사나 명사 등이 온다. 2)「ながら(역접)」과 의미, 사용법이 같지만,「ながら」보다 딱딱한 표현이다. →参

なきゃ ➡なければいけない・なければならない 274－275

なきゃいけない ➡なければいけない 274

なきゃならない ➡なければならない 275

なくして(は) 【〜がなければ if don't; without／如果没有〜／－없이(는)/－없고(는)】 ★1

①努力<u>なくしては</u>成功などあり得ない。
②事実の究明<u>なくしては</u>、有罪か無罪かの正しい判断などできるはずがない。
③愛<u>なくして</u>何の人生だろうか。

N ＋なくして(は)

1)「〜がなければ、後のことの実現は難しいだろう」と言いたいときに使う。 2)「〜」には望ましい意味の名詞が来る。後には否定的な意味の文が来る。 3) ③は、「愛がなければ、生きる意味がない」という意味の慣用的表現。

1) Without something, would be difficult to realize what follows なくして. 2) Nouns preceding pattern express desirable things. Clauses of negation follow. 3) Sentence ③, "Life has no meaning without love" is idiom.

1) 用来表示"如果没有〜,后面的事情很难实现"之意。 2)「〜」处使用一个表示倍受盼望意思的名词, 后面则使用否定意义的句子。 3) 例句③是意为"如果没有爱, 活着就没有意义"的惯用表达。

1)「〜이 없으면, 뒷일은 실현하기 어려울 것이다」라고 말하고자 할 때 사용한다. 2)「〜」에는 바람직한 의미의 명사가 온다. 뒤에 부정적인 의미의 문장이 온다. 3) ③은「사랑이 없으면 살아갈 의미가 없다」라는 의미의 관용적 표현이다.

なくたっていい ➡なくてもいい 272－273

なくたってかまわない ➡なくてもいい 272－273

なくちゃならない ➡なくてはならない 271

なくっていい ➡なくてもいい 272－273

なくて〈並列・理由〉【and; because／又／－하지 않아서】★4

①この部屋は家賃が高くなくて、駅からも近くて便利です。
②寮の管理人が親切じゃなくて、みんな困っている。
③小林さんと竹内さんは友だちではなくて、お姉さんと妹さんなんですよ。

◎イAく／ナAでは／Nでは　＋なくて

1）形容詞と名詞の否定の「て形」はいろいろな意味に使われる。　2）①③は並列の意味、②は弱い理由である。

1）Negation of て form of adjective and noun is used with various meanings. 2)Sen-tences ①and ③ show parallel meaning, sentence ②, weak reason.

1）形容词和名词的「て形否定」可以用于各种意义。　2）例句①③表并列、例句②表不强的因果关系当中的理由。

1）형용사나 명사의 부정의「て형」은 여러 가지의 의미에 사용된다. 2）①③은 병렬의 의미, ②는 약한 이유이다.

なくて〈理由〉【since; the fact that／因为没有～／－하지 않아서/－하지 못해서】★4

①きのうは夜遅くまで仕事が終わらなくて、大変でした。
②誕生日のパーティーに行けなくてごめんなさい。
③今度は直美さんといっしょに仕事ができなくて、とても残念です。

◎Vなくて

1）動詞の否定形には「Vなくて」と「Vないで」の二つがある。　2）理由の意味で使う場合の否定には例文のように「なくて」を使う。

1）Two forms of verb negation: V-なくて and V-ないで. 2）To express negation in cases showing reason, なくて is used, as in example sentences.

1）动词的否定形有「Vなくて・Vないで」两种。　2）在表示理由之意时，如上述例句所示，其否定为「なくて」。

1）동사의 부정형에는「Vなくて」와「Vないで」의 두 가지가 있다. 2）이유의 의미에서 사용하는 경우의 부정에는 예문처럼「なくて」를 사용한다.

なくてはいけない　➡なくてはならない　271

なくてはならない【must／不是～不行，必须是～／－하지 않으면 안된다/－해야한다】★4

①（市役所で）A：来月、また来<u>なくてはなりません</u>か。

B：ええ、すみませんが、来月もう１回来てください。

②プロのスポーツ選手は自分の体の調子を自分でコントロールし<u>なくてはいけない</u>。

③保証人になる人は社会人で<u>なくてはなりません</u>。

④あしたは８時の新幹線で大阪に行か<u>なくちゃならない</u>んだ。

⑤あしたマリアさんが遊びに来る。部屋をかたづけ<u>なくては</u>。

⑥（親が子に）もっと早く帰ってこ<u>なくちゃ</u>。夜の道は危ないんだから。

Vなくては／イAくなくては／ナAでなくては／Nでなくては　＋ならない

１）必要なことや義務を表す言い方。個人的なことを言うことが多い。主語は省略されることが多い。　２）「なくてはならない」と「なくてはいけない」は同じように使う。「なければいけない・なければならない」も同じように使うが、この二つは一般的な常識について言うことが多い。　３）話し言葉では、④のように「なくちゃならない・なくちゃいけない」などとなる。⑤⑥のように「なくては」や「なくちゃ」のように後ろを省略した言い方もある。

参なければいけない・なければならない

１）Necessities and obligations. Often used about oneself, and often subject omitted. ２）Used same way as なくてはいけない. Forms なければいけない and なければならない are also used same way, but these two patterns are often for speaking about general conventions. ３）In spoken language becomes なくちゃならない, or なくちゃいけない, as in sentence ④. As in sentences ⑤ and ⑥, what follows なくては or なくちゃ is often omitted. →参

１）表示有必要的事或义务。多用于表达个人的事。多省略主语。　２）「なくてはならない」和「なくてはいけない」用法相同。「なければいけない・なければならない」用法也相同，但这二者更多用于表示一般性常识。　３）在口语中，如例句④，变为「なくちゃならない・なくちゃいけない」等。如例句⑤⑥，「なくては・なくちゃ」后面的内容常被省略。 →参

１）필요한 일이나 의무를 나타내는 표현법이다. 개인적인 일을 말하는 경우가 많으며, 주어는 생략되는 일이 많다.　２）「なくてはならない」와「なくてはいけない」는 같이 사용한다.「なければいけない・なければならない」도 같이 사용하지만, 이 두 가지는 일반적인 상식에 대해 말하는 경우가 많다.　３）회화체에서는, ④처럼「なくちゃならない・なくちゃいけない」등으로 사용 된다. ⑤⑥처럼「なくては」나「なくちゃ」와 같이 뒤를 생략한 표현법도 있다. →参

なくてもいい〈不必要〉

【don't have to; not necessary to ／没必要／ – 하지 않아도 된다 (괜찮다) 】★4

①A：あしたも来なければなりませんか。

　B：いいえ、今日は仕事が全部できたから、あしたは来なくてもいいですよ。

②医者：熱が下がったから、もう薬を飲まなくてもいいです。

③森さんにファクスを送りましたが、電話はかけなくてもいいでしょうか。

④A：このことは今日決めなくてもかまいませんか。

　B：ええ、かまいませんよ。ゆっくり考えてください。

⑤メールで返事をくれれば、電話をくれなくたっていいよ。

⑥A：パソコンを持っていかなきゃいけない？

　B：あ、ここにあるから持ってこなくたってかまわないよ。

◎ Vなくても　＋いい

1）する必要はないという意味を表す。「なくてもかまわない」は「なくてもいい」とほとんど同じように使う。　2）④の「なくてもかまいませんか」は支障がないかどうか聞く言い方である。　3）話し言葉は⑤のように「なくたっていい」と⑥のように「なくたってかまわない」など。

1）Something needn't be done. Form なくてもかまわない is used nearly same way as なくてもいい. 2）In sentence ④, なくてもかまいませんか asks if there would be problem if something is not done. 3）Becomes なくたっていい in spoken language, as in sentence ⑤ or なくたってかまわない, as in sentence ⑥.

1）表示没必要做某事之意。「なくてもかまわない」和「なくてもいい」用法基本相同。　2）例句④的「なくてもかまいませんか」为询问对方自己的行为有没有妨碍到别人。　3）在口语中，变为如例句⑤的「なくたっていい」或例句⑥的「なくたってかまわない」等。

1）할 필요는 없다는 의미를 나타낸다.「なくてもかまわない」는「なくてもいい」와 거의 동일하게 사용한다.　2）④의「なくてもかまいませんか」는 지장의 유무를 묻는 표현법이다.　3）회화체의 표현법은 ⑤와 같이「なくたっていい」와 ⑥처럼「なくたってかまわない」등이다.

なくてもいい〈譲歩〉

【doesn't have to be／即使不是～也没关系／－하지 않아도 좋다（괜찮다）】★4

①1日だけですからホテルの部屋は広くなくても、きれいでなくてもいいです。

②医者：毎日でなくてもいいから、もっと運動をしてください。

③使わないものがあったらバザーに出してください。新しくなくてもかまいません。

④絵を描いて説明してください。絵は上手でなくてもかまいませんから。

⑤ぼくの部屋は静かじゃなくたっていいよ。

◎ Vなくても／イAくなくても／ナAでなくても／Nでなくても ＋いい

1）譲歩を表す言い方。最上ではないがこれでいいという意味を表す。「なくてもかまわない」は「なくてもいい」と同じように使う。　2）⑤「なくたっていい」は話し言葉。

1）Concession. Something is not optimal but good enough. Form なくてもかまわまはない used same way as なくてもいい. 2）The なくたっていい in sentence ⑤ is colloquial.

1）表示让步。意为虽然不是最好的，但这样也可以了。「なくてもかまわない」和「なくてもいい」用法相同。　2）例句⑤的「なくたっていい」等都是口语。

1）양보를 나타내는 표현법이다. 최상은 아니지만, 이 정도면 좋다는 의미를 나타낸다.「なくてもかまわない」는「なくてもいい」와 같이 사용한다.　2）⑤「なくたっていい」는 회화체이다.

なくてもかまわない ➡なくてもいい 272－273

なくなる ➡ようになる 405

なくもない

【まったく～ないのではない
some; somewhat／有点～，也不是全都不～／－하기도 한다/－하지 않는 것은 아니다】★1

①A：ジャズ好きですか。

　B：ええ。聞かなくもないですよ。

②A：部長、お話があるんですが。午後、お時間ありますか。

　B：そう、なくもないですよ。3時ごろから、30分ならいいですよ。

③A：この小説家、いいよね。君はどう思う。

　B：この人の作品、ぼくも好きでなくもないよ。

◎ Vなく／イAくなく／ナAでなく／Nでなく ＋もない

1）「まったく～ないのではない」「ある場合には～することもある」の意味。消極的に肯定する使い方。個人的な判断・推量・好き嫌いについて言うことが多い。 2）「ないことはない」と同じように使う。 参ないことはない

1）Speaker isn't completely negative about something, or sometimes does something. Passive affirmation. Often expresses individual judgment, conjecture, likes, and dislikes. 2）Used same way as ないことはない. →参

1）"并非完全不～"某些情况下也会～" 等意义。表示消极的肯定。多用于表示个人的判断、推测、爱憎等。 2）和「ないことはない」的用法相同。 →参

1）「전혀 없는 것은 아니다」「어느 경우에는 ～할 수도 있다」는 의미이다. 소극적으로 긍정하는 사용법이다. 개인적인 판단, 추측, 좋고 싫음에 대하여 말하는 경우가 많다. 2）「ないことは ない」와 그 쓰임이 동일하다.] →参

なければ ➡なければならない 275

なければいけない【must／必须，不得不／－하지 않으면 안된다/－해야 한다】★4

①明日の朝早く起き<u>なければいけない</u>ので、お先に失礼します。
②教師：作文は400字以上で<u>なければいけません</u>。短くてはいけません。
③旅行かばんは軽く<u>なきゃいけない</u>よね。
④あしたの朝早く起き<u>なきゃいけない</u>んです。お先に。
⑤子どもが学校へ通う道は安全で<u>なければ</u>。
⑥もう9時だ。早く帰ら<u>なきゃ</u>。

◎ Vなければ／イAくなければ／ナAでなければ／Nでなければ ＋いけない

1）社会常識などから見て、必要なことや義務を表す言い方。主語は省略されることが多い。 2）「なければならない・なくてはならない・なくてはいけない」も同じように使うが、「なければならない」は社会常識的なことに使うことが多い。 3）話し言葉では「なきゃいけない」などとなる。「なければ」や「なきゃ」のように、「いけない」を省略した言い方もある。 参なくてはならない・なければならない

1）Considered necessary or obligatory by social convention. Subject often omitted. 2）Used same way as なければならない, なくてはならない, and なくてはいけない, but なければならない is used most often for matters of social convention. 3）In spoken language becomes なきゃいけない. The いけない is often omitted, like なければ and なきゃ. →参

1）表示从社会常识看来是有必要的或有义务去做的。主语多被省略。 2）和「なければならない・なくてはならない・なくてはいけない」等用法相同，但「なければならない」更多用于社会常识性的事物。 3）在口语中变为「なきゃいけない」。有时只用「なければ」、「なきゃ」，而将「いけない」省略掉，见例句⑥。 →参

1）사회상식 등으로 생각했을 때 필요한 일이나 의무를 나타내는 표현법이다. 주어는 생략되는 경우가 많다. 2）「なければならない・なくてはならない・なくてはいけない」도 같이 사용하지만，「なければならない」는 사회의 상식적인 사항에 사용하는 경우가 많다. 3）회화체에서는「なきゃいけない」등으로 된다.「なければ」나「なきゃ」와 같이「いけない」를 생략한 표현법도 있다. →参

なければならない【must／必须／－하지 않으면 안된다/－해야 한다】★4

①あした、部屋代を払わなければなりません。

②いつも持っているかばんは軽くなければならない。

③子どもたちが学校に通う道、通学路は安全でなければならない。

④あした、加藤先生のレポートを出さなきゃならない。

⑤（父が高校生の息子に）学生は勉強が第一だ。勉強しなければ。

Vなければ／イAくなければ／ナAでなければ／Nでなければ ＋ ならない

1）社会常識などから見て、必要なことや義務を表す言い方。一般的な判断を言うことが多い。主語は省略されることが多い。 2）「なければいけない・なくてはならない・なくてはいけない」も同じように使うが、この三つは個人的なことに使うことが多い。 3）話し言葉では④のように「なきゃならない」などとなる。⑤のように「ならない」を省略した言い方もある。

参 **なくてはならない・なければいけない**

1）Considered necessary or obligatory by social convention. Often used for general judgments; subject often omitted. 2）Used same way as なければいけない, なくてはならない, and なくてはいけない, but these three are often for personal issues. 3）In spoken language becomes なきゃならない, as in sentence ④. The ならない can be omitted, as in sentence ⑤. →参

1）从社会常识来看有必要做或有义务要做的事。多用于一般性的判断。主语多被省略。 2）和「なければいけない・なくてはならない・なくてはいけない」用法相同，但这三者更多用于陈述个人的事。 3）在口语中多变为「なきゃならない」。如例句⑤，有时也将「ならない」省略掉。 →参

1）사회상식 등으로 생각했을 때 필요한 일이나 의무를 나타내는 표현법이다. 일반적인 판단을 말하는 경우가 많으며，주어는 생략되는 일이 많다. 2）「なければいけない・なくてはならない・なくてはいけない」도 같이 사용하지만，개인적인 일에 사용하는 경우가 많다. 3）회화체에서는 ④처럼「なきゃならない」등으로 된다. ⑤처럼「ならない」를 생략한 표현법도 있다. →参

なさい【do…!／请／－하시오】★4

①父：7時だよ。早く起きなさい。
②母：ご飯の前に手を洗いなさいよ。
③先生：あした、かならずこのプリントを持ってきなさい。
④（試験の問題で）どちらが正しいですか。正しい方に○をつけなさい。

◎ V~~ます~~ ＋なさい

1）「命令形」をそのままを使う場合より丁寧で軟らかい命令文。主に、親→子ども、先生→生徒などの関係で指示したり、試験の指示文などで使われたりする。　2）男女の区別なく使う。

1）Softer, more polite command form than using command form alone. Often shows relationships, such as parent to child, teacher to student, etc.; used in test directions.　2）Used by both men and women.

1）跟直接使用“命令形”相比,使用本句型的命令句语气更为礼貌、委婉。用于父母对孩子、老师对学生等关系中，表示指示；有时考试中（指示考生怎样作答）的指示句也使用本句型。　2）本句型的使用没有男女差别。

1）「명령형」을 그대로 사용할 경우보다 정중하고 부드러운 명령문이다. 주로 부모→자식, 선생→학생 등의 관계에서 지시한다든지, 시험의 지시문 등에서 사용되기도 한다.　2）남녀 구별 없이 사용한다.

なしに【～ないで／～なく without, don't／没有～／－하지 않고／－없이】★1

①わたしたちは3時間、休息なしに歩き続けた。
②断りなしに、ほかの人の部屋に入るな。
③彼女の話は涙なしには、聞けない。
④兄の病気のことが気になって朝まで一睡もすることなしに、起きていた。
⑤なんとか父に気づかれることなしに、家を出ることができた。

◎ Vる＋こと／N・する動詞のN　＋なしに

動作を表す言葉について「普通は～するが、この場合は～しないで、…する」または「普通は～するが、この場合は～をしないで、そのままいる」という意味を表す。

Used for words describing action: "normally do something a certain way, but in this instance continues previous state" or "does as intended originally."

接在表动作的词语之后，意为“一般都做～，但这种情况不做～，而是做…”，或“一般都做～，但这种情况不做～，就保持原样”。

동작을 나타내는 말에 붙어서「보통은 ～하지만, 이 경우는 ～하지 않고, … 한다」또는「보통은 ～하지만, 이 경우는 ～하지 않고, 그대로 있다」는 의미를 나타낸다.

など【～のようなものは something like, someone like／…之类的／－따위】★3

①部屋のそうじなどめんどうだなあ。

②人の悪口など言うものではない。

③税金を無駄使いするような大臣など、辞職して当然です。

④わたしなどはみなさんのように立派な話はできません。

N ＋など

1）「～など」の形で、「～」をいやだと思う気持ち、軽視する気持ちを表す。文末では否定的な言い方をする。　2）④のように、自分のことに使うと謙遜の意味になる。　3）「なんか・なんて」はくだけた会話的な言い方。

参 なんか

1）Feelings of dislike or contempt precede など. Takes negative sentence ending.　2）When used about speaker, shows humility, as in sentence ④.　3）Informal forms are なんか and なんて. →参

1）采用「～など」的形式,「～」处表达厌恶,轻视的情绪。句末使用表示否定的表达方式。　2）如例句④，用于说明自己的事时表示谦逊。　3）「なんか・なんて」为非正式的口语表达方式。 →参

1）「～など」의 형태로,「～」를 싫어하는 기분, 경시하는듯한 기분을 나타낸다. 문말에서는 부정적인 말이 온다.　2）④와 같이 자신의 일에 사용하면 겸손의 의미가 된다.　3）「なんか・なんて」는 쉬운 회화적인 표현법이다. →参

なら【if／如果／－한다면/－라면】★4

①A：今から図書館へ行きます。
　B：あ、図書館に行くなら、わたしも返したい本があるんですが。

②A：あれ、林さん、もう帰るんですか。ぼくはまだ仕事があるんです。
　B：そう、まだ仕事があるなら、お弁当と熱いお茶を買ってきましょうか。

③A：ドアが開かない。かぎがかかっています。
　B：えっ、かぎがかかっているんなら、かぎを借りてきましょう。

④（友だちが納豆を食べないのを見て）ジムさん、納豆がきらいなら、食べなくてもいいんですよ。

⑤A：田中さん、いませんか。
　B：田中さんなら、さっき出かけましたよ。

◎ **普通形**（ナA／N） ＋ なら

1）「～ なら、… 」の形で、「～なら」で相手の言ったことや様子を受けて、「…」で話す人のそれに対する助言・意志・意見などを言う。　2）⑤のように、何かを取り立てて言う言い方もある。　3）くだけた話し言葉では、③のように「なら」の前に「ん」を入れて「んなら」となることが多い。

1）Takes up other party's utterance or appearance and gives speaker's advice, volition, or opinion.　2）Sometimes emphasizes subject, as in sentence ⑤.　3）In informal spoken form, の or ん are often added before なら to become んなら, as in sentence ③.

1）采用「～なら、…」的形式，用「～なら」承接对方的样子或说过的话，在「…」部分陈述说话人的建议、意志、意见等。2）如例句⑤，有时也有特意挑选出某事来说的用法。　3）在较为通俗的口语中，如例句③，在「なら」的前面加上「ん」变为「んなら」的情况也不少见。

1）「～なら、…」의 형태로「～なら」에서 상대방이 말한 사안이나 상황을 받아,「…」에서 말하는 사람（話者）이 그것에 대한 조언, 의지, 의견 등을 말한다.　2）⑤와 같이 뭔가를 내세워서 말하는 표현법도 있다.　3）허물없는 사이의 회화체에서는 ③과 같이「なら」의 앞에「ん」을 넣어서「んなら」가 되는 경우도 많다.

なら（ば） ➡ば　336

なら～ほど ➡ば～ほど　351

ならいい ➡ばいい〈希望〉　338

ならいざしらず ➡はいざしらず　339

ならでは【～でなければ不可能な if not; unless ／如果不是～就不可能…／－밖에는 할 수 없는/－가 아니면】★1

①この絵には子どもならでは表せない無邪気さがある。
②この祭りこそは京都ならではの光景です。
③これは芸術的才能のある山本さんならではの作品だと思います。

◎ N ＋ ならでは

「～ならでは」の形で「～以外では不可能だ、ただ～だけができる」と感心するときの言い方。「～ならではの」の「の」は、「見られない・できない」などの動詞の代わりである。

Impressed that something would be impossible otherwise, or only N is capable of doing something. The の in ならではの substitutes for verbs 見られない，できない，etc.

采用「～ならでは」的方式，在感慨“如果不是～则是不可能的，只有～可以做得到”的时候，使用本句型。「～ならではの」中的「の」是代替「見られない・できない」等动词的。

「～이외에서는 불가능하다，단지 ～만이 가능하다」라고 감탄할 때의 표현법이다．「～ならではの」의「の」는「見られない・できない」등의 동사대신이다．

なり【～すると、同時に as soon as／同时／－하자마자】★1

①子どもは母親の顔を見る<u>なり</u>、ワッと泣き出しました。

②彼はしばらく電話で話していたが、とつぜん受話器を置く<u>なり</u>飛び出して行った。

③彼は合格者のリストに自分の名前を発見する<u>なり</u>、跳び上がって大声をあげた。

◎ Vる　＋なり

1）「～なり…」の形で、「～」をすると同時に、「…」という普通ではない行為をしたと言いたいときに使う。　2）「なり」は現実のできごとを描写するのであるから、意志的な行為を表す文や「よう・つもり」などの意志の文、命令文、否定文などが後に来ることはない。　◆×会社に着くなり、社長室に行ってください。　3）同様の意味・用法を持つ表現には次のものがある。参 **（か）とおもうと・か～ないかのうちに・たとたん（に）・がはやいか・やいなや**

1）Some unusual action occurs just after another action.　2）Since なり describes actual fact, clauses expressing volitional action, volition using よう, or つもり, commands, or negatives cannot follow. 3）The following patterns have similar meaning and usage: →参

1）采用「～なり…」的形式，在做「～」的同时，也做了「…」这一特殊行为，在想要表达这样的意义时使用本句型。　2）由于「なり」描写的是已经实现了的事，所以后半句不能出现意志性行为句或由「よう・つもり」等引导的意志句、命令句、否定句等。→◆　3）意义、用法相同的表达方式如下。→参

1）「～なり…」의 형태로，「～」을 함과 동시에，「…」라는 일반적이지 않은 행위를 했다고 말하고자 할 때 사용한다．2）「なり」는 현실의 일을 묘사하는 것이므로，의지적인 행위를 나타내는 문장이나「よう・つもり」등의 의지의 문장，명령문，부정문 등이 뒤에 올 수 없다．→◆　3）같은 의미・용법을 가진 표현에는 다음과 같은 것이 있다．→参

なり～なり 【～でもいい～でもいい either…or／也可以是～也可以是～／－하든지 － 하든지】 ★1

①だまっていないで、反対するなり賛成するなり意見を言ってください。

②となりの部屋の人がうるさいので、朝早く起きて勉強するなり図書館で勉強するなり、勉強の方法を考えなければならない。

③奨学金のことは先生になり学生課の人になり相談してみたらどうですか。

④ A：いつ伺いましょうか。
　B：今週なり来週なり、時間があるときに来てください。

◎ Ｖる／Ｎ（＋助詞） ＋ なり ＋Ｖる／Ｎ（＋助詞） ＋ なり

1）「～でもいい～でもいい、何か」と考えられる例を挙げる言い方。　2）過去のことには使えない。また、「何でもいいけど」という意味合いを含むときがあるので、目上の人に対してはあまり使われない。

1）Several courses of action are permissible.　2）Can't use in past tense. Sometimes has nuance that anything is all right, so not often used toward superiors.

1）意为「～でもいい～でもいい、何か」,列举出可以想得出的例子。2）不能用于过去的事。另外,由于含有「何でもいいけど」的意义,所以一般不用长辈或上司。

1）「～라도 좋고 ～라도 좋다, 무엇인가」라고 생각되는 예를 드는 표현법이다. 2）과거의 일에는 사용하지 않는다. 또,「무엇이든 좋지만」이란 의미를 포함하고 있으므로, 윗사람에게는 그다지 사용되지 않는다.

なりに 【～にふさわしい程度に appropriate to/appropriate for ～／符合某人的身分（做…）／～ 나름대로, ~ 대로】 ★1

①きのう彼が出した提案について、わたしなりに少し考えてみた。

②あの子も子どもなりにいろいろ心配しているのだ。

③収入が少なければ少ないなりに、暮らしを楽しむ方法はあるだろう。

◎ Ｎ／**普通形**（ナＡ） ＋ なりに

1）その人に、またはその条件にふさわしい程度に何かをすると言いたいときに使う。
2）謙遜して遠慮がちにものごとを述べるときに、「わたしなりに」の形ではよく使うが、目上の人についてはあまり使わない。

1）Some action is done at a level appropriate to the person or condition in question.　2）When using to express humility, is often used in pattern わたしなりに (in my own way). Not often used about social superiors.

1）意为做与某人或其条件相符的事，要表达这个意义时使用本句型。　2）在带着一种谦逊、礼貌的态度叙述某事时，多使用「わたしなりに」的形式，但基本不用于长辈或上司。

1）그 사람에게 또는 그 조건에 어울릴 만한 무언가를 하겠다고 말하고 싶을 때에 사용한다．　2）겸손하게 사양하는 듯이 사물을 말할 때에「わたしなりに（내 나름대로）」의 형태로 자주 사용하지만，윗사람에게는 그다지 사용하지 않는다．

なる　➡くなる　73

なる　➡になる　315

なんか【～のようなものは something like, someone like ／～之类的／－따위】★3

①変なにおいのする納豆なんか、だれが食べるものか。

②あんな人の言うことなんて信じるものか。いつもうそばかりついているんだから。

③わたしなんか何もお手伝いできなくて。すみません。

④娘：お父さんの顔なんて見たくない。

◎ N　＋なんか

1）「～なんか」の形で、「～」を嫌だと思う気持ち、「～」を軽視する気持ちを表す。「など」と同じ意味に使うが、くだけた会話で使う。　2）文末では否定的な言い方をする。　3）②のように反語表現とともに使う場合もある。③のように自分のことに使うと謙遜の意味になる。④のように場合によっては感情的な言い方になる。　4）「なんて」も同じように使うが、やや女性的な言い方。

参など

1）Expressions of dislike or contempt precede なんか. Same meaning as など, but used in informal speech.　2）Takes negative sentence ending.　3）Can be used in rhetorical questions, like in sentence ②. When used about speaker, shows humility, as in sentence ③. Can show passionate feeling, as in sentence ④.　4）なんて is used same way, but somewhat feminine.　→参

1）采用「～なんか」的形式，表示对「～」的嫌恶或瞧不起。和「など」意义基本相同，但本句型用于较为通俗的会话文中。　2）句末使用否定的表达方式。　3）如例句②，有时候也与反语一起使用。如例句③，用于表达自己的事时，变为谦逊意义。如例句④，在不同的场合下，用于表达感情冲动的说法。　4）「なんて」也有同样的用法，但较为女性化。　→参

1）「～なんか」의 형태로써「～」을 싫어한다고 생각하는 기분，「～」을 경시하는 기분을 나타낸다．「など」와 같은 의미로 사용하지만，허물없는 회화체에서 사용한다．　2）문말에서는 부정적인 표현법을 나타낸다．　3）②와 같이 반어를 사용하는 경우도 있다．③과 같이 자신의 일에 사용하면 겸손의 의미가 된다．④와 같이 경우에 따라서는 감정적인 표현법이 된다．　4）「なんて」도 같이 사용하지만，약간 여성적인 표현법이다．　→参

なんて【～という事実は／～ということは I had no idea!／～这一事实／－라니/－하다니】★2

①小林さんが竹内さんのお姉さんだなんて！　前から二人とは仲のいい友だちだったのに、知らなかった。

②信じられないなあ！　わたしがＴ大学に入学できたなんて。

③子どもの遊び相手もロボットがやってくれるなんて！

普通形 ＋ なんて

1）「～なんて、…」の形で、予想していなかった事実を見たり聞いたりしたときの驚きや感慨を言うときの表現。「～」で知ったことについて言い、「…」で驚きなどを表現する。　2）話し言葉。　3）②は倒置の言い方。③のように後半を省略した言い方もある。　4）書き言葉では「とは」を使う。

参 とは〈驚き〉

1）Disbelief or deep emotion about unexpected fact seen or heard.Fact precedes pattern; expression of surprise follows. 2）Spoken form.　3）Sentence ② is inverted. Sometimes latter half is omitted, as in sentence ③.　4）In written form, takes とは.

→参

1）采用「～なんて、…」的形式，在看到或听到自己未料到的事实时，而感到惊讶、感慨的表达方式。「～」说明已知的事实，「…」表达吃惊等情绪。　2）口语表达方式。　3）例句②为倒置表达法。也有如例句③，将后半句省略掉的用法。　4）在书面语中，使用「とは」。

→参

1）「～なんて、…」의 형태로, 예상하고 있지 않았던 사실을 보거나, 듣거나 했을 때의 놀라움이나 감동을 말할 때의 표현이다. 「～」에서 알았던 일에 대하여 말하고, 「…」에서 놀라움 등을 표현한다.　2）회화체이다.　3）②는 도치의 표현법이다. ③처럼 후반을 생략한 표현법도 있다.　4）문어체에서는「とは」를 사용한다.

→参

なんて　➡など　277

に【to; for the purpose of／为了～去（来）…／－에/－로】★5

①あした、デパートへくつを買いに行きます。

②昼休みには、寮へ食事にもどります。

③ひろし君は何をしに来たの。何もしないで帰ったけど。

④空港へ友だちを送りに行きます。

ⓒ V~~ます~~／する動詞のN　＋に

1）「〜に…」の形で、「〜」に「移動の目的」、「…」に「行く・来る・帰る・もどる」などの移動動詞を用いて、移動の目的を言う場合に使う。　2）目的の行為が、移動した先で完結する場合にだけ使う。　◆×ハワイに結婚に行きます。　3）目的が日常のことではなく、重要な場合には「に」は使わずに「ために」を使う。　◆△国際会議に出席しにパリへ行きます。→○国際会議に出席するためにパリへ行きます。

1）Aim of movement precedes pattern and is followed by verbs of movement such as 行く, 来る, 帰る, or 戻る.　2）Only used when action aimed for is accomplished at site moved to. →◆　3）In serious cases rather than every day objectives, ために is used instead of に.→◆

1）采用「〜に…」的形式,「〜」部分说明“移动的目的”,「…」部分使用「行く・来る・帰る・戻る」等移动动词，整个句型用于表示移动的目的。　2）只能在目的行为在前往的目的地完成的情况下使用。→◆　3）当目的不是日常事务而是非常重大的情况时，不使用「に」而是使用「ために」。→◆

1）「〜に…」의 형태로,「〜」에「이동의 목적」,「…」에「行く・来る・帰る・もどる」등의 이동동사를 사용하여, 이동의 목적을 말할 경우에 사용한다.　2）목적의 행위가 이동한 곳에서 완결되는 경우에만 사용한다.→◆　3）목적이 일상적이지 않고, 중요한 경우에는「に」는 사용하지 않고「ために」를 사용한다→◆

に　➡のに　332－333

にあたって【〜をするときに on the occasion of／在做〜的时候／－를 맞이해서／－함에 있어서】★2

①新学期<u>にあたって</u>、皆さんに言っておきたいことがあります。

②新居を購入する<u>にあたって</u>、わたしども夫婦はいろいろな調査をしました。

③研究発表をする<u>にあたって</u>、しっかり準備をすることが必要だ。

④この計画を実行する<u>にあたり</u>、ぜひ周囲の人の協力を求めなければならない。

ⓒ Vる／N　＋にあたって

ある決心を要する特別なとき、重要な行動を前にして、それに対しての積極的な姿勢を言いたいときに使う。改まった言い方だから日常的な普通のことには使わない。

Proactive posture toward some important event that requires resolve.Formal expression not usually used in everyday speech.

在某一需要下决心的特殊时节，面对将要实施的行动时，使用本句型来表达说话人对此行动所采取的积极姿态。由于是非常正式的表达方式，所以不用于一般的日常性事务。

어떤 결심을 필요로 하는 특별한 때 , 중요한 행동을 앞에 두고 , 그것에 대한 적극적인 자세를 말하고자 할 때 사용한다 . 격식을 차린 표현법이므로 일상적인 보통의 말에는 사용하지 않는다 .

にあたらない　➡に（は）あたらない　315

にあって【～に／～で in, at ／在／ －이어서 /－에서】★1

①今、A国は経済成長期にあって、人々の表情も生き生きとしている。
②数学は高度情報社会にあって、必要な学問的教養となっている。
③この非常時にあって、あなたはどうしてそんなに平気でいられるのですか。

◎N　＋にあって

1）「～のような特別な事態・状況に身をおいているので、または身をおいているのに」と言いたいときに使う。　2）①②のように、「こんな大変な状況にいるので」と後の文と順接的につながることもあるし、③のように「こんな大変な状況にいるのに」と逆接的につながることもある。

1）Since someone is in some special state or condition, or even though someone is in certain situation, react contrary to expectations.　2）In sentences ① and ②, clause following shows regular progression (since we're in such dire straits). Sometimes used as in sentence ③, showing paradox (even though we are in such dire straits).

1）“由于正处在～这种特别的事态、情况之中，或虽然身处在其中却…”之意。　2）可以如例句①②，“由于处在这种颇费周章的情况之下”，从而和后半句为顺接关系的，也可以如例句③，“虽然处在这种颇费周章的情况之下”，从而和后半句形成逆接关系。

1）「～와 같은 특별한 사태 , 상황에 직면해 있으므로 , 또는 직면해 있음에도 불구하고」라고 말하고자 할 때 사용한다 .　2）①②의 예문처럼「이런 특별한 상황에 있으므로」라고 뒷문장과 순접적으로 연결되는 것도 있고 , ③처럼「이런 어려운 상황에 있음에도 불구하고」라고 역접적으로 연결되는 것도 있다 .

にいたって

【～という重大な事態になって being in such straits ／事态到了这么严重的地步／ －를 맞이해서 / －(하는 사태) 에 이르러】★1

① 39度もの熱が3日も続くという事態に至って、彼はやっと医者へ行く気になった。
②関係者は子どもが自殺するに至って初めて事の重大さを知った。
③学校へほとんど行かずにアルバイトばかりしていた彼は、いよいよ留年という状況に至って、親に本当のことを言わざるを得なかった。

Vる／N　＋に至って

「～に至って」の形で、「～という重大な事態になって」という意味を表す。後の文に「やっと・ようやく・はじめて」などの言葉をよくいっしょに使う。

Something becomes a serious situation. Words such as やっと、ようやく、and はじめて are often used with this pattern.

采用「～に至って」的形式，意为“到了N这么严重的事态”。后半句常与「やっと・ようやく・はじめて」等词语一同使用。

「～に至って」의 형태로，「N이라는 중대한 사태로 되어」라는 의미를 나타낸다．뒤에 오는 문장에「やっと·ようやく·はじめて」등의 말을 함께 자주 사용한다．

にいたっては

【～の場合は極端で
in extreme cases; in worst-case scenarios ／到了（极端的程度）／－를 예로 든다면 / －만 해도】★1

①わたしの家族はだれもまともに家で夕食をしない。姉に至っては仕事や友人との外食で家で食べるのは月に1回か2回だ。

②どこの駅でも周辺の放置自転車の数が増えているらしいが、わたしが住む町に至っては、道路が狭いため、いつ子どもを巻き込む事故が起こってもおかしくない状態だ。

N　＋に至っては

「～に至っては」の形で、マイナス評価の例がいくつかある中で～という極端な例を挙げて、その場合はどうであるかを説明する。

Describes situation in most extreme case of several examples of negative evaluations.

采用「に至っては」的形式，举出几个负面评价的例子，对于其中最为极端的N，用本句型来说明在那种情况下将会怎样。

「Nに至っては」의 형태로，마이너스평가의 보기가 몇 가지 있는 중에서 N이라는 극단적인 예를 들어 그 경우는 어떨지를 설명한다．

にいたる

【～までになる
reached ／到了～／－하기에 이르렀다】★1

①被害は次第に広範囲に広がり、ついに死者30人を出すに至った。

②小さなバイクを造ることから始めた本田氏の事業は発展し続け、とうとう世界的な自動車メーカーにまで成長するに至った。

③工場閉鎖に至ったその責任は、だれにあるのか。

Vる／N　＋に至る

1）「いろいろなことが続いた後、ついにこうなった」と言いたいときに使う。
2）後の文では「ついに・とうとう」などの言葉をよくいっしょに使う。

1）After several events occur in succession, something finally happens.　2）Often ついに, or とうとう follows.

1）在想要表达"在连续发生了各种各样的事之后，终于变成这样"之意时使用本句型。　2）后半句常出现「ついに・とうとう」等词语。

1）「여러 가지 일이 계속된 후에, 결국 이렇게 되었다」라고 말하고자 할 때에 사용한다.　2）뒤에 오는 문장에서는「ついに・とうとう」등의 말과 함께 자주 사용한다.

にいたるまで【～までも　even／甚至到～／－까지도／－에 이르기까지】★1

①警察の調べは厳しかった。現在の給料から過去の借金の額に至るまで調べられた。
②中山氏は山田さんに関心があるのだろうか。山田さんの休日の行動に至るまで詳しく知りたがった。
③身近なごみ問題から国際経済の問題に至るまで、面接試験の質問内容は実にいろいろだった。

N　＋に至るまで

「ものごとの範囲がそんなことにまで達した」と言いたいときに使う。上限を強調して表すのであるから、極端な意味の名詞に接続する。

Things come to such a pass. Emphasis on upper limits. Follows nouns signifying extremes.

在想要表达"事物的范围已经到了那种程度"之意时使用本句型。由于强调的是上限，所以接在表极端意义的名词之后。

「일의 범위가 그런 것에 까지 도달했다」고 말하고자 할 때 사용한다. 상한선을 강조하여 나타내는 것이므로, 극단적인 의미의 명사에 접속한다.

において【～で／～に　in; at／在／－에서／－에 있어서】★3

①入学式はA会館において行われる予定。
②この植物は、ある一定の環境においてしか花を咲かせない。
③経済界における彼の地位は高くはないが、彼の主張は注目されている。
④このレポートでは江戸時代における庶民と武士の暮らし方の比較をしてみた。
⑤最近、人々の価値観においても、ある小さな変化が見られた。
⑥マスコミはある意味において、人を傷つける武器にもなる。

◎N ＋において

1）ものごとが行われる場所、場面、状況を表す。③⑤のように、方面・分野に関しても使われる。　2）「～で」と大体同じ意味だが、改まった書き言葉だから、日常的な文の中ではあまり使わない。　◆×わたしは毎日図書館において勉強します。　3）後に名詞が来るときは③④のように「におけるN」という形になる。

1）Describes places, scenes, or conditions where something happens. Used as in sentences ③ and ⑤ for fields or areas. 2）Nearly same meaning as で, but being formal written form, is not often used in everyday language. →◆ 3）When followed by a noun, becomes における N, as in sentences ③ and ④.

1）表示事物发生的地点、场面、状况等。如例句③⑤，也可用于表达与某一方面、领域有关的场合。　2）和「～で」意义基本相同，但由于是正式的书面用语，所以一般不出现在表日常事务的句子中。→◆　3）后面出现名词时，如例句③④，变为「におけるN」的形式。

1）일이 행하여지는 장소, 장면, 상황을 나타낸다. ③⑤처럼 방면, 분야에 관해서도 사용된다.　2）「～で」와 거의 같은 의미지만, 격식을 차린 문장체이므로, 일상적인 문장속에서는 그다지 사용하지 않는다. →◆　3）뒤에 명사가 올 때는 ③④처럼「におけるN」라는 형태가 된다.

におうじた　➡におうじて　287

におうじて【～に対応して for, according to／与～相应／－에 따라서 / －에 상응해서 / －에 맞게】★2

①人は年齢に応じて社会性を身につけていくものだ。
②アルバイト料は労働時間に応じて計算される。
③当店ではお客さまのご予算に応じてお料理をご用意いたします。
④登山をするには、当日の天候に応じた服装をしてくること。

◎N ＋に応じて

1）主として程度や種類の違いを表す語につき、それが変われば、それに対応して後の事柄も変わるということを表す。　2）後に名詞が来るときは④のように「に応じたN」という形になる。

1）Appends mainly to words expressing difference in level or category. Shows that if N changes, what follows will change accordingly. 2）When followed by a noun, becomes に応じた N, as in sentence ④.

1）主要接在表示不同的程度、种类等词语之后，如果前面的发生了变化，与之相对应，后面的情况也会跟着变化。　2）后面出现名词时，如例句④，变为「に応じたN」的形式。

1）주로 정도나 종류의 차이를 나타내는 말에 붙어서, 그것이 변하면 그에 대응하여 뒤의 내용도 변하는 것을 나타낸다.　2）뒤에 명사가 올 때는 ④처럼「に応じたN」이라는 형태가 된다.

における　➡において　286

にかかわらず【～に関係なく doesn't matter whether, regardless if／无论～／－에 관계없이】★2

①このデパートは、曜日にかかわらず、いつも込んでいる。
②金額の多少にかかわらず、寄付は大歓迎です。
③値段の高い安いにかかわらず、いい物は売れるという傾向があります。

N ＋にかかわらず　2）参照

1）「前に来る事柄がどうであっても、またどちらであっても、後のことが成立する」という意味。　2）②③のように、対立関係にある言葉を受けることが多い。　3）「にかかわりなく・をとわず」と意味・用法が大体同じ。

参 にかかわりなく・をとわず

1）Whatever follows after pattern will occur no matter what happens before pattern.　2）Often used in contrasting relationships, as in sentences ② and ③.　3）Same meaning and usage as にかかわりなく and をとわず. →参

1）"前面出现的事物无论怎样，或无论是哪一个，后面的事物都会成立"之意。　2）如例句②③，多接在对立关系的词语之后。　3）和「にかかわりなく・をとわず」的意义用法基本相同。→参

1）「앞에 오는 내용이 어떠하더라도, 또 어느 쪽이더라도 나중의 일이 성립한다」는 의미이다.　2）②③과 같이 대립관계에 있는 말을 받는 경우가 많다.　3）「にかかわりなく・をとわず」와 의미・용법이 거의 같다. →参

にかかわりなく【～に関係なく regardless of／无论～／－에 관계없이】★3

①田中さんは相手の都合にかかわりなく仕事を頼んでくるので本当に困る。
②このグループのいいところは、社会的な地位にはかかわりなく、だれでも言いたいことが言えることだ。
③当社は学校の成績のいい悪いにかかわりなく、やる気のある人材を求めています。
④今回の研修旅行に参加するしないにかかわりなく、このアンケートに答えてください。

N ＋にかかわりなく　2）参照

1）「前に来る事柄がどうであっても、またどちらであっても、後のことが成立する」という意味。　2）③④のように、対立関係にある言葉を受けることが多い。　3）「にかかわらず・をとわず」と意味・用法が大体同じ。　参 にかかわらず・をとわず

1) Whatever follows after pattern will occur no matter what happens before pattern. 2) Often used in contrasting relationships, as in sentences ③ and ④. 3) Same meaning and usage as にかかわらず, and をとわず. →参

1）"前面出现的事物无论怎样，或无论是哪一个，后面的事物都会成立"之意。 2）如例句③④，多接在对立关系的词语之后。 3）和「にかかわらず・をとわず」的意义用法基本相同。 →参

1）「앞에 오는 내용이 어떠하더라도, 또 어느 쪽이더라도 나중의 일이 성립한다」는 의미이다. 2）③④와 같이 대립관계에 있는 말을 받는 경우가 많다. 3）「にかかわらず・をとわず」와 의미・용법이 거의 같다. →参

にかかわる【～のような重大(じゅうだい)なことに関係(かんけい)する concerned with; have bearing on／与～这一重大事件有关／－에 관련된】★1

①人(ひと)の名誉(めいよ)にかかわるようなことを言(い)うな。

②プライバシーを守(まも)るということは人権(じんけん)にかかわる大切(たいせつ)な問題(もんだい)です。

③教育(きょういく)こそは国(くに)の将来(しょうらい)にかかわる重要(じゅうよう)なことではないでしょうか。

N ＋にかかわる

「～にかかわるN」の形(かたち)でただ～に関係(かんけい)があるのではなく、「それに重大(じゅうだい)な影響(えいきょう)を与(あた)える」と言(い)いたいときの表現(ひょうげん)。

In form ～にかかわる N, something is not only related, but has great impact on but has great impact on what comes before pattern.

采用「～にかかわるN」的形式，在想要表达不只是有关系，"对其产生重大影响"之意时使用本句型。

「～にかかわるN」의 형태로 단지 ～에 관계가 있는 것이 아니라, 「그것에 중대한 영향을 끼친다」라고 말하고자 할 때의 표현이다.

にかぎって【～の場合(ばあい)だけは only in the case of; only at times when／只限／－에 한해서 / －만은 / －치고】★2

①自信(じしん)があると言(い)う人(ひと)に限(かぎ)って、試験(しけん)はあまりよくできていないようだ。

②ハイキングに行(い)こうという日(ひ)に限(かぎ)って雨(あめ)が降(ふ)る。わたしはいつも運(うん)が悪(わる)いなあ。

③あの先生(せんせい)に限(かぎ)ってそんなしかり方(かた)はしないと思(おも)う。

④S社(しゃ)の製品(せいひん)に限(かぎ)ってすぐに壊(こわ)れるなんてことはないだろうと思(おも)っていたのに……。

N ＋に限(かぎ)って

「～のときだけ、～だけは特(とく)に」と言(い)いたいときに使(つか)う。①②のように「特別(とくべつ)にその場合(ばあい)だけ好(この)ましくない状況(じょうきょう)になって不満(ふまん)だ」と言(い)いたいとき、また③④のように、信頼(しんらい)や特別(とくべつ)な期待(きたい)をもって話題(わだい)にし、「～だけは好(この)ましくないことはないはずだ」という判断(はんだん)を言(い)うときに使(つか)う。

Emphasizes something happens only in certain occasions or in particular cases. As in sentences ① and ②, can be used to show unhappiness with unpleasant circumstances that arise only in certain instances.Also as in sentences ③ and ④, to show trust or judgment that something unpleasant cannot possibly happen in this one particular instance.

在想要表达"只在～时、只有～尤其"之意时使用本句型。如例句①②，意为"特别只是在那种情况之下发生了不愉快的事，令人不满"，例句③④，以自己非常信任或有特殊期待的事为话题，来表达自己的"只有～不应该发生不愉快的事"的判断。

「～때만，～만은 특히」라고 말하고자 할 때 사용한다. ①②와 같이「특별히 그 경우만 바람직하지 않은 상황이 되어 불만이다」라고 말하고자 할 때, 또는 ③④처럼 신뢰나 특별한 기대를 가지고 화제가 되는「～만은 바람직하지 않은 일은 없을 것이다」라는 판단을 내릴 때 사용한다.

にかぎらず 【～だけでなく not limited to／不只～／－에 한정되지 않고 / －뿐만 아니라】★2

①日曜日に限らず、休みの日はいつでも、家族と運動をしに出かけます。
②男性に限らず女性も、新しい職業分野の可能性を広げようとしている。
③この家に限らず、この辺りの家はみんな庭の手入れがいい。

N ＋に限らず

「～だけでなく、～が属するグループの中の全部に当てはまる」と言いたいときに使う。

Means "not only N," or or something pertains to everything in a certain group.

在想要表达"不只是～，只要是～所属的群体，那么当中的任何一个成员都适用"之意时使用本句型。

「～뿐만 아니라，～가 속하는 그룹 속의 전부에 해당한다」고 말하고자 할 때 사용한다.

にかぎり 【～だけは only for／只限于～／－에 한해서 /－만】★2

①この券をご持参のお客さまに限り、200円割り引きいたします。
②電話取り次ぎは8時まで。ただし、急用の場合に限り、11時まで受け付ける。
③朝9時までにご来店の方に限り、コーヒーのサービスがあります。

N ＋に限り

「～だけ特別に…する」と言いたいときに使う。

Something special will be done for only a certain category.

在想要表达"只对～特别…"之意时使用本句型。

「～만 특별하게 …한다」고 말하고자 할 때 사용한다.

にかぎる【～が一番いい just the thing; the best ／～是最好的／ – 하는 것이 제일이다】★3

①１日の仕事を終えたあとは、冷えたビールに限りますよ。
②自分が悪いと思ったら、素直に謝ってしまうに限る。
③子どもの育て方で問題を抱えているときは、育児書に頼ったり一人で悩んだりしていないで、とにかく経験者の意見を聞いてみるに限る。
④太りたくなければ、とにかくカロリーの高いものを食べないに限る。

◎ Vる・Vない／N ＋に限る

１）話者が主観的に「～が一番いい」と思って、そう主張するときに使う。　２）客観的な判断を言うときは使わない。　◆×医者：この病気を治すには、手術に限りますよ。

1) Asserts a speaker's subjective opinion that something is best.　2) Not used for objective evaluations. →◆

1）说话人主观地认为"～是最好的",并提出该主张时使用本句型。
2）不能用来表示客观的判断。→◆
1）말하는 사람（話者）이 주관적으로「～이 가장 좋다」라고 생각하여, 그렇게 주장할 때에 사용한다.　2）객관적인 판단을 말할 때는 사용하지 않는다.

にかけては【～では when it comes to ／在～方面／ – 에 있어서는 /– 만큼은】★3

①田中さんは事務処理にかけてはすばらしい能力を持っています。
②水泳部員は 50 人もいるけれど、飛び込みのフォームの美しさにかけては、あの選手が一番だ。
③足の速さにかけては自信があったのですが、若い人にはもう勝てません。

◎ N ＋にかけては

「～にかけては」の形で「～の素質や能力に関しては自信がある、ほかよりすぐれている」と言いたいときに使う。

Speaker has confidence that aptitude or ability of someone who precedes pattern is superior to anyone else's.

采用「～にかけては」的形式。在想要表达"在某方面的素质或能力上有自信，比其他人优秀"之意时，使用本句型。
「～にかけては」의 형태로,「～의 소질이나 능력에 관해서는 자신이 있는, 그 누구보다도 뛰어나다」고 말하고자 할 때 사용한다.

にかたくない【～できる／～するのはやさしい can; easy to ／可以～，不难～／ －하기 어렵지 않다 /－할 수 있다】★1

①母親のその言葉を聞いて傷ついた子どもの心のうちは想像<u>にかたくない</u>。

②父がわたしの変わりようを見て、どんなに驚いたか想像<u>にかたくない</u>。

③人は主任のした行為を批判するが、彼の置かれた立場を考えれば、彼がなぜそうしたか、理解<u>にかたくない</u>。

◎ 2）参照

1）「状況から考えて容易に～できる」と言いたいときに使う。 2）「想像にかたくない」「理解にかたくない」という形で慣用的に使うことが多い。 3）①②は「想像できる」、③は「理解できる」という意味。

1）Easy to imagine something considering circumstances. 2）Often used in idioms such as 想像にかたくない or 理解にかたくない. 3）Sentences ① and ② mean "can imagine," while sentence ③ means "can understand."

1）意为"从现实情况考虑，不难（想象）～"。 2）「想像にかたくない」「理解にかたくない」等多为惯用表达方式。 3）例句①②是「会想像」，例句③是「会理解」之意。

1）「상황을 생각해 보았을 때 쉽게 ～할 수 있다」라고 말하고자 할 때 사용한다. 2）「想像にかたくない」「理解にかたくない」라는 형태로 관용적으로 사용하는 일이 많다. 3）①②는「상상할 수 있다」, ③은「이해할 수 있다」라는 의미다.

にかわって【～の代理として／～ではなく instead of, in place of ／不是～，代替～／ －를 대신해서】★3

①木村先生は急用で学校へいらっしゃれません。それで今日は、木村先生<u>に代わって</u>わたしが授業をします。

②本日は社長<u>に代わり</u>、私、中川がごあいさつを申し上げます。

③普通の電話<u>に代わって</u>、各家庭でテレビ電話が使われるようになる日もそう遠くないだろう。

◎ N ＋に代わって

1）「いつものN、通常のNではなく」と言いたいときに使う。やや硬い言い方。
2）「の代わりに（代理）」で言い換えることができる。

Not the usual N. Somewhat formal. 2）Interchangeable with の代わりに (substitute).

1）用于表示"不是通常的N、习惯了的N"之意。略为生硬。
2）可以用「の代わりに（代理）」来替换。

1）「평소의 N，일상적인 N이 아닌」이라고 말하고자 할 때 사용한다. 조금 딱딱한 표현법이다. 2）「の代わりに（代理）」로 바꾸어 말할 수 있다.

にかんして【～について about; regarding ／关于～／ − 에 관해서 /− 에 대해서】★2

①この問題に関してもう少し考える必要がある。
②本件に関しては現在調査しております。結論が出るまでもうしばらくお待ちください。
③今回の「休日の過ごし方」に関してのアンケートはとても興味深かった。
④この論文は日本の宗教史に関する部分の調べ方が少し足りない。

N　＋ に関して

1）話す・聞く・考える・書く・調べるなどの行為で、扱う対象を言うときに使う。「について」と意味・用法はだいたい同じだが「について」より硬い表現。　2）後に名詞が来るときは④のように「に関するN」という形になる。

1）Talks about a certain topic that is subject to actions such as speaking, hearing, thinking, writing, or investigating. Nearly same meaning and usage as について, but more formal. 2）When followed by a noun, as in sentence ④, becomes に関する N.

1）用于表示说、听、想、写、调查等行为所涉及的对象。与「について」的意义、用法基本相同，但与其较「について」生硬。
2）后面出现名词时，如例句④，变为「に関するN」的形式。

1）말하다 · 듣다 · 생각하다 · 쓰다 · 조사하다 등의 행위에서, 취급하는 대상을 말할 때 사용한다.「について」와 의미, 용법은 거의 같지만「について」보다 딱딱한 표현이다.　2）뒤에 명사가 올 때는 ④처럼「～に関するN」이라는 형태가 된다.

にかんする　➡にかんして　293

にきまっている【きっと～だ／必ず～だ matter of course; certain; definite ／一定～／반드시 (당연히) − 된다 / − 인 것이 당연하다】★3

①そんな暗いところで本を読んだら目に悪いに決まっている。
②今週中に 30 枚のレポートを書くなんて無理に決まっています。
③デパートよりスーパーの方が品物が安いに決まっているよ。スーパーへ行こう。
④選挙では林氏が当選するに決まっている。彼はこの土地の有力者なんだから。

普通形（ナA・ナAである／N・Nである） ＋ に決まっている

話者が断定したいほど確信を持っていると言いたいときに使う。

Speaker's conclusive conviction about something.

说话人确信自己所说的事，确信到了可以断定的程度，在想要表达这样的意义时使用本句型。

말하는 사람（話者）이 단정하고 싶을 만큼 확신을 가지고 있다고 말하고자 할 때 사용한다.

にくい【hard to ／难…, 不易…／ – 하기 어렵다 /– 하기 불편하다】★4

①このくつは重くて歩きにくいです。
②近くに大きいビルがたくさん建って、住みにくくなった。
③このコップは丈夫で壊れにくいです。
④もっと破れにくい紙をください。

◎ V~~ます~~ ＋ にくい

「～にくい」の形で「～するのが難しい」「なかなか～しない」という意味。①②のようにマイナス評価も、③④のようにプラス評価もある。 参やすい

Difficult to do or usually isn't done. Can be used for negative evaluations, as in sentences ① and ②, or for positive ones, as in sentences ③ and ④. →参

采用「～にくい」的方式、表达"做～很难""不易…"之意。可以如例句①②，用于负面评价，也可以如例句③④，用于正面评价。→参

「～하는 것이 어렵다」「좀처럼 ～하지 않다」라는 의미다. ①②처럼 마이너스적인 평가도 될 수 있고, ③④처럼 플러스적인 평가도 될 수 있다. →参

にくらべて【～より compared to ／与～相比／ – 에 비해서】★3

①本が好きでおとなしい兄に比べて、弟は活動的で、スポーツが得意だ。
②今年は昨年に比べて米の出来がいいようだ。
③女性は男性に比べ平均寿命が長い。
④梅は桜に比べると、咲いている時期も長く、香りもいい。

◎ N ＋ に比べて

1）あることを述べるときに、他のものと比較して言う言い方。「～より」に言い換えることができる。 2）④のように、「に比べると」の形もある。

1)Comparisons. Interchangeable with より.
2)Can also be found in pattern に比べると, as in sentence ④.

1）在陈述一件事时，把它和其它的事进行比较的表达方式。可以和「～より」互换。 2）如例句④，也可以采用「に比べると」的形式。

1）어떤 일을 서술할 때에, 다른 것과 비교하여 말하는 표현법이다.「～より」로 바꿀 수 있다. 2）④처럼「に比べると」의 형태도 있다.

にくわえて【〜と、さらに in addition to／加上〜／－에 더해서 / －외에 / －와 함께】★2

①台風が近づくにつれ、大雨に加えて風も強くなってきた。
②今学期から日本語の授業に加えて、英語と数学の授業も始まります。
③今年から家のローンに加えて、子どもの学費を払わなければならないので、大変だ。

N ＋ に加えて

1）「今まであったものに類似の別のものが加わる」と言いたいときに使う。　2）やや硬い表現。

1）Something from some similar category will be added to something else that already exists. 2）Somewhat formal.

1）在想要表达"在以前已有的事物上加上一个与之类似的事物"时使用本句型。　2）略为生硬的表达方式。
1）「지금까지 있었던 것에 비슷한 다른 것이 첨가된다」라고 말하고자 할 때 사용한다.　2）조금 딱딱한 표현이다.

にこしたことはない
【〜方がいい、〜方が安全だ is best, safest／没有…更好，…是最好的／－해서 나쁠 것이 없다 / (가능하면) －하는 것이 좋다】★2

①決められた時間より早めに着くにこしたことはない。
②けんかなどはしないにこしたことはないが、がまんできない場合もあるだろう。
③体は健康であるにこしたことはない。
④収入は多いにこしたことはないが、働きすぎて体を壊したらだめだ。

普通形（現在形だけ）（ナＡである／Ｎである） ＋ にこしたことはない

常識的に考えて、その方がいい、その方が安全だ、と言いたいときの表現。このことは当然のことだから、反対意見はないだろうと思われるようなことを言うときに使う。

Common sense says something is best or safest. Speaker feels statement is so true no one will hold an opposing opinion.

在想要表达"以常识来看那样更好、更安全"之意时使用本句型。用本句型来说明这是理所当然的，所以自己认为应该不会有反对意见。
상식적으로 생각해서, 그 쪽이 좋다, 그 쪽이 안전하다고 말하고자 할 때의 표현이다. 이것은 당연한 것이므로 반대의견은 없을 것이라고 생각하는 것을 말할 때 사용한다.

にこたえて【～に沿うように in response to; in accordance with ／按照～的要求／ – 를 받아들여서 /– 를 수용해서】★2

①参加者の要望に応えて、次回の説明会には会長自身が出席することになった。
②聴衆のアンコールに応えて、指揮者は再び舞台に姿を見せた。
③内閣には国民の期待に応えるような有効な解決策を出してもらいたい。

N ＋ に応えて

質問・期待・要望などを表す名詞を受けて、「それに沿うような行為をする」と言いたいときに使う。

Taking action in accordance with nouns expressing questions, expectations, or hopes.

接在表提问、期待、愿望等名词之后，在想要表达“按其要求行事”时，使用本句型。

질문 , 기대 , 요망 등을 나타내는 명사에 접속해서「그것에 따르는 듯한 행위를 한다」고 말하고자 할 때 사용한다 .

にこたえる ➡にこたえて 296

にさいして【～をするときに when; on the occasion ／值此～之际／ – 함에 있어서 /– 할 때】★2

①来日に際していろいろな方のお世話になった。
②お二人の人生の門出に際して、一言お祝いの言葉を申し上げます。
③このたびの私の転職に際しましては、大変お世話になりました。
④この調査を始めるに際しては、関係者の了解をとらなければならない。

Vる／する動詞のN ＋ に際して

「ある特別なことを始めるときに」または「その進行中に」という意味。偶然そのときある出来事が起こったという意味では使わない。 ◆×調査をするに際して、新しい事件が起こった。

Time when something special is begun or in progress. Not used when some event happens by coincidence. →◆

“在开始做一件非同寻常的事之时”或“在其正在进行中”之意。不能用于表示正当此时偶然发生了某事。→◆

「어떤 특별한 일을 시작할 때에」또는「그 진행 중에」라는 의미다 . 우연히 그때 어떤 일이 일어났다고 하는 의미에서는 사용하지 않는다 . →◆

にさきだつ ➡にさきだって 297

にさきだって【～の前に必要なこととして as a precursor to; before ／在…之前／ － 에 앞서】★2

①出発に先立って、大きい荷物は全部送っておきました。
②計画実行に先立って、周りの人たちの許可を求める必要がある。
③首相がA国を訪問するに先立って両国の政府関係者が打ち合わせを行った。
④留学に先立つ書類の準備に、時間もお金もかかってしまった。

Vる／する動詞のN ＋ に先立って

1）「に先立って」の前には大きな仕事や行為などを表す言葉が来る。「そのことが行われる前にその準備としてしておかなければならないことをする」という意味。
2）後に名詞が来るときは④のように「に先立つN」という形になる。

1）Important work or action is indicated before pattern. Preparation must be made before advent of that work or action. 2) When followed by a noun, becomes に先立つN, as in sentence ④.

1）「に先立って」之前要接表示较为重大的工作或行为的词语。“在做那件事之前，作为事前准备，把应该做的事做好”之意。
2）后接名词时，如例④，变为「に先立つN」的形式.
1）「に先立って」의 앞에는 큰 일이나 행위 등을 나타내는 말이 온다.「그 일이 행하여지기 전에 그 준비로써 해 두어야 할 일을 한다」는 의미이다.　2）뒤에 명사가 올 때는 ④처럼「に先立つN」이라는 형태가 된다.

にしたがって【～すると、だんだん as; in consequence ／随着／ － 함에 따라 점차】★3

①警察の調べが進むに従って、次々と新しい疑問点が出てきた。
②今後、通勤客が増えるに従って、バスの本数を増やしていこうと思っている。
③ごみの問題が深刻になるに従い、リサイクル運動への関心が高まってきた。

Vる／する動詞のN ＋ に従って

1）「～ に従って、…」の形で、「～が変化すると、…の変化も起こってくる」という表現。　2）「～」にも「…」にも変化を表す言葉が来る。

1) Some change will occur as consequence of another. 2) Words expressing change both precede and follow pattern.

1）采用「～にしたがって、…」的形式，“如果～变化的话，…也会跟着变化”之意。 2）「～」和「…」两部分都使用表示变化的词语。

1)「～にしたがって,…」「～이 변화하면, …의 변화도 일어난다」라는 표현이다. 2)「～」에도「…」에도 변화를 나타내는 말이 온다.

にしたって ➡にしたところで 298

にしたって ➡にしても 300－301

にしたところで【～の立場でも even from the point of view of／作为～也…／－라고 해서／－라 한들】★2

①会議で決まった方針について少々不満があります。もっともわたしにしたところでいい案があるわけではありませんが。

②こんなに駐車違反が多いのでは、警察にしたところで取り締まりの方法がないだろう。

③この問題は本人の意志に任せるしかありません。わたしとしたところでどうすることもできないのですから。

④彼は結婚にあまり関心がないらしい。彼の親にしたって彼が積極的な関心を持たないのならどうしようもないのではないか。

⑤命令のしかたが人によって違うのでは、命令される犬としたって困ってしまうだろう。

◎ N ＋にしたところで

1）ふつう、人を表す言葉について「その人の立場から言っても状況は…だ」と言いたいときの表現。後の文は「どうしようもない」というようなマイナス的な判断や評価、弁解が多い。 2）③の「としたところで」も意味・用法は同じ。くだけた話し言葉では④⑤のように「にしたって・としたって」という形になる。

1）Usually expresses idea that even from particular person's point of view, situation is certain way. Clause following often contains negative judgment, evaluation, or excuse with nuance of “it can't be helped.” 2）In sentence ③, としたところで has same meaning and usage. In informal speech becomes にしたって, としたって, as in sentences ④ and ⑤.

1）一般接在表人的词语之后，在想要表达“即使是从那个人的立场来讲，情况也…”之意时使用本句型。后半句多使用「どうしようもない」等负面的判断、评价或辩解等。　2）例句③的「としたところで」与本句型意义、用法相同，在较为通俗的口语中，变为「にしたって・としたって」的形式。如例④⑤。

1）일반적으로 사람을 나타내는 말에 붙어서「그 사람의 입장에서 말해도 상황은 …다」라고 말하고자 할 때의 표현이다. 뒤에 오는 문장은「어쩔 수가 없다」등의 마이너스적인 판단이나 평가, 변명이 많다.　2）③의「としたところで」도 의미, 용법은 같다. 허물없는 사이의 회화체에서는 ④⑤처럼「にしたって・としたって」라는 형태가 된다.

にしたら【～の立場に立ってみれば even for／从～的角度看的话／－입장에서는】★2

①住民側からは夜になっても工事の音がうるさいと文句が出たが、建築する側にしたら、少しでも早く工事を完成させたいのである。

②わたしは今度学校の寮を出て、アパートに住むことにしました。両親にしたら心配かもしれませんが。

③姉にすればわたしにいろいろ不満があるようだけれど、わたしからも姉には言いたいことがたくさんある。

◎N　＋にしたら

1）話者がその人の立場になってその人の気持ちを代弁するときに使う。話者以外の人を表す名詞につくことが多い。　2）③の「にすれば」も意味・用法は同じである。

1）Speaker empathizes with feelings of others. Often appends to nouns describing someone other than speaker.　2）In sentence ③, にすれば has same meaning and usage.

1）说话人站在那个人的立场上，代言那个人的心情时使用本句型。多接在表说话人以外的人的名词之后。2）例句③的「にすれば」与本句型意义、用法相同。

1）말하는 사람（話者）이 그 사람의 입장이 되어, 그 사람의 기분을 대변할 때 사용한다. 말하는 사람（話者）이외의 사람을 나타내는 명사에 붙는 일이 많다.　2）③의「にすれば」도 의미, 용법은 같다.

にして〈程度強調〉【～だから／～でも for; considering／因为是～／即使是～／－이 돼서야／－라도】★1

①人間 80 歳にしてはじめてわかることもある。

②こんな細かい手仕事はあの人にしてはじめてやれることだ。

③この芝居は人間国宝の彼にして「難しい」と言わせるほど、演じにくいものである。

◎ N ＋にして

「～にして…」の形で「～まで程度が高くなって可能」または「～ほど程度が進んだNでさえ不可能」ということを言いたいときに使う。「…」では可能、不可能という意味の言葉を使うことが多い。

Something is possible because of high level preceding にして, or impossible, even though N has progressed to level before にして. Often expressions meaning something is possible or impossible follow.

在想要表达「因为达到～的程度才可能」或是「就连达到～程度的N都不可能」的时候，使用「～にして…」的形式。「…」大多为表示“可能”、或“不可能”意思的词汇。

「～にして…」의 형태로 「～정도까지 경지가 높아져야 비로소 가능하다」거나 「～정도까지 높은 경지의 N 조차도 불가능하다」고 말 하고자 할 때 사용한다.「…」에서는 대부분 가능과 불가능이라는 말을 자주 사용한다.

にしては【～にふさわしくなく for／与～不符，虽说是～／－치고는/－로서는】★2

①あの人は新入社員にしては、客の応対がうまい。

②彼は力士にしては体が小さい。

③この作品は文学賞を取った彼が書いたにしては、おもしろくない。

④このレポートは時間をかけて調査したにしては、詳しいデータが集まっていない。

◎ N／**普通形**（ナＡである／Nである） ＋にしては

1)「その事実から考えると、当然とは言えない状態だ」と言いたいときに使う。

2) ほかの人を批判したり評価したりするときの言い方で、自分自身のことにはあまり使わない。

1) Something can't be considered as matter of course considering the facts. 2) For criticizing or evaluating outsiders; not often used about speaker.

1) 在想要表达“从事实考虑的话，不能说是理所当然的”之意时使用本句型。 2) 一般用来表示评论、评价别人的事，所以很少用于自身评价。

1)「그 사실을 가지고 생각하면, 당연하다고는 말할 수 없는 상태다」라고 말하고자 할 때 사용한다. 2) 다른 사람을 비판한다든지, 평가한다든지 할 때의 표현법으로써 자기자신의 일에는 그다지 사용하지 않는다.

にしても〈逆接仮定〉【～と仮定しても (hypothetical adversative conjunction) even if／就算～也…／－라고 해도】★2

①たとえ新しい仕事を探すにしても、ふるさとを離れたくない。

②たとえ誰も訪ねてこないにしても、部屋の中をかたづけておいた方がいい。

③仮にこの仕事をやらなければならないにしても、長く続けたくはない。

④いたずらにしたって、相手が眠れなくなるほど電話をかけてくるとはひどい。

◎ N／**普通形**（ナAである／Nである）＋にしても

1）「～にしても、…」の形で、「もし～となっても、～であっても」と言い、「…」で、話者の主張・判断・評価・納得できない気持ち・非難などを述べる。　2）「たとえ・仮に・疑問詞」などの言葉とともに使うことが多い。　3）話し言葉では、④のように「にしたって」を使う。　4）同様の言い方に「としても・にしろ・にせよ」がある。

参 としても・にしろ・にせよ

1）Even if something happens, (something else will occur). Describes speaker's assertions, judgments, evaluations, feelings of inability to agree, or criticisms.　2）Often used with たとえ, 仮に, or interrogatives.　3）In spoken language, becomes にしたって, as in sentence ④.　4）Similar expressions are: としても, にしろ, にせよ. →参

1）采用「～にしても、…」的形式,先说"即使到了～,即使是～",再在「…」处陈述说话人的主张、判断、评价、难以接受心情、责备等内容。　2）多与「たとえ・かりに・疑問詞」等词语前后搭配使用。　3）如例句④，在口语中使用「にしたって」。 4）同义说法有「としても・にしろ・にせよ」。→参

1）「～にしても…」의 형태로, 「만약～ 가 되더라도, …이더라도」라고 말하며,「…」에서 말하는 사람 (話者) 의 주장, 판단, 평가, 납득할 수 없는 기분, 비난 등을 서술한다.　2）「たとえ·仮に·의문사」등의 말과 함께 사용하는 경우가 많다.　3）회화체에서는 ④처럼「にしたって」를 사용한다.　4）같은 표현법으로「としても·にしろ·にせよ」가 있다. →参

にしても〈譲歩〉【～のはわかるが、しかし (concession) no matter how; even if／明知道～但是仍然…／－라고 해도】★2

①いくら忙しかったにしても、電話をかける時間くらいはあったと思う。

②今度の事件とは関係なかったにしろ、あのグループの人たちが危ないことをしているのは確かだ。

③西さんほどではないにせよ、東さんだってよく遅れてくる。

④会議中にしたって、コーヒーぐらい飲んでもいいよね。

◎ N／**普通形**（ナAである／Nである）＋にしても

1）「～にしても…」の形で「～はわかるが、しかし…」と言う表現。「…」には話す人の意見・不審な気持ち・納得できない気持ち・非難・判断・評価が来ることが多い。

2）①のように「いくら・どんなに」などの疑問詞とともに使われることもある。

3）「にしろ・にせよ」も同じような意味に使うが「にしても」より硬い表現。

4）くだけた話し言葉では④のように「にしたって」となる。

1）Speaker understands but doesn't necessarily agree. Often what follows is speaker's opinion, suspicions, feeling of inability to agree, criticism, judgment, or evaluations. 2）Can be used with interrogatives such as いくら or どんなに, as in sentence ①. 3）Patterns にしろ and にせよ are used with same meaning, but are more formal than にしても. 4）In informal speech becomes にしたって, as in sentence ④.

1）采用「～にしても…」的形式，"虽然知道～，但是…"之意。「…」之处多使用说话人的意见、表示怀疑及难以接受的心情、责难、判断、评价等内容。 2）如例句①，有时也可与「いくら・どんなに」等疑问词一起使用。 3）与「にしろ・にせよ」等作同等意义使用，但语气比「にしても」生硬。 4）在较为通俗的会话文中，变为如例句④的「にしたって」。

1）「～にしても…」의 형태로，「～은 알지만，그러나 …」라고 말하는 표현．「…」에는 말하는 사람（話者）의 의견，의심스러운 기분，납득할 수 없는 기분，비난，판단，평가가 오는 경우가 많다． 2）①처럼「いくら・どんなに」등의 의문표현과 함께 사용되는 일도 있다． 3）「にしろ・にせよ」도 같은 의미로 사용하지만，「にしても」보다 딱딱한 표현이다． 4）허물없는 사이의 회화체에서는 ④처럼「にしたって」가 된다．

にしても～にしても

【～でも～でも
whether (it's)／不管是～还是～／－든 －든／－도 그렇고 －도 그렇고】★3

①リンさんにしてもカンさんにしても、このクラスの男の人はみんな背が高い。

②東京にしても横浜にしても大阪にしても、日本の大都市には地方から出てきた若者が多い。

③大学にしても専門学校にしても、進学するなら目的をはっきり持つことです。

④賛成するにしても反対するにしても、それなりの理由を言ってください。

◎ Vる／N ＋にしても＋Vる／N ＋にしても

1）「～でも～でも」と例をいくつか挙げて「その全部に当てはまる」と言いたいときに使う。 2）④のように、対立的なものを並べて「そのどちらの場合でも」という意味で使うこともある。 3）「にしろ～にしろ・にせよ～にせよ」と用法は同じ。

参 にしろ～にしろ・にせよ～にせよ

1）Lists multiple examples and shows that something is true in every case. 2）Also used to describe contrasts, as in sentence ④, to show that something is true in either case. 3）Patterns にしろ～にしろ, and にせよ～にせよ are used same way. →参

1）"不管是～还是～"，举出若干例子，"那些当中，所有的都适用"之意。 2）如例句④，举出对立的事物，在想要表达"无论是哪种场合都"之意时也可使用本句型。 3）与「にしろ～にしろ・にせよ～にせよ」用法相同。 →参

1）「～でも～でも（～에서도 ～에서도)」라고 예문을 몇 개 들어「그 전부에 해당한다」고 말하고자 할 때 사용한다． 2）④와 같이 대립적인 것을 나열해 두고「그 어느 것의 경우에서도」라는 의미로 사용하는 일도 있다． 3）「にしろ～にしろ・にせよ～にせよ」와 용법은 같다． →参

にしろ【～と仮定しても even if; whether or not ／就算是～也…／아무리 － 라고 해도】★2

①たとえお金がないにしろ、食事だけはきちんと取るべきだ。
②勤め先が小さい会社であるにしろ、社員は就業規則を守らなければならない。
③もし少年が家出をしたにしろ、まだそんなに遠くへは行っていないだろう。

◎ N ／**普通形**（ナＡである／Ｎである） ＋ にしろ

1)「～にしろ、…」の形で、「もし～となっても、～であっても」と言い、「…」で、話者の主張・判断・評判・納得できない気持ち・非難などを述べる。 2)「たとえ・仮に・疑問詞」などの言葉とともに使うことが多い。 3)「としても・にしても」より硬い言葉で、意味は同じ。

参としても・にしても・にせよ

1) "Even if." Speaker's assertion, judgment, evaluation, feeling of inability to agree, or criticism follow. 2) Often used with たとえ, 仮に, or interrogatives. 3) More formal than としても, or にしても, but has same meaning. →参

1) 采用「～にしろ、…」的形式, 先说"即使到了～, 即使是～", 再在「…」处陈述说话人的主张、判断、评价、难以接受、责备等内容。 2) 多与「たとえ・かりに・疑問詞」等词语前后搭配使用。 3) 比「としても・にしても」语气生硬, 但意义相同。 →参

1)「～にしろ、…」의 형태로,「만약 ~가 되더라도, ~이더라도」라고 말하고,「…」에서 말하는 사람(話者)의 주장, 판단, 평판, 납득할 수 없는 기분, 비난 등을 서술한다. 2)「たとえ·仮に·疑問詞」등의 말과 함께 사용하는 일이 많다. 3)「としても·にしても」보다 딱딱한 표현으로 의미는 같다. →参

にしろ ➡にしても 300－301

にしろ～にしろ【～でも～でも whether it's ／不管是～还是～／－(이)든 －(이)든】★2

①野球にしろサッカーにしろ、スポーツにけがはつきものです。
②私鉄にしろ JR にしろ、車内の冷暖房の省エネ化がなかなか進まない。
③泳ぐにしろ走るにしろ、体を動かすときは準備運動が必要だ。
④旅行に行くにしろ行かないにしろ、決めたらすぐ知らせてください。

◎ Ｖる／Ｎ ＋にしろ＋Ｖる／Ｎ ＋にしろ

1)「～でも～でも」と例をいくつかあげて「その全部に当てはまる」と言いたいときに使う。 2) ④のように、対立的なものを並べて「そのどちらの場合でも」という意味で使うこともある。 3)「にしても～にしても・にせよ～にせよ」と用法は同じ。

参にしても～にしても・にせよ～にせよ

1）Lists multiple examples and shows that something is true in every case. 2）Also describes contrasts, as in sentence ④, to show that something is true in either case. 3）Patterns にしても～にしても, and にせよ～にせよ are used same way. →参

1）"不管是～还是～", 举出若干例子, "那些当中, 所有的都适用" 之意。 2）如例句④, 举出对立的事物, 在想要表达 "无论是哪种场合都" 之意时也可使用本句型。 3）与「にしても～にしても・にせよ～にせよ」用法相同。 →参

1）「～でも～でも」로 예문을 몇 개 들어「그 전부에 해당한다」고 말하고자 할 때 사용한다. 2）④와 같이 대립적인 것을 나열해 두고「그 어느 것의 경우에서도」라는 의미로 사용하는 경우도 있다. 3）「にしても～にしても・にせよ～にせよ」와 용법은 같다. →参

にすぎない【ただ～だけだ merely; nothing more than／只是～; 只不过～／조금 - 할 뿐이다／- 에 지나지 않는다】★2

①A：あなたはギリシャ語ができるそうですね。
　B：いいえ、ただちょっとギリシャ文字が読めるにすぎません。
②この問題について正しく答えられた人は、60人中3人にすぎなかった。
③わたしは無名の一市民にすぎませんが、この事件について政府に強く抗議します。
④彼はただ父親が有名であるにすぎない。彼に実力があるのではない。

◎ N／**普通形**（ナAである／Nである） ＋ にすぎない

「それ以上のものではない・ただその程度のものだ」と言って、程度の低さを強調するときの表現。「ただ～にすぎない・ほんの～にすぎない」の形で使うことが多い。

Something doesn't exceed a certain level; emphasizes how low level is. Often used in patterns ただ～にすぎない or ほんの～にすぎない.

陈述"不超过某一程度,程度不过如此",强调其程度之低。多采用「ただ～にすぎない・ほんの～にすぎない」的形式。

「그 이상의 것은 아니다. 단지 그 정도의 것이다」라고 말하여 정도의 낮음을 강조할 때의 표현이다.「ただ～にすぎない・ほんの～にすぎない」의 형태로 사용할 때가 많다.

にする ➡くする 72

にする【will have; decide on／决定／- 로 하다】★4

①A：いい喫茶店ですね。何を頼みましょうか。
　B：のどがかわいたから、コーラにします。
②店員：こちらのかばんはデザインが新しいんですよ。
　客　：きれいですね。じゃ、これにします。
③テニス部の部長：雨がやまないので、練習は午後からにします。

◎ Nに ＋する

いくつかある選択肢の中から意識的にある一つを選んで決めるときに使う。「になる」より話す人の積極的な姿勢を表す。

参 になる

Consciously decides on one selection from a variety. Expresses speaker's proactive attitude more than does になる. →参

在若干个选择当中有意识地选定一个时，使用本句型。和「になる」相比，更显示出说话人的积极态度。 →参

몇 가지인가 있는 선택지의 중에서 의식적으로 어느 한 가지를 골라 정할 때 사용한다.「になる」보다 말하는 사람 (話者) 의 적극적인 자세를 나타낸다. →参

にすれば ➡にしたら 299

にせよ 【と仮定しても no matter how; no matter where ／即使～／－라고 하더라도】★2

①どんなことをする**にせよ**、十分な計画と準備が必要だ。

②どんなにわずかな予算である**にせよ**、委員会の承認を得なければならない。

③母の病気が重いので、どこへ行く**にせよ**、携帯電話をいつも持っている。

◎ N／**普通形**（ナAである／Nである） ＋にせよ

1)「～にせよ、…」の形で、「もし～となっても、～であっても」と言い、「…」で、話者の主張・判断・評判・納得できない気持ち・非難などを述べる。 2)「たとえ・仮に・疑問詞」などの言葉とともに使うことが多い。 3)「としても・にしても・にしろ」より硬い言葉で、意味は同じである。

参 にしても・にしろ

1) "Even if." Speaker's assertion, judgment, evaluation, feeling of inability to agree, or criticism follows. 2) Often used with たとえ, 仮に, or interrogatives. 3) More formal than としても, にしても, or にしろ, but has same meaning. →参

1）采用「～にせよ、…」的形式，先说"即使到了～，即使是～"，再在「…」处陈述说话人的主张、判断、评价、难以接受、责备等内容。 2）多与「たとえ・かりに・疑問詞」等词语前后搭配使用。 3）比「としても・にしても・にしろ」语气生硬，但意义相同。 →参

1)「～にせよ、…」의 형태로「만약 ～가 되더라도，～이더라도」라고 말하고，「…」에서 말하는 사람 (話者) 의 주장，판단，평판，납득할 수 없는 기분，비난 등을 서술한다. 2)「たとえ·仮に·의문사」등의 말과 함께 사용할 때가 많다. 3)「としても·にしても·にしろ」보다 딱딱한 표현으로 의미는 같다. →参

にせよ～にせよ 【～でも～でも whether…or…／不管是～还是～／ -(이)든 -(이)든】★2

①動物にせよ植物にせよ、生物はみんな水がなければ生きられない。
②学生にせよ教師にせよ事務職員にせよ、この学校の関係者は創立者のことぐらいは知っているべきだ。
③夏休みに山に行くにせよ海に行くにせよ、十分な準備をして行った方がよい。
④男にせよ女にせよ、自己実現のチャンスは平等に与えられるべきだ。

◎ Vる／N ＋にせよ＋Vる／N ＋にせよ

1）「～でも～でも」と例をいくつかあげて「その全部に当てはまる」と言いたいときに使う。　2）④のように、対立的なものを並べて「そのどちらの場合でも」という意味で使うこともある。　3）同類の用法「にしても～にしても・にしろ～にしろ」より硬い言い方。

参にしても～にしても・にしろ～にしろ

1）Lists multiple examples and shows that something is true in every case.　2）Also describes contrasts, as in sentence ④; shows something is true in either case.　3）Pattern にせよ～にせよ has same usage as にしても～にしても, and にしろ～にしろ, but more formal. →参

1）“不管是～还是～”，举出若干例子，“那些当中，所有的都适用”之意。　2）如例句④，举出对立的事物，在想要表达“无论是哪种场合都”之意时也可使用本句型。　3）与「にしても～にしても・にしろ～にしろ」用法相同。 →参

1）「～でも～でも」로 예문을 몇 개 들어「그 전부에 해당한다」고 말하고자 할 때 사용한다.　2）④와 같이 대립적인 것을 나열하여「그 어느 쪽의 경우에도」라는 의미로 사용할 때도 있다.　3）같은 용법인「にしても～にしても・にしろ～にしろ」보다 딱딱한 표현법이다. →参

にそう ➡にそって　307

にそういない 【きっと～と思う no doubt that／认为一定是～／ -임이 틀림없다】★2

①不合格品がそれほど出たとは、製品の検査がそうとう厳しいに相違ない。
②彼の言ったことは事実に相違ないだろうとは思うが、一応調べてみる必要がある。
③反対されてすぐ自分の意見を引っ込めたところを見ると、彼女は初めから自分の意見を信じていなかったに相違ない。

◎ **普通形**（ナA・ナAである／N・Nである）＋に相違ない

1）「きっと～と思う」という話者の確信を述べる推量の表現。「たぶん～だろう」より確信の程度が強い。　2）「にちがいない」よりさらに硬い書き言葉。

参にちがいない

1）Conjecture in which speaker has high degree of confidence. Higher degree of certainty than たぶん～だろう． 2）Even more of written form than にちがいない．

→参

1）"我认为一定是～"表明说话人对自己的推测非常确信。比「たぶん～だろう」的确信程度高。 2）本句型是比「にちがいない」更生硬一点的书面用语。

→参

1）「틀림없이 ～라고 생각하다」라는 말하는 사람（話者）의 확신을 서술하는 추측의 표현이다.「아마～일 것이다」보다 확신의 정도가 강하다. 2）「～임에 틀림없다」보다 더 딱딱한 문장체이다.

→参

にそくした ➡にそくして 307

にそくして【～に従って in conformance with／按照～／－에 따라（서）】★1

①試験中の不正行為は、校則<u>に即して</u>処理する。

②大会の開会式はスケジュール表<u>に即して</u>１分の狂いもなく行われた。

③非常事態でも、人道<u>に即した</u>行動が取れるようになりたい。

N ＋ に即して

1）そのことが基準になるという意味。事実や、規範を表す名詞につく。 2）後に名詞が来る場合は③のように「に即したN」という形になる。

1）Appends to nouns expressing adherence to facts or standards to express conformance to certain criteria. 2）When followed by a noun, becomes に即した N, as in sentence ③.

1）接在表示"以那件事为基准"之意的名词以及表达事实、规范等之意的名词后面。 2）后面出现名词时，如例句③，变为「に即したN」的形式。

1）그 일이 기준이 된다고 하는 의미를 나타내며，사실이나 규범을 나타내는 명사에 붙는다. 2）뒤에 명사가 올 경우에는 ③처럼「に即したN」이라는 형태가 된다.

にそった ➡にそって 307

にそって【～に合うように／～に従って follow／按照／－에 따라／－에 부응해서】★2

①本校では創立者の教育方針<u>に沿って</u>年間の学習計画を立てています。

②ただ今のご質問に対してお答えします。ご期待<u>に沿う</u>回答ができるかどうか自信がありませんが……。

③安全対策の基準<u>に沿った</u>実施計画を立てる必要がある。

◎N　＋に沿(そ)って

1)「〜から離(はな)れないで・〜からずれないで」という意味(いみ)を表(あらわ)す。期待(きたい)・希望(きぼう)・方針(ほうしん)・マニュアルなどの語(ご)につくことが多(おお)い。　2)後(あと)に名詞(めいし)が来(く)る場合(ばあい)は②③のように「に沿(そ)うN・に沿(そ)ったN」という形(かたち)になる。

1) Doesn't deviate from some norm. Often appends to words of expectation, hope, or policies, or in manuals.　2) When followed by a noun, becomes に沿うN, に沿ったN, as in sentences ② and ③.

1）意为"离不开～，不偏离～"。多接在表期待、希望、方针、使用说明等意的词语之后。　2）后面出现名词时，如例句②③，变为「に沿うN・に沿ったN」的形式。

1)「～로부터 떨어지지 않고，～로부터 벗어나지 않고」라는 의미를 나타낸다. 기대. 희망, 방침, 매뉴얼 등의 말에 붙는 경우가 많다.　2) 뒤에 명사가 올 경우에는 ②③처럼「に沿うN・に沿ったN」이라는 형태가 된다.

にたいして〈対象(たいしょう)〉【〜に／〜を相手(あいて)として (target) toward／以～为对象／－에 대해서】★3

①小林先生(こばやしせんせい)は勉強(べんきょう)が嫌(きら)いな学生(がくせい)<u>に対(たい)して</u>、特(とく)に親(した)しみをもって接(せっ)していた。

②この奨学金(しょうがくきん)は将来教員(しょうらいきょういん)になりたいと思(おも)っている人(ひと)<u>に対(たい)して</u>与(あた)えられるものです。

③今(いま)のランさんの発言(はつげん)<u>に対(たい)して</u>、何(なに)か反対(はんたい)の意見(いけん)がある方(かた)は手(て)を挙(あ)げてください。

④青年(せいねん)の親(おや)<u>に対(たい)する</u>反抗心(はんこうしん)は、いつごろ生(う)まれ、いつごろ消(き)えるのだろうか。

◎N　＋に対(たい)して

1) 行為(こうい)や感情(かんじょう)が向(む)けられる相手(あいて)や対象(たいしょう)を表(あらわ)す。相手(あいて)に直接(ちょくせつ)、行為(こうい)や気持(きも)ちが及(およ)ぶときに使(つか)う。後(あと)には相手(あいて)に向(む)けて働(はたら)きかける行為(こうい)、態度(たいど)を表(あらわ)す表現(ひょうげん)が来(く)る。　2) 後(あと)に名詞(めいし)が来(く)る場合(ばあい)は④のように「に対(たい)するN」という形(かたち)になる。

1) Describes target or person that is object of actions or feelings. Used when action or feeling directly affects other party. Expressions of actions or attitudes appealing to other party follow.　2) When followed by a noun, becomes に対するN, as in sentence ④.

1）表示一个行为或一种感情的对象、接受者。在行为、情绪直接影响到对方时，即使用本句型。后面多出现动员对方做某事的行为、态度等内容。　2）后面出现名词时,如例句④,变为「に対するN」的形式。

1) 행위나 감정이 향해지는 상대나 대상을 나타낸다. 상대방에게 직접적인 행위나 기분 등이 영향을 미칠 때에 사용한다. 뒤에는 상대를 향해 작용하는 행위, 태도를 나타내는 표현이 온다.
2) 뒤에 명사가 올 경우에는 ④처럼「に対するN」이라는 형태가 된다.

にたいして〈対比〉

【～と対比して考えると (contrast) as opposed to; in contrast to／和～相比／－에 비해서 /－과 비교해서】★3

①活発な姉に対して、妹は静かなタイプです。
②日本人の平均寿命は、男性 78 歳であるのに対して、女性 85 歳です。
③日本海側では、冬、雪が多いのに対して、太平洋側では晴れの日が続く。

◎ N／**普通形**（ナAな・ナAである／Nな・Nである）＋の ＋に対して

ある事柄について二つの状況を対比するときに使う。

Contrasts state of two things.

用于对比某一事物的两种情况。
어떤 내용에 대해서 두 가지 상황을 비교할 때에 사용한다.

にたいする ➡にたいして〈対象〉 308

にたえない

【～することに耐えられない can't bear／无法忍受～／－하고 있을 수 없는】★1

①事故現場はまったく見るに耐えないありさまだった。
②あの人の話はいつも人の悪口ばかりで、聞くに耐えない。
③若い女性が電車の中で化粧をしているのは正視に耐えない光景だ。

◎ Vる／する動詞のN ＋に耐えない

1）「不快感があって、見たり聞いたりすることに耐えられない」という意味を表す。
2）「見る・聞く」などの限られた動詞にしかつかない。

1）Inability to bear seeing or hearing something unpleasant. 2）Only appends to limited verbs such as 見る and 聞く, etc.

1）"带着一种不愉快的心情,忍受不了见到的、听到的事" 之意。
2）只能用于接「見る・聞く」等为数不多的几个动词。
1）「불쾌감이 있어 보거나 듣거나 하는 일에 참을 수 없다」는 의미를 나타낸다. 2）「見る・聞く」등의 한정된 동사에만 붙는다.

にたえる

【～するだけの価値がある worthy of; equal to／值得～／－할 만 하다 /－할 가치가 있다】★1

①あの映画は子ども向けですが、大人の鑑賞にも十分耐えます。
②早く専門家の批評に耐える小説が書けるようになりたいと思う。
③彼の小説はまだ、小説好きの読者が読むに耐える本ではない。

◎ Vる／する動詞のN　＋に耐える

1)「そうするだけの価値がある」という意味。　2)「そうするだけの価値がない」と否定したいときは、③のように「～に耐えるNではない」の形を使う。　3) ①の「大人の鑑賞に耐える」とは「大人が鑑賞するだけの価値がある」という意味である。

1) Worthy of something. 2) When used to negate worth of something, takes form に耐えるNではない, as in sentence ③. 3) Sentence ① means: worthy of an adult's appreciation.

1)"那样做有那样做的价值"之意。　2)在想要表达否定意义,"那样做没有价值"之意时, 如例句③, 采用「～に耐えるNではない」的形式。　3) 例句①「大人の鑑賞に耐える」意为「大人が鑑賞するだけの価値がある」(有值得大人看的价值)。

1)「그렇게 할만큼의 가치가 있다」라는 의미다.　2)「그렇게 할 만큼의 가치가 없다」라고 부정하고 싶을 때는 ③과 같이「～に耐えるNではない」의 형태를 사용한다.　3) ①의「大人の鑑賞に耐える」라는 것은「어른이 감상할 만큼의 가치가 있다」라는 의미다.

にたる【～できる／～するだけの価値がある suffice; worthy of／值得～／－할 만한 /－하기에 충분한】★1

①彼は今度の数学オリンピックで十分満足に足る成績を取った。

②これはわざわざ議論するに足る問題だろうか。

③田中君は大学の代表として推薦するに足る有望な学生だ。

◎ Vる／する動詞のN　＋に足る

1)「～に足るN」の形で、「～できる／～するだけの価値がある人やものごと」を言いたいときに使う。　2)「～」にはこのほか、「尊敬する・信頼する」などの動詞にもよく使われる。

1) In form of …に足る N, someone or something is capable or worthy of something. 2) Also often used for verbs, such as 尊敬する, 信頼する, etc.

1) 采用「～に足るN」的形式, 在想要表达"可以～／值得做～的人或事物"之意时使用本句型。「～」处除此之外, 也常使用「尊敬する・信頼する」等动词。

1)「～に足るN」의 형태로,「～할 수 있다/～할 만큼의 가치가 있는 사람이나 사물」을 말하고자 할 때 사용한다.　2)「～」에는 그밖에「尊敬する」「信頼する」등의 동사에도 자주 사용된다.

にちがいない【きっと～と思う no doubt／一定是～／－임에 틀림없다】★3

①リンさんは旅行にでも行っているに違いない。何度電話しても出ない。

②彼は何も言わなかったが、表情から見て、本当のことを知っていたに違いない。

③課のみんなが知らないということは、田中さんがちゃんと報告しなかったに違いない。

◎ **普通形**（ナA・ナAである／N・Nである）＋に違いない

1）「きっと～と思う」という話者の確信を述べる推量の表現。「たぶん～だろう」より確信の程度が強い。　2）その確信を特に強調するとき以外に使うと不自然になる。3）「にそういない」より口語的。

参 にそういない

1）Speaker's conviction about conjecture. Level of conviction is higher than with たぶん～だろう.　2）Sounds unnatural if used other than for emphasizing conviction.　3）More colloquial than にそういない. →参

1）意为"觉得一定是～"，表示说话人的推测，但说话人对自己所陈述的内容十分确信。比「たぶん～だろう」确信程度高。
2）如果在除了特别想要强调那种确信的情况以外而使用本句型会使句子变得很不自然。　3）比「にそういない」更口语化。→参

1）「틀림없이 ～라고 생각한다」라는 말하는 사람（話者）의 확신을 서술하는 추측의 표현이다.「たぶん～だろう」보다 확신의 정도가 강하다.　2）그 확신을 특히 강조할 때 이외의 장면에서 사용하면 부자연스럽게 된다.　3）「にそういない」보다 구어적이다. →参

について【～のことを about／关于／－에 대해（서）】★3

①この町の歴史について調べています。
②あの人についてわたしは何も知らない。
③今日は日本文化史について話します。
④（テレビの討論会番組で）今夜は国の教育制度について考えてみましょう。

◎ N　＋について

話す・聞く・考える・書く・調べるなどの行為で、扱う対象を言うときに使う。

For objects or people handled through actions such as speaking, hearing, thinking, writing, or investigating.

用于表示说、听、思考、写、调查等行为所涉及到的对象。

말하다・듣다・생각하다・쓰다・조사하다 등의 행위에서 취급하는 대상을 말할 때 사용한다.

につき【～のため because of; on account of／由于／－로 인해／－때문에】★2

①（店の張り紙）店内改装中につき、しばらく休業いたします。
②（事務所の張り紙）本日は祭日につき、休業。
③（郵便局からの通知）この手紙は料金不足につき、返送されました。

◎ N　＋につき

理由を言うときに使う。お知らせ・掲示・張り紙などの通知や改まった手紙文の決まった言い方。

Gives reasons. For idioms used in notices, bulletins, posters, and other notifications, or formal letter-writing.

用于陈述理由，是通知、公告、海报等文体或正式的书信文体的固定用语。

이유를 말할 때에 사용한다 . 알림 , 게시 , 종이벽보 등의 통지나 격식을 차린 편지문 (서간문) 의 정해진 표현법이다 .

につけて【～に関連していつも whenever; whatever ／每当～／ – 할 때마다 / – 할 때나 – 할 때나】★2

①あの人の心配そうな顔を見るにつけ、わたしは子どものころの自分を思い出す。

②彼の生活ぶりを聞くにつけて、家庭教育の大切さを感じる。

③彼女は何事につけても、他人を非難する人です。

④母は体の調子がいいにつけ悪いにつけ、神社に行って手を合わせている。

Vる ＋につけて

1)「たまたま同じ状況にあるとき、いつもある気持ちになってそうする」ことを表す。後の文には話者の心情を表す文が来ることが多い。　2)「見る・聞く・考える」などの動詞や「何か・何事」などの言葉と結びついて慣用的に使われる。また、④のように、「につけ」の前に対立する意味の言葉を並べ、「どちらのときも」という意味を表す慣用表現もある。

1) Whenever someone happens to be in same situation, always has certain feeling and thus does something. Often phrases expressing speaker's feelings follow. 2) Used idiomatically when linked with verbs such as 見る , 聞く , 考える , or with words such as 何か , or 何事 . Also in idiomatic expressions meaning "in either case" when antonyms precede the pattern, as in sentence ④ .

1) 意为"偶尔处在同一情况下时，总是会带着某种心情去做一件事",后半句多出现表示说话人心情的词句。　2) 常和「見る・聞く・考える」等动词以及「何か・何事」等词语搭配成惯用用法。另外，如例句④，也有在「につけ」的前面举列出意义对立的词语，表"无论那种情况都"之意的惯用用法。

1)「때마침 같은 상황에 처해 있을 때 , 언제나 어떤 기분이 되어 그렇게 한다」는 것을 나타낸다 . 뒤에 오는 문장에는 말하는 사람 (話者) 의 심정을 나타내는 문장이 오는 경우가 많다 .　2)「見る・聞く・考える」등의 동사나「何か・何事」등의 말과 결합하여 관용적으로 사용한다 . 또 , ④와 같이「につけ」의 앞에 대립하는 의미의 말과 함께「어떤 경우도」라는 의미를 나타내는 관용표현도 있다 .

につれて【～すると、だんだん as; in proportion to ／随着～，逐渐…／ – 함에 따라서】★3

①時間がたつにつれてあのときのことを忘れてしまうから、今のうちに書いておこう。

②日本語が上手になるにつれて、友達が増え、日本での生活が楽しくなってきた。

③温度が上がるにつれて、水の分子の動きが活発になってくる。

④調査が進むにつれ、地震の被害のひどさが明らかになってきた。

Vる／する動詞のN ＋につれて

1)「～につれて、…」の形で、「～の程度が変化すると、そのことが理由となって、…の程度も変化する」という表現。　2)「～」にも「…」にも変化を表す言葉が来る。◆×20歳になるにつれて、将来の志望を決めた。→○20歳に近づくにつれて、将来の志望がはっきりしてきた。　3)「…」には話者の意向を表す文（例「つもり」）や働きかけのある文（例「Vましょう」）は使わない。

1) As level expressed before pattern changes, becomes reason for change arising after pattern.　2) Words expressing change come before and after pattern. →◆　3) Phrases expressing speaker's intentions (つもり) or appeals to others (Vましょう, let's V) do not follow.

1) 采用「～につれて、…」的形式，表示“～的程度发生变化的话，以此为理由，…的程度也跟着变化”。　2)「～」处和「…」处都使用表示变化的词语。如：→◆　3)「…」处不能使用表示说话人的意向（如「つもり」）或指使某人做某事（如「Vましょう」）的句子。

1)「～につれて、…」의 형태로,「～의 정도가 변화하면, 그 일이 이유가 되어 …의 정도도 변화한다」라는 표현이다.　2)「～」에도「…」에도 변화를 나타내는 말이 온다. →◆　3)「…」에는 말하는 사람（話者）의 의향을 나타내는 문장（예「つもり」）이나 작용이 있는 문장（예「Vましょう」）은 사용하지 않는다.

にとって【～の立場から考えると　for; from the point of view of／对于～来说／－에게 있어（서）】★3

①現代人にとって、ごみをどう処理するかは大きな問題です。

②これは普通の絵かもしれないが、わたしにとっては大切な思い出のものだ。

③石油は現代の工業にとってなくてはならない原料である。

④うちの家族にとって、この犬はもうペット以上の存在なのです。

N ＋にとって

1) 主として人物を表す名詞につながり、いろいろな考えや感じ方がある中で、その人の立場で考えるとどうであるか、その人にはどう感じられるかを言いたいときに使う。　2) 後には評価・価値判断を表す文（主に形容詞文）が続くことが多い。

1) Mainly appends to nouns describing people; describes how someone in this position thinks of many ideas or interpretations.　2) Often phrases (mainly adjectival phrases) expressing evaluation or value judgments follow.

1) 一般接在表人的名词之后，在各种想法、感受中，如果站在那个人的立场上考虑的话会是怎样，该人会有什么样的感受，在想要表达这样的意义时使用本句型。　2) 后面多接表示评价、价值判断的句子（多为形容词句）。

1) 주로 인물을 나타내는 명사에 연결되어, 여러 가지 생각이나 느낌 속에서 그 사람의 입장에서 생각하면 어떨까, 그 사람에게는 어떻게 느껴질까를 말하고자 할 때 사용한다.　2) 뒤에는 평가, 가치판단을 나타내는 문장（주로 형용사문）이 이어지는 경우가 많다.

にとどまらず【～だけでなく not only, but ／不只／－로 끝나지 않고/－뿐만 아니라】★1

①彼のテニスは単なる趣味にとどまらず、今やプロ級の腕前です。
②田中教授の話は専門の話題だけにとどまらず、いろいろな分野にわたるので、いつもとても刺激的だ。
③学歴重視は子どもの生活から子どもらしさを奪うにとどまらず、社会全体を歪めてしまう。

◎ N／**普通形**（ナAである／Nである）＋にとどまらず

「～にとどまらず…」の形で、ある事柄が、「～」という狭い範囲を越えて、「…」という、より広い範囲に及ぶ、という意味。

Something transcends limited sphere described before pattern, extending to broader sphere described after pattern.

采用「～にとどまらず、…」的形式，某事超越了「～」这一狭窄的范围，已经涉及到「…」这一广大的范围之意。

「～とどまらず…」의 형태로, 어떤 내용이「～」라는 좁은 범위를 넘어,「…」라는 보다 넓은 범위까지 미친다」라는 의미다.

にともなって【～すると、それに応じて as; with ／随着～／－함에 따라서 / －하면서】★2

①彼は成長するに伴って、だんだん無口になってきた。
②病気の回復に伴って、働く時間を少しずつ延ばしていくつもりだ。
③社会の情報化に伴い、数学的な考え方が重要性を増してきた。

◎ Vる／する動詞のN ＋に伴って

1）「～に伴って…」の形で、「～が変化すると、それに応じて…も変化する」という表現。　2）「～」にも「…」にも変化を表す言葉が来る。

1）Something changes in response to another change.　2）Words expressing change come before and after pattern.

1）采用「～に伴って…」的形式,意为“～变化了的话,与之相应,…也发生变化”。　2）「～」处和「…」处都使用表示变化的词语。

1）「～に伴って…」의 형태로,「～가 변화하면, 그것에 따라 …도 변화한다」라는 표현이다. 2）「～」에도「…」에도 변화를 나타내는 말이 온다.

になる ➡くなる 73

になる【become; end up／決定～／－가 되다】★4

①A：パーティーの司会は、だれになったんですか。
　B：前回は山田さんでしたから、今回は石田さんになりました。
② 19日のワイン工場の見学は中止になりました。
③シンポジウムの日程は9月3日から5日までになりました。

Nに　＋ なる

ほかの人の意志や条件であることが決まったというときに使う。より積極的な姿勢を表す「にする」より、決定の結果に焦点を当てている。 参にする

Something has been decided because of other party's volition or conditions. Focuses on result decided, in comparison to にする, which expresses more proactive stance. →参

意为按照别人的意志或条件，某事被定了下来。与意义更为积极的「にする」相比，叙述焦点落在已经决定了的结果上。 →参

다른 사람의 의지나 조건에 의해 어떤 일이 결정되었다고 말할 때 사용한다. 보다 적극적인 자세를 나타내는「にする」보다 결정의 결과에 초점을 두고 있다. →参

に(は)あたらない【～のは適当ではない／～ is inappropriate／不适合～／～ 할 정도는 아니다】★1

①彼はいい結果を出せなかったが、一生懸命やったのだから非難するには当たらない。
②この絵は上手だけれど有名な画家のまねのようだ。感心するには当たらない。
③山田さんの成功の裏には親の援助があるのです。称賛には当たりません。

Vる／する動詞のN　＋ に（は）当たらない

「そうするのは適当ではない・そうするほどのことではない」という話者の評価を表す言い方。

Expresses speaker's evaluation that "it is inappropriate to ～"; "no need to go that far."

用来表示说话人"不适合这麽做、还不到做这种事的程度"这一判断的一种表达方式。

「그렇게 하는 것은 적당하지 않다 · 그렇게 할 정도는 아니다」라는 뜻의 말하는 사람의 평가를 나타내는 용법.

にはかかわりなく ➡にかかわりなく　288

にはんして【~とは反対に contrary to ／与~相反／ – 와는 반대로 /– 에 반해서】★3

①予想に反して試験はとても易しかったです。
②親の期待に反し、結局、彼は高校さえ卒業しなかった。
③今回の選挙は、多くの人の予想に反する結果に終わった。

N ＋に反して

1）「Nに反して」の形で、Nには、予想・期待・命令・意図などの言葉が来ることが多い。結果はそれらとは異なると言いたいときに使う。　2）より口語的な言い方として、「とは違って・とは反対に」などに言い換えることができる。　3）後に名詞が来るときは③のように「に反するN」という形になる。

1）Often nouns such as 予想 (expectations), 期待 (expectations), 命令 (commands), 意図 (intentions) are used.Shows results are contrary to expectations.　2）Interchangeable with more colloquial expressions とは違って or とは反対に.　3）When followed by a noun, becomes に反する N, as in sentence ③.

1）采用「Nに反して」的形式，N处多使用表示预想、期待、命令、意图等义的词语，在想要表达结果与这些相反之意时使用本句型。　2）可以和「とは違って・とは反対に」等更为口语化的表达方式互换使用。　3）后面出现名词时，如例句③，变为「に反するN」的形式。

1）「Nに反して」의 형태로, N에는 예상, 기대, 명령, 의도 등의 말이 오는 경우가 많다. 결과는 그것들과는 다르다고 말하고자 할 때 사용한다.　2）보다 구어적인 표현법으로써,「とは違って・とは反対に」등으로 바꾸어 말할 수 있다.　3）뒤에 명사가 올 때는 ③처럼「に反するN」이라는 형태가 된다.

にはんする ➡にはんして 316

にひきかえ【~とは反対に／~とは大きく変わって in contrast to ／与~相反／ – 과는 반대로 /– 과는 달리】★1

①ひどい米不足だった去年にひきかえ、今年は豊作のようです。
②兄は節約家なのにひきかえ、弟は本当に浪費家だ。
③昔の若者がよく本を読んだのにひきかえ、今の若者は活字はどうも苦手のようだ。
④うちでは、父ががんこなのにひきかえ、母はとても考え方がやわらかい。

N／**普通形**（ナAな・なAである／Nな・Nである）＋の　＋にひきかえ

「にひきかえ」の前に来る事柄とは「正反対に」とか「大きく違って」というような主観的な気持ちを込めて使う。「にたいして」は、前の事柄と後の事柄を中間的な立場で冷静に対比させる。

参 にたいして〈対比〉

Subjective feelings about something directly opposite or vastly different from what comes before pattern. Form にたいして objectively contrasts what comes before and after pattern from an interim position. →参

与「にひきかえ」前的事实"正好相反"或"差异很大"时，带着说话人主观的情绪去叙述时，使用本句型。与本句型相对，「にたいして」是站在中间立场上，将前后两个事件进行冷静的对比时使用的。→参

앞의 내용과는「정반대로」라든가「크게 바뀌어서」와 같은 주관적인 기분을 담아 사용한다.「にたいして (에 대해서)」는 앞의 내용과 뒤의 내용을 중간적인 입장에서 냉정하게 대비시킨다. →参

にほかならない

【～だ／～以外のものではない nothing other than／不是别的，而是～／－이다/－인 것이다/－인 때문이다】★2

①文化とは国民の日々の暮らし方にほかならない。

②山川さんが東京で暮らすようになってもふるさとの方言を話し続けたのは、ふるさとへの深い愛着の表れにほかならない。

③彼が厳しい態度を示すのは、子どもの将来のことを心配するからにほかならない。

N ＋にほかならない

「絶対に～だ・～以外のものではない」と断定したいときの言い方。評論文などに使われる書き言葉。

Definitive opinion. Written form used in critiques and other essays.

在断言"绝对是…，绝不是～以外的任何事物"时使用本句型。通常出现在评论性的文章中，为书面语。

「절대로 ～다, ～이외의 것이 아니다」라고 단정하고자 할 때의 표현법이다. 평론문 등에 사용되는 문장체이다.

にもかかわらず

【～のに even though／虽然…但是／－임에도 불구하고】★2

①耳が不自由というハンディキャップがあるにもかかわらず、彼は優秀な成績で大学を卒業した。

②本日は雨にもかかわらず大勢の方々がお集まりくださって、本当にありがとうございました。

③あれだけ多くの人がいたにもかかわらず、犯人の顔を見た人は一人もいなかった。

N／普通形（ナAである／Nである）＋にもかかわらず

1）「～にもかかわらず、…」の形で、「～の事態から予想されることとは違った『…』という結果になる」、と言いたいときの表現。「…」で話者の驚き・意外・不満・非難などの気持ちを表す文が多い。　2）②は会などでのあいさつの言い方。

1）Outcome is contrary to expectations. Often what follows is speaker's surprise or feelings of unexpectedness, dissatisfaction, or criticism.　2）Sentence ② used as salutation in meetings.

1）采用「～にもかかわらず、…」的形式，意为“与从～的事态预想到的相反，结果变成了「…」”。「…」处多使用表达说话人吃惊、意外、不满、责难等语气的词句。　2）例句②为会议等场合的寒暄用语。

1）「～にもかかわらず、…」의 형태로，「～의 사태로부터 예상되는 일과는 다른 결과가 되다」라고 말하고자 할 때의 표현이다.「…」에는 말하는 사람의 놀라움，의외，불만，비난 등의 기분을 나타내는 문장이 많다.　2）②는 모임 등에서의 인사표현이다.

にもとづいた　➡にもとづいて　318

にもとづいて【～を基本にして　based on／基于～／－를 기본으로/－에 준해서/－를 기준으로】★2

①この学校ではキリスト教精神に基づいて教育が行われています。
②この小説は歴史的事実に基づいて書かれたものです。
③公職選挙法に基づく公正な選挙が行われるべきだ。
④これは単なる推測ではなく、たくさんの実験データに基づいた事実である。

N　＋に基づいて

1）「～を考え方の基本にしてあることをする」と言いたいときに使う。精神的に離れずに（①）、または、拠りどころとして（②③）というニュアンスで使う。　2）後に名詞が来るときは③④のように「に基づくN・に基づいたN」という形になる。

1）Some action is based on certain idea. Nuance of not being psychologically separate from something, as in sentence ①, or to be dependent on something, as in sentences ② and ③.　2）When followed by a noun, becomes に基づくN, に基づいたN, as in sentences ③ and ④.

1）在想要表达“以～的思想为方针做某事”之意时使用本句型。在表达精神上离不开的（例句①）或将其作为一种依据（例句②③）等微妙的感情色彩时使用本句型。　2）后面出现名词时，如例句③④，变为「に基づくN・に基づいたN」的形式。

1）「～을 생각의 기본으로 하여 어떤 일을 한다」고 말하고자 할 때 사용한다. 정신적으로 멀어지지 않고（①）또는 근거로써（②③）이라는 뉘앙스로 사용한다.　2）뒤에 명사가 올 때는 ③④처럼「に基づくN・に基づいたN」이라는 형태가 된다.

にもとづく　➡にもとづいて　318

にもまして【～以上に more than／比…更加／－이상으로 /－보다 우선해서】★1

①わたし自身の結婚問題にもまして気がかりなのは姉の離婚問題です。
②ゴミ問題は何にもまして急を要する問題だ。
③きのう友だちが結婚するという手紙が来たが、それにもましてうれしかったのは友だちの病気がすっかり治ったということだった。

◎ N ＋にもまして

1）「～もそうだが、それ以上に」と言いたいときに使う。　2）②のように、「疑問詞＋にもまして」の形では、「何よりも・だれよりも・いつよりも」などの意味になる。

1）Although one thing is true, something else is even more so.　2）In form interrogative + にもまして, means "more than anything," "more than anyone," or "more than any time."

1）在想要表达"～已经是这样了，在此之上"之意时使用本句型。2）如例句②，采用「疑问词＋にもまして」的形式，意为"比什么都""比谁都""比任何时候都"。

1）「～도 그렇지만，그 이상으로」라고 말하고자 할 때 사용한다．2）②와 같이，「의문사＋にもまして」의 형태에서는，「무엇보다도 · 누구보다도 · 어느 때보다도」등의 의미이다．

によって〈原因・理由〉【～が原因で because of; owing to／由于～／－때문에 /－에 의해】★3

① ABC 店は一昨年からの不景気によって、ついに店を閉めることとなった。
②女性の社会進出が進んだことにより、女性の社会的地位もだんだん向上してきた。
③今回の地震による死者は 100 人以上になるようだ。

◎ N ＋によって

1）「～によって、…」の形で「～が原因で、…の結果になった」と言うときに用いる。
2）後に名詞が来るときは③のように「によるN」という形になる。

1）Some outcome is result of a cause.　2）When followed by a noun becomes によるN, as in sentence ③.

1）采用「～によって、…」的形式，用于表达"由于～的原因，导致了…结果"之意。　2）后面出现名词时，如例句③，变为「によるN」的形式。

1）「～によって、…」의 형태로，「～가 원인으로，…의 결과가 되었다」라고 말하고자 할 때 사용된다．2）뒤에 명사가 올 때는 ③처럼「によるN」이라는 형태가 된다．

によって〈手段・方法〉【～で through; by ／通过／ – 로 /– 로써】★3

①その問題は話し合いによって解決できると思います。

②アンケート調査によって学生たちの希望や不満を知る。

③ボランティア活動に参加することによって自分自身も多くのことを学んだ。

④彼は両親の死後、叔父の援助と励ましにより、自分の目指す道に進むことができた。

⑤山田さんの仲介による商談は結局、うまくいかなかった。

◎ N ＋によって

1）あることをする手段や方法を言いたいときに使う。　2）身近な道具や手段には使われない。　◆×じゃ、この書類をファクスによって送ってください。→○じゃ、この書類をファクスで送ってください。　3）後に名詞が来るときは⑤のように「によるN」という形になる。

1）Describes methods or means.　2）Not used for familiar tools or means. → ◆　3）When followed by a noun, becomes によるN, as in sentence ⑤.

1）在想要表达“做某事的手段、方法”之意时使用本句型。　2）不用于表示身边的工具、手段。→◆　3）后面出现名词时，如例句⑤，变为「によるN」的形式。

1）어떤 일을 하는 수단이나 방법을 말하고자 할 때 사용한다.　2）신변의 도구나 수단에는 사용되지 않는다.→◆　3）뒤에 명사가 올 때는 ⑤처럼「によるN」이라는 형태가 된다.

によって〈受け身の動作主〉【～に by ／由～／ – 에 의해 /– 에 의해서】★3

①「リア王」はシェークスピアによって書かれた三大悲劇の一つです。

②このボランティア活動はある宗教団体によって運営されている。

③地震予知の研究はアメリカ、中国、日本などの専門家によって進められてきた。

④この伝統文化は、この地方の人々によって受け継がれてきた。

◎ N ＋によって

1）受け身文において、受け身動詞の動作の主体を表す。　2）受け身文の動作主は普通は「に」によって表されるが、生物以外のものが主語になる受け身文で、その動作主に焦点を当てたい場合などには「によって」が使われることが多い。

1）Subject of action of passive verb in a passive sentence.　2）Subjects of passive verbs are usually denoted by particle に, but in sentences in which subjects are not living, によって is often used where focus is on agent of action.

1）在被动句中，表示被动动词的动作主体。　2）被动句的动作主体一般由「に」来提示，但是当主语为生物体以外的事物，且该句的焦点集中在动作主体身上时，多由「によって」来引出动作主。

1）수동문에 있어 수동동사의 동작의 주체를 나타낸다．　2）수동문의 동작주체는 보통은「に」에 의해 나타내지만，생물 이외의 것이 주어가 되는 수동문에서는 그 동작주체에 초점을 맞추고 싶은 경우에는「によって」가 사용되는 경우가 많다．

によって〈対応(たいおう)〉【それぞれの～に対応(たいおう)して depending on／依～的不同而不同／－에 따라서】★3

①とれたみかんを大(おお)きさ<u>によって</u>三(みっ)つに分(わ)け、それぞれの箱(はこ)に入(い)れてください。

②ホテルの窓(まど)からは、その日(ひ)の天候(てんこう)<u>によって</u>富士山(ふじさん)が見(み)えたり見(み)えなかったりです。

③人(ひと)<u>により</u>考(かんが)え方(かた)はいろいろだ。

④季節(きせつ)<u>による</u>風景(ふうけい)の変化(へんか)は、人(ひと)の感性(かんせい)を豊(ゆた)かにする。

◎N　＋によって

1）さまざまな種類(しゅるい)や可能性(かのうせい)を表(あらわ)す名詞(めいし)につながり、それぞれに対応(たいおう)して後(あと)の事柄(ことがら)もそれぞれに違(ちが)うことを表(あらわ)す。後(あと)には、「いろいろある・違(ちが)う」など、一定(いってい)ではないという意味(いみ)を表(あらわ)す文(ぶん)が来(く)る。　2）後(あと)に名詞(めいし)が来(く)るときは④のように「によるN」という形(かたち)になる。

1）Links to nouns expressing many categories or possibilities; explains that everything following pattern differs from each other. In succeeding phrase, what is conveyed is difference, variety, and inconsistency.　2）When followed by a noun becomes によるN, as in sentence ④.

1）接在表示各种各样的种类、可能性的名词之后，与之相应后面的事物也因前面的差异而各自不同。后半句使用「いろいろある・違う」等表不定意义的句子。　2）后面出现名词时，如例句④，变为「によるN」的形式。

1）여러 가지 종류나 가능성을 나타내는 명사에 연결되어，각각에 대응하는 뒤의 내용도 다른 것을 나타낸다．뒤에는「여러 가지 있다，틀리다」등 일정하지 않다고 하는 의미를 나타내는 문장이 온다．　2）뒤에 명사가 올 때는 ④처럼「によるN」이라는 형태가 된다．

によっては【ある～の場合(ばあい)は some (people, cases)／有的（人、情况等）／－에 따라서는】★3

①この地方(ちほう)ではよくお茶(ちゃ)を飲(の)む。人(ひと)<u>によっては</u>1日(にち)20杯(ぱい)も飲(の)むそうだ。

②母(はは)が病気(びょうき)なので、場合(ばあい)<u>によっては</u>研修旅行(けんしゅうりょこう)には参加(さんか)できないかもしれません。

③この辺(あた)りの店(みせ)はどこも早(はや)く閉店(へいてん)する。店(みせ)<u>によっては</u>7時(じ)に閉(し)まってしまう。

Ⓒ N ＋によっては

さまざまな種類や可能性を表す名詞につながり、「そのうちのある場合は…のこともある」と言いたいときに使う。「によって」の用法の一部。さまざまな種類の中の一つだけを取り出して述べる言い方。

参によって〈対応〉

Links to nouns expressing many categories or possibilities; explains that in some cases certain factors are present. Usage belongs to によって. Takes up one element from among various kinds. →参

接在表示各种各样的种类、可能性的名词之后，在想要表达"在其中的某一种情况下，也有可能会…"之意时使用本句型。是「によって」的诸多用法之一。在各种各样的种类中选取一个来说时的表达方式。→参

여러 가지 종류나 가능성을 나타내는 명사에 연결되어,「그 중 어떤 경우는 …의 일도 있다」라고 말하고자 할 때 사용한다.「によって」의 용법의 일부이다. 여러 가지 종류 가운데 한 개만을 골라 서술하는 표현법이다. →参

により ➡によって 319－321

による ➡によって 319－321

によると【～では according to／根据／－에 의하면/－에 따르면】★3

①テレビの長期予報によると、今年の夏は特に東北地方において冷夏が予想されるそうです。

②経済専門家の予想によると、円高は今後も続くということだ。

③妹からの手紙によれば、弟は今年、オーストラリアの自転車旅行を計画しているそうだ。

Ⓒ N ＋によると

1）伝聞の文において、その内容をもたらした情報源を表す。　2）「によると」は「によれば」と言うこともできる。

1）Source of information of hearsay. 2)Pattern によると is interchangeable with によれば.

1）在表示传闻的句子中，用来提示引出该内容的信息源、出处。

2）有时也把「によると」说成「によれば」。

1）전문（伝聞）의 문장에서 그 내용을 초래한 정보의 근원을 나타낸다.　2)「によると」는「によれば」라고 말할 수도 있다.

によれば ➡によると 322

にわたった ➡にわたって 323

にわたって【～の全体に throughout the entire ／全部／ – 에 걸쳐서】★3

①今度の台風は日本全域にわたって被害を及ぼした。

②全課目にわたり優秀な成績をとった者には奨学金を与える。

③１年間にわたる橋の工事がようやく終わった。

④７日間にわたった競技大会も今日で幕を閉じます。

N ＋にわたって

1）「その範囲の全体にその状態が広がっている、続いている」と言いたいときに使う。

2）後に名詞が来るときは③④のように「にわたるN･にわたったN」という形になる。

1）Some condition is spreading or continuing throughout entire range. 2）When followed by a noun, becomes にわたる N, にわたった N, as in sentences ③ and ④.

1）在想要表达"某种状态已经波及、延续到一个范围内所有的事物"之意时使用本句型。 2）后面出现名词时，如例句③④，变为「にわたるN・にわたったN」的形式。

1）「그 범위 전체로 그 상태가 확대되고 있다, 계속되고 있다」라고 말하고자 할 때 사용한다. 2）뒤에 명사가 올 때는 ③④처럼「にわたるN・にわたったN」이라는 형태가 된다.

にわたり ➡にわたって 323

にわたる ➡にわたって 323

ぬきで【～を入れないで omitting; leaving out ／不算～／ – 없이 /– 를 빼고】★2

①あいさつぬきでいきなり食事となった

②食事ぬきで１時間も会議をしている。

③あのレストランの昼食は税金・サービス料ぬきで、2,000円です。

④Ａ：今晩の会はアルコールぬきのパーティーですよ。

　Ｂ：えっ、お酒なし？　アルコールぬきじゃつまらないね。

⑤田中君の就職について本人ぬきにいくら話し合っても意味がない。

N ＋ぬきで

「普通は含まれるもの、本来当然あるべきものを加えずに」と言いたいときに使う。「名詞＋ぬき」で名詞のように使う。

Something that is normally or should be included is not. Used like noun in form N+ぬき.

在想要表达“不加上一般都包含的、本来应该有的东西”之意时使用本句型。「名词＋ぬき」整体上作名词使用。

「보통은 포함될 수 있는 것, 본래 당연히 있어야 할 것을 첨가하지 않고」라고 말하고자 할 때 사용한다.「명사＋ぬき」로 명사처럼 사용한다.

ぬきに　➡ぬきで　323

ぬきにしては　➡をぬきにしては　429

ぬきの　➡ぬきで　323

ぬく【最後まで～する from beginning to end ／坚持到最后／끝까지 - 하는】★2

①マラソンの精神というのは、試合に負けても最後まで走りぬくことだ。

②彼は10年間も続いた内戦の時代をなんとか生きぬいて、今この国で幸せに暮らしている。

③わたしは親としてあの子の長所も欠点も知りぬいているつもりです。

④いなかでの一人暮らしを望む祖母を残して東京に来たのは、家族で考えぬいて出した結論です。

V~~ます~~ ＋ ぬく

「Vぬく」の形で、動詞に「困難なことを乗り越えて最後まで完全に～し終える」①②、「完全に～する」③、「徹底的に～する」④などの意味を加える。

Transcends all difficulties to manage to do something completely or to the end, as in sentences ① and ②. Adds meaning of “completely,” as in sentence ③, and “thoroughly,” as in sentence ④.

采用「Vぬく」的形式，如例句①②，是在动词上添加“战胜困难，一直坚持到最后，把～彻底做完”之意，例句③在动词上添加“完全～”之意，例句④在动词上添加“彻底～”之意。

「Vぬく」의 형태로, 동사에「곤란한 일을 극복하고 최후까지 완전히 ~하여 끝낸다」①②,「완전히 ~하다」③,「철저하게 ~하다」④등의 의미를 첨가한다.

のいたり【最高の～ most; supreme ／～之至／무한한 - 이다 / 한없는 – 이다】★1

①私のような者が、このように立派な賞をいただくとは光栄の至りでございます。

②わたしの書いたものを認めていただけるとは、感激の至りだ。

③こんな失敗をするとは、全く赤面の至りだ。

Nの　＋いたり

話者が感激したときや強く感じたことを表現するときに言う。慣用的な古い表現。

Expresses speaker's strong emotions. Old idiomatic expression.

说话人在激动时或有一种强烈的情感要表达时使用本句型。是一种较老的惯用表达方式。
말하는 사람 (話者) 이 감격한 때나 강렬하게 느낀 것을 표현할 때에 말한다 . 관용적으로 쓰이는 예스러운 표현이다 .

のうえで 【～の方面では／～を見て評価すると in terms of; as far as…is concerned ／从～（方面、角度等）来说／ - 만으로는】 ★2

①この機械は見かけの上では使い方が難しそうですが、実際はとても簡単なのです。
②この会に参加するには、形式上面倒な手続きを取らなければならない。
③お手元の決算報告書をごらんください。計算上のミスはないつもりですが。

Nの　＋上で　　N　＋上

1)「～の上で・～上」の形で「～を見て、または～を考えて判断するとどうであるか」を言いたいときに使う。　2) ほかに、法律上・習慣上・都合上・生活上・経済上・健康上・～の関係上などの例がある。

1) Judgment based on seeing or thinking of what precedes pattern. 2) Other examples of relationships with what comes before pattern are: 法律上 (in terms of the law), 習慣上, (in terms of customs), 都合上 (in terms of economics), 健康上 (in terms of health), and ～の関係上 (because of).

1)「～の上で・～上」在想要表达"从看到的～来判断的话，或从N的角度来考虑的话，会是怎么样的"之意时使用本句型。
2) 此外还有　法律上·習慣上·都合上·生活上·経済上·健康上·～の関係上　等用例。
1)「～の上で・～上」형태로「～을 보고 , 또는 ～을 생각하고 판단하면 어떨지」를 말하고자 할 때 사용한다 .　2) 그 외에 법률상 · 습관상 · 형편상 · 생활상 · 경제상 · 건강상 · ～의 관계상 등의 예가 있다 .

のきわみ 【最高の～／～の最高だ the height, zenith ／～之极／최고의 - 는 / 가장 - 한】 ★1

①この世の幸せの極みは子や孫に囲まれて暮らすことだという。
②現在の祭りの極みはオリンピックだろう。
③能・狂言は日本文化のおもしろさ、深さの極みだ。
④こんなに細かく美しい竹細工がある！　これぞ手仕事の極み！

Nの　＋極み

「～の極み」で、「最高の～だ」と、話者が感激してその気持ちを表すときに使われる。古い言い方。「感激の極み・痛恨の極み」などが慣用的に使われる。

Strongly stresses speaker's belief that something is the absolute best. Old expression. Used in such idioms as 感激の極み (the most impressive), 痛恨の極み (the height of sorrow).

采用「～の極み」的形式，意为“最～”，用于表达说话人激动时的那种心情。故旧的表达方式。「感激の極み・痛恨の極み」等作为惯用形使用。

「～の極み」로「최고의 ～다」라고 말하는 사람 (話者) 이 감격하여 그 기분을 나타낼 때 사용된다. 예스러운 표현법이다.「感激の極み・痛恨の極み」등이 관용적으로 사용된다.

のことだ ➡のことだから 326

のことだから【～なのだから being; the fact that ／由于～／－이기 때문에】★2

①買(か)い物(もの)が好(す)きなよし子(こ)<u>のことだから</u>、今日(きょう)もきっとたくさん買(か)い物(もの)をして帰(かえ)ってくるよ。

② A：林(はやし)さん、遅(おそ)いですね。来(こ)ないんでしょうか。

B：いや、いつも遅(おそ)く来(く)る彼(かれ)<u>のことだ</u>。きっと30分(さんじっぷん)ぐらいしたら来(く)るよ。

③健(けん)<u>のことだ</u>。怒(おこ)ってカッとなったら、何(なに)をするかわからない。

Nの ＋ことだから

1)「～のことだから、…」の形(かたち)で、互(たが)いにわかっていることから判断(はんだん)して、推量(すいりょう)したことを言(い)う。「～」で、話(はな)す人(ひと)の判断(はんだん)の根拠(こんきょ)を言(い)う。「…」で、推量(すいりょう)したことを言(い)う。 2)③のように互(たが)いにわかっていること（この場合(ばあい)は健(けん)の性格(せいかく)）は省略(しょうりゃく)されることが多(おお)い。 3)文末(ぶんまつ)では②③のように「のことだ」という形(かたち)になる。

1) Speaker and listener are agreed on judgment or conjecture. Basis for speaker's judgment precedes pattern; conjecture follows. 2) Often thing understood is omitted, as in sentence ③ (in this case, Ken's character). 3) At end of sentence becomes のことだ, as in sentences ② and ③.

1) 采用「～のことだから、…」的形式，表示从彼此都了解的情况来判断，从而推测出的结论。「～」处陈述说话人判断的依据。「…」处陈述推测的结论。 2) 如例句③，常常把双方都了解的情况（本例句是指 健の性格（健的性格））省略掉。 3) 如例句②③，在句末变为「のことだ」的形式。

1)「～のことだから、…」의 형태로 서로 알고 있는 것이라 판단하여 추측한 것을 말한다.「～」에서 말하는 사람 (話者) 의 판단의 근거를 말한다.「…」에서 추측한 것을 말한다. 2) ③처럼 서로 알고 있는 것 (이 경우는 健의 성격) 은 생략되는 경우가 많다. 3) 문말에서는 ②③처럼「のことだ」라는 형태가 된다.

のだ〈説明〉【it's the case that／表示对前面所述事件的解释说明／－이다】★4

①来月スイスに行きます。絵本の展覧会に出席するのです。

②お先に失礼します。今日は子どもの誕生日なんです。

③田中さんはいつも花子さんといっしょにいるね。花子さんが好きなんだね。

④日本ではクリスマスは年末の風物詩の一つなのである。

⑤この話はタイで聞いたのではありません。インドで聞いたのです。

⑥ A：いいセーターね。あなたが編んだの。

B：いいえ、わたしが編んだんじゃないの。母が編んでくれたんです。

普通形（ナAな／Nな）＋のだ

1）「のだ」の基本的な使い方である。ある事情を説明したり、理由を説明したりするときに使う。　2）一部分だけ（⑤タイで聞いた、⑥わたしが編んだ）を否定するときには「のではありません・んじゃない」を使う。　3）話し言葉では「んです・んだ」となる。　4）「である体」の文では④のように「のである」となる。

1）Basic form of のだ (explanatory copula). Explains situation or reason.　2）When negating only part of something, uses のではありません or んじゃない, as in sentences ⑤ and ⑥ respectively.　3）In spoken language, becomes んです or んだ.　4）In である form, becomes のである, as in sentence ④.

1）本句型为「のだ」的基本用法。用于说明某件事的情况、理由等。 2）部分否定（如例如⑤的タイで聞いた、例句⑥的わたしが編んだ）的时候使用「のではありません・んじゃない」 3）在口语中变为「んです·んだ」 4）在「である体」文中，如例句④，变为「のである」。

1）「のだ」의 기본적인 사용법이다. 어떤 사정을 설명한다든지, 이유를 설명하는 경우에 사용한다.　2）일부분만（⑤태국에서 들었다，⑥내가 떴다）를 부정할 때에는「のではありません・んじゃない」를 사용한다.　3）회화체에서는「んです・んだ」가 된다.　4）「である체」의 문장에서는 ④와 같이「のである」가 된다.

のだ〈言い換え〉【that is／表示改为说法／－이다/－인 것이다】★2

①20歳なのに、気に入らないことがあるとすぐに泣く。彼女はまだ子どもなんだ。

②今年は30度以上の日が8日しかなかった。冷夏だったのだ。

③本屋の店頭には中高年の男性のための料理雑誌が目立つ。暮らしを楽しもうという人が増えてきたのだ。

普通形（ナAな／Nな）＋のだ

1）前の文で言ったことを、別の言葉で言い換えたり、まとめたりするときに使う。
2）「つまり・要するに」などに続けることが多い。　3）話し言葉では「んだ」を使う。

1) Rephrases or summarizes what was said in first clause. 2) Often follows つまり (in other words), or ようするに (that is). 3) In spoken form becomes んだ.

1) 将前一句所说的内容换一种说法表达，或是将其归纳时使用本句型。 2) 多接在「つまり・要するに」等词语之后。 3) 在口语中使用「んだ」。

1) 앞의 문장에서 말한 것을 다른 말로 바꾼다든지, 정리할 때에 사용한다. 2)「つまり·要するに」등에 이어지는 경우가 많다. 3) 회화체에서는「んだ」를 사용한다.

のだ〈主張〉【really want to say／表示说话人的主张／－한다/－이다】★2

①親がいくら反対しても、わたしは彼女と結婚したいんだ。

②誰がなんと言っても、今年はわれわれのチームが優勝するんだ。

③何度でもやり直す人が成功するのです。

普通形（ナAな／Nな） ＋ のだ

1）話者が自分の主張を強く言ったり、自分の決意を述べたりするときに使う。

2）話し言葉では「んだ」を使う。

1) Emphasizes speaker's assertion or resolution. 2) In spoken language becomes んだ.

1) 说话人强调自己的主张或陈述自己的决心时使用本句型。

2) 在口语中使用「んだ」。

1) 말하는 사람（話者）이 자신의 주장을 강하게 말한다든지, 자신의 결의를 서술한다든지 할 때 사용한다. 2) 회화체에서는「んだ」를 사용한다.

のだ〈納得〉【that's why／表示说话人的接受／－이다】★2

① A：今朝は3年ぶりにマイナス1度の冷え込みだったそうですよ。

B：だから寒かったんだ。

②レントゲン写真をとったら足の骨が折れていた。だから痛かったんだ。

③ A：さっき、駅前で事件があったらしいね。

B：ああ、それで、おまわりさんが出ていたんだ。

普通形（ナAな／Nな） ＋ のだ

1）前の文で、事実や事態を言う。後の文に「だから・それで」などの理由を表す言葉を使い、文末を「……のだ」として、話者が納得したことを言う。 2）話し言葉では「んだ」を使う。

1）First sentence explains some fact or incident. Second explains reason for fact using だから, or それで and ends in …のだ to show speaker is convinced.　2）In spoken language becomes んだ.

1）前半句讲述事实、事态，后半句用「だから・それで」等表示理由的词语来连接，句末使用「……のだ」，表明说话人接受了这件事。　2）在口语中使用「んだ」。

1）앞의 문장에서 사실이나 사태를 말한다. 뒷문장에서「だから、それで」등의 이유를 나타내는 말에 이어서, 문말을「……のだ」로 하여서 말하는 사람（話者）이 납득한 것을 말한다.　2）회화체에서는「んだ」를 사용한다.

のだから【since／因为／－이므로/－이기 때문에】★2

①試合をしに行く<u>のだから</u>、観光などは後にして、健康に気をつけてください。

②この本は難しい<u>んだから</u>、何回も読まないとわからないだろう。

③8月20日過ぎの海は危険な<u>んだから</u>、泳ぐのはやめた方がいい。

普通形（ナAな／Nな）＋のだから

1）「～のだから…」の形で、「～」という理由について共通の認識を確認した上で、「…」では話者の判断や意向や相手への働きかけなどを言いたいときに使う。　2）話者と相手との間で、ある話題について共通の認識をもつ前に使うのは不自然である。◆×あした父が来るんですから、空港に迎えに行きます。→○あした父が来ますから、空港に迎えに行きます。　3）話し言葉では②③のように、「んだから」となる。

1）Speaker appeals to listener, gives judgment or inclination after pattern based on verification of some common knowledge given before pattern.　2）Unnatural to use before speaker and listener have common knowledge about topic.→◆　3）In spoken language becomes んだから, as in sentence ②③.

1）采用「～のだから…」的形式，在确认了对「～」这一理由的相同看法之后，在「…」处表明说话人的判断、意向或让对方做某事的要求等。　2）在说话人与停话人之间没有对某个话题达成共识之前，如果使用本句型则显得不自然。→◆　3）如例句②③，在口语中变为「んだから」。

1）「～のだから…」의 형태로「～」라는 이유에 대하여 공통의 인식을 확인한 뒤에,「…」에서는 말하는 사람（話者）의 판단이나 의향, 상대방에게 일정한 역할 등을 말하고자 할 때 사용한다.　2）말하는 사람（話者）과 상대방과의 사이에서, 어떤 화제에 대하여 공통의 인식을 갖기 전에 사용하는 것은 부자연스럽다.→◆　3）회화체에서는 ②③처럼「んだから」가 된다.

のだった〈感慨〉【(deep emotion) and became／表示感叹／－인 것이었다】★1

①彼は優勝カップを手に、改めて深い喜びに包まれる<u>のだった</u>。

②一郎は1年の外国暮らしを終え、自立した大人に成長した<u>のであった</u>。

普通形（ナAな／Nな）＋のだった

1）過去のできごとなどについて、感情を込めて述べるときに使う。随筆や小説などで使われる方法。2）②のように「である体」では「のであった」を使う。

1）Describes emotions about some past event. Used in essays and novels. 2）The である copula becomes のであった, as in sentence ②.

1）用于带着一种感情去叙述一件过去的事。多为随笔、小说用语。
2）如例句②，在「である体」中使用「のであった」。

1）과거에 있었던 일 등에 대하여, 감정을 실어서 서술할 때 사용한다. 수필이나 소설 등에서 사용되는 방법이다. 2）②처럼 「である체」에서는 「のであった」를 사용한다.

のだった〈後悔〉 ➡んだった〈後悔〉 439

のだろう ➡だろう〈気持ちの強調〉 147

ので【so／由于／– 이므로 /– 이기 때문에 /– 라서】★4

①きのうは2時まで眠れなかったので、けさは早く起きられませんでした。
②わたしはコーヒーが好きなのでよく飲みます。
③冬休みに故郷に帰って家族に会いました。みんな元気だったので、安心しました。
④あしたは休みなので、友だちと映画を見に行きます。
⑤すみません。ちょっと寒いので、窓を閉めてくださいませんか。
⑥今、調べておりますので、少しお待ちください。

普通形（ナAな／Nな）＋ので

1）「～ので…」の形で、「～」に原因・理由を表す言葉を使い、「…」の文で結果や成り行きを言うことが多い。文末に命令や禁止の文はあまり使わない。 ◆×うるさいので、やめろ。→○うるさいから、やめろ。 2）個人的な言い訳を言う場合には、「ので」の方が「から」より改まった軟らかい表現である。 3）「のでです・のでだ」の形では使わない。 4）⑥のように、丁寧に言いたいときは、丁寧形に続くこともある。

1）Words expressing cause or reason often appear before pattern; course of events leading to result follow. Sentence ending does not usually take commands or injunctions. →◆　2）When giving personal excuses ので is softer and more formal than から.　3）Not used as のでです or のでだ.　4）Can be used with polite form, as in sentence ⑥.

1）采用「～ので…」的形式,「～」处使用表示原因、理由的词句,「…」处多使用表示结果、情况发展的词句。句末基本不出现表示命令、禁止等意义的句子。→◆　2）为自己辩解时用,「ので」比「から」显得更为郑重、委宛。　3）不会出现「のでです·のでだ」的形式。　4）如例句⑥, 想要显得更礼貌的时候, 也可以接在礼貌体之后。

1）「～ので…」의 형태로「～」에 원인 · 이유를 나타내는 말을 사용하고,「…」의 문장에서는 결과나 과정을 말하는 경우가 많다. 문말에 명령이나 금지의 문장은 그다지 사용하지 않는다. →◆　2）개인적인 이유를 말할 경우에는「ので」를 사용하지만,「から」보다 격식을 차린 부드러운 표현이다.　3）「のでです・のでだ」의 형태로는 사용하지 않는다.　4）⑥과 같이 정중하게 말하고자 할 때는 정중형（丁寧形）에 이어지는 경우도 있다.

のですか【what; are (you)?／是～吗?／－입니까?】★4

① A：何かいいことがあったんですか。うれしそうな顔をして……。
　B：ええ、あした、マリアさんとドライブに行くんです。

②年末なので、新幹線の切符を取るのが大変でした。日本ではお正月にみんながふるさとへ帰るのですか。

③（田中さんが帰る準備をしているのを見て）A：田中さん、もう帰るんですか。

④病気なのに、たばこを吸うんですか。

⑤こんな夜中に何をしているんだ。

◎ **普通形**（ナAな／Nな）＋のですか

1）見たり聞いたりしたことから話す人が判断したことが正しいかどうか確認したり、説明を求めたりするときに使う。　2）④⑤は詰問調で、非難している感じがある。　3）話し言葉では「んですか・んだ」を使う。

1）Confirms veracity of speaker's judgment based on what is seen or heard, or seeks explanation.　2）Can sound accusatory, as in sentences ④ and ⑤.　3）In spoken language, becomes んですか or んだ.

1）说话人从自己看到、听到的事出发作出判断, 并向对方确认自己的判断是否正确或请求对方做出说明时使用本句型。　2）例句④⑤是质问语气, 有一种责备对方的感觉。　3）口语使用「んですか・んだ」。

1）보거나 듣거나 한 것으로, 말하는 사람（話者）이 판단한 것이 옳은지 그른지를 확인한다든지 설명을 요구하거나 할 때에 사용한다.　2）④⑤는 힐문조（詰問調）로써 비난을 하고 있는 느낌이 든다.　3）회화체에서는「んですか・んだ」를 사용한다.

のですが　➡んですが　440

のではありません　➡んじゃない　438

のに〈逆接　不満・予想外〉【in spite of the fact／然而，却／－인데/－임에도 불구하고】★4

①わたしが3時間もかけてケーキを焼いたのに、だれも食べません。

②ひろしは暑いのに、窓を開けないで勉強しています。

③冬の山は危険なのに、どうして登るんですか。

④夜の12時なのに、電車にはおおぜいの人が乗っていました。

⑤（パーティーに遅く来て）マリさんはもう帰ったんですか。会いたかったのに……。

普通形（ナAな／Nな）＋のに

1）「～のに、…」の形で、「～」では事実を述べて、「…」でそのことから予想されることと違った結果であることを言う。話す人の意外な気持ち・疑問・不満・非難・残念な気持ちを表すことが多い。　2）文末に話す人の意志や希望を表す文や働きかけを表す依頼、命令などの文は使われない。　◆×忙しいのに、手紙を書きなさい。→○忙しくても、手紙を書きなさい。

1）Speaker describes fact before pattern; results speaker did not expect follow. Often shows speaker's doubts, dissatisfaction, criticism, regret, or feeling that something is unexpected.　2）Sentence ending does not take expressions of speaker's volition, hopes, appeals, requests, or commands. →◆

1）采用「～のに、…」的形式，“在「～」处陈述事实，在「…」处提出一个与前述事实应推导出的结论恰好相反的结果”之意。多为表示说话人意外、疑问、不满、责难、遗憾等心情的句子。
2）句末不能出现表示说话人的意志、希望或要求，命令别人做某事的句子。→◆

1）「～のに、…」의 형태로「～」에서는 사실을 말하고,「…」에서 그것으로부터 예상되는 것과 다른 결과인 것을 나타낸다. 말하는 사람 (話者) 의 의외적인 기분, 의문, 불안, 비난, 유감스러운 기분을 나타내는 경우가 많다.　2）문말에는 말하는 사람 (話者) 의 의지나 희망을 나타내는 문장, 역할에 대한 작용을 나타내는 의뢰, 명령 등의 문장은 사용되지 않는다. →◆

のに〈対比〉【even though／表示对比／－였는데/－인데】★3

①去年の冬は暖かかったのに、今年の冬はとても寒い。

②田中さんは日本人だが、日本語は下手なのに、英語はうまい。

普通形（ナAな／Nな）＋のに

1）「のに」の前後で、対比している事柄を結んでいる。　2）「が」や「けれども」と同じような使い方であるが、「のに」の場合は話す人の意外な気持ち、疑問などの気持ちが含まれている。

1）Contrasts linked by のに. 2）Same kind of usage as が and けれども, but のに includes speaker's doubts or feeling that something is unexpected.

1）用「のに」来连接前后两件对立的事。 2）用法和「が」「けれども」相同，但使用「のに」时，语气中包含着说话人感到意外、心存疑问等心情。

1）「のに」의 전후에서 대비하고 있는 내용을 이어주고 있다.
2）「が」나「けれども」와 같은 사용법이지만,「のに」의 경우는 말하는 사람(話者)의 의외의 기분, 의문 등의 기분이 포함되어 있다.

のに〈用途〉【for／用于～／－하는데】★4

①このナイフはチーズを切るのに便利です。
②電子辞書は言葉の意味を急いで調べるのに役に立ちます。
③外国旅行をするのにはパスポートが必要だ。
④ここから空港に行くのには1時間かかる。
⑤わたしは買い物に、いつもバイクを使っています。
⑥東京駅へ行くにはこのバスが便利です。

◎ Vる＋の／する動詞のN ＋に

1）物の用途・目的・有用性などを言う言い方。「～のに…」の形で、「～」で用途や目的を言い、「…」で「便利だ・必要だ・役に立つ・使う・かかる」などの意味のことを言う。 2）⑤のように「する動詞」の場合、「する動詞のN＋に」の形でも使う。 3）⑥のように「のに＋は」の形で使う場合に、動詞の後ろの「の」がない使い方もある。

1）Use, purpose, or utility. Use or purpose precedes のに; words meaning convenient, necessary, useful, use, or take (time, money, etc.) follow. 2）When contains する verb, becomes: nominal of する verb ＋ に, as in sentence ⑤. 3）For のに＋は, as in sentence ⑥, の after verb can be omitted.

1）陈述事物的用途、目的、有效性等的表达方式。采用「～のに…」的形式，在「～」出阐明用途、目的，在「…」处说明“方便、有必要、有用、使用、花费”等意义。 2）如例句⑤，动词为「する動詞」时也可采用「する動詞のN＋に」的形式。 3）如例句⑥在使用「のに＋は」的形式的时候，动词后也可以不使用「の」。

1）사물의 용도나 목적, 유용성 등을 말하는 표현법이다.「～のに…」의 형태로「～」에서 용도나 목적을 말하고,「…」에서「편리하다·필요하다·도움이 되다·사용하다·걸리다」등의 의미를 말한다. 2）⑤와 같이「する동사」의 경우「する동사의 N＋に」의 형태로써도 사용한다. 3）⑥과 같이「のに＋は」의 형태로 사용하는 경우에는 동사 뒤의「の」가 없는 사용법도 있다.

のに ➡と～（のに）〈反実仮想〉 209

➡ば～（のに）〈反実仮想〉 337

のは～だ【when; who; why／表示强调／－한 것은 －이다】★4

①田中さんのうちに行ったのは、先週の水曜日です。

②わたしが信じているのは山田さんだけです。

③アルバイトをしているのは、旅行をするためだ。

④命が助かったのは手術をしてくださった先生のおかげです。

⑤電話をもらったのはチンさんの奥さんからです。チンさんからではありません。

⑥春子さんはいい人でしょう。あんないい人と別れるのはどうしてですか。

◎ **普通形**（ナAな／Nな） ＋ のは～だ

1）言いたいことを強調する文である。「～のは…だ」の形で、「～」で話題になること、「…」で説明したいこと・理由・強調したいことを言う。　2）「…」では文末に「ためだ・おかげだ」などの理由を表す言葉や目的を表す言葉などがよく使われる。

1）Emphasis. Topic precedes pattern; explanation, reason, or emphasis follows. 2）Sentence ending often takes ためだ (for the reason), おかげだ (thanks to), or other words expressing reason or purpose.

1）强调想要表达的意思的强调句。采用「～のは…だ」的形式,「～」处为“话题”，在「…」处阐明想要说明的事件、理由以及想要强调的事。　2）「…」的句末常使用「ためだ・おかげだ」等表理由的句子或表目的的句子。

1）말하고 싶은 것을 강조하는 문장이다.「～のは…だ」의 형태로,「～」에서 화제가 되는 것,「…」에서 설명하고 싶은 것 · 이유 · 강조하고 싶은 것을 말한다. 2）「…」에서는 문말에「ためだ·おかげだ」등의 이유를 나타내는 말이나 목적을 나타내는 말 등이 자주 사용된다.

のほう　➡より～のほう　407

のみ　➡ただ～のみ　128

のみならず【～だけでなく not only, but／不只是／－뿐만 아니라】★2

①山田さんは出張先でトラブルを起こしたのみならず、部長への報告も怠った。

②会社の業務改善は、ただ営業部門のみならず、社員全体の努力にかかっている。

③この不景気では、ひとり中小企業のみならず大企業でも経費を削る必要がある。

ⓒⓝ N／**普通形**（ナAである／Nである） ＋のみならず

1）「のみならず」の形で「～だけでなく、範囲はもっと大きくほかにも及ぶ」と言いたいときに使う。硬い表現。 2）後の文には「も・で・さえ」などがよく使われる。 3）この言い方には、ほかに「ただ～のみならず・ひとり～だけでなく・ひとり～のみならず」などがある。「ひとり～のみならず」は特に書き言葉的。

1）Situation extends beyond one aspect to impact far wider range. Formal expression. 2）Often followed by も，まで，さえ，etc. 3）Other similar forms are: ただ～のみならず (not merely, but), ひとり～だけでなく (not just one, but), ひとり～のみならず (not simply one, but). ひとり～のみならず is a particularly written form.

1）采用「のみならず」的形式，在想要表达“不只是～，范围更为扩大，已波及到其它”之意时使用本句型。较为生硬的表达方式。 2）后半句常使用「も・まで・さえ」等。 3）这类的表达方式还有「ただ～のみならず・ひとり～だけでなく・ひとり～のみならず」等。特别是其中的「ひとり～のみならず」为书面用语。

1）「のみならず」의 형태로，「～뿐만 아니라，범위는 훨씬 크게 다른 곳에도 파급된다」라고 말하고자 할 때 사용한다. 딱딱한 표현이다. 2）뒤에 오는 문장에는「も・まで・さえ」등이 자주 사용된다. 3）이 표현법에는，그 외에「ただ～のみならず（단지 ～뿐만 아니라）・ひとり～だけでなく（혼자 ～뿐만 아니라）・ひとり～のみならず（한 사람 ～뿐만 아니라）」등이 있다.「ひとり～のみならず（한 사람 ～뿐만 아니라）」는 특히 문어체적인 표현이다.

のもとで 【～を頼って／～の下で under; under the auspices of／在～之下／－아래서／－밑에서／－하에서】★2

①わたしはいい環境、いい理解者<u>のもとで</u>、恵まれた生活を送ることができた。
②ぼくは今、小林という人<u>のもとで</u>陶芸を習っています。
③この鳥は国の保護政策<u>のもとに</u>守られてきた。
④新しいリーダー<u>のもとに</u>、人々は協力を約束し合った。

ⓒⓝ N ＋のもとで

「～の影響の下で、～の影響を受けながら」という意味。③④の「のもとに」も意味・用法は同じである。

Under influence of, or to be influenced by. Has same meaning and usage as のもとに，as in sentences ③ and ④.

“在～的影响之下，受～的影响而”之意。例句③④的「のもとに」与本句型意义、用法相同。

「～의 영향력 아래에서，～의 영향을 받으면서」라는 의미이다. ③④의「のもとに」또한 그 의미，용법은 같다.

のもとに ➡のもとで 335

ば〈条件〉【if／如果／－하면】★4

①よく読めば、わかります。

②この本はむずかしいことが書いてあるから、よく読まなければ、わからないよ。

③明日、天気がよければテニスをしますが、よくなければうちでDVDでも見ます。

④このDVD、とてもよかったよ。もし見たければ、貸してあげるよ。

⑤あさって、休みでしょう。もしひまなら、映画を見に行きませんか。

⑥部屋が静かでなければ、わたしは勉強できません。

⑦もしその人がいい人ならば、いっしょに仕事をしたい。

◎ Vば／イAければ／ナNなら（ば）／Nなら（ば）
巻末の活用表参照

1）「ば・なら（ば）」は仮定条件を表す。動詞とイ形容詞には「ば」を使い、ナ形容詞と名詞の肯定形には「なら」を使う。「なら」は⑦のように「ならば」の形で使うこともある。　2）「ば」の動詞が状態性の動詞（ある・いる・できる）以外の場合は、後の文には話す人の意志・依頼などを表す文は使わない。　◆×もし熱が出れば、この薬を飲んでください。→○もし熱が出たら、この薬を飲んでください。　3）しかし「～」が状態性の言葉（動詞の「あれば・いれば」、動詞の否定形「食べなければ」、形容詞「安ければ」など）の場合にはこの制限はなくなる。

1）Pattern ば・なら(ば) is a conditional. Verbs and イ-adjectives take ～ばナ-adjectives and affirmatives of nouns take なら. As in sentence ⑦, なら can be used interchangeably with ならば. 2) When ～ば verb is not verb of state (ある, いる, できる), second clause does not include speaker's volition or requests. 3)Restriction does not apply when what precedes is conditional word, such as verbs あれば or いれば (to be), or negatives of verbs, such as 食べなければ (if you don't eat), adjectives such as 安ければ (if cheap), etc.

1）「ば・なら（ば）」表示假设条件。动词和イ形容词使用「ば」，而ナ形容词和名词使用「なら」。「なら」如例句⑦所示，有时也会使用「ならば」的形式。　2）「ば」前的动词不是状态动词（ある・いる・できる）时，后半句不能出现表示说话人意志、请求等的句子。→◆　3）但是「～」处如果为表状态的词语（动词如「あれば・いれば」，动词的否定形如「食べなければ」，形容词如「安ければ」等）则没有这样的限制。

1）「ば・なら（ば）」는 가정표현을 나타낸다. 동사와 イ형용사에는「ば」를 사용하고, ナ형용사와 명사의 긍정형에는「なら」를 사용한다.「なら」는 ⑦과 같이「ならば」의 형태로 사용하는 일도 있다.　2）「ば」의 동사가 상태성의 동사（ある・いる・できる）이외의 경우는, 뒤에 오는 문장에는 말하는 사람（話者）의 의지, 의뢰 등을 나타내는 문장은 사용하지 않는다.→◆　3）그러나 「～」가 상태성의 말(동사의「あれば・いれば」, 동사의 부정형「食べなければ」, 형용사「安ければ」등)의 경우에는 이 제한은 없어진다.

ば～(のに)〈反実仮想〉【would have／无法实现的假设／－하면 －(좋았을 텐데)】★3

①A：ごめんなさい。きのうは、会議の場所を間違えて、遅くなったんです。
B：それで遅れたんですか。山崎さんといっしょに来ればよかったのに。
②試合のとき、山田君がもっと元気なら勝てたのに。
③店できれいなセーターを見た。もっと安ければ買ったんだけれど……。

Vば／イAければ／ナAなら（ば）／Nなら（ば） ＋～（のに）

1）「～ば、…のに／けれど」の形で、「～ば」で事実とは違うことを仮想して、「…」で実現しなかったことなどについて、残念な気持ちやよかったという気持ちなどを述べる。 2）ナ形容詞と名詞では「なら（ば）」となる。 3）文末は「よかった・のに・けれど」などの表現が多い。 参たら～（のに）・と～（のに）〈反実仮想〉

1）Speaker imagines some event contrary to fact before ば～のに／けれど, then expresses after pattern feelings of regret or gladness that event was not realized. 2) With ナ-adjectives and nouns becomes なら(ば). 3) Often sentence endings take よかった (good), のに (would have been), or けれど (but). →参

1）采用「～ば、…のに／けれど」的形式，在「～ば」部分提出一个与事实相反的假想，在「…」部分表达对于这件事的无法实现，而感到遗憾或欣喜的心情。 2）接ナ形容词和名词时变为「なら(ば)」。 3）句末多使用「よかった・のに・けれど」等表达方式。 →参

1）「～ば、…のに／けれど」의 형태로,「～ば」에서 사실과는 다른 일을 가상하여,「…」에서 실현하지 않았던 일 등에 대하여, 유감스러운 기분이나 잘되었다라는 기분 등을 서술한다. 2）ナ형용사와 명사에서는「なら（ば)」가 된다. 3）문말은「よかった・のに・けれど」등의 표현이 많다. →参

ばいい〈勧め〉【would be good if, should／请你做～／－하면 된다】★4

①そんなに欲しいのなら、自分で買えばいいじゃないか。
②おまけにもらったものなど取っておく必要はない。どんどん捨てればいい。
③若いときは何でも自分のやりたいことをやってみればいい。

Vば ＋いい

1）ほかの人に対して勧めたり提案したり助言したりする場合に使う。 2）同じ意味の表現に「たらいい・といい」がある。「ばいい」にはやや突き放した感じがある。「たらいい・といい」の方が軟らかい感じがする。 参たらいい〈勧め〉・といい〈勧め〉

1）Recommends, suggests, or advises someone to do something.　2）Patterns with same meaning are: たらいい and といい. Pattern ばいい has slight feeling of rejection. Patterns たらいい and といい are softer. →参

1）用于对别人的规劝、提议、忠告等场合。　2）同义的表达方式还有「たらいい・といい」。「ばいい」有一种抛开不予理睬的语感。「たらいい・といい」的语气则显得更委婉一些。→参

1）다른 사람에게 권유하거나 제안하거나 조언할 경우에 사용한다.　2）같은 의미의 표현으로「たらいい・といい」가 있다.「ばいい」에는 약간 객관적인 느낌이 있다.「たらいい・といい」의 쪽이 부드러운 느낌이 있다. →参

ばいい〈希望〉【hope that; would if be good if／要是～该多好／－하면 좋겠다】★4

①A：あしたはスポーツ大会ですね。雨が降らなければいいですね。
　B：ええ、晴れればいいですね。

②ことしの夏は論文を書かなければならないから、暑くなければいいと願っています。

③世界中の子どもたちが体も心も健康ならいいと思うのです。

④わたし、S会社に就職できればいいなあ。

◎ Vば／イAければ／ナAなら／Nなら　＋いい

1）そうなってほしいという希望や願望がある場合に使う。　2）動詞・イ形容詞の場合は「ばいい」を使うが、ナ形容詞・名詞の場合には「ならいい」を使う。　3）文末に詠嘆の気持ちを表す「～なあ」をつけることが多い。　4）実現が難しいと感じている場合には文末に「けど・のに・が」などをつけることが多い。　5）「～ばいい」の「～」には話す人の意志を含む言葉は使わない。　◆×わたし、S会社に就職すればいいなあ。　6）「たらいい・といい」と互いに言い換えが可能である。

参 たらいい〈希望〉・といい〈希望〉

1）Desire or hope something will occur.　2）Verbs and イ-adjectives take ばいい, but ナ-adjectives and nouns take ならいい.　3）Often sentence endings take exclamatory なあ.　4）Often sentence endings take けど, のに, or が (but) when seems difficult to realize.　5）Words expressing speaker's volition are not included before pattern. →◆　6）Can be interchangeable with たらいい and といい. →参

1）用于表达希望能够实现某种愿望。　2）动词、イ形容词使用「ばいい」，ナ形容词、名词则使用「ならいい」。　3）句末常加表示感叹语气的「～なあ」。　4）当认为实现起来较为困难时，多在句末加「けど・のに・が」等。　5）「～ばいい」的「～」部分不能使用包含说话人意志的词句。→◆　6）「たらいい」和「といい」可以互换。→参

1）그렇게 되었으면 하는 희망이나 바람이 있는 경우에 사용한다.　2）동사・イ형용사의 경우는「ばいい」를 사용하지만, ナ형용사・명사의 경우에는「ならいい」를 사용한다.　3）문말에 감탄의 기분을 나타내는「～なあ」를 붙이는 경우가 많다.　4）실현이 어렵다고 느끼고 있는 경우에는 문말에「けど・のに・が」등을 붙이는 경우가 많다.　5）「～ばいい」의「～」에는 말하는 사람（話者）의 의지를 포함하는 말은 사용하지 않는다. →◆　6）「たらいい・といい」와 서로 바꾸어 말할 수 있다. →参

ばいいですか【how / why / when / who / where should／(怎么做)～好呢？／－하면 좋겠습니까?】★4

①A：この本はいつまでに返せ<u>ばいいですか</u>。
　B：来週の水曜日までに返してください。
②A：東京タワーへ行きたいんですが、どこで降りれ<u>ばいいですか</u>。
　B：K駅で降りたらいいですよ。
③A：この会に登録したいんですが、どうすれ<u>ばいいですか</u>。
　B：ここに必要なことを書いてください。
④A：弁当を予約したいんだけど、だれに言え<u>ばいい</u>？
　B：山田さんに聞けば？　彼が係だよ。

疑問詞 ＋ Vば　＋ いいですか

1）相手に指示を求める言い方。　2）「疑問詞＋Vたら＋いいですか」と意味・用法はだいたい同じ。

参 **たらいいですか**

1）Seeks instructions from other party.　2）Nearly same meaning and usage as interrogative + V たら + いいですか. →参

1）请求对方指示的表达方式。　2）与「疑問詞＋Vたら＋いいですか」的意义、用法基本相同。→参

1）상대방에게 지시를 요구하는 표현법이다.　2）「의문사＋Vたら＋いいですか」와 의미・용법은 대부분 같다. →参

はいざしらず

【～は特別だから例外だが　might be true for…, but not for…／～虽然特殊／－라면 모르겠는데 /－라면 모르지만】★1

①妻：美術館は込んでいるんじゃないかしら。
　夫：土日<u>はいざしらず</u>、ウイークデーだから大丈夫だよ。
②規則を知らなかったの<u>ならいざしらず</u>、知っていてこんなことをするなんて許せない。
③神様<u>ならいざしらず</u>、普通の人間には明日何が起こるかさえわからない。まして1年先のことなんて……。

Nは・Nなら／普通形（＋の）なら　＋ いざしらず

「～はいざしらず・～ならいざしらず」の形で使う。「～」には極端な例や特別な場合が来て、主として「その場合は別だが」と除外してしまうときの言い方。

In forms ～はいざしらず or ～ならいざしらず. Extreme examples or special cases are given before pattern. Mainly indicates exclusion of some case for being extraordinary.

采用「～はいざしらず・～ならいざしらず」的形式。「～」处使用一个较为极端的例子或特别的情况,表示“那种情况虽然不同,但”这样的排除的意义。

「～はいざしらず・～ならいざしらず」의 형태로 사용한다.「～」에는 극단적인 예나 특별한 경우가 오며, 주로「その場合は別だが(그 경우에는 다르지만)」라고 제외해 버릴 때의 표현법이다.

はおろか【～は普通としても not to mention／别说～了，就连…／－는 커녕】★1

①わたしのうちにはビデオはおろかテレビもない。

②今度の天災のために、家の中の物はおろか家まで失ってしまった。

③この地球上には、電気、ガスはおろか、水道さえない生活をしている人々がまだまだたくさんいる。

④木村さんは会計の仕事をしているが、会計学についてはおろか、法律一般の知識もないらしい。

◎ N（＋助詞）＋はおろか

1）「～は当然として、程度がもっと上の事柄も」という意味。　2）「も・さえ・まで」などの強調の言葉といっしょに使って、話者の驚きや不満の気持ちを表す。　3）相手への働きかけ（命令・禁止・依頼・勧誘など）の文には使わない。

1）Naturally one thing occurs, but actually level is far more drastic.　2）Used with words of emphasis such as も, さえ, or まで; expresses speaker's surprise or dissatisfaction.　3）Not used in sentences that make appeals (commands, injunctions, requests, solicitations), etc.toward listener.

1）“～是理所当然的，比它程度再高的事物也是这样的”之意。　2）与「も・さえ・まで」等表强调的词语一起使用，表示说话人的吃惊、不满等情绪。　3）不用于指使对方做某事（命令·禁止·要求·劝诱等）的句子。

1）「～은 당연하며, 정도가 훨씬 위의 내용도」라는 의미이다.　2）「も・さえ・まで」등의 강조하는 말과 함께 사용되며, 말하는 사람（話者）의 놀라움이나 불만의 기분을 나타낸다.　3）상대방에의 역할（명령・금지・의뢰・권유 등）의 문장에는 사용하지 않는다.

は～が～【as for…has…／表示对主语从属物的说明／－는 －이（－가）】★4

①あの人は目がとてもきれいです。

②この料理は味がちょっと薄いです。

③リンさんの家は庭が広くて、いいなあ。

④メキさんは足が速いです。彼はサッカーの選手です。

◎ NはNが

「N１はN２が…」という形で、あるもの（N１）を話題にし、その部分やそれに属するもの（N２）の状態・性質などを表す言い方。

Takes up a topic N1; describes condition or nature of N2 that is part of or belongs to N1.

采用「N１はN２が…」的形式，以某事物（N1）为话题，对于这个事物的一个部分或从属于它的物体（N2）的状态、性质进行描述时，使用本句型。

「N１은 N２가…」라는 형태로 어떤 것（N１）을 화제로 하여，그 부분이나 그것에 속하는 것（N２）의 상태，성질 등을 나타내는 표현법이다.

N１（ぞう）は　　N２（鼻）　　が　　長いです

は～が、～は【(does) this, but not that／表示对比／－는 - 지만，－는（－은）】★5

①この本はもう読みましたが、あの本はまだです。

②わたしたちの学校では、春は遠足に行きますが、秋は行きません。

③机の上には本がたくさんありますが、本だなにはあまりありません。

④わたしは図書館へは自転車で行きますが、学校へは歩いて行きます。

⑤タンさんにはプレゼントをあげたけど、カンさんにはあげなかった。

◎ N（＋助詞）は＋［丁寧形］・［普通形］＋が、N（＋助詞）は～

１）二つのことを対比して言うときに使う。①のように「本を」に「は」がつく場合は「を」は消える。（本~~を~~は読みました）そのほかの助詞は③～⑤のようにそのまま残る。

２）くだけた話し言葉では「が」が「けど」になる。

1）Contrasts two things. As in sentence ①, particle を disappears when は is used. Other particles, such in sentences ③ to ⑤, remain. 2）In informal speech, が becomes けど.

1）用于把两件事进行对比的场合。如例句①,「本を」如果使用「は」,则要去掉「を」。(本~~を~~は読みました)其他的助词如例句③～⑤那样,原样保留。　2）在较为通俗的口语中，可以变为「が・けど」。

1）두 가지의 사항을 대비해서 말할 때에 사용한다. ①처럼「本を」에「は」가 붙는 경우에는「を」를 없앤다.(本~~を~~は読みました) 그 외의 동사는 ③～⑤처럼 그대로 남는다.　2）허물없는 사이의 차린 회화체에서는「が」가「けど」로 된다.

ばかりか【～だけでなく not just／何止是～／－뿐만 아니라】★2

①いくら薬を飲んでも、風邪が治らないばかりか、もっと悪くなってきました。

②このごろ彼は遅刻が多いばかりか、授業中にいねむりすることさえあります。

③彼は仕事や財産ばかりか、家族まで捨てて家を出てしまった。

④あの人は仕事に熱心であるばかりか、地域活動も積極的にしている。

N／普通形（ナAな・ナAである／Nである）＋ばかりか

1）「～だけでなく、その上にもっと程度の重い事柄も加わる」という意味。　2）後の文には「も・まで・さえ」などがよく使われる。　3）「ばかりか」では、「ばかりでなく」と違い、後に意志や希望、また命令や誘いなど働きかけの文が来ることはほとんどない。　◆×有名な観光地ばかりか、静かないなかの生活も見たい。→○有名な観光地ばかりでなく、静かないなかの生活も見たい。／×自分のことばかりか、他人のことも考えなさい。→○自分のことばかりでなく、他人のことも考えなさい。

参ばかりでなく

1）Not just does one thing happen, but something even more drastic does as well. 2）Clause following often takes も (also), まで (until), or さえ (even). 3）Unlike ばかりでなく, clauses that make appeals, such as volition, hope, commands, or solicitations, rarely follow. →◆　→参

1）“不只是～，在其之上再加上程度更深的事件”之意。　2）后半句常使用「も・まで・さえ」等。　3）「ばかりか」与「ばかりでなく」不同，后半句中基本不能出现表示意志、希望或命令、劝诱等要求别人做某事的句子。→◆　→参

1）「～뿐만 아니라, 그 위에 정도가 훨씬 무거운 내용도 첨가된다」라는 의미다. 2）뒤에 오는 문장에는「も・まで・さえ」등이 자주 사용된다.　3）「ばかりか」에서는「ばかりでなく」와 달리, 뒤에 의지나 희망, 또는 명령이나 권유 등 역할작용의 문장이 오는 경우는 거의 없다. →◆　→参

ばかりだ 【ますます〜していく just continues to ／一直〜／점점 - 할 뿐이다／더욱 더 - 하게 된다】★2

①このままではジムの日本語の成績は下がる<u>ばかりだ</u>。なんとかしなくてはならない。
②最近の田中委員長の行動はよいとは言えない。彼への不信感は増す<u>ばかりだ</u>。
③選挙のときの対立が原因で、党内の二つのグループの関係は悪くなる<u>ばかりだ</u>。

◎ Vる ＋ ばかりだ

1）ものごとの変化が悪い方向にだけ進んでいることを表す。　2）変化を表す動詞と接続する。

1）Some change continues in bad direction. 2）Connects with verbs expressing change.

1）事物一直朝着不好的方向变化之意。　2）接表示变化的动词。
1）사물의 변화가 나쁜 방향으로만 진행되고 있는 것을 나타낸다.　2）변화를 나타내는 동사와 접속한다.

ばかりだ ➡たばかりだ 133

ばかりでなく 【〜だけでなく not only, but ／不只是〜／ – 뿐만 아니라】★3

①わたしたちは日本語<u>ばかりでなく</u>、英語や数学の授業も受けています。
②今日は頭が痛い<u>ばかりでなく</u>、吐き気もするし、少々熱もあるんです。
③テレビの見過ぎは子どもの目を痛める<u>ばかりでなく</u>、自分で考える力を失わせると言われている。
④あの人は有名な学者である<u>ばかりでなく</u>、環境問題の活動家でもある。
⑤人の仕事上のミス<u>ばかりでなく</u>、私生活についてまで非難するのはやめなさい。

◎ N／**普通形**（ナAな・ナAである／Nである） ＋ ばかりでなく

1）「〜だけでなく、範囲はもっと大きくほかにも及ぶ」と言いたいときに使う。
2）後の文には「も・まで・さえ」などがよく使われる。　参ばかりか

1）Situation isn't limited to one aspect, but impacts far wider range. 2）Second clause often takes も, まで, さえ, etc. →参

1）"不只是〜，范围更广，已经波及到其它"之意。　2）后半句常使用「も・まで・さえ」等。 →参
1）「〜뿐만 아니라, 범위는 훨씬 크게 다른 곳에도 파급된다」라고 말하고자 할 때 사용한다.　2）뒤에 오는 문장에는「も・まで・さえ」등이 자주 사용된다. →参

ばかりに 【～だけが原因で simply because／正是由于～／－한 탓에 /－때문에】★2

①うっかり生水を飲んだばかりに、おなかを悪くしてしまった。

②パスポートを取りに行ったが、はんこを忘れたばかりに、今日はもらえなかった。

③彼は子どもの命を助けたいばかりに、薬を買うお金を盗んだのだそうだ。

④パソコンのソフトがうまく使えないばかりに、やりたい仕事ができなかった。

◎ **普通形**（ナAな・ナAである／Nである） ＋ ばかりに

1）「～ばかりに、…」の形で、「～だけが原因で、…という予想外の悪い結果となった」と言いたいときに使う。「…」には悪い結果の文が来る。　2）話者の後悔の気持ちや残念な気持ちを表すことが多い。　3）③のような「たいばかりに」を使う場合は、したくないことをあえてやったという意味の文が来る。

1）Some single cause listed before pattern causes some unpredictably bad result. Clauses showing adverse results follow.　2）Often expresses speaker's feelings of regret or disappointment.　3）In sentence ③, たいばかりに, implies person didn't want to do particular action, but had little recourse.

1）采用「～ばかりに、…」的形式，在想要表达“正是由于～的原因，而导致了预料之外的不好的结果”之意时使用本句型。「…」处接表示“坏结果”之意的句子。　2）多表示说话人后悔、遗憾等心情。　3）如例句③，在使用「たいばかりに」时，会出现表示硬着头皮做自己不想做的事之意的句子。

1）「～ばかりに、…」의 형태로，「～만의 원인으로，…라는 예상외의 나쁜 결과가 되었다」고 말하고자 할 때 사용한다.「…」에는 나쁜 결과의 문장이 온다.　2）말하는 사람（話者）이 느끼는 후회되는 기분，아쉬운 기분을 나타내는 경우가 많다.　3）③과 같이「たいばかりに」를 사용하는 경우는，하고 싶지 않은 일을 억지로 했다라는 의미의 문장이 온다.

ばこそ 【～から precisely because／正因为～／－이기 때문에】★1

①君の将来を考えればこそ、忠告するのだ。

②音楽があればこそ、こうして生きていく希望もわいてくる。

③わたしが勤めを続けられるのも、近所に子どもの世話をしてくれる人がいればこそだ。

④練習が楽しければこそ、もっとがんばろうという気持ちにもなれるのだ。

⑤子どもがかわいければこそ、昔の人は子どもを旅に出したのだ。

⑥親がいればこそ正月に故郷へ帰りますが、親が亡くなればもう帰ることもないでしょう。

◎ Vば／イAければ／ナAであれば／Nであれば ＋こそ

1)「～ばこそ、…」の形で、「～だから、…。ほかの理由ではない」と強調した言い方。話す人の積極的な姿勢の理由を強く言う言い方。 2)マイナスの評価にはほとんど使わない。「～」は状態の表現が多い。 3)やや古い言い方。

1) Emphasizes there is no other reason for something. Strongly expresses reason for speaker's proactive attitude. 2) Rarely used with negative evaluations. Expressions concerning conditions often precede pattern. 3) Slightly old-fashioned.

1) 采用「～ばこそ、…」的形式，在想要强调“因为～，所以…。而不是别的原因”之意时使用本句型。强调说话人采取积极姿态的理由。 2) 一般不用于负面评价。「～」多为表状态的词句。 3) 本表达方式略显古老。

1)「～ばこそ、…」의 형태로,「～그러니까, …. 다른 이유는 아니다」라고 강조한 표현법이다. 말하는 사람 (話者) 의 적극적인 자세의 이유를 강하게 말하는 표현법이다. 2) 마이너스적인 평가에는 거의 사용하지 않는다.「～」는 상태의 표현이 많다. 3) 조금 예스러운 표현법이다.

はさておき 【～は今は考えの外に置いて leave for the time being／先不考虑～／－는 잠시 접어두고／－는 잠시 덮어두고】★2

①就職の問題はさておき、今の彼には健康を取り戻すことが第一だ。

②責任がだれにあるのかはさておき、今は今後の対策を考えるべきだ。

③(二人の男の人が仕事の話をした後)

A：それはさておき、社員旅行のことはどうなっているんだろう。

B：ああ、それは木村さんが中心になって進めているという話ですよ。

◎ Nは ＋さておき

「～はさておき…」の形で、「今は～を考えの外にはずして、…を第一に考える」という意味を表す。

Set something aside and not think about it for time being; think of something else first.

采用「～はさておき…」的形式，“现在先不考虑～范围之外，首先考虑…”之意。

「～はさておき…」의 형태로,「지금은 ～을 생각 밖으로 접어두고, …을 가장 먼저 생각한다」라는 의미를 나타낸다.

はじめ ➡をはじめ 430

はじめとして ➡をはじめとして 431

はじめとする ➡をはじめとして 431

はじめる【begin to ／开始～／ − 하다 /− 시작하다】★4

①もう７時だから、そろそろ食べ始めましょう。

②なべに牛肉を入れて色が変わり始めたら、さとうとしょうゆを入れてください。

③この地方で桜が咲き始めるのは、３月の終わりごろです。

④子どもは最近、町の図書館を利用し始めました。

Vます ＋ 始める

１）始まりと終わりがある継続する動作や作用・自然現象・習慣などが始まるという意味を表す。　２）普通は瞬間動詞にはつかないが、③のように、多くのものの作用やおおぜいの人の動作の場合は、瞬間動詞にもつく。　参おわる・つづける

１）Begin continuous action, operation, natural phenomenon, or practice that has beginning and end.　２）Usually does not append to verb of moment, but when used with verbs concerning a single action of many things or people, verbs of moment can be used, as in sentence ③.　→参

１）表示一个有开始、有结束的持续性动作、作用、自然现象、习惯等开始了。　２）一般不接瞬间动词，不过如例句③，表达多种物体的作用或众多人的动作时，也可以接在瞬间动词之后。　→参

１）시작과 끝이 있는 계속되는 동작이나 작용 , 자연현상 , 습관 등이 시작된다는 의미를 나타낸다 .　２）보통은 순간동사에는 붙지 않지만 , ③과 같이 많은 사물의 작용이나 많은 사람의 동작인 경우는 순간동사에도 붙는다 .　→参

はずがない【hardly possible that ／不可能～／ − 일리가 없다】★4

①何かの間違いでしょう。彼が独身のはずがありません。ときどき奥さんの話をしますよ。

②Ａ：田中さん、遅いね。どうしたんだろう。
　Ｂ：田中さんは今日は来られるはずがないよ。神戸に出張しているんだから。

③Ａ：林さん暇かな。テニスに誘ってみようか。
　Ｂ：あの人は今就職活動中だから、暇なはずはないよ。

④Ａ：え、かぎがない？　そんなはずないよ。ぼくたしかに机の上に置いたよ。
　Ｂ：あ、あった、あった、ごめんなさい。

普通形（ナＡな・ナＡである／Ｎの・Ｎである） ＋ はずがない

１）ある事実をもとに「その可能性がない」と言うときに使う。話す人の主観的な判断を表す。　２）話し言葉では④のように「はずない」と言う。　３）「わけがない」に置き換えられる。　参わけがない

1）Some fact is impossible. Speaker's subjective judgment. 2）In spoken language, becomes はずない, as in sentence ④. 3）Interchangeable with わけがない.

→参

1）用于基于某种事实判断“不可能～”时使用本句型。表示说话人的主观判断。 2）在口语中如例句④，说成「はずない」。 3）可以和「わけがない」互换使用。

→参

1）어떤 사실을 근거로「그 가능성이 없다」고 말할 때에 사용한다. 말하는 사람（話者）의 주관적인 판단을 나타낸다. 2）회화체에서는 ④처럼「はずない」라고 말한다. 3）「わけがない」로 바꾸어 말할 수 있다.

→参

はずだ〈必然的帰結〉【(inevitable result) must surely／应该／－일 것이다】★4

①田中さんはもう会社を出たはずですよ。5時の新幹線に乗ると言っていたから。

②スポーツ大会の写真は山中君に頼みましょう。写真学校の学生だから上手なはずですよ。

③あのうちのおじょうさんも、10年前に7歳だったのだから、もう高校生のはずだ。

④リーさんは3時に家を出たそうですから、ここには4時前に着くはずです。

◎ **普通形**（ナAな・ナAである／Nの・Nである）＋はずだ

1）客観的な理由があって（例えば計算などをして）、推量にかなり確信があるときに使う。その理由から考えて、当然のことだと推量するときの言い方。④のように、予定を表すときにも使う。 2）話す人の意志的な行為の予測には使わない。

1）Used when objective reason (for example, by calculation), and extreme confidence in surmise. Conjecture seems natural considering reasons. Also describes plans, as in sentence ④. 2）Not used with speaker's volitional actions or predictions.

1）有客观理由（如经过计算等）对于自己的推测非常有信心的时候使用本句型。从该理由来考虑，结论当然如此，在想要表达这种的推测的时候使用本句型。如例句④，也可以用来表示预定。
2）不能用来预测说话人的意志性行为。

1）객관적인 이유가 있어（예를 들면 계산 등을 하고），추측에 상당한 확신이 있을 때 사용한다. 그 이유를 가지고 생각해 볼 때 당연한 것이라고 추측할 때의 표현법이다. ④와 같이 예정을 나타낼 때에도 사용한다. 2）말하는 사람（話者）의 의지적인 행위의 예측에는 사용하지 않는다.

はずだ〈当然〉【～のは当然だ (natural) should be／那是理所当然的／당연히 - 할 것이다】★3

①A：わあ、おいしいワインね。

　B：おいしいはずですよ。高いワインなんですから。

②寒いはずです。雪が降ってきました。

③A：タンさんは日本語が上手だね。

　B：日本に10年も住んでいるんだから、上手なはずだよ。

普通形（ナAな・ナAである／Nの・Nである） ＋ はずだ

事実や状況から「それは当然だ」と言いたいときに使う。

Considering some fact or situation, something is natural.

从事实、情况来判断“那是理所当然的”时使用本句型。

사실이나 상황을 통해「그것은 당연하다」라고 말하고자 할 때 사용한다.

はずはない ➡はずがない 346

ばそれまでだ

【そのようなことになればすべて終わりだ
that's the end／一旦那样的话，所有的都就此结束／ - 면 끝장이다 /- 면 모든 일이 수포로 돌아간다】★1

①一生懸命働いても病気になれば<u>ばそれまでだ</u>。

②高い車を買っても、事故を起こせ<u>ばそれまでだ</u>。

③いくらお金をためても、死んでしまえ<u>ばそれまでだ</u>。

Vば ＋ それまでだ

1)「そうなったら、すべてが終わりになってしまう」と言いたいときの表現。　2)「～ても、Vばそれまでだ」のように前文は「～ても」の形で表れることが多い。

1) If certain thing happens, it's all over.
2) Often first clause contains ～ても.

1) 在想要表达“一旦那样的话，所有的都就此结束”之意时使用本句型。　2) 如「～ても、Vばそれまでだ」，前半句多采用「～ても」的形式。

1)「그렇게 되면, 모두가 끝나 버린다」라고 말하고자 할 때의 표현이다. 2)「～ても、Vばそれまでだ」와 같이 앞의 문장은「～ても」의 형태로 나타내는 경우가 많다.

ば～だろうに ➡たら～だろう（に） 142

はというと【一方～はどうかというと on the other hand; when it comes to／说到…／－로 말하자면 /－은 (는)】★2

①父も母ものんびり過ごしています。わたしはというと、毎日ただ忙しく働いています。

②ここ10年間で保育所の数は大幅に増えたようだ。しかし、わたしの地域はというと、まったく増えていない。

③現在、人々の生き方は非常に自由になった。しかし、夫婦の役割についての考え方はというと、どうだろうか。

◎ N（＋助詞）＋はというと

あることを対比的な話題として取りあげる言い方。「はというと」の前後には対立的な文が来る。

Contrasts topics. Contrasting clauses precede and follow はというと.

把一件事作为对比的话题提出来时，使用本句型。「はというと」的前后使用意义对立的句子。

어떤 일을 대비적인 화제로써 다루는 표현법이다.「はというと」의 전후에는 대립적인 문장이 온다.

はともかく(として)

【～は今は問題にしないで leaving aside the problem of／先不考虑～／－는 우선 제쳐두고】★2

①費用の問題はともかく、旅行の目的地を決める方が先です。

②コストの問題はともかくとして、重要なのはこの商品が売れるか売れないかだ。

③この計画は実行できるかどうかはともかくとして、まず実行する価値があるかどうかをもう1度よく考えてみよう。

◎ Nは ＋ともかく（として）

「～はともかく…」の形で、二つの事柄を比較して、「～の問題も考えなければならないが、今はそれよりも…を優先させる」という気持ちで使う。

Compares two matters; implies topic brought up also has to be considered, but that for now, some other topic should receive priority.

采用「～はともかく…」的形式，比较两个事项，表达“虽说～的问题也是不得不考虑的，但是现在与之相比，更要优先考虑…”的想法时，使用本句型。

「～はともかく…」의 형태로 2 개의 내용을 비교하여「～의 문제도 생각하지 않으면 안되지만，지금은 그것보다도 …을 우선시한다」라는 기분으로 사용한다．

はとわず ➜をとわず 428

➜をとわず 428

はべつとして 【～を除外して考えて putting aside; except for ／～另当别论／－는 다른 문제고/－는 나중에 생각하고】★3

①大都市は別として、各地の市や町では町おこしの計画を進めている。

②必要に迫られてする読書は別として、40 代、50 代になってからの読書は本当に心にしみとおるものがある。

③具体的にどんな項目について聞くかは別にして、まずアンケートの全体的な枠を決めることが必要だ。

④協力するかしないかは別として、とにかく話だけは聞きましょう。

N ＋ は別として

1）「～は別として…」の形で「～については後で考えるとして、今は…のことを優先的にする」という使い方や「～という特別な状況を除外して考えれば、…のことが言える」という意味の使い方がある。「は別にして」の形もある。　2）④のように対立関係の言葉を受けることもある。

1）Topic at hand should be considered later; another should be given priority now.Also means “if exclude special circumstances, then something can be said.” Also in: は別にして．2）Also sometimes takes expressions of contrast, such as in sentence ④.

1）采用「～は別として…」的形式，有“关于～以后再考虑，现在优先考虑…”的用法，也有“如果把～这一特殊情况排除掉再考虑的话，可以说…”的用法。也有「は別にして」的形式。
2）如例句④，也有接在关系对立的词语之后的情况。

1）「～は別として…」의 형태로，「～에 대해서는 나중에 생각하는 것으로 하고，지금은 …의 일만 우선적으로 한다」라는 사용법과「～라는 특별한 상황을 제외하고 생각하면，…라고 말할 수 있다」라는 의미의 사용법이 있다．「は別にして」의 형태도 있다．
2）④와 같이 대립관계의 말을 받는 경우도 있다．

ば～ほど 【～すれば…になり、もっと～すればもっと…になる the more…the more; the less…the less ／越～越～／ - 하면 - 할수록】★3

①山は登れば登るほど、気温が低くなる。

②お礼の手紙を出すのは早ければ早いほどいい。

③毎日使う道具の使い方は簡単なら簡単なほどいい。

④この ABC 社で仕事をするには、外国語が上手なら上手なほどいい。

⑤あの人の話は聞けば聞くほどわからなくなる。

Vば＋Vる／イAければ＋イAい／ナAなら＋ナAな　＋ほど

1）「一方の程度が変われば、それとともに他方も変わる」と言いたいときの表現。ナ形容詞の場合は「～なら～なほど」となる。　2）⑤のように、普通予想することと反対の結果となる場合にも使う。

1）As degree of one thing changes, so does another. ナ -adjectives become ～なら～なほど.　2）Also used for results contrary to what is usually expected, as in sentence ⑤.

1）在想要表达“一方面的程度发生了变化，与此同时另一方也会变化”之意时使用本句型。ナ形容词的话则采用「～なら～なほど」的形式。　2）如例句⑤，也可以用于表示和一般的预想结果相反的场合。

1）「한쪽의 정도가 변하면，그것과 함께 다른 쪽도 변한다」라고 말하고자 할 때의 표현이다．ナ형용사의 경우는「～なら～なほど」가 된다．　2）⑤와 같이 보통 예상하는 것과 반대의 결과가 되는 경우에도 사용한다．

はもちろん 【～は当然として of course; naturally ／～是毋庸置疑的／ - 는 물론】★3

①復習はもちろん予習もしなければなりません。

②浅草という街は日曜、祭日はもちろん、ウイークデーもにぎやかだ。

③大都市ではもちろん、地方の小さな農村でも情報がすばやくキャッチできるようになってきた。

④田中さんは勉強についてはもちろんのこと、私生活の問題まで何でも相談できる先輩だ。

N（＋助詞）は　＋もちろん

1）「～は当然として、程度が上の後の事柄も加わる」という意味。　2）より硬い表現として、「はもとより」がある。

参 はもとより

1）One matter is taken for granted; in fact some other element of even greater degree is added.　2）Somewhat more formal expression: はもとより. →参

1）"～是当然要做的，在其之上再加上比它程度更甚的事物"之意。
2）较为生硬的表达方式，还有「はもとより」 →参

1）「～은 당연한 것으로 정도가 높은 뒤의 사안도 더해진다」라는 의미이다.　2）훨씬 딱딱한 표현으로써「はもとより」가 있다. →参

はもとより【～は当然(とうぜん)として of course／～是毋庸置疑的／－는 물론이고】★2

①日本(にほん)はもとより、多(おお)くの国(くに)がこの大会(たいかい)の成果(せいか)に期待(きたい)している。
②数学(すうがく)は、自然科学(しぜんかがく)や社会科学(しゃかいかがく)はもとよりどんな方面(ほうめん)に進(すす)む者(もの)にとっても重要(じゅうよう)だ。
③体(からだ)の弱(よわ)いぼくが無事(ぶじ)に学校(がっこう)を卒業(そつぎょう)できたのも両親(りょうしん)はもとより、いろいろな方々(かたがた)の援助(えんじょ)があったからです。
④うちの父(ちち)はパソコンはもとより、携帯電話(けいたいでんわ)さえ持(も)とうとしない。

◎ N（＋助詞(じょし)）は　＋ もとより

1）「～は当然(とうぜん)として、程度(ていど)が重(おも)い（軽(かる)い）事柄(ことがら)も加(くわ)わる」という意味(いみ)。　2）「はもとより」は、「はもちろん」より書(か)き言葉的(ことばてき)な言(い)い方(かた)。 参はもちろん

1）One matter is taken for granted; in fact some other element of more or less import is also added.　2）More of written form than はもちろん. →参

1）"～事当然要做的，在其之上再加上比它程度更甚或更轻的事物"之意。　2）「はもとより」比「はもちろん」更为书面语化。 →参

1）「～은 당연한 것으로, 정도가 무거운（가벼운）사안도 더해진다」라는 의미이다. 2）「はもとより」는 「はもちろん」보다 문어체적인 표현법이다. →参

はやいか　➡がはやいか　56

は～より【more than; less than ／比／ －는 － 보다】★4

①今日はきのうより暖かいです。

②このアパートは前のアパートより便利です。

③水は空気より重い。

④先生　：かたかなの言葉は、漢字の言葉より易しいですか。
　学生１：そうですねえ。かたかなの言葉は漢字の言葉より難しいです。
　学生２：わたしは、かたかなの言葉も漢字の言葉も同じぐらい難しいと思います。

⑤父は家族の中でだれよりも早く起きます。

⑥人間の命は何よりたいせつです。

◎ NはN より

１）「Ｎ１はＮ２より…」の形で話す人があるものを話題として取り上げ（「Ｎ１は」）、その状態を、ほかのものを基準にして（「Ｎ２より」）、比較して言うときの言い方。２）比較を表すこの言い方は、否定の形では言わないのが普通である。　◆×バスは電車より速くないです。／×わたしは兄より早く起きません。　３）⑤⑥のように、「疑問詞＋より」の形で、最上級を表す。

1）Speaker takes up topic (N 1) and compares it to separate standard. 2）Normally, comparatives are not used in negative. → ◆　3）Superlatives are expressed by interrogatives + より, as in sentences ⑤ and ⑥.

1）采用「Ｎ１はＮ２より…」的形式，说话人将某事物作为话题提出（「Ｎ１は」），以别的事物为基准（「Ｎ２より」）来比较它的状态时，使用本句型。　2）本句型为表示比较的句型，一般不用否定的形式。→◆　3）如例句⑤⑥「疑问词＋より」表示最高级。

1）「Ｎ１は Ｎ２より」의 형태로 말하는 사람（話者）이 어떤 것을 화제로 채택하여（「Ｎ１は」）그 상태를 다른 것을 기준으로 하여（「Ｎ２より」）비교해서 말할 때의 표현법이다．　2）비교를 나타내는 이 표현법은 부정형태에서는 말하지 않는 것이 일반적이다．→◆　3）⑤⑥과 같이「의문사＋より」의 형태로써 최상급을 나타낸다．

はんした　➡にはんして　316

はんして　➡にはんして　316

はんする　➡にはんして　316

はんめん【一面では～と考えられるが、別の面から見ると at the same time, on the other hand ／一方面～，另一方面／반면】★3

①彼女はいつもは明るい<u>反面</u>、寂しがりやでもあります。

②郊外に住むのは、通勤には不便な<u>半面</u>、自然に近く生活するというよさもある。

③科学の発達は人間の生活を便利で豊かにする<u>反面</u>、環境を汚し、素朴な人間らしさを失わせることになるのではないか。

普通形（ナAな・ナAである／Nである） ＋ 反面・半面

1）ある事柄について二つの反対の傾向や性質を言うときの言い方。　2）漢字は、より対立的なことを言う場合は「反面」の方を使うことが多い。

1）Phenomenon with two opposite directions or natures.　2）When used to express conflicting phenomena, 反面 rather than 半面 is often used.

1）陈述一件事的两个相反的倾向、性质的表达方式。　2）在陈述更为对立的事时，多使用汉字「反面」

1）어떤 내용에 대하여 두 가지의 반대 경향이나 성질을 말할 때의 표현법이다.　2）한자（漢字）는 보다 대립적인 것을 말할 경우는「反面」쪽을 사용하는 경우가 많다.

ひきかえ　➡にひきかえ　316

ひとり～のみならず　➡のみならず　334

ふまえて　➡をふまえて　432

べからざる【してはいけない must not ／不该，不能／－할 수 없는 /－하면 안되는】★1

①山崎氏は会員のレベル向上のためには欠く<u>べからざる</u>人物である。

②彼は母親に対して言う<u>べからざる</u>ことを言ってしまったと後悔している。

Vる ＋ べからざる

1）「べからざる」は「べきではない・てはいけない・ことができない」の意味。「べからず」の名詞につながる形である。　2）「～べからざるN」の形で①は「欠くことができない人物＝大切な人物」という意味。②は「言うべきではないこと＝言ってはいけないこと」の意味。

参 べからず

1）Means ～べきではない，～てはいけない，or ことができない．Form of べからず that appends to nouns.　2）In form ～べからざるN, as in sentence ①, person is indispensable. In sentence ②, something should not have been said. →参

1）「べからざる」为「べきではない（不应该）・てはいけない（不可以）・ことができない（不能够）」之意。是「べからず」接名词的形式。　2）采用「～べからざるN」的形式，例句①意为「欠くことができない人物＝大切な人物」。例句②意为「言うべきではないこと＝言ってはいけないこと」。 →参

1）「べからざる」는「해서는 안 된다·할 수가 없다」의 의미다.「べからず」의 명사에 이어지는 형태이다.　2）「～べからざるN」의 형태로 ①은「빼놓을 수 없는 인물＝소중한 인물」이라는 의미다. ②는「말할 필요가 없는 일＝말해서는 안 되는 일」의 의미다. →参

べからず【～してはいけない must not／不许～／금지】★1

①録音中。ノックするべからず。

②昔はよく立て札に「ここにごみを捨てるべからず」などと書いてあった。

③（公園で）「芝生に入るべからず」

Vる　＋べからず（「する」は「すべからず」もある）

1）禁止の言い方。古い書き言葉である。現在では、あまり見かけないが、掲示板、立て札などにたまに書かれていることがある。　2）③はふつう「入ってはいけません」「入らないでください」などと書かれている。

1）Injunction. Old written form. Not often seen today, but sometimes written on bulletin boards and billboards.　2）Sentence ③ is usually written, 入ってはいけません or 入らないでください．

1）表示禁止。是较老的书面用语。现在很少见，只是偶尔会写在公告板、布告牌上。　2）例句③一般写为「入ってはいけません」「入らないでください」。

1）금지의 표현법이다. 예스러운 문장체이다. 현재는 그다지 볼 수 없지만, 게시판, 팻말 등에 가끔 쓰여있는 경우가 있다.　2）③은 보통「入ってはいけません」「入らないでください」등으로 쓰여져 있다.

べきだ【～した方がいい should／应该～／반드시 - 해야 한다/- 하는 편이 좋다】★3

①1万円拾ったんだって？　そりゃあ、すぐに警察に届けるべきだよ。

②親が生きているうちにもっと親孝行するべきだった、と後悔している。

③現代はなにごとも地球規模で考えるべきだ。

④レストランやロビーでは、携帯電話で大声で話をするべきではない。

◎ Vる ＋べきだ（「する」は「すべきだ」もある）

1）「するのが、または、しないのが人間としての義務だ」と言いたいときの表現。 2）①のように相手の行為について忠告する場合、②～④のように話者が義務だと主張したり、勧めたり、しない方がいいと言ったりする場合に使う。 3）規則や法律で決まっている場合は「なければならない」を使う。 ◆×海外旅行に行くときはパスポートを持って行くべきだ。

1）Doing or not doing something is obligatory. 2）Speaker uses as in sentence ① to advise someone, as in sentences ② to ④ to assert obligatory nature of something, to recommend for or against action. 3）For rules or laws, -～なければならない is used. →◆

1）在想要表达“做或者不做某事是人的义务”之意时使用本句型。 2）如例句①，是对对方的行为给予忠告时的用法，例句②～④用于指说话人认为做某事是一种必务，向他人推荐或劝对方不要做某事。 3）由规则、法律既定的情况，使用「なければならない」→◆

1）「하는 것이，또는 하지 않는 것이 인간으로서의 의무다」라고 말하고자 할 때의 표현이다. 2）①처럼 상대의 행위에 대하여 충고하는 경우，②～④처럼 말하는 사람（話者）이 의무라고 주장하거나 권유하거나 하지 않는 편이 좋다고 말하는 경우에 사용한다. 3）규칙이나 법률로 정해져 있는 경우는「なければならない」를 사용한다. →◆

べきではない ➡べきだ 355

べく【～しようと思って thinking to; for the purpose of／想要～／－하려고／－하고자】★1

①ひとこと鈴木さんに別れの言葉を言うべく彼のマンションを訪れたのですが、彼はすでに出発した後でした。

②彼女は新しい気持ちで再出発するべく、長野県の山村に引っ越して行った。

③田中氏は記者会見場に向かうべく、上着を着て部屋を出た。

④ラムさんを迎えるべく空港まで行ったが、会えなかった。

◎ Vる ＋べく（「する」は「すべく」もある）

1）「ある目的をもってそうする」と言いたいときに使う。硬い表現ではあるが、現代語でも使われる。 2）後の文には依頼や命令、働きかけを表す文は来ない。 ◆×ラムさんを迎えるべく空港まで行ってください。

1) Someone tries to achieve goal they set. Formal expression, but also used in modern speech. 2) Clauses of requests, commands, or appeals do not follow. →◆

1）在想要表达“带着某种目的那样做”之意时使用本句型。虽是很生硬的表达方式，但现代日语里有使用。 2）后半句不可以出现表示委托、命令、以及要求某人做某事的句子。 →◆

1）「어떤 목적을 가지고 그렇게 한다」라고 말하고자 할 때에 사용된다. 딱딱한 표현이지만, 현대어에서도 사용된다. 2) 뒤에 오는 문장에는 의뢰나 명령, 작용을 나타내는 문장은 오지 않는다. →◆

べつとして ➡はべつとして 350

ほう ➡より～のほう 407

ほうがいい ➡たほうがいい 134

ほかしかたがない ➡ほかない 357

ほかない【それ以外に方法はない nothing to be done but ／除此之外别无他法／ - 할 수 밖에 없다】★3

①当時わたしは生活に困っていたので、学校をやめて働く<u>ほかなかった</u>。

②最終のバスが行ってしまったので歩いて帰る<u>ほかなかった</u>。

③この病気を治す方法は手術しかないそうです。すぐに入院する<u>よりほかはありません</u>。

④これ以上赤字が続いたら営業停止にする<u>よりほかしかたがないでしょう</u>。

◎ Vる ＋（より）ほか（しかたが）ない

ほかに方法がない、しかたがないからそうする、とあきらめの気持ちで言うときの表現。

参 しかない

Resignation that no other way to do something, or cannot be helped. →参

除此之外没有别的办法，由于别无他法才那么做的，表达这种无奈的情绪的说法。 →参

따로 방법이 없다, 방법이 없기 때문에 그렇게 한다는 체념의 기분으로 말할 때의 표현이다. →参

ほかならない ➡にほかならない 317

ほど〈程度〉【～の程度に to the extent that; so much that／达到～的程度／정도(로)】★3

①きのうは山登りに行って、もう1歩も歩けないほど疲れました。

②A：足、けがしたんですか。

　B：うん、きのうまでは泣きたいほど痛かったけど、今日は大分よくなったよ。

③悩んでいたとき、友人が話を聞いてくれて、うれしくて涙が出るほどだった。

④いじめは子どもにとっては死にたいほどのつらい経験なのかもしれない。

普通形（主にイＡとＶの現在形）　＋ ほど

1）ある状態がどのくらいそうなのか、その程度を強調して言いたいときに使う。2）話者の意志を表さない動詞や、動詞の「たい」の形につくことが多い。　3）意味・用法は「くらい」とほとんど同じだが、「ほど」は程度が高い場合に使われることが多い。　◆×痛いけれど、がまんできるほどの痛さだ。→○痛いけれど、がまんできるくらいの痛さだ。

参くらい〈程度〉

1）Emphasizes degree.　2）Often used with verbs not expressing speaker's volition, or ～たい form of verb.　3）Nearly same usage and meaning as くらい, but ほど is used when level is high. →◆　→参

1）某种状态到了什么程度，在想要强调其程度的时候使用本句型。2）多接在不表示说话人意志的动词或动词的「たい」形之后。3）意义、用法和「くらい」基本一样，但「ほど」多用于程度比较高的情况下。→◆　→参

1）어떤 상태가 어느 정도 그런 것인지，그 정도를 강조해서 말하고자 할 때 사용한다．2）말하는 사람（話者）의 의지를 나타내지 않는 동사나，동사의「たい」형에 붙는 경우가 많다．3）의미，용법은「くらい」와 대부분 같지만，「ほど」는 정도가 높은 경우에 사용되는 경우가 많다．→◆　→参

ほど〈相関関係〉【～すれば…になり、もっと～すればもっと…になる if do…becomes…, the more…the more／越～越～／－할수록】★3

①外国語は勉強するほど難しくなる。

②アパートを探しています。駅に近いほどいいんですが、どこかありませんか。

③わたしは何もしないでいるのが好きだから、休みの日は暇なほどいい。

④優れた営業マンほど客の声に耳を傾ける。

Ｖる／イＡい／ナＡな／Ｎ　＋ ほど

1）「ば～ほど・なら～ほど」の「ば・なら」を省略した文。　2）この使い方では「名詞＋ほど」もある。

参ば～ほど

1）Sentence pattern in which ば and なら have been dropped from ば～ほど, and なら～ほど, respectively. 2）Also, noun + ほど. →参

1）为「ば～ほど·なら～ほど」省略了「ば·なら」之后的省略句。
2）此种用法还有「名词＋ほど」的形式。 →参
1）「ば～ほど·なら～ほど」의「ば·なら」를 생략한 문장이다.
2）이 사용법에서는「명사＋ほど」도 있다. →参

ほどだ ➡ほど〈程度（ていど）〉 358

ほど～ない【not as…as／…没有…／－만큼 －하지 않다】★4

①今日（きょう）も風（かぜ）が強（つよ）いです。でも、今日（きょう）はきのうほど寒（さむ）くないです。
②わたしはテイさんほど速（はや）く走（はし）れません。
③この町（まち）は今（いま）も人（ひと）が多（おお）いですが、むかしほどにぎやかではありません。
④A：今度（こんど）の社長（しゃちょう）はきびしいですか。
B：ええ、でも、前（まえ）の社長（しゃちょう）ほどではありません。
⑤この番組（ばんぐみ）は思（おも）っていたほどおもしろくなかったです。
⑥このテスト問題（もんだい）はあなたが考（かんが）えているほど易（やさ）しくないです。

◎N ＋ほど～ない

1）二（ふた）つのもの（N1とN2）の程度（ていど）は大（おお）きくは違（ちが）わないが、話題（わだい）にしたもの（N1）はN2に及（およ）ばないと言（い）いたいときに使（つか）う。程度（ていど）がまったく違（ちが）うものの比較（ひかく）には使（つか）わない。
◆×かめはうさぎほど速（はや）く走（はし）れません。 2）⑤⑥のように、「ほど」が名詞以外（めいしいがい）につく形（かたち）もある。

1）Two topics (N1 and N2) are not very different, but topic being taken up (N1) is not same degree as N2. Not used to compare completely different things. →◆ 2）Can append to forms other than nouns, as in sentences ⑤ and ⑥.

1）两个东西（N 1 与 N2）在程度上相差不大，但成为话题的东西不及 N 2 时使用本句型。不能用于程度相差悬殊的比较。→◆
2）如例句⑤⑥，「ほど」也有接名词以外的形式。
1）두 가지 사안（N 1 과 N 2）의 정도는 크게 다르지 않지만，화제로 삼은 사안（N 1）은 N 2 에 미치지 못한다고 말하고자 할 때 사용한다. 정도가 전혀 틀린 것에 대한 비교에는 사용하지 않는다. →◆ 2）⑤⑥처럼「ほど」가 명사 이외의 품사에 붙는 형태도 있다.

ほど～はない【～は最高に～だ nothing is as supremely…as ／最～／ －만큼 －는 없다】★3

①妻：暑いわねえ。
　夫：まったく今年の夏ほど暑い夏はないね。

②困っているとき、思いやりのある友人の言葉ほどうれしいものはない。

③旅行前に、あれこれ旅行案内の本を見るほど楽しいことはない。

④志望の会社に就職できなかったときほど悔しかったことはない。

◎ N　＋ほど～はない

1）「Nほど～はない」の形で、話者が主観的に「Nは最高に～だ」と感じ、強調して言うときに使う。　2）「ほど」の代わりに「くらい～はない」の言い方もある。　3）客観的な事実については使わない。　◆×富士山ほど高い山はない→○富士山は日本で一番高い山だ。　4）③のように名詞以外につくこともある。

参くらい～はない

1）Speaker subjectively feels and emphasizes that the N that comes before pattern is supreme.　2）Pattern くらい～はない can replace ほど.　3）Not used for objective facts. → ◆　4）Can append to forms other than nouns, as in sentence ③.
→参

1）采用「Nほど～はない」的形式，强调说话人主观认为“N是最～的”，时使用本句型。　2）除了「ほど」，还有「くらい～はない」的说法。　3）不能用于表示客观事实。→◆　4）如例句③，有时也接在非名词之后。
→参

1）「Nほど～はない」의 형태로 말하는 사람（話者）이 주관적으로「N은 최고로 ～다」라고 느껴서 강조해서 말하고자 할 때 사용한다.　2）「ほど」대신에「くらい～はない」의 표현법도 있다.　3）객관적인 사실에 대해서는 사용하지 않는다.→◆　4）③처럼 명사 이외의 품사에 붙는 경우도 있다.
→参

まい〈否定の意志〉【～ようとは思わない I (we) will never…／决不～／ －하지 않겠다 /－하지 말자】★2

①鈴木さんは無責任な人だ。もう2度とあんな人に仕事を頼むまい。

②もう決して戦争を起こすまいと、わが国は固く決心したはずです。

③考えまい、考えまいとするけれど、やっぱりあしたのことが気になって眠れない。

◎ Vる　＋まい（動詞Ⅱ、Ⅲは「V~~ない~~　＋まい」もある。「する」は「すまい」もある）

強い否定の意志を表す。意志を表すのだから、主語は1人称である。主語が3人称の場合は、「～まい」で終わる文はない。　◆×太郎は今年の正月からたばこを吸うまい。→○太郎は今年の正月からたばこを吸うまいと決心した。　古い硬い言い方。

Strong negative volition. As expression of volition, subject is in the first person. When subject is in the third person, sentence ending cannot take ～まい. → ◆ Formal, old-fashioned expression.

表示强烈的否定意志。由于是表示意志的，所以主语一定是第一人称。主语为第三人称时不以「～まい」结句。较为古旧生硬的表达方式。

강한 부정의 의지를 나타낸다. 의지를 나타내기 때문에, 주어는 1인칭이다. 주어가 3인칭인 경우에는 문장의 끝이「～まい」의 형태로는 끝나지 않는다. 예스러운 딱딱한 표현이다. →◆

まい〈否定の推量〉【～ないだろう probably won't／不会～吧／－하지 않을 것이다】★2

①この事件は複雑だから、そう簡単には解決するまい。

②彼は人をだまして町を出て行ったのだから、２度とここへ戻ることはあるまい。

③この不況は深刻だから、安易な対策では景気の早期回復は望めまい。

④これが唯一の解決策ではあるまい。もっと別の観点から見たらどうか。

⑤父はこの様子では今日は雨は降るまいと言っているけれど、一応雨天の場合の準備もしておこう。

◎ Vる ＋ まい（動詞Ⅱ・Ⅲは「V~~ない~~ ＋ まい」もある。「する」は「すまい」もある） イAく／ナAでは／Nでは ＋ あるまい

1）話者の「ある事柄がそうはならないだろう」という推量を表す。現代でも使われている古い言い方。　2）硬い書き言葉的な表現なので、話し言葉で文末に使われることは少ない。⑤のように、話し言葉でも、文中の引用文の中には現れることがある。

1) Speaker expresses the conjecture that something probably won't occur. Old form used even today.　2) As old, written expression, rarely used in sentence endings in spoken language. Even in speech, may appear in quotation in middle of sentence, as in sentence ⑤.

1）表示说话人的"某件事不那样吧"的推测。现代日语中也在使用的古老用法。　2）由于是生硬的书面用语，很少用于口语中的句子结尾处。如例句⑤，出现在口语中的，是在句中有引用的部分出现。

1）말하는 사람(話者)의「어떤 사안이 그렇게 되지는 않을 것이다」라는 추측을 나타낸다. 현대어에서도 사용되고 있는 예스러운 표현이다.　2）딱딱한 문장체적인 표현이므로, 회화체에서 문말에 사용되는 경우는 적다. ⑤와 같이, 회화체에서도 문장 중의 인용문 속에는 나타나는 경우가 있다.

まいか【～ないだろうか probably not the case that／不是～吗／－하지 않겠는가/－지 않을까】★2

①田中さんはそう言うけれども、必ずしもそうとは言い切れないのではあるまいか。

②水不足が続くと、今年も米の生産に影響が出るのではあるまいかと心配だ。

③不況、不況というが、これが普通の状態なのではあるまいか。

④一部の若者をフリーターという言葉でくくるのは不適切なのではあるまいか。

◎ Vる ＋まいか（動詞Ⅱ・Ⅲは「V~~ない~~ ＋まい」もある。「する」は「すまい」もある） イAく／ナAでは／Nでは ＋あるまいか

1）現代でも使われている古い言い方。主に「～のではあるまいか」の形で文末に使い、話者が「～だろう」という推量を婉曲に言う表現。　2）③④のように、聞き手や読み手に問いかける形で話者の主張を表す形として使われる。

1）Old form used even today. Usually appears in sentence endings as のではあるまいか; expresses speaker's conjecture euphemistically.　2）Also used as in sentences ③ and ④ for speaker's assertions by posing inquires to listener or reader.

1）现代日语中也在使用的古老用法。主要以「～のではあるまいか」的形式出现在句末，说话人委婉地表达自己的推测「～だろう」　2）如例句③④，也用于以询问听话人或读者的方式表达说话人的主张。

1）현대어에서도 사용되는 예스러운 표현법이다. 주로「～のではあるまいか」의 형태로 문말에 사용하며, 말하는 사람（話者）이「～だろう」라는 추측을 완곡하게 나타내는 표현이다.　2）③④와 같이, 듣는 사람이나 읽는 사람에게 질문을 던지는 형태로 말하는 사람（話者）의 주장을 나타내는 형태로 사용된다.

まいか　➡ようか～まいか　393

まいが　➡ようが～まいが　394

まいと　➡ようと～まいと　400

まえに【before／～之前／－하기 전에】★5

①食事の前に手を洗いましょう。

②寝る前に歯をみがきなさい。

③わたしは日本へ来る前に、少し日本語を勉強しました。

④きのう会社に行く前に、歯医者に行った。

◎ Vる／Nの ＋前に

「～前に…」の形で二つの行為（「～」と「…」）のどちらを先に行うかを言うときの言い方。「…」の行為が先である。

Two actions; one is to be performed first. Action following pattern occurs first.

采用「～前に…」的形式，用于表达两个行为（「～」与「…」）哪个先实施。先实施「…」的行为。

「～前に…」의 형태로 두 가지의 행위 (「～」와「…」) 중 어느 쪽을 먼저 할 것인가를 말할 때의 표현법이다.「…」의 행위가 우선이다.

まし　➡だけまし　125

まじき【～てはいけない／～べきではない ought not to, impermissible／不可以～，不应该～／ – 해서는 안되는 /– 답지 못한】★1

①学生にあるまじき行為をした者は退学処分にする。

②ほかの人の案を盗むなんて許すまじきことだ。

Vる　＋まじき（「する」は「すまじき」もある）

「～まじきN」の形で、ある立場や職業の人のしてはいけない行為を非難の感情を込めて言う言い方。「あるまじき・許すまじき」など限られた例しか今は使われない。文語的な硬い表現。

In form ～まじき N, feeling of criticism toward action that worker or person in certain position ought not to do. Used only in very limited cases, such as あるまじき (unworthy of) or ゆするまじき (unforgivable). Formal, literary expression.

采用「～まじきN」的形式，意为带着责备的口吻告诉别人，站在那样的立场上或以那样的职业身份的话，是不可以做～的。现代日语中只使用「あるまじき・許すまじき」等有限的几个例子。较为生硬的书面话。

「～まじきN」의 형태로 어떤 입장이나 직장인이 해서는 안 되는 행위를 비난의 감정을 넣어 말하는 표현법이다.「あるまじき・許すまじき」등 지금은 제한된 예문밖에 사용하지 않는다. 문어체적인 딱딱한 표현이다.

まして　➡にもまして　319

ましょう【let's／让我们～吧／－합시다/－하시죠】★5

①A：じゃ、今晩、7時にホテルのロビーで会いましょう。

B：ええ、じゃ、7時に。

②（立て札）駅前に自転車を置くのはやめましょう。

③A：新しくできたスーパーへ行ってみましょうか。

B：ええ、行きましょう。

④A：仕事の後でビールでも飲みませんか。

B：いいですね。飲みましょう。

⑤父　：食事ができたよ。さあ、食べよう。

子ども：はあい。

⑥部長：そろそろ出発しよう。

部下：ええ、行きましょう。

◎ V~~ます~~ ＋ ましょう

1）相手の意向を聞くというより、積極的に相手を誘う、またはそうするように呼びかけるときの使い方。また、③④のように、「Vましょうか・Vませんか」と誘われたときの答え方として使う。　2）「ましょうか〈誘い〉・ませんか〈誘い〉」と同様、いっしょに行動する。　3）「Vましょう」は「Vよう」の丁寧な言い方。⑤⑥のように親しい関係や上下関係では「Vよう」をそのまま使う。話す人の意志を表す「Vよう」と区別すること。

参 よう〈意志〉

1）Actively solicits or urges other party to do something, rather than ask other party's intentions. Also used as answer to such solicitations as Vませんか or Vましょうか, as in sentence ③ and ④. 2）Action is performed together, as in ましょうか or ませんか (solicitation). 3）Pattern Vましょう is polite form of Vよう. Vよう is used for close or hierarchical relationships, as in sentences ⑤ and ⑥. Distinguish from Vよう expressing speaker's volition. →参

1）与其说询问对方意向，不如说积极地邀请对方做某事，或叫对方那样做的表达方式。另外，如例句③④，也可以用作「Vましょうか·Vませんか」被邀请时的回答语。　2）与「ましょうか(邀请)」「ませんか（邀请）」一样，一起行动。　3）「Vましょう」是「Vよう」的礼貌说法。如例句⑤⑥，较为亲密的关系或上下级关系中直接使用「Vよう」。要与表达说话人意志的「Vよう」区别开。

→参

1）상대의 의향을 묻기보다 적극적으로 상대를 유도하는 , 또는 그렇게 하도록 호소할 때의 사용법이다 . 또 , ③과 같이「Vましょうか・Vませんか」로 제안 받았을 때의 응답으로 사용한다 .　2）「ましょうか（권유）・ませんか（권유）」와 마찬가지로 함께 행동한다 .　3）「Vましょう・Vよう」의 정중한 표현법이다 . ⑤⑥처럼 새로운 관계나 상하관계에서는「Vよう」를 그대로 사용한다 . 말하는 사람（話者）의 의지를 나타내는「Vよう」와 구별할 것 .

→参

ましょうか〈申し出〉【shall I?／我来（为你）～吧／－할까요？/－하겠습니까？】★4

①A：暗いですね。電気をつけ<u>ましょうか</u>。

B：ええ、つけてください。

②（せきが止まらない人に）A：せき、大丈夫ですか。水をあげ<u>ましょうか</u>。

B：すみません。1杯ください。

③A：これ、コピーし<u>ましょうか</u>。

B：いえ、いいです。後で、わたしがしますから。

④A：忙しそうだね。手伝お<u>うか</u>。

B：すみません、手伝ってください。

⑤A：パソコンの故障、直してあげ<u>ようか</u>。

B：うん、お願い。

◎ V~~ます~~ ＋ましょうか

1）相手を誘うのではなく、「わたし」が相手のために何かをすることを申し出る言い方。従って、行為をする人は話す人である。答え方は依頼の言い方になる。　2）親しい関係や上→下の関係では、④⑤のように「Vようか」の形を使う。

1）Doesn't solicit listener, but suggests speaker do something for other party. Accordingly, person doing action is speaker. Response is request.　2）As in sentences ④ and ⑤, V ようか indicates close or top-down relationship.

1）不是邀请对方，而是我提出为对方做某事的表达方式。因此，行为实施人就是说话人。用表达请求对方做某事的说法进行回答。
2）如例句④⑤，在较为亲密的关系和上级对下级的关系中，使用「Vようか」的形式。

1）상대를 유도하는 것이 아니라，「わたし（나）」가 상대방을 위하여 무엇인가를 할 것을 자청하는 표현법이다．따라서，행위를 하는 사람은 말하는 사람（話者）이다．대답은 의뢰의 표현법이 된다．　2）친밀한 관계나 상→하의 관계에서는，④⑤처럼「Vようか」의 형태를 사용한다．

ましょうか〈誘い〉【shall we?／我们（一起）～吧／－할까요?/－하시지요】★4

①A：もう4時ですね。お茶にしましょうか。

B：ええ、いいですね。

②ちょっと風が強くなってきましたね。そろそろ帰りましょうか。

③A：桜が咲きましたね。みんなで見に行きませんか。

B：いいですね。どこへ行きましょうか。

A：上野公園がきれいですよ。

B：じゃ、そこへ行きましょう。リンさんも誘いましょうか。

④夫：子どもたちにおみやげを買って帰ろうか。

妻：そうね。何がいいかしら。

⑤先輩：今晩、1杯飲もうか。

後輩：いいですね。

◎ V~~ます~~ ＋ましょうか

1）いっしょにすることを誘う言い方。「ましょう」と同じように使うが、相手の気持ちを考える度合いが強い。　2）自分がしていることや、する予定のことに相手を誘う場合は、使わない。　◆×このチーズ、おいしいですよ。田中さんも食べましょうか。→○このチーズ、おいしいですよ。田中さんも食べませんか。　3）親しい関係や上→下の関係では、④⑤のように「Vようか」の形で使う。　参ませんか〈勧め〉

1）Invites listener to do action with speaker. Used same way as ましょう, but more reflective of consideration of… other party.　2）Not used to invite other party to do what speaker is doing or plans to do.→◆　3）As in sentences ④ and ⑤, V ようか indicates close or top-down relationship.→参

1）邀请对方一起做某事的表达方式。与「ましょう」用法相同，但替对方考虑的成分更多。　2）邀请对方做自己正在做的事、预计要做的事，不能用本句型。→◆　3）如例句④⑤，在较为亲密的关系和上级对下级的关系中，使用「Vようか」的形式。　→参

1）함께 할 것을 권유하는 표현법이다.「ましょう」와 동일하게 사용하지만, 상대의 기분을 생각하는 정도가 강하다.　2）자신이 하고 있는 일이나, 할 예정인 것에 대해 상대를 유도하는 경우에는 사용하지 않는다.→◆　3）친한 관계나 상→하의 관계에서는, ④⑤처럼「Vようか」의 형태로 사용한다.　→参

ませんか〈勧め〉【why don't you…?／请你～好吗／－하지 않을래요 ?/－하시지요】★5

①A：このボランティアの仕事、あなたもやってみませんか。

　B：そうですね。

②A：土曜日にうちでバーベキューをするんだけど、来ませんか。

　B：いいですね。ぜひ行きます。

③A：上田さん、茶道に興味があるんですか。うちのクラブに入りませんか。

　B：そうですね。１週間に１回ですか。

④A：この本、読んでみないか。おもしろいよ。

　B：じゃあ、貸して。

⑤A：予定がないなら、今晩、うちで食事しないか。

　B：いいですか。

◎ V~~ます~~　＋ ませんか

１）相手にその行為を勧める言い方。従って、行為をする人は相手である。この言い方は、「ましょうか〈誘い〉」で置き換えることができない。　２）親しい関係や上→下の関係では、④⑤のように「Vないか」の形を使う。女性は「読んでみない？・しない？」の形になることが多い。

1) Suggests other party try some action. Accordingly, person doing action is listener. Not interchangeable with solicitation form of ましょうか. 2) As in sentences ④ and ⑤, Vないか indicates close or top-down relationship. Women often use: 読んでみない?, しない?.

１）规劝对方实施某个行为的表达方式。因此，实施该行为的人是对方。此种用法不可以和「ましょうか（邀请）」互换使用。
２）如例句④⑤，在较为亲密的关系和上级对下级的关系中，使用「Vないか」的形式。女性用语多采用「読んでみない？・しない？」的形式。

１）상대에게 그 행위를 권유하는 표현법이다．따라서 행위를 하는 사람은 상대방이다．이 표현법은「ましょうか（권유）」로 바꾸어 말할 수 없다．２）친한 관계나 상→하의 관계에서는，④⑤처럼「Vないか」의 형태를 사용한다．여성은「読んでみない？・しない？」의 형태로 사용하는 경우가 많다．

ませんか〈誘い〉【won't you?; don't you want to…?／让我们～好吗／－하시지요 /－하지 않을래요？】★5

①A：あした、花見に行きませんか。

　B：そうですね。行きましょう。

②A：いっしょにパソコン教室に行きませんか。

　B：そうねえ。わたしはちょっと……。

③A：今晩、うちでいっしょにすきやきを食べませんか。

　B：ええ、いいですね。

④A：いっしょに花火を見に行かないか。

　B：いいね。行こう。

⑤（パンフレットを見て）A：「マラソンクラブ」か。いいね。入ってみないか。

　B：おもしろそうですね。

◎ V~~ます~~　＋ませんか

1）いっしょにすることを誘う言い方。「ましょうか〈誘い〉」と同じように使うが、相手の気持ちを考える度合いが強い。　2）相手がその行為をするかどうかを聞くことによって誘う言い方。だから、疑問詞といっしょには使わない。　◆×だれと行きませんか。／　×何時に出発しませんか。　3）親しい関係や上→下の関係では、④⑤のように「Vないか」の形を使う。女性は「行かない？・入ってみない？」の形になることが多い。

1) Invites listener to do action with speaker. Used same way as ましょうか、but more reflective of consideration of… other party. 2) Solicitation asks whether listener will do particular action; not used with interrogatives. → ◆ 3) As in sentences ④ and ⑤, V ないか indicates close or top-down relationship. Women often use: 行かない？(don't you want to go?) or 入ってみない？(don't you want to go in?).

1）邀请对方一起做某事的表达方式。与「ましょうか〈邀请〉」用法相同，但替对方考虑的成分更多。 2）通过询问对方做不做那个行为的方式来邀请对方的表达方式。所以不能和疑问词一起使用。→◆ 3）如例句④⑤，在较为亲密的关系和上级对下级的关系中，使用「Vないか」的形式。女性用语多采用「行かない？・入ってみない？」的形式。

1) 함께 할 것을 제안하는 표현법이다.「ましょうか (권유)」와 동일하게 사용하지만, 상대의 기분을 생각하는 정도가 강하다. 2) 상대가 그 행위를 할 것인지 말 것인지를 물어봄으로써 제안하는 표현법이다. 때문에 의문사와 함께는 사용하지 않는다.→◆ 3) 친한 관계나 상→하의 관계에서는, ④⑤처럼「Vないか」의 형태를 사용한다. 여성은「行かない？・入ってみない？」의 형태로 사용하는 경우가 많다.

誘い [Invitations／邀请]	誘い・勧め [Invitations, Recommendations／邀请・劝诱]	申し出 [Offers／提出]
いっしょにする [Do together／一起做／함께 한다]	相手がする [Other person acts／对方做／상대방이 한다]	話す人がする [Speaker acts／说话人做 말하는 화자(話者)가 한다]

まで【～も／～さえ even／甚至连～都／－까지도/－조차】★3

①一番の親友のあなたまで、わたしを疑うの。

②日本の生活にすっかり慣れて、納豆まで食べられるようになった。

③あなたは自分の部屋のそうじまで他人にやらせるの？

④家族との生活まで犠牲にして、会社のために仕事をするつもりはない。

N（＋助詞）＋まで

1）「～まで」の形で、極端なものごとを挙げて「こんな程度の～も」だから、ほかのことはもちろんと言う場合の表現。極端な範囲にまで広がっているという話者の気持ちの込もった言い方。　2）話者の主張・判断・評価などを表す文が多い。

1）Takes up extreme case of something; if even one element has certain degree, then naturally so do other things. Speaker feels something extends to extreme range. 2）Often describes speaker's assertions, judgments, or evaluations.

1）采用「～まで」的形式，举出极端的事物为例，由于连"这种程度的～都"，别的也就不需言说理所当然了之意。说话人带着一种情绪，认为范围已经扩大到那种极端的程度了。　2）多为表示说话人的主张、判断、评价的句子。

1）「～まで」의 형태로 극단적인 사안을 들어「이런 정도의 ～도」이므로，다른 것은 물어볼 것도 없이라는 경우의 표현이다．극단적인 범위로까지 확대되어 있다는 말하는 사람（話者）의 기분이 담겨진 표현법이다．　2）말하는 사람（話者）의 주장，판단，평가 등을 나타내는 문장이 많다．

までして【～さえして／～もして go to the extent of／就连…也…／－해서까지】★2

①彼は家出までして、バンドを結成して音楽をやりたかったのだ。
②いつの世にもお年寄りをだますようなことまでして、お金をもうける人がいる。
③車がほしいが、借金までして買いたいとは思わない。

N・する動詞のN　＋までして

1）極端なものごとを挙げて「こんな程度のこともして」と強調した言い方の表現。「極端な手段を使って」という話者の気持ちの込もった言い方。　2）話者の主張・判断・評価などを表す文が多い。

1）Takes up extreme case; emphasizes something is done to certain degree. Speaker feels something is done to extreme degree. 2）Often describes speaker's assertions, judgments, or evaluations.

1）举出极端的例子，强调"连这种程度的事都做"之意时的表达方式。说话人说话时带着"采用了极端的方法、手段"的情绪。
2）多为表示说话人的主张、判断、评价的句子。

1）극단적인 사항을 예로 들어서「이런 정도의 일까지도 하여」라고 강조한 말투의 표현법이다．「극단적인 정도로까지」라는 말하는 사람（話者）의 기분이 담긴 표현법이다．　2）말하는 사람（話者）의 주장，판단，평가 등을 나타내는 문장이 많다．

までだ 〈軽い気持ち〉【～しただけなのだ (not serious) merely; simply ／只是～／－뿐이다】★1

①娘：もしもし、あら、お母さん、どうしたの。こんなに遅く電話なんかして。
　母：何度電話しても、あなたがいないから、ちょっと気になったまでよ。

②A：まあ、たくさんのお買い物ですね。何か特別なことでもあるんですか。
　B：いいえ、故郷のものなので懐かしくてつい買い込んだまでのことなんです。

③わたしの言葉に特別な意味はない。ただ、彼を慰めようと思って言ったまでだ。

V の **普通形** ＋ までだ

「ただそれだけの事情や理由で、特別な意図はない」と言い訳をしたいときの言い方。

Speaker does not have special intent when doing something, but merely has insignificant circumstances or reasons.

在想要为自己辩解“只是那种情况、理由，没有特别意图”时使用本句型。

「단지 그만큼의 사정이나 이유로써 특별한 의도는 없다」라고 변명을 하고 싶을 때의 표현법이다.

までだ 〈覚悟〉【ほかに方法がないから～する覚悟がある (resignation) just have to ／只好～／－하는 수 밖에 없다】★1

①この台風で家までの交通機関がストップしてしまったら、歩いて帰るまでだ。

②これだけがんばってもどうしてもうまくいかなかったときは、あきらめるまでだ。

③彼女がどうしてもお金を返さないと言うのなら、しかたがない。強行手段を取るまでのことだ。

Vる ＋ までだ

「他に適当な方法がないから、最後の手段として～する」という話者の覚悟・決意を表す。③のように「までのことだ」という形もある。

Speaker's resignation or resolve that there are no other appropriate alternatives so must try some last resort. As in sentence ③, can become までのことだ.

表示说话人“由于没有其它合适的办法，最为最后的手段，做～”的心理准备、决心等。如例句③，也有「までのことだ」的形式。

「별도의 적당한 방법이 없으므로 최후의 수단으로써 ～하다」라는 말하는 사람（話者）의 각오，결의를 나타낸다．③처럼「までのことだ」라는 형태도 있다．

までのことだ ➡**までだ** 371

までのこともない ➡**までもない** 372

までも ➡**ないまでも** 263

までもない【~しなくてもいい no need to／还没有到~的程度; 不必~／－할 필요도 없다】★1

①あの映画はいいけど、映画館に見に行くまでもないと思う。DVD で見れば十分だよ。

②王さんはけさ退院したそうだ。林さんが家族から直接聞いたのだから、確かめるまでもないだろう。

③詳しい使い方のビデオがあるんだから、わざわざ説明を聞くまでもないと思う。

④このくらいの小さい切り傷なら、わざわざ病院に行くまでのこともない。消毒して薬を塗っておけば治るだろう。

◎ Vる ＋までもない

「その程度までする必要ない」と言いたいときの表現。④のように「までのこともない」という形もある。

No reason to go to such a degree. Can become までのこともない, as in sentence ④.

在想要表达“没有必要做到那个程度”时使用本句型。如例句④，也有「までのこともない」的形式。

「그 정도까지 할 필요 없다」고 말하고자 할 때의 표현이다. ④처럼「までのこともない」라는 형태도 있다.

まま【stay; remain; as is／保持原样／－인 채（로）】★4

①うちの子は遊びに行ったまま、まだ帰りません。

②山口さんから連絡がないまま、1か月たちました。

③久しぶりにふるさとに帰った。ふるさとは昔のままだった。

④この観光地は長い年月、きれいなままに保たれています。

⑤きのう、窓を開けたまま寝てしまいました。

⑥コンタクトレンズをつけたまま、プールに入ってしまいました。

⑦パジャマのまま外に出てはいけません。服に着がえなさい。

⑧この野菜は生のままで食べられます。

Vた／普通形の現在形（ナAな／Nの）＋まま（「Vるまま」の形はない）

ある状態が変わらないで続いていると言いたいときに使う。⑤～⑧の「～たまま」「～のまま」は「～」の行為の後の状態や「～」の状態を元の状態に戻してから、または何か手を加えてから次の動作に移るのが普通であるのに、その状態の中で別の動作をすると言いたいときに使う。

Certain condition continues unchanged. In sentences ⑤～⑧, though would be usual to return to original state or proceed to next action after taking certain measures after たまま or のまま, process took different turn.

在想要表达某种状态一直持续不变时使用本句型。例句⑤～⑧的「～たまま」「～のまま」等句型，本来一般都应该是把～行为之后的状态或～的状态恢复原状，或进行某种加工后转入下一个动作，但在这个状态中却加入了别的动作，在想要表达这样的意义时使用本句型。

어떤 상태가 변하지 않고 계속되고 있음을 말하고자 할 때 사용한다. ⑤～⑧의「～たまま」「～のまま」는 ～의 행위 후의 상태나, ～의 상태를 원래의 상태로 되돌리고 나서, 또는 무엇인가 손을 써서 다음 동작으로 옮기는 것이 보통이지만, 그 상태 속에서 다른 동작을 한다고 말하고자 할 때 사용한다.

まみれ 【～がたくさんついている completely covered in／到处都是～／－투성이/－범벅】★1

①二人とも、血まみれになるまで戦った。
②吉田さんは工事現場で毎日ほこりまみれになって働いている。
③足跡から、犯人は泥まみれの靴をはいていたと思われる。
④汗まみれになって農作業をするのは楽しいことだ。

N ＋まみれ

不快な液体や細かいものが体など全体について汚れている様子を言う。体そのものの変化や、ある場所にたくさんあるもの、散らかっているものなどには使わない。◆
×傷まみれ／×しわまみれ／×間違いまみれ

Body is filthy because is completely covered in unpleasant liquid or particles. Not used about changes in body or for place that has many or dispersed items. →◆

表示某种引人不快的液体或细碎的物体附着全身等处，非常肮脏的样子。不能用来表示身体本身的变化、某处地方有很多的东西、到处乱放的东西等。→◆

불쾌한 액체나 작은 것이 몸 전체에 붙어 더러워져 있는 모습을 말한다. 몸 그 자체의 변화나 어떤 장소에 많이 있는 것, 어질러져 있는 것 등에는 사용하지 않는다. →◆

みえて ➡とみえて 252

みたいだ〈推量〉【looks as if／似乎是～／－인 것 같다/－인 듯 하다】★4

①わたし、なんだか風邪をひいたみたい。のどが痛いの。
②あら、またバス代が値上がりするみたいよ。
③うちの犬はボールがいちばん好きみたいだね。

普通形（ナA／N）＋みたいだ

1）自分の感じや観察でそう推量したとき、または断定を避けて言うときに使う。「ようだ」の口語的言い方。　2）話をする人の意志的な行為の予測には使わない。

参ようだ〈推量〉

1）Conjecturing based on speaker's feelings or observations, or when avoiding firm declaration. Colloquial form of ようだ. 2）Not used for predictions about speaker's intentional actions. →参

1）由自己的感觉或观察而推测出的观点，或避免语气过于断定的表达方式。是「ようだ」的口语表达方式。　2）不能用于推测说话人的意志性行为。→参

1）자신의 느낌이나 관찰로 그렇게 추측했을 때，또는 단정을 피해 말하고자 할 때 사용한다.「ようだ」의 구어체적인 표현법이다.　2）말하는 사람（話者）의 의지적인 행위의 예측에는 사용하지 않는다. →参

みたいだ〈比況〉【just like／好像／－같다/－처럼/－과 비슷하다】★4

①彼女の話し方は子どもみたいね。
②あそこに見えるお城みたいな家にはどんな人が住んでいるの。
③びわ湖は海みたいに大きい湖なんだよ。
④今日は春が来たみたいな暖かさですね。

N＋みたいだ

様子や状況を表すのに、よく似たものにたとえて言う言い方。④のように名詞以外につく例もある。

Simile used to describe appearance or situation. Also appends to words other than nouns, as in sentence ④.

在表达样子、状况时，把对象物比喻成一个与它非常接近的事物时的表达方式。如例句④也有接在除名词之外的别的词之后的用例。

상태나 상황을 묘사하는데 있어，그것과 아주 비슷한 것에 비유해서 말하는 표현법이다. ④처럼 명사 이외의 품사에 붙는 경우도 있다.

むきだ　➡むきに　375

むきに【～にちょうど合うように specially for ／面向～（～人）／－용으로 /－ 대상으로】★3

①これはお年寄り向きにやわらかく煮た料理です。

②この店には子ども向きのかわいいデザインのものが多い。

③この作家のエッセーを１度読んでごらんなさい。あなた向きだとわたしは思いますよ。

◎ N ＋ 向きに

人を表す名詞につながり、「その人に適するように、その人が気に入るように」という意味で使う。

Something is appropriate to or will be liked by person or group. Appends to noun representing that person or group.

接在表人名词之后，作为“为了能适合那个人，为了能让那个人中意”的意义使用。

사람을 나타내는 명사에 연결되어「그 사람에게 적합하도록，그 사람의 마음에 들도록」이란 의미로 사용한다．

むけだ ➡むけに 375

むけに【～のために for ／为…，面向…／－ 대상으로 /－ 용으로】★3

①これは幼児向けに書かれた本です。

②この文には専門家向けの用語が多いので、一般の人にはわかりにくい。

③この説明書は外国人向けだが、日本人が読んでもとてもおもしろく、ためになる。

◎ N ＋ 向けに

「～向けに」の形で「～を対象として・～に適するように」と言いたいときに使う。

In form ～向けに, something is appropriate for some target group.

采用「～向けに」的形式，在想要表达“以～为对象，为了适应～”之意时使用本句型。

「～向けに」의 형태로「～을 대상으로 하여，～에 적합하도록」이라고 말하고자 할 때 사용한다．

めいた ➡めく 376

めく【～らしくなる／～らしく感じられる take on the air of／有～的感觉／－답다/－같다】★1

①(手紙文)日ごとに春めいてまいりました。その後、お元気でいらっしゃいますか。
②冗談めいた言い方だったが、中村君は離婚したことをわたしに話した。
③まゆみはいつも謎めいたことを言って周りの人を困らせる。

N ＋めく

1)「十分に～ではないが、～の感じがする」と言いたいときに使う。名詞に接続して動詞のように使う。活用は動詞Ⅰと同じ。 2)ほかに、「言い訳めく・儀式めいたこと・非難めいた言い方」など。

1) Something isn't completely a certain way, but has feel of it. Appends to noun and acts like verb. Conjugation is as for -u verbs. 2) Other expressions with めく: 言い訳めく (has the feel of an excuse), 儀式めいたこと (takes on the air of a ceremony), and 非難めいた言い方 (sound critical), etc.

1) 在想要表达"虽然没有完全～，但是有～的感觉"之意时使用本句型。接在名词之后,作动词使用。活用与动词Ⅰ遵循同样的原则。 2) 此外还有「言い訳めく・儀式めいたこと・非難めいた言い方」等用例。

1)「충분히 ～는 아니지만，～의 느낌이 든다」라고 말하고자 할 때에 사용한다. 명사에 접속하여 동사처럼 사용한다. 활용은 동사Ⅰ과 같다. 2) 그 외의 예로써「言い訳めく (변명 같은)・儀式めいたこと (의식 같이 보이는 행위)・非難めいた言い方 (비난성의 표현)」등이 있다.

めぐって ➡をめぐって 432

めぐる ➡をめぐって 432

もかまわず【～も気にしないで with disregard for／不在意／－도 상관없이/－도 의식하지 않고】★2

①最近は電車の中で人目もかまわず化粧している女の人をよく見かけます。
②父は身なりもかまわず出かけるので、いっしょに歩くのが恥ずかしい。
③彼女は雨の中を、服がぬれるのもかまわず歩き去って行った。
④アパートのとなりの人はいつも夜遅いのもかまわず、大きな音で音楽を聞いている。

N／**普通形**(ナAな・ナAである／Nな・Nである)＋の ＋もかまわず

「普通は注意を払うことだが、それを気にしないで」という意味を表す。慣用的に、①の「人目もかまわず」の形でよく使う。

Someone disregards what they normally should pay attention to. Often used idiomatically, as in sentence ① (without regard for what people think).

意为“一般会注意的某事，但～却不在意地…”。如例句①作为一种惯用形，常以「人目もかまわず」的形式出现。

「보통은 주의를 기울이는 사항이지만, 그것을 신경 쓰지 않고」라는 의미를 나타낸다. 관용적으로 ①의「人目もかまわず」의 형태로 자주 사용한다.

もさることながら【～も無視できないが can't ignore…, but ／不能忽视～／ －도 있지만】★1

①子どもの心を傷つける要因として、「いじめ」の問題もさることながら、不安定な社会そのものの影響も無視できない。

②あの作家の作品は、若いころの作品もさることながら、老年期に入ってからのものも実にすばらしい。

③最近は、世界の政治や宗教の問題もさることながら、人権問題も多くの人の注目を集めている。

N ＋もさることながら

「～も無視できないが、後の事柄も」と言いたいときに使う。

What precedes pattern cannot be ignored, but fact that follows pattern is also true.

在想要表达“也不能忽视～，但后面的事也得”之意时使用本句型。

「～도 무시할 수 없지만, 뒤의 사안도」라고 말하고자 할 때 사용한다.

もしない【全然～しない without even ／一点都不～／ －도 하지 않다】★2

①わたしが「さよなら」と言ったのに、あの人は振り向きもしないで行ってしまった。

②調べもしないで結論を出さないでください。

③わたしがせっかく作った料理なのに、彼は食べもしない。

④困っているときにずいぶん助けてやったのに、彼は自分がよくなったらあいさつに来もしない。

V~~ます~~ ＋もしない

「まったく～しない」と不満の気持ちをもって言うときの言い方。

Dissatisfaction with someone who doesn't attempt to do something at all.

带着一种不满的情绪，表达“一点都不～”之意。

「전혀～하지 않는다」라고 불만의 기분을 가지고 말할 때의 표현법이다.

も～し、～も【both…and…／既～又～／－도 －하고，－도】★4

①この服はデザインもいいし、色もいいです。

②あしたは遠足です。お弁当も作ったし、飲み物ももう買いました。

③わたしのアパートは狭いし、駅から遠いし、日当たりもよくないです。けれども、家賃は安いです。

④きのうは市役所へも行ったし、図書館へも行って、忙しい1日でした。

◎Nも ＋ **普通形** ＋し、Nも

1）同類の性質のことを重ねて述べる言い方。「N1も～し、N2も…（今週もひまだし、来週もひまです）」という言い方のほうが「N1もN2も…（今週も来週もひまです）」という言い方より気持ちを重ねる意識が強い。　2）③のように、「Nも」がない形もある。　3）②のように助詞「は・が・を」の後ろに「も」がつくと、「は・が・を」は消える。その他の助詞は④のようにそのまま残る。　4）「も～ば、～も・も～なら、～も」より話し言葉的。

参 も～ば、～も

1）Complementary attributes in same category. N1 も～し，N2 も (as in "I'm free this week and I'm free next") expresses stronger consciousness of complementariness than N1 も N2 も (as in "I'm free both this week and next").　2）Can be used without the N も，as in sentence ③．3）When も follows particles は，が，or を，they disappear, as in sentence ②．Other particles remain, as in sentence ④．4）More of spoken form than も～ば，も or も～なら～も．→参

1）反复说明同类事物性质的事的表达方式。「N1 も～し、N2 も…（今週もひまだし、来週もひまです）」比「N1 も N2 も…（今週も来週もひまです。）」叠加的语气更重。　2）如例句③，也有不出现「N も」的用法。　3）如例句②在助词「は・が・を」的后面加上一个「も」，「は·が·を」就被省略掉。其他的助词，就如例句④，原封不动的保留下来。　4）比「も～ば、～も・も～なら、～も」更口语化。→参

1）같은 성질의 것을 거듭하여 서술하는 표현법이다．「N 1 も～し，N 2 も …（今週もひまだし、来週もひまです。(이번 주도 한가하고，다음 주도 한가합니다)）라는 표현법이「N 1 も N 2 も …（今週も来週もひまです。(이번 주도 다음 주도 한가합니다)）」라는 표현법보다 기분을 가중시키는 의식이 강하다．　2）③처럼「N も」가 없는 형태도 있다．　3）②처럼 조사「は・が・を」의 뒤에「も」가 붙으면，「は・が・を」는 없어진다．그 외의 조사는 ④처럼 그대로 남는다．　4）「も～ば、～も・も～なら、～も」보다 회화체적인 표현이다．→参

もちろん　➡はもちろん　351

もって　➡をもって　433－434

もとづいた　➡にもとづいて　318

もとづいて　➡にもとづいて　318

もとづく　➡にもとづいて　318

もとで　➡のもとで　335

もとに　➡のもとで　335

もとに　➡をもとに（して）　434

もとにした　➡をもとに（して）　434

もとにして　➡をもとに（して）　434

もとより　➡はもとより　352

も～なら、～も　➡も～ば、～も　386

もの【から（だ） because／因为／－는데 뭐 /－는데 어떻해】★2

①A：新しい仕事の話は断ったんですか。
　B：ええ、今、忙しくて、9月末までにはできないもの。
②学生A：今日の授業に出席してなかったね。
　学生B：うん、あの先生の講義つまらないもの。
③姉：あっ、わたしのベストまた着てる。どうして、黙って着るの。
　妹：だって、これ、好きなんだもん。
④（弟の食べ物を見て）姉：え、そんなにたくさん食べるの？
　弟：うん、おなかがすいてるんだもん。

普通形 ＋もの

1）くだけた話し言葉。文の終わりにつけて、個人的な理由を言ったり、言い訳をしたりするときに使う。　2）親しい間柄の会話では、③④のように「もん」が使われる。　3）「んだもん・だって～んだもん」の形がよく使われるが、甘えた感じのする言葉である。

1）Informal. Appends to sentence ending to express personal reasons or excuses. 2）In familiar circles, もん is used, as in sentences ③ and ④. 3）Forms んだもん and だって～んだもん are often used but have feel of asking indulgence on part of listener.

1）较为通俗的口语用语。接在句子末尾处，说明个人的理由、为自己辩解等。　2）如例句③④,在较为亲密的关系中使用「もん」。3）常采用「んだもん·だって～んだもん」的形式,有种撒娇的语气。

1）허물없는 사이에서 사용하는 회화체이다. 문장의 끝에 붙어서 개인적인 이유를 말하거나, 변명을 할 때 사용한다.　2）친한 사이의 회화에서는, ③④처럼「もん」이 사용된다.　3）「んだもん·だって～んだもん」의 형태가 자주 사용되지만, 응석부리는 느낌의 말이다.

ものか【決して～ない how could; who could; what could／决不～／－는 무슨 / 절대로 - 하지 않는다】★2

①A：一人暮らしは寂しいでしょう？
　B：寂しいものか。気楽でいいよ。
②あんな失礼な人と2度と話をするものですか。
③連休の遊園地なんか人が多くて疲れるばかりだ。もう、2度と行くもんか。
④A：デジカメって、使い方が複雑でしょう？
　B：複雑だって？　複雑なもんか。ちょっと慣れれば、簡単だよ。

◎ **普通形**（ナAな／Nな） ＋ものか

1）話者の強い否定の気持ちを表現するときの言い方で、反語を使った、やや感情的な言い方。　2）くだけた会話で使う。　3）「絶対に・決して」などとともによく使う。③④の「もんか」は「ものか」よりくだけた言い方。

1）Strong negation on part of speaker. Slightly emotional rhetorical question. 2）Used in informal speech. 3）Often used with 絶対に，決して，etc. The もんか in sentences ③ and ④ is more informal than ものか.

1）表现说话人强烈的否定语气，使用反语，是略带感情色彩的表达方式。　2）用于较为通俗的口语中。　3）常和「絶対に・決して」等搭配使用。例句③④的「もんか」是比「ものか」更为随便的用法。

1）말하는 사람（話者）의 강한 부정의 기분을 나타낼 때의 표현법으로，반대어를 사용한 약간 감정적인 표현법이다．　2）허물없는 사이의 대화에서 사용한다．　3）「絶対に·決して」등과 함께 자주 사용된다．③④의「もんか」는「ものか」보다 상투적인 표현법이다．

ものか　➡ないものか　264

ものがある

【とても～だ／なんとなく～感じる
(deep emotion, enthusiasm) very; somehow feel／很～；总觉得～／－인 부분이 있다/－이기도 하다】★2

①中学校の古い校舎が取り壊されるそうだ。思い出の校舎なので、わたしにとって残念なものがある。

② 10年前に友人と共同で書いた本が今でも使われていることには感慨深いものがある。

③あの若さであのテクニック！　彼の演奏にはすごいものがある。

◎ **普通形**（ナAな） ＋ものがある（現在形だけ。Nにつく例はない）

1）「～ものがある」の形で、話者がある事実から感じたことや物事の特徴を表現するときに感情をもって言う表現。　2）「～」には話者の感情を表す言葉が来ることが多い。

1）Emotionally expresses speaker's feelings when discussing something felt about fact or characteristics of some matter. 2）Often words expressing speaker's feelings precede pattern.

1）采用「～ものがある」的形式，说话人由某个事实而感觉到的或带着感情去表现某事物的特征时，使用本句型。　2）「～」处多使用表现说话人感情的词句。

1）「～ものがある」의 형태로，말하는 사람（話者）이 어떤 사실에서 느낀 점이나 사물의 특징을 표현할 때에 감정을 넣어 말하는 표현이다．　2）「～」에는 말하는 사람（話者）의 감정을 나타내는 말이 오는 경우가 많다．

ものだ〈回想〉【よく～したなあ used to／曾经～／－했었다】★2

①子どものころ、寝る前に父がよく昔話をしてくれたものだ。

②小学校時代、兄弟げんかをしてよく祖父にしかられたものだ。

③学生のころは、この部屋で夜遅くまで酒を飲み、歌を歌い、語り合ったものだ。

Vた ＋ものだ

1）昔よくしたことを思い出して、懐かしんで感情を込めて言うときの表現。 2）「よく～ものだ」の形でよく使う。

1）Nostalgic emotion about memory of something often done in past. 2）Used in pattern よく～ものだ.

1）想起以前自己常做的事，带着怀念，感慨等情绪去叙述时，使用本句型。 2）常使用「よく～ものだ」的形式。

1）옛날에 자주 했었던 일을 회상해서 그리워하여 감정을 실어 말할 때의 표현이다. 2）「よく～ものだ」형태로 자주 사용한다.

ものだ〈感慨〉【ほんとうに～だなあ really…; truly something／实在是～啊／－하다니】★2

①知らない国を旅して、知らない人々に会うのは楽しいものだ。

②タンさんは家族を亡くし、苦労をしながら、今日まで一人でよく生きてきたものだ。

③月日のたつのは早いもので、この町に引っ越して来たのはもう20年も前のことだ。

④小さな子どもがよくこんな難しいバイオリンの曲を弾くものだ。大したもんだ。

普通形（ナAな）＋ものだ（Nにつく例はない）

1）心に強く感じたことや、驚いたり感心したりしたことを感情を込めて言う。感慨を表す。 2）④の「もんだ」はくだけた会話の言い方。

1）Expresses emotionally something heartfelt, surprise, or deep impression. Deep emotion. 2）In sentence ④, form もんだ is used in informal speech.

1）带着感情去叙述心里强烈的感受、吃惊、感动等情绪时使用本句型。表示感慨。 2）例句④的「もんだ」是较为通俗的对话用语。

1）마음으로 강하게 느꼈던 일이나, 놀랐거나 감탄했었던 일에 대해 감정을 실어 말한다. 감회를 나타낸다. 2）④의「もんだ」는 허물없는 대화의 표현법이다.

ものだ〈忠告〉【～するのが当然だ should／应该～／－해야 한다／－하는 것이 좋다】★2

①元気な若い人は乗り物の中でお年寄りに席を譲るものだ。

②病院のお見舞いに、鉢植えの花は持っていかないものですよ。

③祖父：もう10時だよ。早く寝なさい。子どもは10時前に寝るもんだ。

◎ Vる・Vない　＋ものだ

1）個人の意見ではなく、道徳的、社会的な常識について「そうするのが常識ですよ・そうしないのが常識ですよ」と訓戒したり、説教したりするときの表現である。

2）話し言葉では③のように「もんだ」になることが多い。　参ものではない

1）Moralizes or exhorts that speaker's opinion to do or not do something is not personal but based on moral and social common sense.　2）Often becomes もんだ in spoken language, as in sentence ③.　→参

1）不是个人的见解，而是出于道德、常识，给与对方训诫、说教时的表达方式，语气为“这么做可是常识啊”“不这么做可是常识啊”。　2）在口语中，如例句③，多变为「もんだ」。　→参

1）개인의 의견이 아니라 도덕적，사회적인 상식에 대하여「그렇게 하는 것이 상식입니다」「그렇게 하지 않는 것이 상식입니다」라고 훈계하거나，설교하거나 할 때의 표현이다.　2）회화체에서는 ③과 같이「もんだ」로 되는 경우가 많다.　→参

ものだから【～ので because／因为～／－해서／－때문에／－인 까닭에】★2

①教師：どうして遅刻したんですか。

　学生：目覚まし時計が壊れていたものですから。

②いつもは敬語なんか使わないものだから、偉い人の前に出ると緊張します。

③今週は忙しかったもので、お返事するのがつい遅くなってしまいました。

④わたしは新人なもんで、ここでは知らないことが多いんです。

⑤（同僚と）東：西さん、先週、あんまり会わなかったね。

　西：ええ、妹が結婚したもんで、いなかに帰ってたんです。

◎ **普通形**（ナAな／Nな）＋ものだから

1）理由を言う言い方であるが、個人的な言い訳をしたいときによく使う言い方。

2）後の文に、命令や意志のある文はほとんど使わない。　3）③～⑤のように「もので」という形もある。「もんで」はくだけた会話の中で使う。

1）Gives reason, but is often personal excuse. 2）Clauses with commands or volition rarely follow. 3）Also form もので, as in sentences ③ to ⑤. Form もんで is used in informal speech.

1）是陈述理由的表达方式，常用于表明个人的解释、辩解。 2）后半句基本不使用带有命令、意志等的句子。 3）如例句③~⑤，也有「もので」的形式。较为通俗的对话中使用「もんで」。

1）이유를 말하는 표현법이지만，개인적인 변명을 하고 싶을 때 자주 사용하는 표현법이다． 2）뒤에 오는 문장에 명령이나 의지가 있는 문장은 거의 사용하지 않는다． 3）③~⑤처럼「もので」라는 형태도 있다．「もんで」는 허물없는 사이의 대화 중에 사용한다．

もので　➡ものだから　383

ものではない【～するのは常識に反する certainly shouldn't／不应该～／－해서는 안된다】★2

①無駄づかいをするものではない。お金は大切にしなさい。
②電車の中では、ものを食べたり飲んだりするものではありません。
③弱いものいじめをするもんじゃないよ。

Vる　＋ものではない

1）個人の意見ではなく、道徳的、社会的な常識によって「そうするのは社会的常識や道徳に反しますよ」と訓戒したり、説教したりするときの表現。 2）話し言葉では③のように「もんじゃない」となる。 参ものだ〈忠告〉

1）Moralizes or exhorts that speaker's opinion to do something is not personal but is against moral and social common sense. 2）Often becomes もんじゃない in spoken language, as in sentence ③. →参

1）不是个人的见解，而是出于道德、常识，给与对方训诫、说教时的表达方式，语气为“这么做可是违反社会常识、违反道德的啊” 2）口语中如例句③，变为「もんじゃない」。 →参

1）개인의 의견이 아니라，도덕적，사회적인 상식에 따라「그렇게 하는 것은 사회적 상식이나 도덕에 위반됩니다」라고 훈계하거나 설교하거나 할 때의 표현이다． 2）회화체에서는 ③과 같이「もんじゃない」가 된다． →参

ものでもない　➡ないものでもない　264

ものともせず（に）　➡をものともせず（に）　435

ものなら【もしできるなら if can／如果可以～的话／만약에 - 라면】★2

①できるものなら鳥になって国へ帰りたい。

②A：ねえ、いっしょに旅行に行きましょうよ。

　B：ぼくも行けるものなら行きたいんだけど、ちょっと無理そうだなあ。

③スケジュールが自由になるものなら、広島に1泊したいのだが、そうもいかない。

④男1：殴るぞ！

　男2：殴れるものならやってみろ！

⑤治るものなら、どんな手術でも受けます。

◎ Vる（可能の意味の動詞） ＋ ものなら

「～ものなら」の形で、「～」の前には可能の意味を含む動詞が来る。そして実現が難しそうなことを、「もしできるなら」と仮定して、後の文で希望や命令など話者の意志を表す。

Verbs of potentiality precede ものなら. Supposes being able to accomplish reality that is difficult to achieve. Speaker's volition, including hopes or commands, appear in clause following.

采用「～ものなら」的形式,「～」前面接包含可能意义的动词。然后用「もしできるなら（如果可以的话）」这一假定来表现其实现之难。后半句使用希望、命令等，表现说话人的意志。

「～ものなら」의 형태로「～」의 앞에는 가능의 의미를 포함하는 동사가 온다. 그리고 실현이 어려울듯한 일을「만약 가능하다면」이라고 가정하고, 뒤에 오는 문장에서 희망이나 명령 등 말하는 사람（話者）의 의지를 나타낸다.

ものなら ➡ようものなら 406

ものの【～だが、しかし although; notwithstanding／虽然…但是／－이기는 하지만/－하기는 했지만】★2

①頭ではわかっているものの、実際に使い方を言葉で説明するのは難しい。

②新しい服を買ったものの、なかなか着ていく機会がない。

③祖父は体は丈夫なものの、最近耳が聞こえにくくなってきた。

◎ **普通形**（ナAな・ナAである／Nである） ＋ ものの

「～ものの、…」の形で、「～の事柄は一応事実なのだが、しかし、実際はそのことから予想されるとおりにはいかない」という意味に使う。

Something is certainly true, but result does not go as expected.

采用「〜ものの、…」的形式，“虽说〜这件事确属事实，但是实际上事情却不能按照预想的进行”之意。

「〜ものの、…」의 형태로「〜의 내용은 일단 사실이지만，그러나 실제는 그 일에서 예상되어지는 대로는 되지 않는다」라는 의미로 사용한다．

ものを【〜のに even though…how could／要是〜（就好了），可是…／－했는데/－했을텐데】★1

①先輩があんなに親切に言ってくれるものを、彼はどうして断るのだろう。

②知っていれば教えてあげたものを。わたしも知らなかったんです。

③夏の間にもう少し作業を進めていればよかったものを。怠けていたものだから、今になって、締め切りに追われて苦しんでいる。

④あのとき、薬さえあれば彼の命は助かったものを。

普通形（ナAな）＋ものを　（Nにつく形はない）

1）期待とは違ってしまった現実を悔やんだり、不満に思ったりしたときに使う。
2）不審・不満・恨み・非難・後悔などの気持ちを込めて言うことが多い。　3）④のように、後の文が省略される場合も多い。

1）Vexation or dissatisfaction about reality that differs from expectations.　2）Often describes such emotions as suspicion, dissatisfaction, bitterness, criticism, regret, etc.　3）Clause following pattern is often omitted, as in sentence ④.

1）用于表达悔恨、不满于现实没有按照原期待的方向发展。
2）大都包含不信任、不满、痛恨、责难、后悔等情绪。　3）如例句④，后半句被省略的句子也很多。

1）기대와는 다르게 끝난 현실을 후회하거나，불만스럽게 생각하거나 할 때 사용한다．2）의심，불만，원망，비난，후회 등의 기분을 담아서 말하는 경우가 많다．　3）④와 같이 뒤의 문장이 생략되는 경우도 많다．

も〜ば、〜も【〜も〜し〜も both…and…／既〜又〜／－도 －하고，－도】★3

①あしたは数学の試験もあればレポートも提出しなければならないので、今晩は寝られそうもない。

②あの人は性格もよければ頭もよさそうです。

③きのうの試験は問題も難しければ量も多かったので、苦労しました。

④あのメーカーの製品は値段も手ごろなら、アフターケアもきちんとしていますね。

⑤今度の仕事は予算も不足なら、スタッフも足りない。成功は望めそうもない。

⑥りんごにはいろいろな種類があります。赤いのもあれば、黄色いのもあります。

⑦楽もあれば苦もあるのが人生というものだ。

◎ Nも　＋Vば／イAければ／ナAなら／Nなら　＋Nも

1）前の事柄と同じ方向の事柄を加える（プラスとプラス、マイナスとマイナス）。

2）⑥⑦のように、同類のものや対立するものを並べて両方ある、という言い方もある。

1）Adds like evaluations to what precedes it (positives with positives, negatives with negatives).　2）Also can be used as in sentences ⑥ and ⑦ to show parallels in contrasts.

1)在前面的事情上再加上一个同一方向的事物。(正面的加正面的，负面的加负面的)。　2）如例句⑥⑦，列举同类的事物或对立的事物，意为两者兼具。

1)앞의 사항과 같은 방향의 사항을 첨가한다.(플러스와 플러스, 마이너스와 마이너스)　2) ⑥⑦처럼 같은 종류의 것이나 대립하는 것을 같이 나열하여 양쪽 모두 있다고 하는 표현법도 있다.

もらう【receive from／得到／받다】★5

①わたしは子どものころ、よくおじに本を<u>もらいました</u>。

②A：いいネクタイですね。自分で買ったんですか、だれかに<u>もらった</u>んですか。

　B：兄に<u>もらった</u>んです。

③わたしは勤続20年で会社から30万円<u>もらいました</u>。

④わたしは先生にいい本を<u>いただいた</u>。

⑤母は田中先生からお手紙を<u>いただいて</u>うれしそうだ。

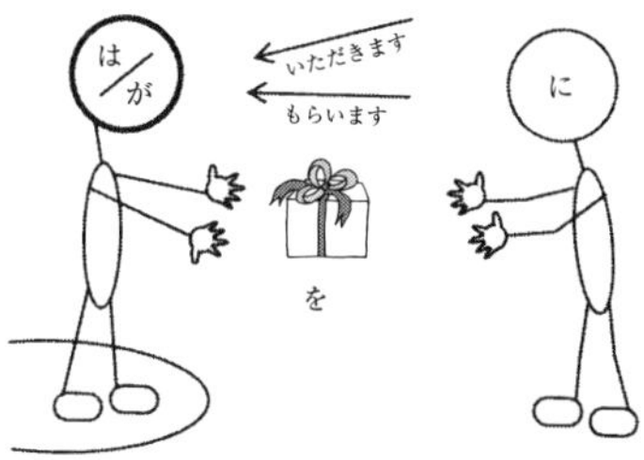

◎ Nを　＋もらう

受ける人 は／が 与える人 から／に  を ｛もらいます。／いただきます。｝

↑
わたし側の人

[a person on my side／我方的人／나와 가까운 사람]

1）ものを受ける人を主語にした授受の言い方。ものを受ける人は「わたし」、または与える人より心理的に「わたし」に近い人である。　◆×リカさんはわたしからプレゼントをもらいました。／×あなたはわたしの妹にプレゼントをもらいましたか。

2）与える人を表す助詞は「に」でも「から」でもよい。ただし、与える側が人ではない場合（会社・学校・団体など）には、③のように「から」を使う。　3）「いただく」は、④⑤のように与える人が目上の場合に使う。

1.

receiver は／が giver から／に 🎁 を { もらいます。 / いただきます。

1）Subject is receiver. Receiver can be speaker or someone psychologically close to speaker. →◆ 2）Particles indicating giver can be either に or から. When giver is not person (such as in cases of companies, schools, groups, etc.), から is used, as in sentence ③. 3）Form いただく is used when giver is social superior, as in sentences ④ and ⑤.

1.

接受方 は／が 授与方 から／に 🎁 を { もらいます。 / いただきます。

1）以接受事物的人为主语的授受表达法。接受人为“我”，或心理上与“我”非常近的人。→◆ 2）赠与人可以用助词「に」来提示，也可以用助词「から」来提示。只是当赠与人一方不是人（而是公司、学校、团体等）时，如例句③，使用「から」。 3）如例句④⑤，赠与人为长辈或上司时，使用「いただく」。

1.

주는 사람 は／が 받는 사람 から／に 🎁 を { もらいます。 / いただきます。

1）물건을 받는 사람을 주어로 한 수수의 표현법이다. 물건을 받는 사람은「わたし（나）」, 또는 주는 사람보다 심리적으로「わたし」에 가까운 사람이다. →◆ 2）주는 사람을 나타내는 조사는「に」라도「でも」라도 좋다. 단지, 주는 측이 사람이 아닌 경우（회사·학교·단체 등）에는 ③과 같이「から」를 사용한다. 3）「いただく」는 ④⑤와 같이 주는 사람이 손윗사람일 경우에 사용한다.

もん ➡もの 380

もんか ➡ものか 380

もんじゃない ➡ものではない 384

もんだ ➡ものだ 382－383

もんだから ➡ものだから 383

もんで ➡ものだから 383

もんでもない ➡ないものでもない 264

や ➡やいなや 388

やいなや【～すると、同時に no sooner than; the moment that ／一～就～／－하자마자】★1

①よし子は部屋に入ってくる<u>や否や</u>、「変なにおいがする」と言って窓を開けた。

②そのニュースが伝わる<u>や否や</u>、たちまちテレビ局に抗議の電話がかかってきた。

③社長の決断がなされる<u>や</u>、担当のスタッフはいっせいに仕事に取りかかった。

◎ Vる　+ や否や

1)「～や否や…」の形で、「～」が起こると直後に「…」が起こる、と言いたいときに使う。前のことに反応して起こる予想外のできごとが多い。　2)「や否や」は現実のできごとを描写するのであるから、意志的な行為を表す文や「よう・つもり」などの意志の文、命令文、否定文などが後に来ることはない。　◆×わたしはお金をもらうや否や貯金します。　3)③のように「や否や」の「否や」がとれて「や」だけが残ったものも意味・用法は同じ。　4)同様の意味·用法を持つ表現には次のものがある。 参

(か) とおもうと・か～ないかのうちに・がはやいか・たとたん (に)・なり

1) One action follows on the heels of another. Often second action is unexpected reaction to first. 2) Pattern や否や describes something real so does not appear at end of sentences that express volitional actions, such as よう or つもり, or in commands or negatives. 3) As in sentence ③ when the 否や of や否や is removed, leaving only や, meaning and usage are the same. 4) Patterns with similar meanings or usage are: →参

1)采用「～や否や…」的形式,「～」刚一发生,「…」马上跟着发生。多为受前面事物的影响而发生的意外之事。　2)「や否や」描写的是现实事物,因此后面不能出现表意志的句子,或「よう・つもり」等引导的意志句、命令句、否定句等。→◆　3)如例句③,当去掉「や否や」中的「否や」,而只剩下「や」时,意义、用法与本句型相同。　4)意义、用法相同的表达方式如下:→参

1)「～や否や…」의 형태로「～」가 일어난 직후에「…」가 일어난다고 말하고자 할 때 사용한다. 앞에서의 일에 반응하여 일어나는 예상외의 사건이 많다.　2)「や否や」는 현실의 사건을 묘사하는 것이므로 의지적인 행위를 나타내는 문장이나「よう・つもり」등의 의지문, 명령문, 부정문 등이 뒤에 오는 일은 없다. →◆　3)③처럼「や否や」의 「否や」를 생략하고「や」만 남은 것도 의미, 용법은 같다.　4)같은 의미・용법을 가진 표현으로는 다음과 같은 것이 있다. →参

やすい【easy to／容易／－하기 쉽다】★4

①この本は字が大きくて読み<u>やすい</u>です。

②あの病院のお医者さんは、病気のことをわかり<u>やすく</u>説明してくれます。

③(手紙) 風邪をひき<u>やすい</u>季節です。どうぞお大事に。

④この花びんは壊れ<u>やすい</u>から気をつけてください。

◎ V~~ます~~　+ やすい

「～するのが簡単だ・容易に～する」という意味。①②のようにプラス評価も③④のようにマイナス評価もある。

参 **にくい**

Easy to do. Can be used in positive evaluations, such as in sentences ① and ②, or in negative ones, such as in ③ and ④. →参

"做～很简单""很容易～"之意。有如例句①②的正面评价，也有如③④的负面评价。 →参

「～하는 것이 간단하다 · 쉽게 ～하다」라는 의미다. ①②처럼 플러스적인 평가도, ③④처럼 마이너스적인 평가도 있다. →参

やら【～のか what; where; who; whether ／是～呢？／－는지/－인지】★1

①何を考えているやら、息子の心の中はさっぱりわからない。

②名前が書いてないノートがこんなにたくさんある。これではどれがだれのやらわからない。

③バイクで出かけた太郎がまだ帰ってこない、いったいどこへ行ったやら……。

④願書の書き方はこれでいいやら悪いやらわからないが、とにかく出してみよう。

◎ **普通形**（ナAなの／Nなの） ＋ やら

1）「～か、まったくわからない」という疑問を表す。少し古い表現。①～③のように疑問詞といっしょに使ったり、対の言葉の両方につけたりする。③のように「やら」の後の「わからない」という語を省略した言い方もある。　2）後には「さっぱりわからない・見当もつかない」などの表現が来る。

1）Speaker knows nothing about subject. Slightly old-fashioned expression. Can be used with interrogatives, as in sentences ① to ③; appended to both words in a pair. わからない can be omitted after やら, as in sentence ③. 2）Phrases following include: さっぱりわからない, 見当もつかない, etc.

1）表示如"是～吗？我完全不知道"的疑问。略显古老的表达方式。如例句①～③，和疑问词一起使用，或分别接在两个成对的词之后。如例句③「～やら」之后的「わからない」有时也被省略掉。
2）后半句使用「さっぱりわからない・見当もつかない」等表达方式。

1）「～인지 전혀 모르겠다」라는 의문을 나타낸다. 조금 예스러운 표현이다. ①～③과 같이 의문사와 함께 사용하거나, 한 쌍으로 이루어진 말의 양쪽에 붙이거나 한다. ③처럼「やら」의 뒤에「わからない」라는 말을 생략한 표현법도 있다. 2）뒤에는「さっぱりわからない・見当もつかない」등의 표현이 온다.

やら～やら【～や～など and so forth ／…啦…啦／－하기도 하고 －하기도 하고/－과(와) －등】★2

①色紙は赤いのやら青いのやらいろいろあります。

②机の上には紙くずやらノートやらのりやらがごちゃごちゃ置いてある。

③びっくりするやら悲しむやら、ニュースを聞いた人たちの反応はさまざまだった。

④マラソンで3位に入賞したとき、わたしはうれしいやら悔しいやら複雑な気持ちだった。

◎ Vる／イAい／N ＋やら

1）まだほかにもいろいろあるが、まず1、2の例を挙げたいときに使う。　2）いろいろなものや気持ちがあって整理できないという気持ちで使うことが多い。

1）Gives one or two examples from among many. 2）Often used when speaker feels overwhelmed by extent or number of something.

1）除此之外还有很多，但是先举出一、两个例子来说明时使用本句型。　2）多用来表示有各种各样的东西或情绪等，整理不清的心情。

1）아직 그 외에도 여러 가지가 있지만，우선 1，2 의 예를 들고 싶을 때 사용한다．2）여러 가지 사건이나 마음이 있어 정리할 수 없다는 기분으로 사용하는 경우가 많다．

やる　➡あげる　24

ゆえ（に）【のために／が原因で on account of／因为，由于／－때문에 /－까닭에】★1

①円高ゆえ、今年の夏休みには海外に出かけた人々が例年より多かった。
②新しい仕事は慣れぬことゆえ、失敗ばかりしています。
③貧しさのゆえに、子どもが働かなければならない社会もある。

◎ N／**普通形**（ナAな・ナAである／Nの・Nである）＋ゆえに

「～ゆえに」の形で、「～が理由で・～のわけで」という意味を表す。古い文語的な、硬い表現。

Reason or cause. Formal, old literary term.

采用「～ゆえに」的形式，表示“～的理由”“～的原因”。是较为古旧的书面话，且语气较生硬。

「～ゆえに」의 형태로「～が理由で (～가 이유로)・～のわけで (～의 이유로)」라는 의미를 나타낸다．예스러운 문어체적인 딱딱한 표현이다．

よう　➡ましょう　364

よう〈意志〉【I think I will／～吧／－해야지】★4

①熱があるから、今日は早く帰ろう。
②（1月1日に）今年からは、日記を書こう。
③田中君のうちへ行く前に、ちょっと電話をしよう。
④もう12時か。そろそろ寝よう。

巻末の活用表参照

動詞の意志形をそのまま、日記に書いたり、心の中で思ったりなど、話す人がひとりごとのように使って、自分の意志を表す言い方。相手を誘う言い方「いっしょに帰ろう・帰りましょう」と区別すること。 参ましょう・ませんか〈誘い〉

Volitional form of verb for writing in diaries, thinking or talking to oneself, or expressing speaker's volition. Distinguish from よう of solicitation, such as in いっしょに帰ろう (let's go home together) or 帰りましょう (let's go home). →参

原封不动的使用动词的意志型，是写在日记里的，或心中所想的，类似于说话人自言自语的用法，表明自己的意志。与邀请对方的「いっしょに帰ろう・帰りましょう」不同。 →参

동사의 의지형을 그대로, 일기에 쓰거나 마음속으로 생각한다든지 등, 말하는 사람 (話者) 이 혼잣말인 듯이 사용하여 자신의 의지를 나타내는 표현법이다. 상대방을 권유하는 표현법「いっしょに帰ろう·帰りましょう」와 구별할 것. →参

ようか ➡ましょうか 365－366

ようが【～ても no matter what／不管～都…／－든지 /－든지 말든지】★1

①あの人がどこへ行こうが、わたしには関係ないことです。
②彼女はまわりがどんなにうるさかろうが、気にしない人です。
③たとえ、だれが何と言おうが、彼は決心を曲げないだろう。
④雨が降ろうが槍が降ろうが、わたしは行きます。
⑤たとえ相手が世界チャンピオンだろうが、ぼくは闘うぞ。

Vよう／イA~~い~~かろう／ナAだろう／Nだろう　＋が

1)「～ようが」の形で「もし～してもそれに関係なく」という意味で、後には、「影響されない・自由だ・平気だ」という意味の文が続く。 2)「たとえ～ようが・疑問詞～ようが 」の形をよく使う。 3)④は慣用的表現。 参ようと(も)

1) Even if some event happens, it doesn't matter. Clauses expressing notions of being unaffected, free, or unconcerned follow. 2) Often used in form たとえ～ようが (even if), or interrogative ～ようが (no matter who/what, etc.). 3) Sentence ④ is idiomatic expression. →参

1) 采用「～ようが」的形式，意为"即使做了～，也没关系"，后面接「影響されない・自由だ・平気だ」等句子。 2) 常以「たとえ～ようが・疑問詞～ようが」的形式出现。 3) 例句④为惯用表达方式。 →参

1)「～ようが」의 형태로「만약 ~하더라도 그것과 관계없이」라는 의미로, 뒤에는「影響されない・自由だ・平気だ」라는 의미의 문장이 이어진다. 2)「たとえ～ようが・의문사～ようが」의 형태를 자주 사용한다. 3) ④는 관용적인 표현이다. →参

ようがない【〜できない no way to／没办法〜／－하려고 해도 할 수가 없다】★3

①推薦状を書いてくれと言われても、あの人のことをよく知らないのだから、書きようがない。
②この時計はもう部品がないから、直しようがない。
③あの人の住所も電話番号もわからないのですから、連絡のしようがありません。
④社員はやる気があるのだが、会社の方針が変わらないのだからどうしようもない。

◎ V~~ます~~ ＋ようがない

1）「そうしたいが、その手段･方法がなくてできない」と言いたいときに使う。「よう」は「様」で、「方法」の意味である。　2）④のように「ようもない」の形もある。

1）Someone wants to do something but has no means or way to do so. Kanji for よう（様）means "way."　2）As in sentence ④, also: ようもない.

1）在想要表达"想要那么做，但是由于不了解怎么去做，所以不能做"之意时使用本句型。「よう」是「様」，意为"方法"。
2）如例句④，也有「ようもない」的形式。

1）「그렇게 하고 싶지만, 그 수단, 방법이 없어 할 수 없다」고 말하고자 할 때 사용한다.「よう」는「様」로「방법」이라는 의미다.　2）④처럼「ようもない」의 형태도 있다.

ようか〜まいか【〜をしようか、するのはやめようか whether to…or not／做〜还是不做／－할까 말까 /－할지 말지】★2

①この季節には、かさを持っていこうかいくまいかと毎朝迷ってしまう。
②9月に大切な試験があるので、夏休みに国へ帰ろうか帰るまいか、考えています。
③今晩11時からのテレビの特別番組を見ようか見まいか、迷っています。
④彼は展示会の開催を延期しようかするまいかと迷っているようだ。

◎ Vよう＋か　＋Vる＋まいか（動詞Ⅱ･Ⅲは「V~~ない~~ ＋まいか」もある。「する」は「すまいか」もある）

1）話者がどちらがいいかと迷ったり、考えたりするときに使う。3人称が主語の場合は、「迷っている」などの後に「ようだ･らしい･のだ」などをつけて使う。　2）「Vまい」は「Vよう」の否定形。「まい」は古い言葉ではあるが、決まった言い方として、現在でも使われる。

1) Speaker is confused about which of two choices to do, or is still thinking. When subject is in the third person, sentence ending takes ようだ, らしい, or のだ after verbs such as 迷っている. 2) V まい is negative of V よう. Form まい is old-fashioned, but still used today in certain expressions.

1）说话人在困惑于或正在思考到底哪个更好时，使用本句型。当主语为第三人称时，「迷っている」等词语之后要添加「ようだ・らしい・のだ」等。 2）「Vまい」虽然说话较古旧，但作为固定用法，现代日语中也在使用这个词。

1) 말하는 사람 (話者) 이 어느 쪽이 좋을지 망설이거나 생각하거나 할 때에 사용한다. 제 3 자가 주어인 경우는「迷っている」등의 뒤에「ようだ・らしい・のだ」등을 접속해서 사용한다. 2)「Vまい」는「Vよう」의 부정형이다.「まい」는 예스러운 말이지만, 정형화된 표현법으로써 현재에도 사용된다.

ようが～まいが【もし～ても～なくても regardless if or if not／不管～还是不～／－든지 말든지】★1

①雨が降ろうが降るまいが、この行事は毎年必ず同じ日に行われます。

②参加しようがするまいが、会費だけは払わなければなりません。

③あの人が来ようが来るまいが、予定は変更しません。

Vよう＋が　＋Vる＋まいが（動詞Ⅱ・Ⅲは「V~~まい~~＋まいが」もある。「する」は「すまいが」もある）

1）「Vまい」は「Vよう」の古い否定形。　2）「もし～しても、～しなくても」と仮定して、どちらの場合にも後の文が成立すると言いたいときに使う。「ようと～まいと」とほとんど同じように使う。

参 ようと～まいと

1) V-まい is old form of negation of V よう. 2) Supposes that whether or not something is done, clause following pattern is valid. Used nearly same way as ようと～まいと. →参

1）「Vまい」是「Vよう」的古旧的否定型。 2）先假定"无论做不做～"，再说不管怎样，后面的句子都会成立，在想要表达这个意思时使用本句型。用法和「ようと～まいと」基本一致。 →参

1)「Vまい」는「Vよう」의 예스러운 부정형이다. 2)「もし～しても、～しなくても」로 가정하여, 어느 쪽의 경우에도 뒤의 문장이 성립한다고 말하고자 할 때 사용한다.「ようと～まいと」와 거의 동일하게 사용한다. →参

ようだ〈比況〉【looks like／好像／－같다/－과 비슷하다】★4

①ビルの屋上から見ると、人がまるで虫のようです。車はミニカーのようです。

②花見の後、ごみを集めたら山のようになってしまいました。

③ぼくの心は火のように熱いのに、君の心は氷のように冷たい。

④あのころはよく働いた。まるでロボットのようだった。

⑤何におどろいたのか、赤ちゃんが急に火がついたように泣き出した。

◎ Nの　＋ようだ

1）様子や状況を表すのに、よく似たものにたとえて言う言い方。たとえるものは話す人が自由に考えてもよいが「雪のように白い・りんごのような（赤い）ほお・割れるような拍手」などのように慣用的に使われるものが多い。　2）ナ形容詞と同じように活用する。（ような＋N　ように＋Vなど）　3）⑤のように名詞以外につく例もある。

1）Appearance or condition resembles another. Speaker can use any simile but often idioms are used, such as in: such as in: 雪のように白い (white as snow), りんごのような（赤い）ほお (cheeks red as apples), 割れるような拍手 (deafening applause). 2）Conjugates like ナ-adjective.（ような＋N, ように＋V）. 3）Can also append to words other than nouns, as in sentence ⑤.

1）在表现一种样子、状况的时候，用一个类似的东西作比方的表达方式。比喻的喻体可以是说话人自己想的，也可以象"像雪一样白、像苹果一样（红）的脸颊、拍裂了一样的鼓掌"这样使用惯用性的比喻。　2）和ナ形容词遵循同样的活用规则。（ような＋N　ように＋V　等）　3）如例句⑤，也有接在出名词以外的其它词之后的情况。

1）모양이나 상황을 묘사하는데 있어，아주 비슷한 것에 비유하여 말하는 표현법이다．예를 드는 것은 말하는 사람（話者）이 자유롭게 생각해도 좋지만，雪のように白い（눈처럼 하얗다），りんごのような（赤い）ほお（사과처럼（빨간）뺨），割れるような拍手（우뢰와 같은 박수），등과 같이 관용적으로 사용되는 것이 많다．　2）ナ형용사처럼 활용한다．（ような＋N　ように＋V 등）　3）⑤처럼 명사 이외의 품사에 붙는 예도 있다．

ようだ〈推量〉【seems that／似乎～／－인 것 같다／－인 듯 하다】★4

①あれ、この牛乳、ちょっと悪くなっているようです。変なにおいがします。

②この風邪薬を飲むとどうも眠くなるようだ。きのうも今日も、飲んだ後とても眠かった。

③A：わたしの背中に何かついているようなんですけど、ちょっと見てください。

B：あ、木の葉がついていましたよ。

A：ああ、やっぱりね。変な感じがしたんですよ。

④玄関のベルが鳴ったようだよ。だれか来たのかな。

⑤森さんは今日元気がないようでした。何か心配なことがあるのでしょうか。

◎ 普通形（ナAな／Nの）＋ようだ

1）自分の感じや観察でそう推量したとき、または断定を避けて言うときに使う。「らしい」と同じような使い方をするが、自分の感覚や主観で推量した場合でも使える。　2）話をする人の意志的な行為の予測には使わない。　3）「みたい」と意味・用法が同じだが、「みたい」のほうが口語的。

参 みたいだ〈推量〉・らしい〈推量〉

1）Speaker makes conjecture based on what is felt or observed. Also used when avoiding making definitive statements. Same usage as らしい (appear that), but can also be used for conjectures based on one's own feelings or subjectivity. 2）Not used for predicting speaker's volitional activities. 3）Same meaning and usage as みたい, but みたい is more colloquial. →参

1）在想要表达从自己的感觉、观察而推测出的结论时，或者想避免断言的语气时使用本句型。虽和「らしい」用法相同，但也可以用于表达自己的感觉、主观推测出的结论。 2）不能用来表达对说话人的意志性行为的推测。 3）意义、用法与「みたい」相同，但「みたい」更为口语化。 →参

1）자신의 느낌이나 관찰을 통해 그렇게 추측했을 때，또는 단정을 피해서 말하고자 할 때에 사용한다.「らしい」와 동일한 사용법을 갖지만，자신의 감각이나 주관으로 추측한 경우에도 사용된다. 2）말을 하는 사람（話者）의 의지적인 행위의 예측에는 사용하지 않는다. 3）「みたい」와 의미，용법이 같지만，「みたい」쪽이 회화체적인 표현이다. →参

ようだ〈婉曲〉【it does seem that／好像（有点）～吧／－인 것 같다】★3

①皆さん、もう時間のようですので、今日の会はこれで終わりにしたいと思います。

②中山君、君はちょっと遅刻が多いようですね。気をつけてください。

③A：今日のパーティーは赤字だったね。

B：どうやらそのようですね。

普通形（ナAな／Nの） ＋ ようだ

はっきり断定することを避けて控えめに言う言い方。相手の気持ちを配慮したり、言いにくいことを言う場合などによく使われる。「どうやら・どうも」などといっしょに使うことが多い。

For unassuming statements that avoid definitiveness. Often for taking feelings of listener into consideration, or when hard to say something directly. Often used with どうやら, どうも.

为了避免断定的语气，而采用较为谦逊的语气。常用来表示考虑到对方的心情立场或用来表达难以启齿的事。多与「どうやら・どうも」等搭配使用。

확실하게 단정하는 것을 피해 겸손하게 말하는 표현법이다. 상대방의 기분을 배려한다든지，말하기 어려운 것을 말하는 경우 등에 자주 사용된다.「どうやら・どうも」등과 함께 사용하는 경우가 많다.

ようではないか【～しよう don't you think we should／让我们～吧／－하자/－해야되지 않겠는가】★2

①これからは少しでも人の役に立つことを考えようではないか。

②環境を守るために、具体的に自分はどんなことができるのか、一つ一つリストに書いてみようではないか。

③旅行の費用を積み立てるというのはいい考えですね。早速、わたしたちも来月から始めようじゃありませんか。

④ごみ問題はまず、身の回りの問題から話し合おうではないか。

◎ Vよう　＋ではないか

1）「いっしょにそうしよう」と強く誘いかけたり提案したりする言い方。自分の意志を表明する言い方。「ましょう」の書き言葉。　2）話し言葉で使う場合は主として男性が使う、やや硬い言葉。　3）③は女性も使う話し言葉。

1）Strongly recommends or suggests doing something together. Expresses speaker's volition. Written form of 〜ましょう. 2）Somewhat formal expression used mainly by men when in spoken form. 3）Sentence ③ is spoken form used by women as well as men.

1）强烈的邀请或建议对方“一起去做那件事吧”的表达方式。用来表明自己的意志。是「ましょう」的书面语。　2）作为口语语句使用时，多为男性用语，是较为生硬的表达方式。　3）例句③是女性也可以使用的口语表达方式。

1）「함께 그렇게 하자」고 강하게 권유하거나 제안하는 표현법이다. 자신의 의지를 표명하는 표현법이다.「ましょう」의 문어체적인 표현이다.　2）회화체에서 사용하는 경우는 주로 남성이 사용하는 조금 딱딱한 말이다.　3）③은 여성도 사용하는 회화체이다.

ようと(も)【〜ても whether…or…, even; no matter how…／无论多〜／－하더라도】★1

①ほかの人からどんなに悪く言われようと、あの人は平気らしい。
②あの人は他人がどんなに困っていようとも、心を動かさない人だ。
③シベリアがどんなに寒かろうと、このコートと帽子があれば大丈夫だ。
④高かろうと安かろうと、この色が好きだから買います。
⑤嵐だろうと地震だろうと、この家にいれば安全です。

◎ Vよう／イA~~い~~かろう／ナAだろう／Nだろう　＋と（も）

1）「〜ようと（も）」の形で「〜してもそれに関係なく」の意味を表す。後に「影響されない・自由だ・平気だ」という意味の文が続く。　2）「たとえ、〜ようと（も）・疑問詞、〜ようと（も）」の形をよく使う。　参ようが

1）Even if some event happens, it doesn't matter. Clauses expressing notions of being unaffected, free, or unconcerned follow. 2）Often as: たとえ〜ようと（も）, or interrogative 〜ようと（も）. →参

1）采用「〜ようと（も）」的形式，意为“即使做了〜也没关系”，后半句接表示“不受影响、是对方的自由，无所谓”等意义的句子。　2）常使用「たとえ、〜ようと（も）・疑問詞、〜ようと（も）」 →参

1）「〜ようと(も)」의 형태로「〜하더라도 그것에 관계없이」란 의미를 나타낸다. 뒤에「影響されない・自由だ・平気だ」란 의미의 문장이 이어진다.　2）「たとえ、〜ようと(も)・의문사、〜ようと（も)」의 형태를 자주 사용한다. →参

ようとおもう【I think I will…／想要～；打算～／－하려고 생각하다/－이 되려고 생각하다】★4

①会社をやめて、1年ぐらい留学しようと思っています。

②わたしは子どものころからずっと医者になろうと思っていました。でも、今は考えが変わりました。

③A：ちょっとあの本屋に寄ろうと思いますが、あなたは？
　B：そうですね、今日はまっすぐ帰ろうと思います。

④A：山田君、結婚しようと思っているそうだよ。
　B：ほんとうですか。ぜんぜん知りませんでした。

⑤この仕事はたいせつだから、アルバイトの人に頼もうとは思いません。

Vよう　＋と思う

1）これから、または、将来何かをするという話す人の意志を表す。　2）「Vようと思っています」は、決心してからずっとそう思っているときに使う。「Vようと思います」は、話す時点での判断や決心を表す。　◆×あ、おいしそうなケーキ。ちょっと買っていこうと思っています。→○あ、おいしそうなケーキ。ちょっと買っていこうと思います。　3）否定の形「Vようとは思いません」は強い否定の意志を表す。　4）3人称の意志を言いたいときは、「と思っているそうだ・ようだ・らしい」などの形にする。

参つもりだ〈意志〉

1）Speaker's volition concerning future plans.　2）Vようと思っています is used when speaker has been resolved to doing something for some time. Vようと思います expresses judgment or resolution made at moment of speaking. →◆ 3）The negative form, Vようとは思いません, shows strong negation of volition.　4）When expressing volition in the third person, takes: と思っているそうだ, ようだ, or らしい, etc. →参

1）表达说话人这就要或将来想要做某事的决心、意志。　2）「Vようと思っています」用来表示从下了决心就一直这样想。「Vようと思います」则表示说话时的判断、决心。→◆　3）否定形「Vようとは思いません」表示强烈的否定意志。　4）想要表达第三人称的意志时，变为「と思っているそうだ・ようだ・らしい」的形式。 →参

1）지금부터，또는，장래에 무엇인가를 하겠다는 말하는 사람(話者) 의 의지를 나타낸다．　2）「Vようと思っています」는 결심하고 나서부터 계속 그렇게 생각하고 있을 때에 사용한다．「Vようと思います」는 말하는 시점에서의 판단이나 결심을 나타낸다．→◆　3）부정형「Vようとは思いません」는 강한 부정의 의지를 나타낸다．　4)3 인칭의 의지를 말하고자 할 때는「と思っているそうだ·ようだ·らしい」등의 형태로 한다． →参

ようとしている【まもなく～する／今～するところ about to／马上就要～了／막 - 하려고 하고 있다／막 - 하려는 참이다】★2

①大きな夕日が海に沈もうとしていた。人々は船の甲板から眺めていた。

②（閉会式で）15日の間、各国の選手たちが熱戦を繰り広げたオリンピック大会も今終わろうとしています。

③授業が始まろうとしているとき、わたしの携帯に母から「父が倒れた」という電話がかかってきた。

④編さんに3年間かかった辞書がまもなく完成しようとしている。

◎ Vよう　＋ としている

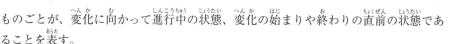

ものごとが、変化に向かって進行中の状態、変化の始まりや終わりの直前の状態であることを表す。

State of progression toward change or state just prior to beginning or end of the change.

表示事物在朝着变化的方向行进时的状态，变化开始或结束之前的那个时刻的状态。

사물이 변화를 향해 진행중인 상태 , 변화의 시작이나 종말 직전의 상태임을 나타낸다 .

ようとしない【doesn't even think about／不肯～／ - 하려고 하지 않다】★3

①リーさんは病気のときでも、医者に行こうとしません。

②あの子はしかられても、決してあやまろうとしない。

③シンさんはいつもたばこを吸っている。「たばこは体に悪いから、やめた方がいいよ」と言っても、シンさんはやめようとしない。

◎ Vよう　＋ としない

1人称「わたし」以外の人が、「期待されていることをしない」という強い否定の意志を持っている様子を表す。1人称には使えない。　◆×わたしはきらいなにんじんは食べようとしません。

Someone other than speaker has strong volition not to do what is expected. Cannot be used in first person. →◆

表示除了第一人称“我”之外的人，“不去做别人希望自己做的事”这种强烈的否决的样子。不用于第一人称。→◆

1 인칭「わたし（나)」이외의 사람이「기대되고 있는 일을 하지 않는다」라는 강한 부정의 의지를 가지고 있는 모양을 나타낸다 . 1 인칭에는 사용할 수 없다 . →◆

ようとする【just when about to, try to／正要～的时候／막 - 하려고 하다】★4

①どうも遅くなりました。会社を出ようとしたとき、社長に呼ばれたんです。
②おふろに入ろうとしたとき、電話のベルが鳴った。
③おばあさんが道を渡ろうとしていますが、車が多くて渡れません。
④あの子はきらいな野菜をいっしょうけんめい食べようとしています。
⑤けさ、6時に起きようとしましたが、起きられませんでした。

◎ Vよう ＋とする

意志動詞につながり、①②は、そうしようと思って、そのことを始める直前の状態にいることを表す。③～⑤は、そうしようと思って、がんばっていることを表す。

Links to verbs of volition. Sentences ① and ② describe state in which speaker is about to begin action. Sentences ③ to ⑤ describe people trying hard to accomplish an action.

接在意志动词之后，例句①②表示想要那样做，处在就要开始做那件事之前的状态上。例句③～⑤表示想要那样做，正在努力。

의지동사에 이어져 ①②는 , 그렇게 하려고 생각해서 그 일을 시작하기 직전의 상태에 있는 것을 나타낸다 . ③~⑤는 , 그렇게 하려고 생각해서 노력하고 있는 중인 것을 나타낸다 .

ようと～まいと【もし～ても～なくても whether do…or not／不管～还是不～／- 하든지 말든지】★1

①夏休みに国へ帰ろうと帰るまいと、論文は8月末までに完成しなければならない。
②会に出席しようと出席するまいと、年会費は払わなければならない。
③あの人が会議に来ようと来るまいと、わたしに関係ない。

◎ Vよう＋と ＋Vる＋まいと（動詞Ⅱ・Ⅲは「V~~まい~~ ＋ まいと」もある。「する」は「すまいと」もある）

「まい」は「よう」の古い否定形。「してもしなくても」と仮定して、どちらの場合にも後の文が成立すると言いたいときに使う。「ようが～まいが」とほとんど同じように使う。

参ようが～まいが

まい is old form of negation. Even supposing something is or is not done, second clause will occur anyway. Nearly identical in usage to ようが～まいが. →参

「まい」是「よう」在古旧的否定型。先假定"无论做不做V"，再说不管怎样，后面的句子都会成立，在想要表达这个意思时使用本句型。用法和「ようが～まいが」基本一致。→参

「まい」는「よう」의 예스러운 표현의 부정형이다 .「してもしなくても」라고 가정하여 , 어느 쪽의 경우에도 뒤의 문장이 성립한다고 말하고자 할 때 사용한다 .「ようが～まいが」와 대부분 동일하게 사용한다 . →参

ようなthings like／象…那样／－같은 ★4

①弟はケーキやチョコレートのような甘いものばかりよく食べます。
②わたしはサッカーや野球のような、みんなでするスポーツが好きです。
③駅や空港のように人が多いところでは、自分の荷物に気をつけましょう。
④病院や図書館、電車の中のようなところでは、携帯電話の使用は困ります。

◎ Nの ＋ような

ある性質のもの、ある形状のものを話題にするとき、その典型的な例を挙げる言い方。④のようにその性質や形状を言い表さなくてもわかる場合は、性質や形状を表す言葉を省略する場合もある。

Gives archetypal example before pattern when talking about essence or configuration of something. When essence or configuration is understood, as in sentence ④, words describing it are omitted.

提到某种性质、某种形状的东西时，举出其中的最典型的例子。如例句④，在性质、形状不说也能明白的时候，也可以省略表性质、形状的词语。

어떤 성질의 물건 , 어떤 형상의 물건을 화제로 했을 때 , 그 전형적인 예를 드는 표현법이다 . ④처럼 그 성질이나 형상을 말로 표현하지 않아도 알 수 있는 경우는 성질이나 형상을 나타내는 말을 생략하는 경우도 있다 .

ような ➡ように〈同様〉 402

ように〈期待〉【～を期待して in order to; so that／期待～／－하도록】★3

①風邪が早く治るように注射を打ってもらいました。
②黒板の字がよく見えるように前の席に座りましょう。
③だれにもわからないようにそっと家を出たのだが、母に見つかってしまった。
④たくさんの人がバザーに参加するように、広い会場を用意した。

◎ Vる・Vない ＋ように

1）「～ように」の形で、「～という目標が実現することを期待して」という意味を表す。2）「～」には話者の意志を表さない動詞（意志を含まない動詞や可能の意味を表す動詞など）が来る。後には、話者の意志を表す文が来る。 3）④のように、「ように」の前の主語が3人称の場合は、意志を含む動詞も来る。

1）Expectation of realizing objective. 2）Verbs not expressing speaker's volition (verbs of potentiality or verbs that don't include volition) precede pattern. Clauses following express speaker's volition. 3）When subject is in the third person, as in sentence ④, verbs including volition appear before ように.

1）采用「～ように」的形式,意为“期待着能够实现～这一目标”。 2）「～」处使用不表说话人意志的动词（不含意志的动词以及表可能意义的动词等）。后面使用表说话人意志的句子。 3）如例句④,「ように」前面的主语如果是第三人称，也可使用包含意志的动词。

1）「～ように」의 형태로「～라는 목표가 실현될 것을 기대하고」라는 의미를 나타낸다. 2）「～」에는 말하는 사람（話者）의 의지를 나타내지 않는 동사（의지를 내포하지 않는 동사나 가능의 의미를 나타내는 동사 등）가 온다. 뒤에는 말하는 사람（話者）의 의지를 나타내는 문장이 온다. 3）④와 같이「ように」앞의 주어가 3인칭인 경우는 의지를 내포하는 동사도 온다.

ように〈同様（どうよう）〉【～とだいたい同（おな）じに　as／和～一样的／－과 같이】★3

①旅行（りょこう）の日程（にってい）は次（つぎ）のように決（き）まりました。

②世（よ）の中（なか）が何（なん）でもあなたの思（おも）うように動（うご）くなどとは考（かんが）えないでください。

③この実験（じっけん）では、わたしが期待（きたい）していたようなデータは得（え）られなかった。

④人間（にんげん）に感情（かんじょう）があるように、人間以外（にんげんいがい）の動物（どうぶつ）にも感情（かんじょう）があるはずだ。

⑤作家（さっか）には想像力（そうぞうりょく）が必要（ひつよう）なように、営業（えいぎょう）マンには交渉力（こうしょうりょく）が必要（ひつよう）だ。

⑥わたしもヤンさんのように早（はや）く日本語（にほんご）が上手（じょうず）になりたい。

普通形（ナAな・ナAである／Nの・Nである）＋ように

一致（いっち）する内容（ないよう）であることを表（あらわ）す。文書（ぶんしょ）などで、「次（つぎ）のように・左記（さき）のように」などとはじめに書（か）いておいて、その後（あと）で詳（くわ）しく内容（ないよう）を書（か）くという形式（けいしき）でよく使（つか）われる。「とおり（に）」と意味（いみ）・内容（ないよう）がだいたい同（おな）じ。

参 とおり（に）

Matching content. Often used in writing: 次のように (as follows), 左記のように (as written to the left), etc.; followed by details. Pattern とおり（に）is very similar in meaning and content. →参

表示内容的一致。在文件当中,先写上「次のように·左記のように」等,再在之后写明详细的内容,这种形式非常多见。与「とおり（に）」意义、内容大致相同。→参

일치하는 내용임을 나타낸다. 문서 등에서「次のように・左記のように」등과 같이 처음에 써 놓고 그 뒤에서 상세하게 내용을 적는다는 형식으로 자주 사용된다.「とおり（に）」와 의미, 내용이 대체적으로 동일하다. →参

ように（と言う）〈間接話法〉

【(indirect discourse) says to ／提示间接引用的内容／ – 하도록 (말하다)】★4

①先生はタンさんに字をもっときれいに書くように言いました。
②父の手紙にはいつも早く国へ帰るようにと書いてあります。
③母は姉に会社の帰りに本を買ってくるように頼みました。
④お医者さんはタンさんに酒を飲まないようにと注意しました。
⑤お母さんの病気が早く治りますように、と祈りました。
⑥（年賀状）新しい年が平和でありますよう。

◎ Vる・Vない ＋ように（と）

1）間接話法で依頼・指示・忠告などの内容を示す言い方。後ろには「言う・書く・頼む・お願いする・注意する・命令する」などの動詞が来る。　2）本来、命令などの内容を伝える言い方なので、そのままの形では目上の人に対して使わない方がいい。◆△わたしは先生にゆっくり話すようにお願いしました。→○わたしは先生にゆっくり話してくださるようにお願いしました。　3）⑤⑥のように「祈る」ことの内容を言う場合にも使う。祈りの内容を言う場合、丁寧形もよく使われる。⑥のように、後の文が省略されることもある。

1）Indirect requests, instructions, or advice. Verbs following pattern include 言う, 書く, 頼む, お願いする, 注意する, or 命令する.　2）Best not to use toward social superiors since is originally for conveying commands. → ◆　3）Also used with 祈る, as in sentences ⑤ and ⑥. Often polite form is used with prayer or wish. Clause following can be omitted, as in sentence ⑥.

1）在间接引语中表示请求、指示、忠告等内容。后面使用「言う・書く・頼む・お願いする・注意する・命令する」等动词。
2）由于原本是传达命令等内容的表达方式，所以最好不要原封不动地对长辈或上级使用本句型。→◆　3）如例句⑤⑥也可以用来表达「祈る（祈祷）」的内容。在表示祈祷的内容时，多使用礼貌体。如例句⑥，后半句有时会被省略。

1）간접화법에서 의뢰，지시，충고 등의 내용을 나타내는 표현법이다．뒤에는「言う・書く・頼む・お願いする・注意する・命令する」등의 동사가 온다．　2）본래 명령 등의 내용을 전달하는 표현법이므로，그대로의 형태로는 윗사람에게 사용하지 않는 편이 좋다．→◆　3）⑤⑥처럼「기원하는」내용을 말하는 경우에도 사용한다．기도의 내용을 말할 경우 정중형도 자주 사용된다．⑥처럼 뒤의 문장이 생략되는 경우도 있다．

ように　➡ような　401

ようにして【少しそのような動作をして do something so that／稍微做一下那样的动作／－하는 것 처럼】★3

①この汚れはたたくようにして洗うとよく落ちます。

②このかぎはちょっと曲がっているので、いくらか押すようにして回してください。

③あの子は足が痛いのか、引きずるようにして歩いています。

◎ Vる ＋ようにして

「実際にそうするのではないが、そのような気持ちで」、または「ちょっとそのような動作をしながら本来の動作をする」と言いたいときの表現。

Doesn't actually do particular action, but acts with intention of, or doing some action while doing the original action.

在想要表达“实际上并不那么做，但是带着那种心情，或做哪个动作来做的同时本来该做的动作”之意时使用本句型。

「실제로 그렇게 하는 것은 아니지만, 그런 기분으로」 또는 「약간 그런 동작을 하면서 본래의 동작을 한다」 고 말하고자 할 때의 표현이다.

ようにする【make a point of／记得要～／－하도록 하다 / 꼭 －하다】★4

①人に会うときは、約束の時間を守るようにしましょう。

②アルバイトを休むときは、できるだけ早めに言うようにしてください。

③わたしは健康のために、毎晩、1時間ぐらい歩くようにしている。

④夜、ごみを外に出さないようにしましょう。

⑤できるだけ遅刻しないようにしているけど、ときどき遅れてしまう。

⑥パソコンは長い時間、続けてしないようにしています。

◎ Vる／Vない ＋ようにする

習慣的に心がけていることを表す。

Habitual attitude toward something.

表示习惯性的记挂着的事。

습관적으로 명심하고 있는 것을 나타낸다.

ようになる【become such that; start to do ／变得～／ – 하게 되다】★4

①最近、日本の食事に慣れて、さしみが食べられるようになりました。
②来月からこの駅にも急行が止まるようになります。
③妹はよくマンガを読んでいましたが、このごろ小説を読むようになりました。
④母もやっとパソコンが使えるようになって、よろこんでいる。
⑤工事が始まって、あの道は通れなくなりました。
⑥最近、あまり勉強しないから、授業がわからなくなりました。
⑦いつも庭に遊びに来ていたねこが、このごろ来なくなりました。

◎ Vる ＋ようになる　Vなく ＋なる

1）能力や状況や習慣などの変化を言うときに使う。 2）⑤～⑦のように以前の状況がそうでなくなったことを言うときには、「Vないようになる」より「Vなくなる」の方がよく使われる。 3）変化を表す動詞にはつかない。 ◆×このごろ運動しないので、太るようになりました。→○このごろ運動しないので、太りました。／×最近、車の事故が増えるようになりました。→○最近、車の事故が増えました。

1）Abilities, conditions, or customs change. 2）When indicating prior state no longer exists, as in sentences ⑤ to ⑦, Vなくなる is used more often than Vないようになる. 3）Not appended to verbs expressing change. →◆

1）用来表示能力、状况、习惯等的变化。 2）如例句⑤～⑦，在以前的状态已经不再是那样的时候，多使用「Vなくなる」，不使用「Vないようになる」的形式。 3）不能接在表示变化的动词之后。→◆

1）능력이나 상황, 습관 등의 변화를 말할 때에 사용한다. 2）⑤～⑦과 같이 이전의 상황이 그렇지 않게 되었다는 사실을 말할 때에는,「Vないようになる」보다「Vなくなる」쪽이 자주 사용된다. 3）변화를 나타내는 동사에는 붙지 않는다.→◆

ようにも～ない【～しようと思ってもできない can't even though want to ／虽然想～但是不能…／ – 하고 싶어도 - 못한다】★1

①大切な電話が来ることになっているので、出かけようにも出かけられません。
②なにしろ言葉が通じないのだから、道を聞こうにも聞けなくて困った。
③お金に困っている後輩から借金を頼まれて、断ろうにも断れなかった。
④早く電話をかけようにも、近くに電話がなくてかけられなかったのです。

Vよう + にも + Vない

1)「あることをしようと思っても、それを妨げる事情があってできない」という意味。　2)「にも」の前後は同じ動詞を使い、前は意志動詞の意志形、後はその可能動詞である。　3)どちらかというと、言い訳のような、消極的な気持ちを表すことが多い。

1) Even though speaker would like to do something, is prevented by circumstances. 2) Same verb is used before and after pattern. Verb is in volitional form preceding pattern, and in potential form after. 3) Often expresses rather passive excuses.

1)“虽然也想要做某事, 但有事妨碍, 不能实现”之意。　2)「にも」的前后使用同一动词, 前面用意志动词的意志形, 后面用它的可能动词形式。　3) 多用来表示辩解等消极的情绪。

1)「어떤 일을 하려고 생각해도, 그것을 방해하는 사정이 생겨 불가능하다」라는 의미다.　2)「にも」의 전후는 같은 동사를 사용하고, 앞은 의지동사의 의지형, 뒤는 그 동사의 가능동사가 온다.　3) 어느 쪽인가 하면 변명인 듯한, 소극적인 기분을 나타내는 경우가 많다.

ようもない ➡ようがない 393

ようものなら

【もし～のようなことをしたら／もし～のようなことになったら
if something like that were to happen, then ／如果那么做了的话／만약에 - 하면 (되면)】 ★2

①この学校は規則が厳しいから、断らずに欠席しようものなら、大変だ。

②彼のような責任感のない人が委員長になろうものなら、この委員会の活動はめちゃくちゃになる。わたしは反対だ。

③彼はこの仕事に人生をかけている。もし失敗しようものなら、彼は2度と立ち直れないだろう。

Vよう + ものなら

「万一そんなことになったら大変な事態になる」という意味の、いくらか誇張した言い方。

Overstatement predicts dire results if something were to happen.

“万一变成那样的话, 事态将十分严重”之意, 多少有些夸张的表达方式。

「만일 그렇게 된다면 큰 사태가 된다」라는 의미의 조금은 과장한 표현법이다.

よぎなくさせる ➡をよぎなくさせる 435

よぎなくされる ➡をよぎなくされる 436

よし【~そうで have heard that／据说～／－라고 하다】★1

①（手紙）そちらでは紅葉が今が盛りの由ですが、伺えなくて残念です。
②（手紙）来月は久しぶりにご上京の由、そのときはぜひご一報ください。
③（手紙）別便で新米をお送りくださる由、家族一同楽しみに待っております。

◎ **普通形**（ナAな・ナAである／Nの・Nである）＋よし

1）手紙などで使う言葉。「とのこと」より、古めかしい硬い言い方。　2）②のように、する動詞の名詞につく場合もある。　**参ということだ〈伝聞〉・とか**

1）Used in letters, etc. Older and more formal expression than とのこと. 2）Also appends to する verb nominals, as in sentence ②. →参

1）书信等文体使用的词句。比「とのこと」更显古老生硬的说法。
2）如例句②，也有的接在する动词的名词之后。→参

1）편지 등에서 사용하는 말이다.「とのこと」보다 예스러운 딱딱한 표현법이다. 2）②처럼 する동사의 명사에 붙는 경우도 있다. →参

よそに　➡をよそに　437

よって　➡によって　319－321

より　➡によって　319－321

より　➡は～より　353

より～のほう【is more/less than／与…相比，…更…／－보다 －쪽이】★4

①デパートの品物よりスーパーの品物の方が安い。
②わたしは海より山の方が好きです。
③わたしは日本酒よりビールの方をよく飲みます。
④この店は、日曜日より月曜日や火曜日の方がお客さんが多いです。
⑤一人で食べるより、みんなといっしょに食べる方が楽しいです。
⑥東京駅に行くときは、バスで行くより電車で行く方が早いです。

◎ Nより ＋Nの＋方

1)「N1 より N2 のほう」の形で二つのもの（N1 と N2）を取り上げて比べ、一方（N2 の方）が程度が上（下）であると言いたいときに使う。否定の形では言わないのが普通である。　◆×りんごよりみかんの方が大きくない。　2）⑤⑥のように、名詞以外につく形もある。

1）In form N1 より N2 のほう compares two things (N1 and N2); N2 has higher or lower degree of some attribute than N1. Not usually used in negative. →◆　2）Also appends to forms other than nouns, as in sentences ⑤ and ⑥.

1）采用「N 1 よりN 2 のほう」的形式，取出两个事物（N 1 与 N2）进行对比，在想要表示其中一方（N 2 一方）程度较高（或较低）时使用本句型。一般不用否定形。→◆　2）如例句⑤⑥，也有的接在除名词之外的其他词之后。

1）「N 1 よりN 2 のほう」의 형태로，두 가지 사항（N 1 과 N 2) 을 예를 들어 비교해서，한쪽（N 2 쪽）이 정도가 높다（낮다）고 말하고자 할 때 사용한다. 부정의 형태로는 사용하지 않는 것이 보통이다. →◆　2）⑤⑥처럼 명사 이외의 품사에 붙는 형태도 있다.

よりほかしかたがない　➡ほかない　357

よりほかない　➡ほかない　357

よる　➡によって　319－321

よると　➡によると　322

よれば　➡によると　322

らしい〈推量〉【seems that／好像～／－인 것 같다/－인 듯 하다】★4

①みんながホールのテレビの前に集まっていますよ。何か事故があったらしいですよ。

②あの子はにんじんがきらいらしいね。いつもにんじんだけ残すよ。

③ヤンさんは今日本にはいないらしいです。メールを送ったけど返事が来ません。

④天気予報では、今日は雨が降るらしいですよ。台風が近づいているらしいです。

⑤野球の試合が終わったらしく、おおぜいの人が野球場から出てきました。

普通形（ナA／N）　＋らしい

1）話す人が見たり聞いたりしたことから、現時点で判断したことを言いたいときに使う。直感でそう思ったのではなく、そのように推測した客観的な根拠が何かある場合に使うことが多い。自分の主観だけで言うときに使うと不自然である。　◆×（わたしの）目の中にごみが入ったらしいです。　2）④のように人から聞いたことを伝える場合にも使う。　3）話す人の意志的な行為の予測には使わない。　4）イ形容詞と同じように活用するが、現在の推量を表す言い方なので普通、過去形や否定形では使わない。

1）Speaker makes judgment based on what was seen or heard at that moment. Often used when there is some objective basis for judgment rather than just intuition. Unnatural to use simply based on speaker's subjectivity. →◆　2）Also used to convey something heard from someone, as in sentence ④.　3）Not used for predicting speaker's volitional actions.　4）Conjugates like イ-adjectives, and since expresses current conjecture, usually not found in past tense or negative.

1）说话人从看到的、听到的事出发而作出的判断，是说话时的判断。多用于并非直观感觉，而是有某种客观依据的推测。如果只是自己主观上的判断，适用本句型则显得有些不自然。→◆　2）如例句④，有时也用来表示传达从别人那里听来的话。　3）不能用来表示对说话人的意志性行为的推测。　4）活用与イ形容词遵循同样的规则，但由于表示的是现在的推测，所以一般不能用于过去形以及否定形。

1）말하는 사람（話者）이 보거나 듣거나 한 것을 통해，현시점에서 판단한 것을 말하고자 할 때 사용한다．직감적으로 그렇게 생각한 것이 아니라，그렇게 추측한 객관적인 근거가 무엇인가 있는 경우에 사용하는 경우가 많다．자신의 주관만으로 말할 때에 사용하면 부자연스럽다．→◆　2）④와 같이 타인에게서 들은 것을 전달하는 경우에도 사용한다．　3）말하는 사람（話者）의 의지적인 행위의 예측에는 사용하지 않는다．　4）イ형용사처럼 활용하지만，현재의 추량을 나타내는 표현이므로 일반적으로 과거형이나 부정형에서는 사용하지 않는다．

らしい〈典型〉【the epitome of／有…特点的／－답다/－다운】☆4

①ケンはいつも元気で、本当に若者らしいです。

②ことしの夏は涼しくて、あまり夏らしくないですね。

③久しぶりに会った明子さんは、ほんとうに母親らしくなって、やさしい声で子どもに話していました。

④このごろ雨らしい雨が降っていません。

⑤子どものときから、わたしは病気らしい病気をしたことがない。

N　＋らしい

1）「そのものの典型的な性質をもっている」と言いたいときの表現。　◆今日は夏らしい日でしたね。（今日は夏のある日）／今日は夏のような日でしたね。（今は夏ではない）　2）④⑤は「らしい」の前後に同じ名詞を置き、その典型的な性質をもつものを表す表現。　3）イ形容詞と同じように活用する。

1）Something has representative essence of something. →◆ 2）In sentences ④ and ⑤, same nouns are written before and after らしい to express representative essence of nouns. 3）Conjugates same way as イ-adjectives.

1）在想要表达"那件事所特有的典型性质"时使用本句型。→◆
2）例句④⑤的「らしい」前后使用同一名词，表示该事物的典型性质。 3）活用与イ形容词遵循同样的规则。

1）「그것이 전형적인 성질을 가지고 있다」라고 말하고자 할 때의 표현이다. →◆ 2）④⑤는「らしい」의 전후에 같은 명사를 두고 그 전형적인 성질을 가진 것을 나타내는 표현이다. 3）イ형용사와 똑같이 활용한다.

られる〈可能〉【can／可能／－할 수 있다】★4

①A：日本語の新聞が読めますか。
　B：いいえ、漢字が多いので読めません。
②A：この荷物を全部一人で持てますか。
　B：むりですね。一人では持てません。
③A：あなたは辛い料理が食べられますか。
　B：ええ、何でも好きです。
④この入り口からは入れません。あちらの入り口からお入りください。
⑤A：あした朝７時にここに来られますか。
　B：ええ、だいじょうぶです。
⑥A：あら、どうしてビールを飲まないんですか。
　B：車で来たので、飲めないんですよ。
⑦そのレポート、全部書けたらわたしにも見せてください。

巻末の活用表参照

1）可能の意味を表す。①～③は技術的、身体的な能力を表す。④～⑥は決まりや状況などで、行為の実現が可能であることを表す。　2）他動詞の場合は「パソコンを使う」→「パソコンが使える」のように、「を」は「が」に変わることが多い。　3）可能動詞になる動詞は、人が意志をもってする動作の動詞だけである。人の意志に関係ない動詞（病気になる・困る・悩む・疲れるなど）は可能動詞にはできない。また、主語が無情物の場合、能力を表す場合には可能動詞を使わない。　◆×電池が切れたから、このおもちゃはもう動けません。　4）⑦のように全部完了したという意味にも使うことがある。　5）「ことができる」とほとんど同じように使うことができるが、「られる」のほうが口語的。

参 ことができる

1) Potential. Sentences ① to ③ reflect technical or physical ability; sentences ④ to ⑥ show possibility through realization of action on account of rules or conditions. 2) Particle を taken by transitive verbs often becomes が, as in パソコンを使う and パソコンが使える. 3) Only verbs that reflect volition can become potential verbs. Verbs that do not indicate human volition, such as 病気になる, 困る, 悩む, or 疲れる, cannot become potentials. When subject is inanimate, potentials indicating ability cannot be used. →◆ 4) Also used to show completion, as in sentence ⑦. 5) Can be used nearly the same way as ことができる, but is more colloquial. →参

1）表示可能。例句①～③表示技术方面、身体方面的能力。例句④～⑥为规定、情况等，表示某种行为能实现。 2）他动词如「パソコンを使う」→「パソコンが使える」，多把「を」变为「が」。3）只有表示人有意识地做某种动作动词才可以变成可能动词。与人的意志无关的动词（病気になる・困る・悩む・疲れる）不能变成可能动词。此外，当主语为无情物时，不能使用可能动词来表示能力。→◆ 4）如例句⑦，也可以用来表示全部结束之意。5）与「ことができる」用法基本相同，但「られる」更口语化。→参

1) 가능의 의미를 나타낸다. ①~③은 기술적, 신체적인 능력을 나타낸다. ④~⑥은 결정이나 상황 등으로, 행위의 실현이 가능한 것을 나타낸다. 2) 타동사의 경우는「パソコンを使う」→「パソコンが使える」와 같이「を」를「が」로 바꾸는 경우가 많다. 3) 가능동사가 되는 동사는 사람이 의지를 가지고 하는 동작의 동사만이 가능하다. 사람의 의지와 관계없는 동사 (病気になる·困る·悩む·疲れる 등) 는 가능동사가 될 수 없다. 또, 주어가 무생물일 경우나 능력을 나타내는 경우에는 가능동사를 사용하지 않는다. →◆ 4) ⑦과 같이 전부 완료했다는 의미에도 사용하는 경우가 있다. 5)「ことができる」와 거의 똑같이 사용할 수 있지만「られる」쪽이 회화체의 표현이다. →参

可能の意味のある自動詞

Intransitive verbs with meaning of possibility
表示“可能”意思的自动词
가능의 의미가 있는 자동사

もともと可能の意味を持つ自動詞を使った可能表現。この自動詞には対応する可能動詞はない。 ◆× このかばんは大きいから本がたくさん入れます。

Potential expressions using intransitive verbs with connotations of possibility. No corresponding potential forms for these transitive verbs. →◆

原本就含有“可能”意思的自动词的可能表现。这类自动词没有与之对应的可能动词。→◆

본래부터 가능의 의미를 내포하고 있는 자동사를 사용한 가능표현. 이런 종류의 자동사에는 대응하는 가능동사가 없다. →◆

・めがねをかければ、小さい字もよく見えます。
・（電話で）もしもし、もしもし、まわりがうるさくて、声がよく聞こえません。
・このかばんは大きいから、本がたくさん入ります。
・故障したんでしょうか。電話がかかりません。

られる〈性能評価〉【can; do／能／－할 수 있다】★3

①このパンは安くておいしいから、よく売れます。

②このペンは字がきれいに書けません。

③この川は魚がたくさん釣れます。となりの村の川はあまり釣れません。

④もっと切れるはさみはありませんか。

巻末の活用表参照

あるものの性能や品質を評価して表す。「ことができる」には、この使い方はない。

Evaluates functionality or quality of something. Pattern ことができる is not interchangeable in these cases.

表示对某物的性能、品质等的评价。「ことができる」没有此种用法。

권말의 활용표 참조

어떤 물건의 성질이나 품질을 평가하여 나타낸다.「ことができる」에는 이 사용법은 존재하지 않는다.

られる〈受け身〉【was; is／被／－되다/－하여지다】★4

①子どものとき母が忙しかったので、わたしは祖母に育てられました。

②けさ、電車の中で後ろの人に押されて、とてもいやだった。

③友だちにパーティーに招待されました。楽しみです。

④うちを出るとき、母に呼びとめられて、用事を頼まれた。

⑤兄は山でけがをして、病院へ連れていかれたらしい。

⑥わたしは借りた本を早く返すようにと図書館から注意されました。

巻末の活用表参照

1）人がほかからある行為を受けるという意味を表す。日本語では、「行為をする人」ではなく、「その行為を受ける人」（わたし、または心理的にわたしに近い人が多い）を主語にして表すことが多い。　2）行為をするのが、人ではない場合（会社・学校・団体など）は、⑥のように助詞は「に」ではなく、ふつう「から」を使う。　3）行為をする人が1人称（わたし）の場合は、ふつう受け身文にはならない。

1）Actions done to subject by others. In Japanese it is not person doing action but person receiving action, or someone psychologically close to that person who often becomes subject. 2）When agent of action is not person (that is, a company, school, group, etc.), pattern takes から rather than に, as in sentence ⑥. 3）When agent of action is in the first person, passive form generally cannot be used.

1）表示人接受了外界施加给自己的某个行为。在日语里，主语大多不是“行为实施者”而是“行为接受者”（我，或在心里上与我接近的人）。 2）实施行为的如果不是人（比如是公司、学校、团体等），如例句⑥，助词一般不使用「に」而是使用「から」。 3）实施行为的人如果是第一人称（我），一般不能使用被动句。

권말의 활용표 참조

1）사람이 다른 것으로부터 어떤 행위를 받는다는 의미를 나타낸다. 일본어에서는「행위를 하는 사람」이 아니라,「그 행위를 받는 사람」（나, 또는 심리적으로 나에게 가까운 사람이 많다）을 주어로 하여 나타내는 경우가 많다. 2）행위를 하는 것이 사람이 아닌 경우（회사、학교、단체 등）는 ⑥처럼 조사는「に」가 아니라 보통「から」를 사용한다. 3）행위를 하는 사람이 1 인칭（나）인 경우는, 일반적으로 수동문으로는 되지 않는다.

られる〈非情の受け身〉【is; will be ／表示无情物的受事／ – 하여지다 /– 되다】★4

①試験は3月15日に行われます。

②この寺の門は朝6時に開けられます。そして夕方6時に閉められます。

③この雑誌は若い人たちによく読まれています。

④東京のアパート代は高いと言われています。

⑤新しい治療法が東西大学の小林教授のグループによって開発された。

◎ 巻末の活用表参照

1）ある行為の対象（もの）を主語にして、社会的な事実や公に知らせる事柄を言う場合に使う受け身文。「持ち主の受け身」、「被害の受け身」のように人を主語にした受け身文と違い、「困った、いやだ」のような感情はなく、事実を客観的に述べる。
2）その行為をする人が特定の人でない場合はふつう、この受け身文の中には表れない。特定の人の場合は⑤のように「～によって」で表す。

1）Passive form used for social events or public announcements; action becomes subject. Unlike possessive and suffering passives, people cannot become subject. Emotions such as feeling put out or disgusted are not implied because sentence objectively describes facts. 2）When agent of action is no one in particular, it does not generally appear in this form of passive. When agent is specified, as in sentence ⑤, によって is used.

1）这种被动句以某个行为的对象（物）为主语，用来表示社会性的事实或让公众知道的事情。与受事被动句、伤害被动句等以人为主语的被动句不同，没有“真让人为难，真讨厌”之类的情感色彩，只是客观的陈述事实。 2）行为的实施人非特定人物，一般不在句中出现。如果行为实施者为特定的人物，则如例句⑤，用「～によって」引导。

권말의 활용표 참조

1）어떤 행위의 대상（물건）을 주어로 하여, 사회적인 사실이나 공개적으로 알리는 사항을 말할 경우에 사용하는 수동문이다.「소유자의 수동, 피해의 수동」처럼 사람을 주어로 한 수동문과는 다른,「곤란하다 · 싫다」처럼 감정이 아닌 사실을 객관적으로 서술한다. 2）그 행위를 하는 사람이 특정인이 아닌 경우는 보통 이 수동문 중에는 나타나지 않는다. 특정인의 경우는 ⑤처럼「～によって」로 나타낸다.

られる〈持ち主の受け身〉

【is; was ／表示属于自己的某一事物主体的受事／ – 를 당하다 /– 를 받다】★4

①わたしは子どもにめがねを壊されて困っています。

②暗い道を歩いていたとき、だれかに肩をたたかれてびっくりしました。

③わたしは先生に作文をほめられてうれしかったです。

④たいせつな洋服を弟に汚されてしまいました。

⑤小さい声で話したのに、ヤンさんに話を聞かれてしまいました。

◎ 巻末の活用表参照

1）自分の体の一部、所有物、かかわりのあるものが、ある人の行為を受けた場合の言い方。被害を受けたり、迷惑だと感じたりした場合がほとんどで、その部分ではなく、その行為を迷惑と感じた人（わたし、または心理的にわたしに近い人が多い）を主語にして表す。 ◆×わたしの背中は後ろの人に押されました。 2）行為をする人が1人称（わたし）の場合は、ふつう、この受け身文にはならない。

1）Part of speaker's body, possessions, or surroundings are affected by others' actions. Mainly indicates subject or someone psychologically close to subject, rather than some part of subject, was hurt or felt distress. →◆ 2）When agent of action is in the first person, this type of passive is usually not used.

1）在自己身体的一部分、自己的从属物品、与自己相关的东西等受到了某个人的行为的影响时，使用本句型。大多数情况都是受到伤害、令人烦恼，不以那一部分，而是以对该行为感到烦恼的人（我，或心理上非常靠近我的人）作主语。→◆ 2）实施行为的人如果是第一人称（我）的话，一般不能使用此种被动句形式。

권말의 활용표 참조

1）자신의 몸의 일부 , 소유물 , 관계가 있는 물건이 어떤 사람의 행위를 받은 경우의 표현법이다 . 피해를 받거나 귀찮다고 느끼거나 하는 경우가 대부분으로 , 그 부분이 아니라 그 행위자체를 귀찮다고 느낀 사람 (나 또는 심리적으로 나에게 가까운 사람이 많다) 을 주어로 하여 나타낸다 . →◆ 2）행위를 하는 사람이 1 인칭 (나) 인 경우는 일반적으로 수동문으로는 되지 않는다 .

られる〈被害の受け身〉【adversely affected by／表示受害被动／－당하다】★4

①きのう、となりの人に夜遅くまでさわが<u>れて</u>、うるさくて眠れませんでした。

②A：どうしたんですか。何かあったんですか。

　B：旅行の間にどろぼうに入ら<u>れて</u>、お金を盗まれたんです。

③かわいがっていたねこに死な<u>れて</u>、とてもさびしかった。

④すぐとなりに10階のマンションを建て<u>られて</u>、わたしの部屋から富士山が見えなくなりました。

⑤会議の間、となりの人にたばこを吸わ<u>れて</u>、気分が悪くなりました。

⑥病院では夜遅くまで起きていることはできません。9時に電気を消さ<u>れて</u>しまいます。

巻末の活用表参照

自分が直接行為を受けるのではないが、あるできごとや、人がしたことによって被害を受けたり、そのことを迷惑だと感じたりしたとき、被害や迷惑を受けた人（わたし、または心理的にわたしに近い人が多い）を主語にして表す言い方。①～③のように自動詞でも、④～⑥のように他動詞でも使える。

Speaker isn't directly affected by action, but is adversely affected by some action or agent and feels distressed by it. Subject becomes person who suffered damage or distress (often speaker or someone psychologically close to speaker). Verbs can be intransitive, as in sentences ① to ③, or transitive, as in sentences ④ to ⑥.

虽然不是自己直接受到某行为的影响，但由于某事或别人做的事而受到了损害，以及感到烦扰时，以受到损害、感到烦扰的人（我，或心理上非常靠近我的人）为主语的表达方式。可以如例句①～③，使用自动词，也可以如例句④～⑥，使用他动词。

권말의 활용표 참조

자신이 직접 행위를 받는 것이 아니라, 어떤 일이나 타인이 한 일에 의해 피해를 받거나 그 일을 귀찮다고 느꼈을 때, 피해나 성가심을 받은 사람 (나, 또는 심리적으로 나에게 가까운 사람이 많다) 을 주어로 하여 나타내는 표현법이다. ①~③처럼 자동사에서도, ④~⑥처럼 타동사에서도 사용할 수 있다.

られる〈尊敬〉【social superior does action／表示尊重／－하시다】★4

①先生、どこで電車を降り<u>られますか</u>。

②部長、今日はミーティングでおもしろいことを話さ<u>れましたね</u>。

③田中さんのお父さんは毎朝、散歩さ<u>れる</u>そうです。

◎ 巻末の活用表参照

1）相手や第三者に尊敬の気持ちを表すときに使う。　2）形は受け身の形と同じ。

3）「られる」より「お～になる」のほうが敬意の程度が高い。

1）Expresses respect toward other party or someone in the third person.　2）Same form as passive.　3）Pattern お～になる indicates higher level of respect than られる.

1）用于表达对对方或第三者的尊敬。　2）形式与被动句相同。
3）「お～になる」比「られる」的敬意程度更深。

권말의 활용표 참조
1）상대나 제３자에게 존경의 기분을 나타낼 때에 사용한다.
2）형태는 수동의 형태와 같다.　3）「られる」보다「お～になる」쪽이 존경의 정도가 높다.

られる〈自発〉【is thought, felt, etc.／表示自然发生／－되다/－나다】★3

①今年の夏は野菜が高くなると思われます。

②この町に来ると、子どものころのことがよく思い出されます。

③彼女の手紙を読むと、彼女のやさしい気持ちが感じられる。

◎ 巻末の活用表参照

自然に心がそう動くという自発の意味を表す言い方。心の動きを表す動詞（思う・感じる・考える、など）を受け身と同じ形にして使う。

Emotions naturally tend toward some direction. Verbs that express emotions, such as 思う, 感じる, 考える, etc. are used in same form as passives.

表示“内心自然而然的那么想”这一自发行为的说法。把表示心理活动的动词（思う・感じる・考える 等）变成被动句的形式来使用。

자연스럽게 마음이 그렇게 움직인다는 자발의 의미를 나타내는 표현법이다. 마음의 움직임을 나타내는 동사（思う・感じる・考える 등）를 수동형과 같은 형태로 하여 사용한다.

わけがない【当然～ない can't possibly／当然不～／－할 리가 없다/－될 수가 없다/－할 까닭이 없다】★3

①まだ習っていない問題を試験に出されても、できるわけがない。

②こんな漢字の多い本をあの子が読むわけはない。彼はまんがしか読まないんだから。

③こんなに低温の夏なんだから、秋にとれる米がおいしいわけがない。

④A：後藤さんは暇かな。明日の会に誘ってみようか。

　B：後藤さん？　彼女は今結婚式の準備で忙しいよ。暇なわけないよ。

⑤けさ、電車の中で前田さんによく似た人を見かけたんです。でも、あの方は今上海にいるんだから、前田さんのわけがありませんよね。

普通形（ナAな・ナAである／Nの・Nである） ＋ わけがない

1）ある事実をもとに、そのことが成立する理由・可能性がないと強く言うときに使う。話す人の主張や主観的な判断を表す。 2）④のように、話し言葉では「わけない」も使う。 3）⑤の「Nのわけがない」は、口語では「Nなわけがない」になることもある。 4）「はずがない」に置き換えられる。 参はずがない

1）No reason or possibility for something to occur based on certain facts. Speaker's assertion or subjective judgment. 2）In spoken language becomes わけない, as in sentence ④. 3）N のわけがない in sentence ⑤ can become N なわけがない in colloquial. 4）Interchangeable with はずがない. →参

1）以某个事实为基础，说明一件事没有成立的理由以及可能性。在想要强调这一点的时候使用本句型。表达说话人的主张或主观判断。 2）如例句④，在口语中也使用「わけない」。 3）例句⑤的「Nのわけがない」在口语中有时也会变为「Nなわけがない」。 4）可以与「はずがない」替换使用。 →参

1）어떤 사실을 근거로 그 일이 성립하는 이유，가능성이 없다고 강하게 말할 때 사용한다．말하는 사람（話者）의 주장이나 주관적인 판단을 나타낸다． 2）④처럼 회화체에서는「わけない」도 사용한다． 3）⑤의「Nのわけがない」는 회화체에서는「Nなわけがない」로 되는 경우도 있다． 4）「はずがない」로 바꿀 수 있다． →参

わけだ【～のだ it's the case that／应该～／－게 된다/－한 것이다/－뿐이다】★3

①30ページの宿題だから、1日に3ページずつやれば10日で終わるわけです。

②夜型の人間が増えてきたために、コンビニエンス・ストアがこれほど広がったわけです。

③このスケジュール表を見ると、東京に帰ってくるのは水曜日の午前中のわけだ。

④彼に頼まれなかったから、わたしはその仕事をやらなかったわけで、頼んでくればいつでもやってあげるつもりだ。

普通形（ナAな・ナAである／Nの・Nである） ＋ わけだ

1）ある事実や状況から、「当然～の結論になる」と言いたいときに使う。「こういう事実があるから」とか「こういう状況だから」と、前に理由表現が来ることが多い。 2）③の「Nのわけだ」は口語では「Nなわけだ」になることもある。

1）Conclusion is natural given facts or circumstances. Clauses indicating precursor conditions or reasons usually precede わけだ. 2）N のわけだ can become N なわけだ in colloquial, as in sentence ③.

1）从某种事实、情况看来“理所当然得到～的结论”之意。前面多出现表示理由的句子，如「こういう事実があるから（由于有这样的事实）」「こういう状況だから（由于是这样的情况）」等。 2）例句③的「Nのわけだ」在口语中有时变为「Nなわけだ」。

1）어떤 사실이나 상황으로부터「당연히 ～의 결론이 되다」라고 말하고자 할 때 사용한다．「이런 사실이 있으므로」라든가「이런 상황이기 때문에」라고，앞에 이유표현이 오는 경우가 많다． 2）③의 예문에서，「Nのわけだ」는 회화체에서는「Nなわけだ」가 되는 경우도 있다．

わけではない【全部が～とは言えない／必ず～とは言えない not necessarily; not always ／未必～／－했던 것은 아니다／꼭 - 인 것만은 아니다】★3

①わたしは学生時代に勉強ばかりしていたわけではない。よく旅行もした。

②自動車立国だからといって、日本人がみんな車を持っているわけではない。

③会社をやめたいという、あなたの今の気持ちもわからないわけではありません。しかし、将来のことをよく考えて……。

④熱があるわけではないが、なんとなく体が疲れた感じがする。

⑤今日の会には特に行きたいわけではないんだけど、頼まれたから出席するんです。

普通形（ナＡな・ナＡである／Ｎの・Ｎである）＋ わけではない

1）「～わけではない」の形で、「～」の事柄を部分的に否定するときに使う言い方。②のように「からといって」とともに使うことが多い。③の「～ないわけではない」は部分的に肯定する言い方。④⑤のように「特に～のではないが」と説明するときにも使う。　2）「Ｎのわけではない」は、口語では「Ｎなわけではない」になることもある。

1）Negates part of what precedes わけではない. Often used with からといって (just because), as in sentence ②. Pattern ないわけではない in sentence ③ shows partial affirmation. Can be used to say that something isn't particularly true, as in sentences ④ and ⑤.　2）Pattern N のわけではない can become N なわけではない in colloquial.

1）采用「～わけではない」的形式，部分否定「～」处的情况时使用的句型。如例句②，多与「からといって」一起使用。例句③的「～ないわけではない」为部分肯定的表达方式。如例句④⑤，用来说明“并不是～”。　2）「Ｎのわけではない」在口语中有时会变为「Ｎなわけではない」

1）「～わけではない」의 형태로「～」의 내용을 부분적으로 부정할 때에 사용하는 표현법이다. ②처럼「からといって」와 함께 사용하는 경우가 많다. ③의「～ないわけではない」는 부분적으로 긍정하는 표현법이다. ④⑤처럼「特に～のではないが」라고 설명할 때에도 사용한다.　2）「Ｎのわけではない」는 회화체에서는「Ｎなわけではない」가 되는 경우도 있다.

わけにはいかない【～できない can't ／不能～／－할 수 없다】★3

①あしたは試験があるから、今日は遊んでいるわけにはいかない。

②これは亡くなった友人がくれた大切なもので、あげるわけにはいかないんです。

③資源問題が深刻になってきて、企業もこれを無視するわけにはいかなくなった。

Ｖる ＋ わけにはいかない

「したい気持ちはあるが、社会的な通念や常識から考えて、また、心理的な理由があってできない」と言いたいときに使う。

Someone wants to do something but cannot because of social conventions, common sense, or for psychological reasons.

在想要表达“心情上是非常想那样做的，但是考虑到社会上的常识、理念，或者有某种心理上的原因，所以不能去做”之意时使用本句型。

「그렇게 하고 싶은 기분은 있지만，사회적인 통념이나 상식으로 생각할 때 또는，심리적인 이유 때문에 그렇게 할 수 없다」고 말하고자 할 때 사용한다．

わけはない ➡わけがない 416

わたった ➡にわたって 323

わたって ➡にわたって 323

わたり ➡にわたって 323

わたる ➡にわたって 323

わりに(は)【～こととは不釣り合いに considering／与～不符／－에 비해서（는）/－보다（는）】★3

①わたしの母は、年を取っているわりには新しいことに意欲的です。
②きのうの講演会は、思ったわりには人が集まらなかった。
③このくつは値段が高いわりによく売れる。
④彼女は年齢のわりには若く見えます。

◎ **普通形**（ナAな・ナAである／Nの・Nである）＋わりに（は）

1）「～わりに（は）」の形で「～のことから考えて当然であると思われる程度に合っていない」と言いたいときに使う。　2）「にしては」と意味・用法がよく似ているが、「わりに（は）」は不釣り合いであることを問題にしていることが特徴的。「わりに（は）」の前後には程度を表す表現が来ることが多い。

1）Something is inappropriate considering what would be natural degree. 2）Similar in meaning and usage to にしては, but わりに（は）is unique in that it poses problem of inappropriateness. Often words describing degree precede and follow わりに（は）.

1）采用「～わりに（は）」的形式，用来表达“从～上考虑的话应该达到某种程度，但事实却与其不符”之意。　2）与「にしては」意义、用法非常相似，但与之相比，「わりに（は）」的特征是前后的不相称、不均衡。「わりに（は）」的前后多使用表示程度的词句。

1）「～わりに（は）」의 형태로「～한 것으로부터 생각해 볼 때 당연하다고 생각되는 정도에 맞지 않는」이라고 말하고자 할 때 사용한다．　2）「にしては」와 의미，용법이 비슷하지만，「わりに（は）」는 어울리지 않는 일을 문제로 하고 있는 것이 특징이다．「わりに（は）」의 전후에는 정도를 나타내는 표현이 오는 경우가 많다．

をおいて【～以外に nothing/no one besides ／除了～之外／ − 를 제외하고 /− 가 아니면】★1

①この仕事をやれる人はあなたをおいてほかにいないと思います。
②こんないやなことを引き受ける人は彼をおいてだれもいない。
③海洋学を勉強するなら、入るべき大学はあの大学をおいてほかにない。

N ＋をおいて

「～をおいてない（いない）」の形で、「～以外ほかにない（いない）」と言いたいときに使う。「それと比較できるものはほかにない」と高く評価するときに使うことが多い。

In form …をおいてない (いない), means there is nothing or no one else. Often used to give high assessment by stressing there is nothing comparable.

采用「～をおいてない(いない)」的形式，用来表达“除～之外没有别的”之意。多表示“没有与之相比较的事物”等非常高的评价。

「～をおいてない(いない)」의 형태로「～이외에 따로 없다」라고 말하고자 할 때 사용한다.「그것과 비교할 수 있는 것은 따로 없다」라고 높이 평가할 때에 사용하는 경우가 많다.

をかぎりに【～を最後として the last time ／以～为限／ − 을 끝으로 / − 부터】★1

①今日を限りに禁煙することにしました。
②今回の取引を限りに、今後A社とはいっさい取引しない。
③今年度を限りに土曜日の業務は行わないことになりました。

N ＋を限りに

今まで続いていたことが今後はもう続かなくなるということを言うときに、その最後の期限を表す。

Final time period when something that has continued until now will no longer happen.

表示在此之前一直在持续的事从此以后不会再继续下去了之意，表示其最后的期限。

지금까지 계속되고 있던 것이 앞으로는 더 이상 계속되지 않게 됨을 말할 때 그 최종기한을 나타낸다.

をかわきりに(して)

【～から始まって make the beginning ／以～为开端／ − 을 시작으로 (해서)/− 을 기점으로 (해서)】★1

①わたしたちは大阪の出演を皮切りに、各地で公演をすることになっている。
②彼の発言を皮切りにして、大勢の人が次々に意見を言った。
③この作品を皮切りとして、彼女はその後、多くの小説を発表した。

◎N ＋を皮切りに（して）

「～から始まって、その後次々に」と言いたいときに使う。その後に続く行為の契機になる一番初めの行為を表す。

Subject will begin at some point, then continue same kind of activity. Describes first action that becomes impetus for those that follow.

在想要表达“从～开始，之后陆续地”之意时使用本句型。表示成为后续行为发生的契机的最初行为。

「～에서 시작하여，그 후 차례차례로」라고 말하고자 할 때 사용한다．그 후에 계속되는 행위의 계기가 되는 가장 최초의 행위를 나타낸다．

をきっかけに(して)【～が行動の発端や動機になって use the opportunity of／以～为契机／－을 계기로（해서）】★3

①春のハイキングをきっかけに、わたしは山登りに興味を持つようになった。

②今日の料理番組をきっかけにして、母が昔よく作った料理を思い出した。

③ある日本人と友達になったことがきっかけで、日本留学を考えるようになった。

◎N ＋をきっかけに（して）

1）ある新たな行動を起こした発端や動機を言うときの表現。③のように「がきっかけで」の形もある。　2）「をけいきに（して）」と意味･用法がよく似ているが、「をきっかけに（して）」の後の文は特にプラス的な行動でなくてもいい。参をけいきに（して）

1）Outset or motive causes new action. Also found in: がきっかけで, as in sentence ③.　2）Pattern をけいきに（して）is similar in usage and meaning, but clauses following をきっかけに（して）do not necessarily have to be positive actions. →参

1）表示某个新的行动的开端或动机。如例句③，也有「がきっかけで」的形式。　2）与「をけいきに（して）」的意义、用法非常相似，但「をきっかけに（して）」的后半句并不一定非得是表示正面意义的行为。→参

1）어떤 새로운 행위를 일으킨 발단이나 동기를 말할 때의 표현이다．③과 같이「がきっかけで」의 형태도 있다．　2）「をけいきに(して)」와 의미，용법이 매우 비슷하지만，「をきっかけに(して)」의 뒤에 오는 문장은 특히 플러스적인 행동이 아니더라도 괜찮다．→参

をきんじえない【～を抑えることができない can't help but／禁不住～／－를 참을 수 없다】★1

①兄の建てたばかりの家が地震で壊れてしまった。同情を禁じ得ない。

②今回の県知事の不正行為は、税金を納めている県民として怒りを禁じ得ない。

③戦争で子どもを亡くした彼女の話を聞いて、小林氏は涙を禁じ得なかったそうだ。

◎ N ＋を禁じ得ない

1）ものごとの様子や事情を見て、心の中から自然にそのような気持ちが起こってきて意志の力では「抑えることができない」と言いたいときに使う。「同情・怒り・笑い」などの言葉につく。　2）硬い言葉で、日常会話ではあまり使わない。　3）3人称に使うときは③のように文末に「そうだ・ようだ」をつける必要がある。

1）Feelings naturally arise after seeing some situation, or condition, and cannot be suppressed through volitional power. Appends to words such as 同情 (sympathy), 怒り (anger), 笑い (laughter), etc.　2）Formal; not often used in daily conversation.　3）When using in third person is necessary for sentence endings to take そうだ or ようだ, as in sentence ③.

1）看到事物的样子、情况，心中自然而然产生的一种情绪，这种情绪用意志力"压抑不住"之意。接在「同情（同情)、怒り（生气)、笑い（笑)」"等词语之后。　2）语气较为生硬，在日常会话中基本不使用。3）用于第三人称时，如例句③，需要在句末加上「そうだ・ようだ」等。

1）사물의 상황이나 사정을 보고，마음속에서 자연스럽게 그러한 기분이 생겨서 의지적인 힘으로는「억제할 수가 없다」고 말하고자 할 때 사용한다.「同情（동정)・怒り（분노)・笑い（웃음)」등의 말에 붙는다.　2）딱딱한 말로써，일상회화에서는 그다지 사용하지 않는다.　3）3인칭에 사용할 때에는 ③과 같이 문말에「そうだ・ようだ」를 접속할 필요가 있다.

をください【please／请给我～／－을（를）주세요（주십시오）】★5

①（レストランで）すみませんが、ソースをください。
②すみません、そのメモ用紙を１枚ください。
③（郵便局で）80円の切手を５枚ください。それから、はがきも３枚ください。
④夜、うちに電話をください。

◎ Nを ＋ください

相手から何かをもらいたいと頼むときの言い方。

Requests other party give or do something.

在想要从对方那里得到什么东西而向对方提出时使用本句型。

상대에게서 무엇인가를 받고 싶다고 부탁할 때의 표현법이다.

をくださいませんか
【won't you give…?／请问能给我～吗／－을（를）주세요/－을（를）주시지 않겠습니까?】★5

①きれいな絵はがきですね。１まいくださいませんか。
②荷物がたくさんあるので、紙ぶくろを二つくださいませんか。
③すみませんが、今月中にお返事をくださいませんか。

◎ Nを　＋くださいませんか

「をください」より丁寧な依頼や指示の言い方。

More polite request or directive than をください.

比「をください」更为礼貌、客气的请求、指示等义的表达方式。

「をください」보다 정중한 의뢰나 지시의 표현법이다.

をけいきに(して)【～をちょうどいい機会だと考えて use the opportunity of／以～为契机／－을（를）계기로（해서）】★2

①この災害を契機にして、わが家でも防災対策を強化することにした。
②転居を契機に、わたしも今までの仕事をやめて自分の店を持つ決心をした。
③今度の病気、入院を契機として、今後は定期検診をきちんと受けようと思った。

◎ N　＋を契機に（して）

1)「それをいい機会だと考え、それを新たな行動の発端にして」と言いたいときに使う。後にはプラスの意味の文が来ることが多い。　2) 意味、用法は「をきっかけに（して）」とほとんど同じだが、「をけいきにして」はできごとや行為を表す名詞につながることが特徴的である。

参をきっかけに（して）

1) Something is good opportunity with which to begin new action. Often clauses with positive meanings follow.　2) Nearly same meaning and usage as をきっかけに（して）, but をけいきにして has characteristic of appending to nouns indicating events or actions. →参

1) 要表达"觉得这是一个好机会，要以此为开端，进行一个新的行动"之意时使用的句型。后面多使用表示正面意义的句子。
2) 意义、用法与「をきっかけに（して）」大致相同，但「をけいきにして」的特征是要接在表示事件或行为的名词之后。 →参

1)「그것을 좋은 기회라고 생각하여, 그것을 새로운 행동의 발단으로 하여」라고 말하고자 할 때에 사용한다. 뒤에는 플러스적인 의미의 문장이 오는 경우가 많다.　2) 의미, 용법은「をきっかけに（して）」와 대부분 같지만,「をけいきにして」는 사건이나 행위를 나타내는 명사에 이어지는 것이 특징이다. →参

をこめて【～を入れて／とともに with／带着～／－을 다해서 /－를 바쳐서 /－을 담아서】★3

①先生、ありがとうございました。わたしたちの感謝を込めてこの文集を作りました。
②昔の子どもたちは遠足の前の日などに「あした、天気になりますように」と願いを込めて「てるてる坊主」という小さい人形を作って、窓の外につるした。
③あなたに、愛を込めてこの指輪を贈ります。

◎N　＋を込めて

「愛、願いなどの気持ちをあるものに入れて」という意味で使う。ほかに「心をこめて・祈りをこめて・思いをこめて・恨みをこめて・力をこめて」などがよく使われる。

Put love, hopes, or other feelings into something. Also often used in 心をこめて, 祈りをこめて, 思いをこめて, 恨みをこめて, or 力をこめて (with strength).

“将爱、愿望等心情贯注语某个事物之中”之意。此外还有「心をこめて・祈りをこめて・思いをこめて・恨みをこめて・力をこめて」等也常用。

「사랑, 염원 등의 마음을 어떤 것에 다짐하여」라는 의미로 사용한다. 그 외의 예로「心をこめて·祈りをこめて·思いをこめて·恨みをこめて·力をこめて」등이 자주 사용된다.

をしている【has／表示呈现出一种状态／－를 가지고 있다/－해지다】★4

①リーさんはきれいな声をしています。

②A：少し赤い顔をしていますよ。お酒を飲んだんでしょう。

　B：あ、わかりましたか。

③この花、ほんとうにいい色をしていますね。

④あの三角形をしたビルは何ですか。

⑤母：あら、汚い手してるね。どうしたの。

　子：公園で砂遊びをしたんだよ。

◎N　＋をしている

1）目で見える色・形・様子などを言いたいときに使う。名詞の説明をするときは、④のように、「N 1をしているN 2」を「N 1をしたN 2」で置き換えることができる。　2）ふつう、話す人自身のことではなく、話す人が見た様子を言うときに使う。　◆×わたしは長い髪をしています。　3）くだけた会話では⑤のように「をしている」が「(を) してる」になる。

1) Describes visible colors, shapes, or appearances. When explaining nouns, as in sentence ④, N1 をしている N2 is interchangeable with N1 をした N2. 2) Usually used to describe appearance speaker sees, rather than speaker himself. → ◆ 3) In informal speech, をしている becomes (を) してる, as in sentence ⑤.

1）在想要描述眼睛看得到的颜色、形状、样子等时使用本句型。说明名词时，如例句④，可以用「N 1をしたN 2」把「N 1をしているN 2」替换掉。　2）一般描述的不是说话人自身的事，而是说话人看到的事。→◆　3）在较为通俗的对话文中，「をしている」变为「(を) してる」。

1）눈으로 볼 수 있는 색깔, 형태, 상황 등을 말하고자 할 때 사용한다. 명사를 설명할 때는 ④와 같이「N 1をしているN 2」를「N 1をしたN 2」로 바꿀 수 있다.　2）보통 말하는 사람 (話者) 자신의 일이 아니라 말하는 사람 (話者) 이 보았던 상황을 말할 때 사용한다. →◆　3）허물없는 사이의 대화에서는 ⑤처럼「をしている」가「(を) してる」로 된다.

をちゅうしんとして【centering around／以～为中心／－를 중심으로/－를 끼고】★3

①実行委員長の秋山君を中心として、文化祭の係は心を一つに準備をしています。
②今度の台風の被害は東京を中心に関東地方全域に広がった。
③この研究会では公害問題を中心としたさまざまな問題を話し合いたいと思う。
④石井さんを中心とする新しい委員会ができた。

◎N ＋を中心として

１）できごと、行為の中心が何であるかを言いたいときの表現。②のように「を中心に(して)」という形もある。　２）後に名詞が来るときは③④のように、「を中心としたN・を中心とするN」という形になる。

1）Center of event or action. Also found in: を中心に（して）, as in sentence ②. 2）When followed by a noun, as in sentences ③ and ④, becomes を中心とした N, を中心とする N.

1）在想要表达事件、行为的中心为何物时使用本句型。如例句②，也有「を中心に（して）」的形式。　2）后面出现名词时如例句③④，变为「を中心としたN・を中心とするN」的形式。

1）일，행위의 중심이 무엇인지를 말하고자 할 때의 표현이다. ②와 같이「を中心に(して)」라는 형태도 있다. 2）뒤에 명사가 올 때는 ③④처럼,「を中心としたN・を中心とするN」라는 형태로 된다.

をちゅうしんとする ➡をちゅうしんとして　425

をちゅうしんに ➡をちゅうしんとして　425

をちゅうしんにする ➡をちゅうしんとして　425

をつうじて〈継続期間〉【～の間ずっと throughout／在～期间／－동안/－내내】★3

①この地方は１年を通じてほとんど同じような天候です。
②この公園には四季を通じていろいろな花が咲きます。
③人類の歴史を通じて、地球のどこかでつねに戦争が行われてきた。

◎N ＋を通じて

「～を通じて」の形で「～の間ずっと同じ状態だ」と言いたいときに使う。「をとおして」と意味・用法がほとんど同じ。

参 **をとおして〈継続期間〉**

Continuous state throughout a time period. Usage is nearly same as for をとおして. →参

采用「～を通じて」的形式，用来表达“～期间一直保持同一状态”之意。与「をとおして」的意义、用法基本相同。 →参

「～을 通じて」의 형태로「～동안 계속 같은 상태다」라고 말하고자 할 때 사용한다.「をとおして」와 의미，용법이 대부분 같다. →参

をつうじて〈手段・媒介〉【～を手段として／～を媒介として through／通过～／－를 통해서】★3

①わたしはそのことをテレビのニュースを通じて知りました。
②彼とは共通の友人を通じて知り合った。
③このような民間レベルの国際交流を通じて、両国間の理解が少しずつでも進んでいくことを願っています。

N ＋を通じて

1）何かが成立するときや何かをするときの媒介や手段となる人や事柄を表す。
2）「をつうじて」と「をとおして」は同じように使える場合が多いが、「をつうじて」は何かが成立するときの媒介、手段としてとらえ、「をとおして」はそれを間に立てて何かをする、という積極的な意味で使われることが多い。参をとおして〈手段・媒介〉

1）Person who acts as intermediary, or something that serves as means to cause some event to happen. 2）Often patterns をつうじて and をとおして can be used same way, but をつうじて is understood as intermediary or means when something occurs; をとおして often has proactive meaning of acting as intermediary for doing something. →参

1）某件事成立之时，或做某件事之时，有人或事成为其实现的媒介、手段，本句型就是用来表示这样的人或事的。 2）「をつうじて」大多数场合下可以和「をとおして」互换使用，但「をつうじて」强调的是某件事成立之时的媒介、手段，而「をとおして」则强调通过某个媒介做某事，多用来表示积极意义的事物。 →参

1）무엇인가가 성립할 때나 무엇인가를 할 때의 매개나 수단이 되는 사람，내용을 나타낸다. 2）「をつうじて」와「をとおして」는 같이 사용되는 경우가 많지만，「をつうじて」는 무엇인가가 성립할 때의 매개，수단으로써 취급하고，「をとおして」는 그것을 사이에 내세워서 무엇인가를 한다는 적극적인 의미로 사용되는 경우가 많다. →参

をとおして〈継続期間〉【～の間ずっと throughout／在～期间内一直…／－를 통 털어서／－내내】★3

①１年を通して彼は欠席、遅刻をしないでがんばった。
②山田さんはこの会社にいた10年間を通していつも意欲的だった。
③母は３か月の入院期間を通して１度も不満を言わなかった。

◎ N ＋を通して

「〜を通して」の形で「〜の間ずっと同じ状態だ」と言いたいときに使う。「をつうじて」と同じ意味だが、「をとおして」の後には積極的、意志的なことを表す文が来ることが多い。

参をつうじて〈継続期間〉

Continuous state throughout a time period. Same meaning as をつうじて, but often clause following をとおして describes something proactive or intentional. →参

采用「〜を通して」的形式，用来表示“在〜的期间内一直保持同一个状态”之意。与「をつうじて」意义相同，但「をとおして」后面多使用表示积极意义的、意志性的句子。 →参

「〜を通して」의 형태로「〜동안 계속 같은 상태다」라고 말하고자 할 때 사용한다.「をつうじて」와 같은 의미지만,「をとおして」의 뒤에는 적극적, 의지적인 일을 나타내는 문장이 오는 경우가 많다. →参

をとおして〈手段・媒介〉【〜を手段として／〜を媒介として through／通过〜／－를 통해서/－에게】★3

①社長に会うときは、秘書を通してアポイントメントを取ってください。
②田中さんを通しての就職の話は残念ながらうまくいかなかった。
③業務に関するお問い合わせは、事務所を通して行ってください。

◎ N ＋を通して

1）「ある人や事柄を媒介として、何かを行う」と言いたいときに使う。　2）「をつうじて」と「をとおして」は同じように使える場合が多いが、「をつうじて」は何かが成立するときの媒介、手段としてとらえ、「をとおして」はそれを間に立てて何かをする、という積極的な意味で使われることが多い。

参をつうじて〈手段・媒介〉

1）Person or thing is used as intermediary to cause something to happen.　2）Often can be used same way as をつうじて, but をつうじて means something is taken to be inter-mediary or means for some development; をとおして often has proactive meaning of acting as intermediary for doing something. →参

1）用来表示“以某个人或某件事为媒介，做什么事”。　2）「をつうじて」大多数场合下和「をとおして」的用法相同，「をつうじて」强调某件事成立的媒介、手段，而「をとおして」则强调通过某个媒介做某事，多用来表示积极意义的事物。 →参

1）「어떤 사람이나 사항을 매개로 하여, 무엇인가를 행한다」고 말하고자 할 때 사용한다.　2）「をつうじて」와「をとおして」는 같이 사용되는 경우가 많지만,「をつうじて」는 무엇인가가 성립할 때의 매개, 수단으로써 취급하며,「をとおして」는 그것을 사이에 내세워서 무엇인가를 한다는 적극적인 의미로 사용되는 경우가 많다. →参

を〜として 【〜は〜であると考えて deem; consider ／把一当作…／－을 －로써 /－을 －로 해서】★3

①卒業を1つの区切りとして、これからは自立しなければならない。

②この大会に参加できるのは社会奉仕を目的とする団体だけです。

③ビルの建設は安全を第一条件とし、慎重に工事を進めてください。

④今年の文化祭は「地球の未来」をテーマにして、準備が進められています。

N ＋を ＋Nとして

1）「N１をN２として」という形で、「N１はN２であると考えて行動する」ということを言いたいときの表現。④のように「N１をN２にして」という形もある。
2）後に名詞が来る場合は、②のように「を〜とするN」という形になる。

1）Think and behave as if N1 is N2. Also found in form N1 を N2 に し て, as in sentence ④. 2）When followed by noun, becomes を〜とする N, as in sentence ②.

1）采用「N１をN２として」的形式，用来表示“认为N１是N２而采取行动”。也有如例句④,采用「N１をN２にして」的形式。
2）后面出现名词时，如例句②，变为「を〜とするN」的形式。

1）「N１をN２として」라는 형태로「N１은 N２라 생각하고 행동한다」라는 것을 말하고자 할 때의 표현이다．④처럼「N１をN２にして」란 형태도 있다． 2）뒤에 명사가 오는 경우는，②처럼「を〜とするN」이라는 형태로 된다．

を〜とする ➡を〜として 428

をとわず 【〜に関係なく irrespective of ／不管〜／－하지 않고 /－를 불문하고】★2

①この辺りは若者に人気がある町で、昼夜を問わずいつもにぎわっている。

②「オール・ウエザー・コート」というのは、天候を問わず使える運動場のことだ。

③近年、文化財保護の問題は、国の内外を問わず大きな関心を呼んでいる。

④この会には年齢、性別は問わず、いろいろな人を集めたいのです。

N ＋を問わず

1）「前に来る事柄がどうであっても、またどちらであっても、後のことが成立する」という意味。 2）「昼夜・降る降らない」など対立の関係にある言葉に続くことが多い。
3）「にかかわらず・にかかわりなく」と意味・用法が大体同じ。

参 にかかわらず・にかかわりなく

1）Regardless of how something was or what came before, what follows will occur. 2）Often appends to antonyms such as night and day, or rain or not rain. 3）Patterns にかかわらず and にかかわりなく have nearly same meaning and usage. →参

1）“前面出现的事不管怎样，或者不管是任何一方，后面的事都会成立”之意。 2）多接在「昼夜・降る降らない」等表示对立关系的词句之后。 3）与「にかかわらず・にかかわりなく」的意义、用法大致相同。 →参

1）「앞에 오는 내용이 어떠하더라도，또 어느 쪽이더라도，뒤의 일이 성립한다」라는 의미다． 2）「昼夜・降る降らない」등 대립의 관계에 있는 말에 이어지는 경우가 많다． 3）「にかかわらず・にかかわりなく」와 의미、용법이 대체로 동일하다． →参

を～にして ➡を～として 428

をぬきにして【～を入れないで omit／不考虑～／－을 빼고/－을 제쳐두고】★2

①交通機関の問題は乗客の安全を抜きにして論じることはできない。

②今日は硬い話を抜きにして、気楽に楽しく飲みましょう。

③政治の問題は抜きにして、とにかく集まろうということだった。

④冗談は抜きにして、もっとまじめに考えてください。

◎ N ＋を抜きにして

「普通は含まれるもの、当然あるものを加えずに」と言いたいときの表現。③④のように「はぬきにして」という形もある。

Something that should be included as a matter of course was omitted. Also takes form はぬきにして, as in sentences ③ and ④.

用来表示“把一般都会包含的事物、理所当然会有的事物排除在外”之意。如例句③④，也有「はぬきにして」的形式。

「상식적으로 당연히 포함되는 것，당연히 있어야 할 것을 빼고」라고 말하고자 할 때의 표현방법이다．③④처럼「はぬきにして」의 형태도 있다．

をぬきにしては【～を考えに入れずには without／如不把～考虑在内／－을 빼고는/－을 제쳐두고는】★2

①料理の上手な山田さんを抜きにしては、パーティーは開けません。

②アインシュタインの一生は彼と音楽との関係を抜きにしては語ることができない。

③この国の将来は、観光事業の発展を抜きにしてはあり得ない。

ⓞ N ＋を抜きにしては

1）「そのことを考えに入れないと、後の事柄の実現が難しい」と言うときに使う。
2）「～を抜きにしては…」の形で、「～」には話者が高く評価する事柄が来る。そして、「…」には「～することができない・難しい」という否定的な意味の文が来る。

1）Something subsequent to pattern is difficult to achieve without considering what precedes it.　2）What precedes pattern indicates something speaker evaluates highly or prizes. Negations such as することができない (can't do), or むずかしい (difficult) follow.

1）"如不把那件事考虑在内,那么后面的事情则难以实现"之意。
2）采用「～を抜きにしては…」的形式,「～」处多使用说话人评价较高的事物。而「…」处则使用"不能做～, 很难做～"之类的表示否定意义的句子。

1）「그 일을 염두에 두지 않으면, 뒷일의 실현이 어렵다」라고 말할 때 사용한다. 2）「～を抜きにしては…」의 형태로,「～」에는 말하는 사람(話者)이 높게 평가한 내용이 온다. 그리고「…」에는「～することができない（～할 수 없다）・難しい（어렵다）」라는 부정적인 의미의 문장이 온다.

をはじめ【～を第一に including／以～为代表／－을 비롯】★2

①ご両親をはじめ、家族の皆さんによろしくお伝えください。
②今年は富士山をはじめ、各地の有名な山に登ろう。
③わたしは日本に来てから保証人をはじめ多くの方のお世話になって暮らしています。

ⓞ N ＋をはじめ

代表となるものを「～をはじめ」で挙げておいて、「同じグループのほかのものもみんな」と言いたいときに使う。その代表以外にそれを含む範囲全体に及ぶことを強調するから、後の文には、「みんな・いろいろ・たくさん・だれも」など、多数を表す語が来ることが多い。「をはじめとして」と意味・用法がほとんど同じ。参をはじめとして

Takes up some representative item; indicates everything in same group is included. Emphasizes breadth of range outside of representative element so clause following often takes みんな, いろいろ, たくさん, or だれも. Meaning and usage are nearly same as for をはじめとして. →参

用「～をはじめ」来提出具有代表性的事物, 表示"其所属的集体每个成员都"之意。由于强调的是包括代表在内的整个范围内的全体成员, 所以后文常出现「みんな・いろいろ・たくさん・だれも」等表示"多数"之意的词语。意义、用法与「をはじめとして」大体相同。→参

대표가 되는 것을「～をはじめ」라고 예를 두고,「같은 그룹 외의 것도 모두」라고 말하고자 할 때 사용한다. 그 대표 이외에 그것을 포함하는 범위 전체에 영향이 미치는 것을 강조하는 것이므로, 뒤에 오는 문장에는「みんな・いろいろ・たくさん・だれも」등 다수를 나타내는 단어가 오는 경우가 많다.「をはじめとして」와 의미, 용법이 거의 동일하다. →参

をはじめとして【～を第一に beginning with／以～为代表／－을 비롯해서】★2

①東京の霞が関には、裁判所をはじめとして国のいろいろな機関が集まっている。
②本日の会には田中会長をはじめとして、多数の方々が出席してくださいました。
③アジアで行われた初めての世界女性会議には、アメリカをはじめとする世界各国の女性代表が参加した。

◎N ＋をはじめとして

1）代表となるものを「～をはじめとして」で挙げておいて、「同じグループのほかのものもみんな」と言いたいときに使う。その代表以外にそれを含む範囲全体に及ぶことを強調するから、後の文には、「みんな・いろいろ・たくさん・だれも」など、多数を表す語が来ることが多い。　2）「をはじめ」と意味・用法がほとんど同じだが、「をはじめとして」は後続文に相手への働きかけ（例：てください）、話者の意向（例：よう）などを表す文は来にくい。　3）後に名詞が来るときは、③のように「をはじめとするN」という形になる。

参をはじめ

1）Takes up some representative item; indicates everything in same group is included. Emphasizes the breadth of the range outside of the representative element so the clause following often takes words such as みんな, いろいろ, たくさん, or だれも.　2）Meaning and usage is nearly same as for をはじめ, but clause following をはじめとして usually does not take expressions of speaker's appeal to other party（てください）or volition（よう）.　3）When followed by a noun, becomes をはじめとする N, as in sentence ③. →参

1）用「～をはじめとして」来提出具有代表性的事物，表示“其所属的集体中每个成员都”之意。由于强调的是包括代表在内的整个范围内的全体成员，所以后文常出现「みんな・いろいろ・たくさん・だれも」等表示“多数”之意的词语。　2）意义、用法与「をはじめ」大体相同。但使用「をはじめとして」的句子，后半句几乎不用劝说对方做某事的表达方式（如：てください），也不能表示说话人意向（如：よう）。　3）后面出现名词时，变为「をはじめとするN」的形式。 →参

1）대표가 되는 것을「～をはじめとして」라고 예로 들고,「같은 그룹 외의 것도 모두」라고 말하고자 할 때 사용한다. 그 대표 이외에 그것을 포함하는 범위 전체에 영향을 미치는 것을 강조하는 것이므로, 뒤에 오는 문장에는「みんな・いろいろ・たくさん・だれも」등 다수를 나타내는 단어가 오는 경우가 많다.　2）「をはじめ」와 의미, 용법이 대부분 같지만,「をはじめとして」는 후속문에 상대방에의 작용（예：てください）, 말하는 사람（話者）의 의향（예：よう）등을 나타내는 문장은 오기 어렵다.　3）뒤에 명사가 올 때는, ③처럼「をはじめとするN」이라는 형태가 된다. →参

をはじめとする ➡をはじめとして　431

をふまえて【～を土台や前提にして based on ／以～为前提／ – 을 기반으로 /– 을 토대로 /– 을 전제로】★1

①集めたデータを踏まえてレポートを作成する。

②今回の事業の失敗という事実を踏まえて、わが社は次の事業計画を立てなければならない。

③社長があいさつの中で述べた決意を踏まえて、社員一人ひとりが行動の目的を持とう。

◎N ＋を踏まえて

1）「ある事柄を土台や前提にした上で、考えや行動を進める」という意味。　2）硬い書き言葉である。

1）Proceed with some thought or action based on premise of some matter.
2）Formal written expression.

1）"以某件事为基础或前提，在此基础上发展想法、行为等"之意。
2）是较为生硬的书面语。

1）「어떤 사항을 토대로 하거나 전제로 한 뒤에 생각이나 행동을 진행한다」는 의미다.　2）딱딱한 문장체이다

をめぐって【～を議論や争いの中心点として centering around; concerning ／围绕～／ – 을 둘러싸고 /– 에 관해서】★2

①この規則改正をめぐって、まだ討論が続いている。

②土地の利用をめぐって、二つの対立した意見が見られる。

③町の再開発をめぐり、住民が争っている。

④マンション建設をめぐる争いがようやく解決に向かった。

◎N ＋をめぐって

1）そのことについて、どんな議論や対立関係が起こっているかを言うときに使う。後には、意見の対立・いろいろな議論・争いなどの意味を持つ動詞が来ることが多い。やや硬い表現。　2）後に名詞が来るときは、④のように「をめぐるN」という形になる。

1) Debates and conflicts occurring around certain issue. Often verbs with meanings of conflict in opinion, various debates, or struggles follow. Somewhat formal. 2) When followed by a noun, becomes をめぐる N, as in sentence ④.

1）关于那件事，发生了什么议论或引出了什么对立关系，在想要表达这样的意思时使用本句型。后半句多使用表示意见的对立、各种各样的议论、争议等的动词。略显生硬的表达方式。2）后面出现名词时，如例④变为「をめぐるN」的形式。

1）그 사안에 대하여 어떤 논의나 대립관계가 일어나고 있는지를 말할 때 사용한다. 뒤에는 의견의 대립, 여러 가지 논의, 논쟁 등의 의미를 지닌 동사가 오는 경우가 많다. 조금 딱딱한 표현이다.　2）뒤에 명사가 올 때는, ④처럼「をめぐるN」라는 형태가 된다.

をめぐる　➡をめぐって　432

をもって〈手段〉【～で by; with ／以～、用～／－로/－으로/－을 이용해서】★1

①誠実な田中さんは非常な努力をもって問題解決に当たりました。
②試験の結果は、1週間後に書面をもってお知らせします。
③今回のアルバイトでわたしは働くことの厳しさを身をもって経験した。
④彼の実力をもってすれば、金メダルは間違いないだろう。
⑤彼の能力をもってしても、社長になるのは無理だろう。

N　＋をもって

1）「それを用いてあることをする」という意味。　2）③の「身をもって」は慣用句として使われる。　3）④⑤のように、「をもってすれば・をもってしても」の形もよく使われる。　4）身近で具体的な道具や手段にはあまり使われない。　◆×この紙を10枚ずつクリップをもって留めておいてください。→○この紙を10枚ずつクリップで留めておいてください。

1) Use some means to do something. 2) The 身をもって in sentence ③ is idiomatic. 3) Also often used in をもってすれば or をもってしても, as in sentences ④ and ⑤. 4) Not often used about concrete means or methods close at hand. →◆

1）“用这个做某事”之意。　2）例句③的「身をもって」是作为惯用句来使用的。　3）如例句④⑤，也常使用「をもってすれば・をもってしても」等形式。　4）一般不用来表示身边具体的工具、手段。→◆

1）「그것을 이용하여 어떤 일을 한다」라는 의미다.　2）③의「身をもって」는 관용적으로 사용된다.　3）④⑤처럼「をもってすれば・をもってしても」의 형태도 자주 사용된다.　4）내 주변의 구체적인 도구나 수단에는 그다지 사용되지 않는다. →◆

をもって〈期限〉【~で as of／以~为期限／ - 부로 /- 로 /- 으로】★1

①本日をもって今年の研修会は終了いたします。
②（お知らせ）今回をもって粗大ごみの無料回収は終わりにさせていただきます。
③これをもちまして第10回卒業式を終了いたします。

N ＋をもって

期限を表す言葉（本日・今回・12時など）につき、それまで続いていたことの終わりを宣言するときに使う。公式文書やあいさつなどに見られる硬い言い方。

Appends to words expressing time limits, such as 本日, 今回, 12時, etc.to declare that what has continued until now is over. Formal expression seen in official statements and salutations.

接在表示期限的词语（本日、今回、12時等）之后，用来表示宣布一直在持续的事物到那一期限结束。常见于正式文件或寒暄等，语气较为生硬。
기한을 나타내는 말（本日・今回・１２時 등）에 붙어서，그때까지 계속되고 있던 일의 끝을 선언할 때 사용한다．공식문서나 인사 등에 보여지는 딱딱한 표현법이다．

をもとに(して)【~を素材にして／~からヒントを得て derived from／以~为素材／ - 에서 /- 을 참조해서 /- 을 가지고】★3

①ひらがなとかたかなは漢字をもとにして生まれたものである。
②北欧の古い歌をもとに、新しい音楽に作りかえたのがこの曲です。
③ポップスの中には有名なクラシックの曲の一部をもとにしたものがある。
④最近、戦争体験者の話してくれたことをもとにしたテレビドラマが多い。

N ＋をもとに（して）

1）あるものが生み出される素材を表す。後には、「書く・話す・作る・創作する」などの意味を持つ文が来る。　2）「にもとづいて」と意味が似ているが、「をもとにして」は、それから具体的な素材を得るだけであり、精神的に離れずにという気持ちは薄い。
3）後に名詞が来る場合は③④のように「をもとにしたN」という形になる。

1）Describes material that creates something. Clauses with meanings of 書く，話す，作る，創作する，etc. follow. 2）Similar in meaning to にもとづいて，but をもとにして has less feeling of emotional inability to gain distance, and focuses instead of obtaining concrete materiel. 3）When followed by a noun, becomes をもとにしたN, as in sentences ③ and ④.

1）表示产生某种事物的素材。后半句多使用含有書く（写）・話す（说）・作る（做）・創造する（创造）等意义的句子。 2）与「にもとづいて」意义相似，但「をもとにして」中，此后只是得到具体的素材、精神上难舍难离的意义较谈。 3）后面出现名词时，如例句③④、变为「をもとにしたN」的形式。

1）어떤 것이 생성되는 소재를 나타낸다．뒤에는「書く・話す・作る・創作する」등의 의미를 가진 문장이 온다． 2）「にもとづいて」와 의미가 비슷하지만，「をもとにして」는 그것으로부터 구체적인 소재를 얻을 뿐으로，정신적으로 분리되지 않고 라는 기분은 미흡하다． 3）뒤에 명사가 오는 경우에는 ③④처럼「をもとにしたN」이라는 형태가 된다．

をもとにした ➡をもとに（して） 434

をものともせず(に)

【～に負けないで
undaunted by／不畏～；不顾～／－을 아랑곳 하지 않고／－에 굴하지 않고／－는 아무것도 아닌듯이】★1

①山田選手はひざのけがをものともせず決勝戦に出ました。
②彼は体の障害をものともせず勇敢に人生に立ち向かった。
③村の人々は山で遭難した人を助けるため、風雨をものともせずに出発した。

◎ N ＋をものともせず（に）

1）「困難に負けないで、何かに勇敢に立ち向かう」という意味を表す。 2）話者自身の行為には使わない。

1）Refuse to give in to difficulty; stand bravely against odds. 2）Not used for speaker.

1）表示“不畏困难、勇敢地朝着某个方向前进”之意。 2）不能用来表示说话人自身的行为。

1）「곤란에 굴하지 않고，무엇인가에 용감하게 맞선다」라는 의미를 나타낸다． 2）말하는 사람（話者）자신의 행위에는 사용하지 않는다．

をよぎなくさせる

【しかたなく～させる
compel／使…不得不…／어쩔 수 없이 －하게 하다】★1

①太郎は役者志望だったが、家庭の事情は彼に家業を継ぐことを余儀なくさせた。
②人件費の高騰が新しい支店開設の中止を余儀なくさせた。

N ＋を余儀なくさせる

1）自然や環境など本人の力では及ばない強い力で「～させる」という表現。行為を表す名詞につく。　2）「余儀なくされる」とは立場が反対になる。

参 をよぎなくされる

1）Nature, environment, or other powers beyond those of party in question compel him to do something. Appends to nouns of action. 2）Opposite emphasis: よぎなくされる (be compelled to). →参

1）因自然或环境等个人能力所不及的强大力量导致了…（「～させる」）的表现、接在表动作（行为）的名词之后。　2）与「よぎなくされる」的立场刚好相反。→参

1）자연이나 환경 등 본인의 힘으로는 감당할 수 없는 강한 힘으로「～させる」라는 표현이다. 행위를 나타내는 명사에 접속한다. 2）「よぎなくされる」와는 반대의 입장이 된다. →参

をよぎなくされる【しかたなく～しなければならない be compelled to／不得不～／어쩔 수 없이 - 하게 되다】★1

①せっかく入った大学であったが、次郎は病気のため退学を余儀なくされた。
②津波で家を失った人々は公園でのテント暮らしを余儀なくされた。
③この国では高度な福祉を支えるため、国民は高い税金の負担を余儀なくされている。

N ＋を余儀なくされる

1）自然や本人の力では及ばない強い力で「しかたなくそうしなければならない」という表現。行為を表す名詞につく。　2）「余儀なくさせる」とは立場が反対になる。

参 よぎなくさせる

1）Compelled by nature, environment, or other powers beyond those of party in question to do something. Appends to nouns of action. 2）Opposite emphasis: よぎなくさせる. →参

1）因自然或环境等个人能力所不及的强大力量而“没办法所以不得不那样做”。接在表示行为的名词之后。　2）与「よぎなくさせる」的立场刚好相反。→参

1）자연이나 본인의 힘으로는 어쩔 수 없는 강한 힘에 의해「어쩔 수없이 그렇게 해야만 한다」라는 표현이다. 행위를 나타내는 명사에 접속한다. 2）「よぎなくさせる」와는 반대의 입장이 된다. →参

をよそに【～を自分とは関係ないものとして indifferent to／不理会～／ – 를 비웃듯이 /– 는 아랑곳 하지 않고 /– 는 상관없이】★1

①家族の期待をよそに、彼は結局大学には入らずにアルバイト生活を続けている。
②老人や低所得者層の不安をよそに、ふたたび増税が計画されている。
③忙しそうに働く人々をよそに彼は一人マイペースで自分の研究に打ち込んでいた。
④うちの父は、中高年のパソコンブームをよそに、今でも、手書きの手紙を丁寧に書く。

N ＋ をよそに

「本当は自分に関係のあることととらえなければいけないのに、自分とは関係ないものとして」という意味で使う。

Even though party in question should be interested in something, is indifferent to it.

意为“把本来与自己有关的事情当成与自己无关的事物”。

「사실은 자신에게 관계가 있다고 파악해야 함에도 불구하고 , 자신과는 관계가 없는 것처럼 하여」라는 의미로 사용한다 .

んがため(に)【～ようという目的をもって in order to／为了～的目的／ – 하기 위해 (서)】★1

①研究を完成させんがため、彼は昼夜寝ずにがんばった。
②１日も早く自分の店を持たんがために、必死で働いているのだ。
③これも勝たんがための練習だから、がんばるしかない。
④災害から１週間たった。避難先のこの地で生きんがための方法をあれこれ考えて昨夜はよく眠れなかった。

V~~ない~~ ＋ んがために　　例外「する」は「せんがため（に）」

1）「ぜひ実現させたい積極的な目的を持ってあることをする」と言いたいときに使う。文語的な硬い表現。　2）後ろの文には依頼や命令、働きかけを表す文は来ない。
◆×大学に進学せんがためにがんばってください。

1）Person in question has proactive goal he truly wishes to accomplish. Formal written form.　2）Clauses containing requests, commands, or urgings do not follow. →◆

1）表达“无论如何要实现某事，带着积极的目的做某事”之意。是书面语、语气较生硬。　2）后半句不可使用表示请求、命令和呼吁对方做某事等意义的句子。→◆

1）「꼭 실현시키고 싶은 적극적인 목적을 가지고 어떤 일을 한다」라고 말하고자 할 때 사용한나. 문어적인 딱딱한 표현이다.
2）뒤에 오는 문장에는 의뢰나 명령, 작용을 나타내는 문장은 오지 않는다. →◆

んじゃない【～てはいけない don't…／不许～／－하지 마라 /－하면 안된다】★2

①父：走り回るんじゃない。本でも読んで、少し静かにしていなさい。

②兄：電車の中で大声で話すんじゃない。

③食べ物の好き嫌いを言うんじゃありませんよ。

Vる　＋んじゃない

1）禁止の言い方。「ない」の部分を下降調で言う。話し言葉で、親が子に言うような場面でよく使われる。　2）男性がよく使う。女性は丁寧体の「のではありません」または「んじゃありません」を使うことが多い。最後に「よ」をつけると軟らかくなる。

1）Injunction. ない is said in falling tone. Spoken form often used by parents to children.　2）Often used by men. Women use polite のではありません, or んじゃありません. Addition of suffix よ softens statement.

1）表示禁止「ない」部分的。声调使用降调。是口语，常在父母对孩子的话语等场景中出现。　2）多为男性使用。女性则更多使用「のではありません」或「んじゃありません」。句子的最后如加上「よ」，语气会变得较委婉。

1）금지의 표현법이다.「ない」의 부분을 하강조로 말한다. 회화체로써 부모가 자식에게 말하는 장면에서 자주 사용된다.
2）남성이 자주 사용한다. 여성은 정중체인「のではありません」또는「んじゃありません」을 사용하는 경우가 많다. 마지막에「よ」를 붙이면 표현이 부드럽게 된다.

んだ【～なさい must／表示命令（请你做～）／－해라 /－하거라】★2

①父：もう8時だよ。学校に遅れるよ。早く起きるんだ。

②兄：おしゃべりしないで、さっさと食べるんだ。

③（先生が小学生に）漢字は毎日、毎日、書いて覚えるんです。

④母：忘れ物をしないように、前の晩によく準備しておくんだよ。

Vる　＋んだ

1）命令（①②)、指示（③）や説得（④）を表す。　2）「んだ」は普通、男性が使う。「よ」がつくと、軟らかくなる。「んですよ」は女性が使うことが多い。

1）Commands (as in sentences ① and ②); directives (as in sentence ③); or persuasion (as in sentence ④).　2）Normally used by men. Addition of suffix よ softens tone. Often women use: んですよ

1）例句①②表示命令，例句③表示指示，例句④表示说服。
2）「んだ」一般为男性用语，句子的最后如加上「よ」，语气会变得较委婉。女性则多使用「んですよ」

1）①②는 명령 , ③은 지시 , ④는 설득을 나타낸다 .　2）「んだ」는 보통 남성이 사용한다 .「よ」가 붙으면 표현이 부드럽게 된다 .「んですよ」는 여성이 사용하는 경우가 많다 .

んだ　➡のだ　327－328

んだった〈後悔〉【～すればよかった (regret) should have／要是做了…该多好／－할 걸/－하면 좋았을 텐데】★2

①試験の成績は最低だった。こんなことならもっと勉強するんだった。

②昨夜はバーで飲みすぎて、今日は頭が痛い。もっと早く帰るんだった。

③パスワードを忘れて、旅行先でメールが受け取れなかった。パスワードをどこかにメモしておくんだった。

Ⓒ Vる　＋んだった

1）「～すればよかった」という意味。実現しなかったことなどについて、話者の悔やむ気持ちや残念な気持ちを表す。　2）書き言葉では「のだった」を使う。　3）話者の気持ちを表す言葉であるから、3人称に使う場合は「と言っている」などの言葉をつける必要がある。

1）Party in question should have done something. Vexation or regret on part of speaker for not having accomplished something.　2）In written form uses「のだった」.　3）Expresses speaker's feelings; when used for the third person, must append と言っている, (he says) etc.

1）意为“要是做了…该多好”。表达说话人对于没能实现的事的后悔、遗憾的心情。　2）在书面语中，使用「のだった」。
3）用于第三人称时，需要加上「と言っている」等词句。

1）「～하면 좋았을걸」이라는 의미다 . 실현되지 못한 일 등에 대해 말하는 사람（話者）의 후회하는 마음이나 유감스러운 기분을 나타낸다 . 2) 회화체에서는「んだった」를 사용한다 . 3) 말하는 사람（話者）의 기분을 나타내는 말이므로 , 3 인칭에 사용할 경우에는「と言っている」등의 말을 뒤에 붙일 필요가 있다 .

んだって【のだそうです hear that／听说～／－래/－한내】★2

① A：来年この駅にも駅ビルができるんだって。
　B：じゃあ、ちょっと便利になるね。

②午後から雨が降るんだって。

③木村：竹内さんは小林さんの妹さんなんだって？
　竹内：ええ、そうなんです。あまり、似てないでしょう。

◎ **普通形**（ナAな／Nな） ＋ んだって

1）くだけた話し言葉で使う。「んだ（のだ）」と伝聞の意味の「って」が合体したもので、書き言葉では「のだそうです」に当たる。　2）話者が得た情報をほかの人に話すときに使う。　3）①②は下降調。③は上昇調で、話し相手にその内容を確認する言い方。丁寧に言うときは「～だそうですね、ほんとうですか」のようになる。

1）Informal speech. Union of んだ（のだ）and って of hearsay, corresponding written form: のだそうです．2）Conveys information attained by speaker.　3）Sentences ① and ② said in falling tone. Sentence ③ said in rising tone to confirm what speaker said. Polite forms become ～だそうですね、ほんとうですか．

1）用于较为通俗的口语中。是「んだ（のだ）」与表传闻的「って」结合的产物，相当于书面语中的「のだそうです」。　2）在说话人把自己得到的信息告诉别人时使用。　3）例句①②的声调采用降调，例句③使用升调，是说话人向对方确认自己所说的内容时的表达方式。在礼貌用法中，变为「～だそうですね、ほんとうですか（听说是～，真的吗）」。

1）허물없는 사이의 회화체이다.「んだ（のだ）」와 전달문（伝聞）의 의미인「って」가 합쳐진 것으로, 문어체 표현에서는「のだそうです」에 해당한다.　2）말하는 사람（話者）이 얻은 정보를 다른 사람에게 말할 때 사용한다.　3）①②는 하강조, ③은 상승조로, 말하는 상대에게 그 내용을 확인하는 표현법이다. 정중하게 말할 때는「～だそうですね、ほんとうですか」와 같은 형태가 된다.

んだろう ➡だろう 146－147

んですか ➡のですか 331

んですが【(uh)／用来提示出话题／－입니다만】★4

① A：Bさん、ちょっと、お願いがある<u>んですが</u>……。
　B：何ですか。

② A：すみません。駅へ行きたい<u>んですが</u>。道を教えてくださいませんか。
　B：駅ですか。駅は……。

③チン：先生、来週の授業のことな<u>のですが</u>。
　教師：あ、チンさん、どうしましたか。

◎ **普通形**（ナAな／Nな） ＋ んですが

話を始めるきっかけを作るために、前置きの言葉や、話題のテーマなどを提示するのに使う。

Creates opportunity to bring up a subject.	在开始说一句话之前，为了创造说话的机会，采用一些前置词语或把话题的主旨用本句型提示出来。 말을 시작하는 계기를 만들기 위해 , 서론이나 화제의 테마 등을 제시하는 데에 사용한다 .

んばかりだ　➡んばかりに　441

んばかりに【ほとんど～しそうな様子で on the point of／眼看就要～了／금방이라도 - 할 듯이 / 당장이라도 - 할 것 같은】★1

①彼女は泣かんばかりに「手紙をくださいね」と言って去っていった。

②せっかく会いに行ったのに、彼は帰れと言わんばかりに向こうを向いてしまった。

③リンさんはかごいっぱい、あふれんばかりのりんごを持ってきてくれた。

④彼の言い方は、まるでぼくの方が悪いと言わんばかりだ。

◎ V~~ない~~　＋ んばかりに（「する」は「せんばかりに」）

ある行為の様子が「ほとんど～しそうだ」というときの言い方。話す人の様子には使わない。

Some action or appearance is on the verge of becoming something else. Not used to describe speaker's own appearance.	某种行为“几乎马上就要～了”时的表达方式。不能用来表示说话人自身的样子。 어떤 행위의 상황이「거의 ～할 듯하다」라고 말할 때의 표현법이다 . 말하는 사람 (話者) 의 상황에는 사용하지 않는다 .

巻末活用表

Verb Conjugation Chart

	ます形 ます form ます形 ます형	辞書形 Dictionary form 原形 사전형	て形 て form て形 て형	意志形 Volitional form 意志形 의지형	条件形 Conditional form 假定形 조건형
動詞 I Group I Verbs 动词 I 동사 I	書(か)きます	書く	書いて	書こう	書けば
	行(い)きます	行く	行って	行こう	行けば
	泳(およ)ぎます	泳ぐ	泳いで	泳ごう	泳げば
	話(はな)します	話す	話して	話そう	話せば
	待(ま)ちます	待つ	待って	待とう	待てば
	死(し)にます	死ぬ	死んで	死のう	死ねば
	呼(よ)びます	呼ぶ	呼んで	呼ぼう	呼べば
	飲(の)みます	飲む	飲んで	飲もう	飲めば
	帰(かえ)ります	帰る	帰って	帰ろう	帰れば
	買(か)います	買う	買って	買おう	買えば

动词活用表　　　동사 활용표

命令形 Command form 命令形 명령형	禁止 Prohibition 禁止形 금지	可能 Possibility 可能形 가능	受け身・尊敬 Passive, Respect 被动、尊敬 수동・존경	使役 Causative 使役 사역	使役受け身 Causative passive 使役被动 사역수동
書け	書くな	書ける	書かれる	書かせる	書かされる
行け	行くな	行ける	行かれる	行かせる	行かされる
泳げ	泳ぐな	泳げる	泳がれる	泳がせる	泳がされる
話せ	話すな	話せる	話される	話させる	話させられる
待て	待つな	待てる	待たれる	待たせる	待たされる
死ね	死ぬな	死ねる	死なれる	死なせる	死なされる
呼べ	呼ぶな	呼べる	呼ばれる	呼ばせる	呼ばされる
飲め	飲むな	飲める	飲まれる	飲ませる	飲まされる
帰れ	帰るな	帰れる	帰られる	帰らせる	帰らされる
買え	買うな	買える	買われる	買わせる	買わされる

Verb Conjugation Chart

	ます形 ます form ます形 ます형	辞書形 Dictionary form 原形 사전형	て形 て form て形 て형	意志形 Volitional form 意志形 의지형	条件形 Conditional form 假定形 조건형
動詞Ⅱ Group II Verbs 动词II 동사II	かけます	かける	かけて	かけよう	かければ
	寝(ね)ます	寝る	寝て	寝よう	寝れば
動詞Ⅲ Group III Verbs 动词III 동사III	します	する	して	しよう	すれば
	勉強(べんきょう)します	勉強する	勉強して	勉強しよう	勉強すれば
	来(き)ます	来(く)る	来(き)て	来(こ)よう	来(く)れば

活用表

动词活用表　　동사 활용표

命令形 Command form 命令形 명령형	禁止 Prohibition 禁止形 금지	可能 Possibility 可能形 가능	受け身・尊敬 Passive, Respect 被动、尊敬 수동・존경	使役 Causative 使役 사역	使役受け身 Causative passive 使役被动 사역수동
かけろ	かけるな	かけられる	かけられる	かけさせる	かけさせられる
寝ろ	寝るな	寝られる	寝られる	寝させる	寝させられる
しろ	するな	できる	される	させる	させられる
勉強しろ	勉強するな	勉強できる	勉強される	勉強させる	勉強させられる
来い	来るな	来られる	来られる	来させる	来させられる

敬語

Respect Language　敬语　동경어

	尊敬を表す特別な動詞 Special verbs denoting respect 表示尊敬的特殊动词 존경을 나타내는 특별한 동사	謙譲を表す特別な動詞／Special verbs denoting humility 表示谦让的特殊动词 / 겸양을 표현하는 특별한 동사	
		尊敬する相手にかかわる行為 Actions involving a respected listener 有表示敬意对象的行为 존경하는 상대방에게 관련된 행위	尊敬する相手のいない行為 Actions for generalized respected recipient 没有表示敬意对象的行为
行きます	いらっしゃいます		まいります
来ます	いらっしゃいます おいでになります お見えになります		まいります
います	いらっしゃいます おいでになります		おります
食べます	召し上がります	いただきます	いただきます
飲みます	召し上がります	いただきます	いただきます
します	なさいます		いたします
言います	おっしゃいます	申し上げます	申します
見ます	ご覧になります	拝見します	
寝ます	お休みになります		
会います		お目にかかります	
見せます		お目にかけます	
思います			存じます
知っています	ご存知です		存じております
借ります		拝借します	
聞きます		（先生から）うかがいます	
質問します		（先生に）うかがいます	
訪問します		（お宅に）うかがいます	
あげます		さしあげます	
もらいます		いただきます	
くれます	くださいます		
～です	～でいらっしゃいます		～でございます
あります			ございます
Vています	Vていらっしゃいます おVです		Vております
Vてください	おVください		
Vていきます	Vていらっしゃいます		Vてまいります
Vてきます	Vていらっしゃいます		Vてまいります

五十音順索引

意味・機能別リスト

★の下の数字は、その文法形式の著者による難易度の表示です。★5の初級レベルから★1の上級レベルまで５段階で表示されています。

The number below the ★ indicates the author's appraisal of the level of difficulty of the grammatical pattern. The mark, ★5, indicates the most elementary of the five levels; ★1 indicates the highest level.

★下的数字，代表本书归纳的语法的难易程度。

★ 아래 숫자는 그 문법형식의 저자에 따른 난이도 표시입니다. ★5인 초급 수준부터 ★1의 상급 수준까지 총 5 단계로 표시되어 있습니다.

	文型の意味・機能項目	★	文型	例文
1	時点・場面 Tense, situation／ 时间，场合／시점・장면	5	とき	母は本を読むとき、めがねをかけます。
		4	あいだ	わたしは夏の間、ずっと北海道にいました。
		4	あいだに	夏休みの間に引っ越ししたいです。
		4・3	ところだ	(時報前に) 時刻は間もなく3時になるところです。 いい夢を見ていたのに、ごちそうを食べるところで目が覚めてしまった。
		3	うちに〈時間幅〉	今は上手に話せなくても練習を重ねるうちに上手になります。
		3	さい（に）	非常の際はエレベーターを使わずに、階段をご利用ください。
		3	さいちゅう（に）	新入社員の小林さんは、会議の最中にいねむりを始めてしまった。
		3	において	入学式はA会館において行われる予定。
		2	おり（に）	このことは今度お目にかかった折に詳しくお話しいたします。
		2	にあたって	新学期にあたって、皆さんに言っておきたいことがあります。
		2	にさいして	来日に際していろいろな方のお世話になった。
		1	にあって	今、A国は経済成長期にあって、人々の表情も生き生きとしている。
2	時間的前後 Time order／ 时间的先后／시간적인 전후	5	あとで	食事の後で、少し散歩しませんか。
		5	て〈順次・前段階〉	電気を消して、部屋を出ます。
		5	てから〈動作の順序〉	この仕事をぜんぶやってからビールを飲みます。
		5	まえに	食事の前に手を洗いましょう。
		4	たばかりだ	「もしもし、夏子さん、わたしが送った写真、もう見た？」「あ、ごめんなさい。今うちに帰ってきたばかりで、まだ見ていないのよ」
		4	たら〈その後で〉	夏休みになったら、国へ帰ります。
		4	てから〈起点〉	わたしが日本に来てから、もう4年たちました。
		3	うちに〈事前〉	独身のうちに、いろいろなことをやってみたいです。
		3	たとたん（に）	ずっと本を読んでいて急に立ち上がったとたん、めまいがしました。

英語訳	中国語訳	韓国語訳	ページ
when	时候	- 일 때 /- 였을 때	231
throughout (the time…)	…的期间，在…期间内	- 동안 /- 사이	22
during; when	在…期间内，在…结束之前，趁着…	- 동안에 /- 사이에	22
about to	的时候	- 할 예정이다 /- 하려는 참이다	235
before you know it	在…过程中	- 하는 동안에 /- 하는 사이에 /- 하는 가운데	34
when, on the occasion of	～之际	- 일 때는 /- 때	93
in the middle of	正好处在～的过程中	- 하는 중 (에)/- 하는 도중 (에)	93
in, at	在	- 에서	286
whenever there is an occasion	值此…之际	- 했을 때 (에)/- 하는 기회에	41
on the occasion of	在做～的时候	- 를 맞이해서 /- 함에 있어서	283
when, on the occasion	值此～之际	- 함에 있어서 /- 할 때	296
in, at	在	- 이어서 /- 에서	284
after	之后	- 한 후 (에)	26
then	之后	- 하고 /- 해서	159
after	…后再…	- 해서 /- 한지 /- 하고부터	173
before	～之前	- 하기 전에	362
just (finished, did)	刚	막 - 한 참	133
after	之后	- 하면 /- 되면	136
since	从～	- 하고나서	173
while	趁着…，在…之前	- 일 때 /- 하기 전에	35
just at the very moment	就在做～的那一瞬间	- 하자마자	131

	文型の意味・機能項目	★	文型	例文
2	時間的前後 Time order／时间的先后／시간적인 전후	3	てからでないと	野菜を生で食べるなら、よく洗ってからでないと、農薬が心配だ。
		3	てからは	先月、禁煙してからは、1度もたばこを吸っていません。
		3	てはじめて	入院してはじめて健康のありがたさがわかりました。
		2	うえで〈事後〉	詳しいことはお目にかかった上で、説明いたします。
		2	(か) とおもうと	空でなにかピカッと光ったかと思うと、ドーンと大きな音がして地面が揺れた。
		2	か～ないかのうちに	子どもは「おやすみなさい」と言ったか言わないかのうちに、もう眠ってしまった。
		2	しだい	スケジュールが決まり次第、すぐ知らせてください。
		2	ていらい	大学を卒業して以来、田中さんには1度も会っていません。
		2	とともに〈同時〉	ベルが鳴るとともに、子どもたちはいっせいに運動場へ飛び出した。
		2	にさきだって	出発に先立って、大きい荷物は全部送っておきました。
		1	がはやいか	小田先生はチャイムが鳴るが早いか、教室に入ってきます。
		1	そばから	小さい子どもは、お母さんがせんたくするそばから、服を汚してしまいます。
		1	てからというもの(は)	たばこを止めてからというもの、食欲が出て体の調子がとてもいい。
		1	なり	子どもは母親の顔を見るなり、ワッと泣き出しました。
		1	やいなや	よし子は部屋に入ってくるや否や、「変なにおいがする」と言って窓を開けた。
3	並列・反復	5	たり～たりする〈複数の行為〉	日曜日には、本を読んだり、テレビを見たりします。
		5	て〈並列・対比〉	朝はパンを食べて、コーヒーを飲みます。
		4	たり～たりする〈反復〉	子どもたちがプールで、水から出たり入ったりしています。
		4	て〈緩い連結〉	新幹線は速くて、安全です。

英語訳	中国語訳	韓国語訳	ページ
not until after	如果不从～开始的话	- 하지 않으면 /- 가 되지 않으면	174
ever since	自从～，一直到现在都…	- 하고 부터는	175
it is/ was not until…that	直到～才	- 하고 나서 비로소	194
after having	在…基础之上	우선 - 한 후에 / - 한 다음의	32
no sooner than	刚…马上就…	- 했다고 생각한 순간 /- 하자마자	52
just barely…when	正…呢，马上就已经…了	- 하자 마자 /- 되자 마자	54
as soon as; the moment that	～之后马上	- 되는 대로 /- 하는 즉시	104
ever since	自从～以来	- 한 이후 /- 한 후	168
at the same time	同时	- 과 동시에	246
as a precursor to; before	在…之前	- 에 앞서	297
no sooner than	做一件事的同时	- 하자마자 /- 함과 동시에	56
just as soon as	刚…就…	- 하는 즉시 /- 하자마자	119
from the time…	自从～一直…	- 하고부터는	174
as soon as	同时	- 하자마자	279
no sooner than; the moment that	一～就～	- 하자 마자	388
do…and do…	或者～或者～，做各种各样的事	- 하기도 하고 - 하기도 한다	143
then	表并列、对比	- 하고 /- 해서	159
repeatedly do …and…	反复进行一些相反相对的动作、作用	- 했다 - 했다 한다	145
both; and	润滑、连接前后文	- 하고 /- 해서	162

	文型の意味・機能項目	★	文型	例文
3	並列・反復 Parallel, repetition／并列、反复／병렬・반복	3	とともに〈いっしょに〉	手紙とともに当日の写真も同封した。
		2	ては	夫はさっきから味を見てはなべの中をかき回している。どんな料理ができるのだろうか。
		2	とともに〈付加〉	病気の子どものことといっしょに、いなくなった犬のことも気になって今日は仕事が手につきませんでした。
		1	つ〜つ	マラソンの最後の500メートルで二人の選手は抜きつ抜かれつの競争になった。
4	程度・比較 Degree, comparison／程度、比较／정도・비교	4	がいちばん	「リーさんはくだものの中で、何がいちばん好きですか」「オレンジがいちばん好きです」
		4	すぎる	このケーキはちょっと甘すぎます。
		4	と〜とどちら	「あなたは紅茶とコーヒーとどちらが好きですか」「紅茶の方が好きです」
		4	は〜より	今日はきのうより暖かいです。
		4	ほど〜ない	今日も風が強いです。でも、今日はきのうほど寒くないです。
		4	より〜のほう	デパートの品物よりスーパーの品物の方が安い。
		3	くらい〜はない	彼ぐらいわがままなやつはいない。
		3	くらい〈程度〉	山で事故にあった兄が無事に帰ってきた。大声で叫びたいくらいうれしい。
		3	にかぎる	1日の仕事を終えたあとは、冷えたビールに限りますよ。
		3	にくらべて	本が好きでおとなしい兄に比べて、弟は活動的で、スポーツが得意だ。
		3	ほど〜はない	「暑いわねえ」「まったく今年の夏ほど暑い夏はないね」
		3	ほど〈程度〉	きのうは山登りに行って、もう1歩も歩けないほど疲れました。
		2	くらいなら	自由がなくなるくらいなら、一生独身でいる方がいい。
		2	だけの	とうとう看護師の免許が取れた。この3年間努力しただけのかいはあった。

英語訳	中国語訳	韓国語訳	ページ
together with	与～一起	- 과 함께	245
alternately did…and…	一次又一次地反复做…	- 하고는	191
and in addition	有～还有～	- 과 함께	247
and; or; now…now	有时～有时～	- 하기도 하고 - 하기도 하고 /- 했다 - 했다	152
best	…是最…	- 이 제일 /- 이 가장	44
too	过于～，太～	지나치게 - 하다	110
of A and B, which	～和～，哪个更…	- 과 - 중 어느쪽	245
more than; less than	比	- 는 - 보다	353
not as…as	…没有…	- 만큼 - 하지 않다	359
is more/less than	与…相比，…更…	- 보다 - 쪽이	407
there's nothing/no one more…	最为～	- 정도로 - 는 없다	75
almost	表示程度	정도	73
just the thing; the best	～是最好的	- 하는 것이 제일이다	291
compared to	与～相比	- 와 비교해서 /- 에 비해서	294
nothing is as supremely …as	最～	- 만큼 - 는 없다	360
to the extent that; so much that	达到～的程度	정도 (로)	358
if end up, then; would sooner…than	与其忍受～还不如…	- 정도라면	75
be worth	相当	- 할 만한 /- 한 만큼의	124

	文型の意味・機能項目	★	文型	例文
4	程度・比較 Degree, comparison／程度、比較／정도・비교	2	だけまし	「大木君、会議だっていうのに、外出しちゃいましたよ」「書類をそろえてくれただけましだよ」
		1	ないまでも	休みごとには帰らないまでも、１週間に１回位は電話をしたらどうですか。
		1	にもまして	わたし自身の結婚問題にもまして気がかりなのは姉の離婚問題です。
5	対比 Contrasts／対比／대비	5	は～が、～は	この本はもう読みましたが､あの本はまだです。
		3	かわりに〈代償〉	ジムさんに英語を教えてもらう代わりに、彼に日本語を教えてあげることにした。
		3	かわりに〈代理〉	雨が降ったのでテニスの練習をする代わりに、うちでテレビを見て過ごしました。
		3	というより	コンピューターゲームは子どものおもちゃというより､今や大人向けの一大産業となっている。
		3	にかわって	木村先生は急用で学校へいらっしゃれません。それで今日は、木村先生に代わってわたしが授業をします。
		3	にたいして〈対比〉	活発な姉に対して、妹は静かなタイプです。
		3	にはんして	予想に反して試験はとても易しかったです。
		3	はんめん	彼女はいつもは明るい反面、寂しがりやでもあります。
		2	いっぽう（で）	いい親は厳しくしかる一方で、ほめることも忘れない。
		2	どころか〈正反対〉	タクシーで行ったら道が込んでいて、早く着くどころかかえって30分も遅刻してしまった。
		2	どころか〈程度の対比〉	この製品はアジア諸国どころか南米やアフリカにまで輸出されている。
		1	にひきかえ	ひどい米不足だった去年にひきかえ、今年は豊作のようです。
6	原因・理由	5	から〈原因・理由〉	スープが熱いから、気をつけて持っていきなさい。
		4	し	「木村さんはどうして夏が好きなんですか」「そうですね。夏休みがあるし、泳げるし……」

英語訳	中国語訳	韓国語訳	ページ
at least	这还算不错的	- 만으로 만족 /- 만으로 단념	125
can't go so far as; even if can't go as far as to	就算不能～	- 하지는 못하지만 /- 하지는 못해도	263
more than	比…更加	- 이상으로 /- 보다 우선해서	319
(does) this, but not that	表示对比	- 는 - 지만 , - 는 (- 은)	341
the other side is; in exchange; in lieu of	作为一种代替、补偿	- 대신에	67
in place of	代替	- 대신해서 (사람 뒤에 올 때)/- 대신에	67
more than calling it…; rather than calling it…	与其说～不如说…	- 라기 보다 /- 라고 하기 보다	223
instead of, in place of	不是～，代替～	- 를 대신해서	292
(contrast) as opposed to; in contrast to	和～相比	- 에 비해서 /- 과 비교해서	309
contrary to	与～相反	- 와는 반대로 /- 에 반해서	316
at the same time, on the other hand	一方面～，另一方面	반면	354
on the one hand	（另）一方面	- 하는 한편 (으로)	31
(exact opposite) hardly the case that; actually	别说～	- 하기는커녕 /- 하기는 고사하고	233
(contrast in level) of course…, but also…, of course…, can't even	别说～，（就连…都）	- 에서는 물론 /- 는 고사하고	234
in contrast to	与～相反	- 과는 반대로 /- 과는 달리	316
so; since	因为，由于	- 이니까 /- 이기 때문에 /- 이므로	59
and, besides	又	- 하고	103

	文型の意味・機能項目	★	文型	例文
6	原因・理由 Cause, reason／原因、理由／원인・이유	4	ため（に）〈原因〉	（駅のホームで）大雪のため、電車が遅れています。
		4	て〈理由・原因〉	用事があって会には参加できません。
		4	なくて〈理由〉	きのうは夜遅くまで仕事が終わらなくて、大変でした。
		4	ので	きのうは2時まで眠れなかったので、けさは早く起きられませんでした。
		3	おかげで	母は最近新しく発売された新薬のおかげで、ずいぶん元気になりました。
		3	から〈原因〉	たばこの火の消し忘れから火事になった。
		3	からには	ひきうけたからには、最後まできちんとやる責任がある。
		3	せいで	林さんが急に休んだせいで、今日は3時間も残業しなければならなかった。
		3	によって〈原因・理由〉	ＡＢＣ店は一昨年からの不景気によって、ついに店を閉めることとなった。
		2	あまり	今のオリンピックは勝ち負けを気にするあまり、スポーツマンシップという大切なものをなくしているのではないか。
		2	あまりの〜に	今年の夏はあまりの暑さに食欲もなくなってしまった。
		2	いじょう（は）	約束した以上、守るべきだと思う。
		2	うえは	社長が決断した上は、われわれ社員はやるしかない。
		2	が〜だけに	母は今年93歳になった。今は元気だが、歳が歳だけに、病気をすると心配だ。
		2	からこそ	あなただからこそお話しするのです。ほかの人には言いません。
		2	ことだし	雨も降っていることだし、4時になったからそろそろ終わりにしましょうか。
		2	だけに〈ふさわしく〉	快晴の大型連休だけに、道路は行楽地へ向かう車でいっぱいだ。
		2	だけに〈反予想〉	田中さんは普段から体が丈夫なだけに、かえってがんの発見が遅れたのだそうだ。

英語訳	中国語訳	韓国語訳	ページ
because of	因为	- 때문에	136
for; because	由于	- 해서 /- 하기 때문에	161
since; the fact that	因为没有～	- 하지 않아서 /- 하지 못해서	270
so	由于	- 이므로 /- 이기 때문에 /- 라서	330
thanks to	幸亏…，托了…的福	덕분에 / 덕택에 / 덕택으로	37
from; on account of	由于～的原因	- 때문에 /- 로부터	59
now that…then naturally	既然～就	- 한 이상은 / 어짜피 - 한다면	65
on account of	都怪～	- 탓에 /- 때문에	115
because of; owing to	由于～	- 때문에 /- 에 의해	319
so…that	过于…	지나치게 - 해서 / 지나치게 - 한 나머지	26
so…that	由于太…才…	너무 / 지나치게	27
so long as	正因为…	- 한 이상 (은)/ - 인 이상 (은)	30
since things have reached such a pass	既然…	- 한 이상은 /- 함에 있어	34
on account of	毕竟…	- 가 - 인 만큼	50
it is precisely because; that	正因为～	- 이니까 /- 이기 때문에 / 오히려 - 이기 때문에	61
since	因为	- 하고 있고 /- 하기도 하고	85
as befitting	不愧是	- 인 만큼 /- 이기 때문에	123
precisely because; contrary to expectations	正因为～反倒…	- 때문에 /- 이기에	124

	文型の意味・機能項目	★	文型	例文
6	原因・理由 Cause, reason／原因、理由／원인・이유	2	ところをみると	部屋の電気がまだついているところをみると、森さんはまだ起きているようだ。
		2	につき	（店の張り紙）店内改装中につき、しばらく休業いたします。
		2	のことだから	買い物が好きなよし子のことだから、今日もきっとたくさん買い物をして帰ってくるよ。
		2	ばかりに	うっかり生水を飲んだばかりに、おなかを悪くしてしまった。
		2	もの	「新しい仕事の話は断ったんですか」「ええ、今、忙しくて、9月末までにはできないもの」
		2	ものだから	「どうして遅刻したんですか」「目覚まし時計が壊れていたものですから」
		1	こととて	世間知らずの若者のしたこととて、どうぞ許してやってください。
		1	ではあるまいし	神様ではあるまいし、10年後のことなんかわたしにわかりませんよ。
		1	てまえ	妻に「来年の休みには外国へ連れて行く」と約束した手前、今年はどうしても行かなければならない。
		1	とあって	アフリカへ行くのは初めてとあって、会員たちは興奮ぎみであった。
		1	ばこそ	君の将来を考えればこそ、忠告するのだ。
		1	ゆえ（に）	円高ゆえ、今年の夏休みには海外に出掛けた人々が例年より多かった。
7	変化・不定 Change, irregularity／変化、不定／변화・부정	5	くする	スカートを5センチぐらい短くしてください。
		5	くなる	スープにちょっとバターを入れると、おいしくなりますよ。
		5	にする	お父さんのシャツを直して、子どものシャツにしました。
		5	になる	「きみはおとなになったら、何になりたいの」「サッカーの選手になりたい」
		4	ことがある	会社まで近いので、ときどき自転車で行くことがあります。
		4	たり～たりする〈不定〉	庭のそうじは父がしたり、母がしたり、兄がしたりします。

英語訳	中国語訳	韓国語訳	ページ
when looked at from this point of view	从～来判断	- 인 것을 보면	238
because of; on account of	由于	- 으로 /- 때문에	311
being; the fact that	由于～	- 이기 때문에	326
simply because	正是由于～	- 한 탓에 /- 때문에	344
because	因为	- 는데 뭐 /- 는데 어떻해	380
because	因为～	- 해서 /- 때문에 /- 인 까닭에	383
on account of the fact that	由于	- 하고 생각하고 /- 라고 치부하고	86
it's not as though	又不是～，所以…	- 도 아니고	192
because I said/did, to save face, I must	为了面子而做～	- 한 주제라서 /- 했기 때문에	198
being	因为处在～的情况下，所以…	- 라서	210
precisely because	正因为～	- 이기 때문에	344
on account of	因为，由于	- 때문에 /- 까닭에	391
-en; make…	把～弄…	- 하게 하다 (만들다)	72
become	变得	- 하게 되다	73
-en; make…	把～弄…	- 하게 하다 (만들다)	72
become	变得	- 하게 되다	73
there are times	有时会～	- 할 때가 있다 /- 하는 경우가 있다	81
sometimes…and sometimes…	有的～，有的～	- 하기도 하고 - 하기도 한다	144

	文型の意味・機能項目	★	文型	例文
7	変化・不定	4	てくる〈変化〉	日本語の授業は、だんだん難しくなってきました。
		4	ようになる	最近、日本の食事に慣れて、さしみが食べられるようになりました。
8	決定 Determination／決定／결정	4	ことにする	桜の木の下で拾ってきたねこだから、「さくら」と呼ぶことにしよう。
		4	ことになる〈決定〉	入社式でスピーチをすることになったので、何を話そうか考えています。
		4	にする	「いい喫茶店ですね。何を頼みましょうか」「のどがかわいたから、コーラにします」
		3	ことになっている	この会社では社員は1年に1回健康診断を受けることになっています。
9	可能・難易 Possibility, levels of difficulty／可能、難易程度／가능・난이도	4	ことができる	わたしは今、すこし日本語を話すことができます。
		4	にくい	このくつは重くて歩きにくいです。
		4	やすい	この本は字が大きくて読みやすいです。
		4	られる〈可能〉	「日本語の新聞が読めますか」「いいえ、漢字が多いので読めません」
		3	ようがない	推薦状を書いてくれと言われても、あの人のことをよく知らないのだから、書きようがない。
		3	られる〈性能評価〉	このパンは安くておいしいから、よく売れます。
		3	わけにはいかない	あしたは試験があるから、今日は遊んでいるわけにはいかない。
		2	うる	これは仕事を成功させるために考え得る最上の方法です。
		2	がたい	あの元気なひろしが病気になるなんて信じがたいことです。
		2	かねる	親の希望を考えると、結婚のことを両親に言い出しかねています。
		1	にかたくない	母親のその言葉を聞いて傷ついた子どもの心のうちは想像にかたくない。
		1	にたえる	あの映画は子ども向けですが、大人の鑑賞にも十分耐えます。
		1	にたる	彼は今度の数学オリンピックで十分満足に足る成績を取った。

英語訳	中国語訳	韓国語訳	ページ
has become	变得～	- 해지다 /- 하게 되다	178
become such that; start to do	变得～	- 하게 되다	405
make up one's mind to	决定	- 하기로 하다	89
(decision) has been decided that	规定	- 하기로 (- 하게) 되다	90
will have; decide on	决定	- 로 하다	304
the case that…; the custom that…	形成规矩（预定、习惯等）	- 하게 되어 있다	89
can	能、可以	- 할 수 있다	82
hard to	难…, 不易…	- 하기 어렵다 /- 하기 불편하다	294
easy to	容易	- 하기 쉽다	389
can	可能	- 할 수 있다	410
no way to	没办法～	- 하려고 해도 할 수가 없다	393
can; do	能	- 할 수 있다	412
can't	不能～	- 할 수 없다	418
can	能，可以	할 수 있다 / 가능하다 / 있을 수 있다	35
difficult to	不容易，难于…	- 하기 어렵다 /- 할 수 없다	48
cannot deal with	不能	- 하기 어렵다 /- 할 수 없다	55
can; easy to	可以～，不难～	- 하기 어렵지 않다 /- 할 수 있다	292
worthy of; equal to	值得～	- 할 만 하다 /- 할 가치가 있다	309
suffice; worthy of	值得～	- 할 만한 /- 하기에 충분한	310

	文型の意味・機能項目	★	文型	例文
		1	ようにも～ない	大切な電話が来ることになっているので、出かけようにも出かけられません。
10	目的 Objectives／目的／목적	5	に	あした、デパートへくつを買いに行きます。
		4	ため（に）〈目的〉	西洋美術を勉強するために、イタリア語を習っています。
		4	のに〈用途〉	このナイフはチーズを切るのに便利です。
		3	ように〈期待〉	風邪が早く治るように注射を打ってもらいました。
		2	うえで〈目的〉	今度の企画を成功させる上で、ぜひみんなの協力が必要なのだ。
		1	べく	ひとこと鈴木さんに別れの言葉を言うべく彼のマンションを訪れたのですが、彼はすでに出発した後でした。
		1	んがため（に）	研究を完成させんがため、彼は昼夜寝ずにがんばった。
11	経験 Experiences／经验／경험	4	たことがある〈過去の特別なこと〉	学生時代、お金がなくて、必要な本が買えなかったことがあります。
		4	たことがある〈経験〉	わたしは3年前に1度日本へ来たことがあります。
		2	ている〈経歴・経験〉	アポロ11号は1969年に月に着陸している。
12	逆接・譲歩 Adversative conjunctions, concession／逆接、让步／역접・양보	5	が〈逆接〉	10月になりましたが、毎日暑い日が続いています。
		4	けれど（も）〈逆接〉	この道具、説明書を読んだけれど使い方がよくわかりませんでした。
		4	ても	この会社は給料は安いんですが、給料が高くなくても、わたしはこの会社で働きたいです。
		4	のに〈逆接　不満・予想外〉	わたしが3時間もかけてケーキを焼いたのに、だれも食べません。
		3	といっても	わたしの住んでいる所はマンションといっても9戸だけの小さなものです。
		2	からといって	大学を出たからといって、必ずしも教養があるわけではない。
		2	くせに	竹内さんは本当はテニスが上手なくせに、わざと負けたんだ。
		2	つつ〈逆接〉	悪いと知りつつ、友達の宿題の答えを書いてそのまま出してしまった。

英語訳	中国語訳	韓国語訳	ページ
can't even though want to	虽然想～但是不能…	- 하고 싶어도 - 못한다	405
to; for the purpose of	为了～去（来）…	- 에 /- 로	282
in order to	为了	- 하기 위해（서）	135
for	用于～	- 하는데	333
in order to; so that	期待～	- 하도록	401
for, in order to	为了…	- 하는데 있어서 /- 함에 있어	33
thinking to; for the purpose of	想要～	- 하려고 /- 하고자	356
in order to	为了～的目的	- 하기 위해（서）	437
have the situation of…in the past	过去的某件特别的事	- 한 적이 있다	126
have the experience of; have…	曾经～过	- 한 적이 있다 /- 한 경험이 있다	125
narrative present tense	过去曾经～	- 했다	171
but	但是，可是	- 입니다만	42
although; nevertheless; but	虽然…但是…	- ㅂ니다만	78
even if	就算～	- 해도 /- 하더라도	200
in spite of the fact	然而，却	- 인데 /- 임에도 불구하고	332
may be, but…in name only	虽说～，但实际上…	- 라고는 해도	227
just because…doesn't necessarily mean	虽说	- 라고 해서	63
despite the fact that	虽然…可是…	- 이면서 /- 인 주제에	72
even though	却，但是	- 하면서도	150

	文型の意味・機能項目	★	文型	例文
12	逆接・譲歩 Adversative conjunctions, concession／逆接、让步／역접・양보	2	とはいうものの	立春とはいうものの、春はまだ遠い。
		2	ながら〈逆接〉	松下さんは本当のことを知りながら、知らないふりをしている。
		2	にしても〈譲歩〉	いくら忙しかったにしても、電話をかける時間くらいはあったと思う。
		2	にもかかわらず	耳が不自由というハンディキャップがあるにもかかわらず、彼は優秀な成績で大学を卒業した。
		2	ものの	頭ではわかっているものの、実際に使い方を言葉で説明するのは難しい。
		1	といえども	高齢者といえども、まだまだ意欲的な人が大勢いる。
		1	とおもいきや	父は頑固だから兄の結婚には反対するかと思いきや、何も言わずに賛成した。
		1	ところを	お忙しいところをご出席くださり、ありがとうございました。
		1	とはいえ	彼は留学生とはいえ、日本語を読む力は普通の日本人以上です。
		1	ながらも	彼は金持ちでありながらも、とても地味な生活をしている。
		1	ものを	先輩があんなに親切に言ってくれるものを、彼はどうして断るのだろう。
13	条件 Conditions／条件／조건	4	たら〈条件〉	もし、おもしろい本があったら、買ってきてください。
		4	と～た〈発見〉	ドアを開けると、大きい犬がいました。
		4	と〈条件〉	暖かくなると、桜の花が咲きます。
		4	なら	「今から図書館へ行きます」「あ、図書館に行くなら、わたしも返したい本があるんですが」
		4	ば〈条件〉	よく読めば、わかります。
		3	さえ～ば	これは薬を飲みさえすれば治るという病気ではない。入院が必要だ。
		3	たら～だろう（に）	先月お会いしたとき、彼が日本に戻っているのを知っていたら、お話ししたでしょうに。
		3	と～（のに）〈反実仮想〉	「昨日のパーティーは楽しかったですよ。木村さんも来られるとよかったのに」「そうですか。行けなくて、残念でした」

英語訳	中国語訳	韓国語訳	ページ
granted that; it's true, but	虽说～	- 라고는 하지만	250
even while, although	虽然…但是	- 이면서 /- 이지만	266
(concession) no matter how; even if	明知道～但是仍然…	- 라고 해도	301
even though	虽然…但是	- 임에도 불구하고	317
although; notwithstanding	虽然…但是	- 이기는 하지만 /- 하기는 했지만	385
even though	虽说～	비록 - 라고 하더라도	223
though (I) thought…, it wasn't the case	本以为～，却…	- 라고 생각했는데	229
even though	虽说是～这种情况，却还做了～	- 임에도 불구하고 /- 인데도	237
nevertheless; be that as it may	虽说	- 라고는 하지만 /- 이기는 해도	250
even though	虽然	- 임에도 불구하고 /- 이면서도	268
even though…how could	要是～（就好了），可是…	- 했는데 /- 했을텐데	386
if	如果	- 라면	137
when, whenever	一～就发现…	- 니까 - 했다	243
once; when	表示条件关系	- 하면	207
if	如果	- 한다면 /- 라면	277
if	如果	- 하면	336
whenever, if only	只要～就…	- 하기만 하면 /- 만 있으면	94
would have if	如果～本可以…(实际上没有…)	- 하면 (- 했으면) - 했을 텐데	142
(non-actual supposition) if only	与事实相反的假设	- 하면 (- 할 텐데)	209

	文型の意味・機能項目	★	文型	例文
13	条件 Conditions／条件／조건	3	と～た〈きっかけ〉	のり子が「タロー」と呼ぶと、その犬は走ってきました。
		3	と～た〈偶然〉	本を読んでいると、窓から鳥が入ってきました。
		3	と〈継起〉	兄は上着を着ると、だまって出て行きました。
		3	としたら	もし、ここに100万円あったとしたら、何に使いますか。
		3	とすると	運転免許証を取るのに30万円以上もかかるとすると、今のわたしには無理だ。
		3	とすれば	時給800円で1日4時間、1週間に5日働くとすれば、1週間で1万6,000円になる。
		3	ば～（のに）〈反実仮想〉	「ごめんなさい。きのうは、会議の場所を間違えて、遅くなったんです」「それで遅れたんですか。山崎さんといっしょに来ればよかったのに」
		2	となると〈新事態の仮定・確定〉	「太郎が大阪へ行くことになるかもしれないよ」「そう。太郎が大阪転勤となると、これからメールや電話のやりとりで忙しくなるね」
		2	ないかぎり	この建物は許可がないかぎり、見学できません。
		2	ないことには	ある商品が売れるかどうかは、市場調査をしてみないことには、わからない。
		2	ものなら	できるものなら鳥になって国へ帰りたい。
		2	ようものなら	この学校は規則が厳しいから、断らずに欠席しようものなら、大変だ。
		2	をぬきにしては	料理の上手な山田さんを抜きにしては、パーティーは開けません。
		1	たらさいご	まさおは遊びに出かけたら最後、暗くなるまで戻ってきません。
		1	とあれば	子どもの教育費とあれば、多少の出費もしかたがない。
		1	なくして（は）	努力なくしては成功などあり得ない。
14	逆接条件	4	ても	わたしはタイ語を知らないので、見てもわかりません。
		3	たとえ～ても	たとえ雪が降っても、仕事は休めません。
		3	としても	たとえわたしが大金持ちだとしても、毎日遊んで暮らしたいとは思わない。

英語訳	中国語訳	韓国語訳	ページ
when…did…	一～就～	- 하니까 - 했다	242
just when	正在～的时候，忽然…	- 는데 - 했다 /- 니까 - 했다	244
(conditions) when	～就	- 하자 /- 하고 나서	208
if judged that	假设～	- 라고 한다면	239
supposing	如果	- 라고 한다면 /- 라고 가정하면	241
supposing	如果	- 라고 하면 /- 라고 치면	242
would have	无法实现的假设	- 하면 -（좋았을 텐데）	337
if…happens, then	如果那样的话	- 하게 되면 /- 하게 된다면	247
unless	只要不～	- 가 없는 한 /- 가 없으면	257
unless	如果不做～	- 하기 전에는 /- 하지 않고서는	258
if can	如果可以～的话	만약에 - 라면	385
if something like that were to happen, then	如果那么做了的话	만약에 - 하면（되면）	406
without	如不把～考虑在内	- 을 빼고는 /- 을 제쳐두고는	429
if…that will be the end of it	一旦～就完了	- 하면 그만으로	141
if for…	只要是～就一定…	- 라면 /- 라고 한다면	211
if don't; without	如果没有～	- 없이（는）/- 없고（는）	269
even if	就算～	- 해도 /- 하더라도	200
even if	即使～也	만약 - 라고 해도 / 설령 - 라고 해도	129
even supposing	即使假设～也…	- 라고 하더라도 /- 라고 해도	240

	文型の意味・機能項目	★	文型	例文
14	逆接条件 Conditions for adversative conjunctions／逆接条件／역접 조건	2	にしても〈逆接仮定〉	たとえ新しい仕事を探すにしても、ふるさとを離れたくない。
		2	にしろ	たとえお金がないにしろ、食事だけはきちんと取るべきだ。
		2	にせよ	どんなことをするにせよ、十分な計画と準備が必要だ。
		1	たところで	今から走っていったところで、開始時間に間に合うはずがない。
		1	であれ	命令されたことが何であれ、きちんと最後までやらなければならない。
		1	ようが	あの人がどこへ行こうが、わたしには関係ないことです。
		1	ようが～まいが	雨が降ろうが降るまいが、この行事は毎年必ず同じ日に行われます。
		1	ようと（も）	ほかの人からどんなに悪く言われようと、あの人は平気らしい。
		1	ようと～まいと	夏休みに国へ帰ろうと帰るまいと、論文は８月末までに完成しなければならない。
15	意図的行為・動作の開始と終了 Intentional actions, beginning and end of movement／有意图的行为、动作的开始与结束／의도적인 행위・동작의 개시와 종료	4	おわる	みんなご飯を食べ終わりました。テーブルの上をかたづけましょう。
		4	だす	雨がやんだら、たくさんの鳥が鳴き出しました。
		4	つづける	山道を１日中歩き続けて、足が痛くなりました。
		4	ておく	「山田君、コピー用紙がないから、買っておいてください」「はい、わかりました」
		4	てしまう〈完了〉	「あの本、読み終わりましたか」「ええ、もうぜんぶ読んでしまいましたから、どうぞ」
		4	てみる	この新しいボールペンを使ってみました。とても書きやすいですよ。
		4	ないでおく	健康診断の日は、朝食を食べないでおいてください。
		4	はじめる	もう７時だから、そろそろ食べ始めましょう。
		3	かける	風邪は治りかけたが、またひどくなってしまった。
		3	きる	５巻まである長い小説を夏休み中に全部読みきった。

英語訳	中国語訳	韓国語訳	ページ
(hypothetical adversative conjunction) even if	就算～也…	- 라고 해도	300
even if; whether or not	就算是～也…	아무리 - 라고 해도	303
no matter how;no matter where	即使～	- 라고 하더라도	305
supposing; even if	即使…也	- 한다고 해도 /- 라 하더라도	130
regardless of	即使	- 이든 /- 라고 하더라도	166
no matter what	不管～都…	- 든지 /- 든지 말든지	392
regardless if or if not	不管～还是不～	- 든지 말든지	394
whether…or…, even; no matter how…	无论多～	- 하더라도	397
whether do…or not	不管～还是不～	- 하든지 말든지	400
finished	做完…	다 (전부) - 하다	42
suddenly begin to	开始	- 하기 시작하다	126
keep on; do on and on	持续	계속 - 하다	153
in advance; leave	把～做好了准备着	- 해 두다	172
do the whole thing; end up	…完	- 해 버리다 /- 을 끝내다	185
try doing	试着做～	- 해 보다	199
refrain from	故意不做～从而准备着做…	- 하지 않은 채로	260
begin to	开始～	- 하다 /- 시작하다	346
partially; in the process of	没…完	- 하다가	47
completely; finish the whole…	完全	전부 - 하다 / 완전히 - 하다	70

	文型の意味・機能項目	★	文型	例文
15		2	てみせる	ぼくはあしたの柔道の試合で必ず勝ってみせる。がんばるぞ。
		2	ぬく	マラソンの精神というのは、試合に負けても最後まで走りぬくことだ。
16	様子・状態 Appearance, situations／样子、状态／양태・상태	4	がする	どこかでねこの鳴き声がします。
		4	そうだ〈直前〉	あ、シャツのボタンが取れそうですよ。
		4	そうだ〈予想・判断〉	今年の夏は暑くなりそうです。
		4	そうだ〈様子〉	きのうは母の日だったので、花をプレゼントしました。母はとてもうれしそうでした。
		4	てある	「これ、見てください。わたしの部屋の写真です」「へえ。机の上に人形がたくさんかざってありますね。あ、テレビの上にも人形が置いてありますね」
		4	ている〈初めからの外見、状態〉	弟は父によく似ています。
		4	ている〈変化の結果の残存〉	あ、この時計は止まっています。
		4	は～が～	あの人は目がとてもきれいです。
		4	をしている	リーさんはきれいな声をしています。
		3	だらけ	子どもたちは泥だらけになって遊んでいる。
		3	ようにして	この汚れはたたくようにして洗うとよく落ちます。
		2	げ	「お母さんはどうしたの」と聞くと、子どもは悲しげな顔をして下を向いた。
		1	ずくめ	山田さんのうちは、長男の結婚、長女の出産と、最近、おめでたいことずくめだ。
		1	とばかり（に）	あの子はお母さんなんかきらいとばかりに、家を出ていってしまいました。
		1	ともなく	祖父は何を見るともなく窓の外をながめている。
		1	ながら〈そのまま〉	戦火を逃れてきた人々は涙ながらにそれぞれの恐ろしい体験を語った。

英語訳	中国語訳	韓国語訳	ページ
determined to accomplish	努力做～	- 하겠다	199
from beginning to end	坚持到最后	끝까지 - 하는	324
feel; hear; smell; taste	觉得（看）到、（听）到、（闻）到、（感）到	(소리가)들린다 /(냄새가)난다 /(느낌이)든다	48
about to	似乎就要～了	금방이라도 - 일 (- 할) 것 같다	118
it seems that	估计会～	- 일 것 같다	118
it appears that	看起来	- 인 듯하다 /- 인 것 같다	117
is; are…	某动作结果存留	- 되어 있다 /- 해 두다	164
- s, -ing	外表、状态	- 하다 /- 인 상태다	171
has been; is	表示主体发生变化后，留下的结果所处的状态	- 인 상태다	170
as for…has…	表示对主语从属物的说明	- 는 - 이 (- 가)	340
has	表示呈现出一种状态	- 를 가지고 있다 /- 해지다	424
covered in; full of	所见之处尽是不好的东西，粘带着许多不好的东西	투성이	140
do something so that	稍微做一下那样的动作	- 하는 것 처럼	404
show signs of; look	～的样子	- 인 듯한 /- 인 듯이	77
totally immersed in; all in…	充满了～	- 투성이다 /- 일색이다	110
virtually seems to; as if	～的样子	- 처럼 /- 같이	252
unconsciously; without paying attention	不经意	흘낏 / 문득 / 작정없이	254
as, with	保持～的状态	- 하면서 /- 서부터	267

	文型の意味・機能項目	★	文型	例文
16	様子・状態	1	まみれ	二人とも、血まみれになるまで戦った。
		1	んばかりに	彼女は泣かんばかりに「手紙をくださいね」と言って去っていった。
17	比況 Comparisons／比较／비유	4	みたいだ〈比況〉	彼女の話し方は子どもみたいね。
		4	ようだ〈比況〉	ビルの屋上から見ると、人がまるで虫のようです。車はミニカーのようです。
		4	らしい〈典型〉	ケンはいつも元気で、本当に若者らしいです。
		3	かとおもうほど	雪解けの水は指が切れるかと思うほど冷たい。
		2	かのように	山田さんの部屋は何か月もそうじしていないかのように汚い。
		1	ごとき	村で花のごとき美人に出会った。
18	傾向 Tendency／倾向／경향	3	がち	森さんは小学校４年生のとき体を悪くして、学校もとかく休みがちだった。
		2	ぎみ	今日はちょっと風邪気味なので、早めに帰らせてください。
		2	っぽい	きみ子はもう 20 歳なのに話すことが子どもっぽい。
		1	きらいがある	あの人の話はいつも大げさになるきらいがある。
		1	めく	(手紙文）日ごとに春めいてまいりました。その後、お元気でいらっしゃいますか。
19	願望 Wishes／愿望／희망	5	がほしい	わたしは新しいノートパソコンがほしいです。
		5	たい	夏休みには富士山に登りたいです。
		4	がる	赤ちゃんがミルクをほしがって、泣いています。
		4	たらいい〈希望〉	(運動会の前の日)「あした、晴れたらいいな」「そうですね。いい天気だったらいいですね」
		4	といい〈希望〉	(スポーツ大会の前日）「あした、雨が降らないといいですね」「そうですね。いい天気になるといいですね」

英語訳	中国語訳	韓国語訳	ページ
completely covered in	到处都是～	- 투성이 /- 범벅	373
on the point of	眼看就要～了	금방이라도 - 할 듯이 / 당장이라도 - 할 것 같은	441
just like	好像	- 같다 /- 처럼 /- 과 비슷하다	374
looks like	好像	- 같다 /- 과 비슷하다	394
the epitome of	有…特点的	- 답다 /- 다운	409
so…that	简直像…	- 라고 생각될 정도로	53
(seems) as if	好像	- 인 것처럼 /- 처럼	56
like; as	像～的样子	- 같은 /- 같이 /- 처럼	83
liable to; prone to	（多用于不好的方面）容易…; 爱…	자주 - 하다	51
be a little; have a touch of	有点…的感觉	왠지 - 한 느낌	68
-ish; somewhat	总是～	- 같은 느낌이 든다 / 자주 그렇게 - 한다 /- 한 계통의	156
be liable to; be inclined to	有～的倾向	- 하는 경향이 있다	69
take on the air of	有～的感觉	- 답다 /- 같다	376
(I) want	想要	- 을 갖고 싶다 /- 이 필요하다	57
(I) want to	想要	- 하고 싶다	120
(he, she, it is) eager to; tends to	表第三人称的愿望等	- 하고 싶다 /- 하다	66
it would be nice if	（希望）要是…该多好	- 하면 좋겠다	139
(hope) would be good if	要是～该多好	- 면 좋겠다	212

	文型の意味・機能項目	★	文型	例文
19	願望 Wishes／愿望／희망	4	ばいい〈希望〉	「あしたはスポーツ大会ですね。雨が降らなければいいですね」「ええ、晴れればいいですね」
		3	てほしい	クラス会の予定が決まったら、すぐわたしに知らせてほしいのですが。よろしくお願いします。
		2	たいものだ〈願望〉	ライト兄弟は子どものころからなんとかして空を飛びたいものだと思っていた。
		2	てほしいものだ	親は生まれた子に、早く歩けるようになってほしいものだと願う。
		2	ないものか	人々は昔からなんとかして年を取らずに長生きできないものかと願ってきた。
20	意志 Volition／意志／의지	4	つもりだ〈意志〉	「今度のレポートで、君は何について書くつもりですか」「まだ決めていません」
		4	よう〈意志〉	熱があるから、今日は早く帰ろう。
		4	ようとおもう	会社をやめて、1年ぐらい留学しようと思っています。
		4	ようとする	どうも遅くなりました。会社を出ようとしたとき、社長に呼ばれたんです。
		4	ようにする	人に会うときは、約束の時間を守るようにしましょう。
		3	つもりだ〈意図と実際の不一致〉	「ああ、ケーキ、食べたいな」「食べたつもりになって、がまんしなさい」
		3	ようとしない	リーさんは病気のときでも、医者に行こうとしません。
		2	まい〈否定の意志〉	鈴木さんは無責任な人だ。もう2度とあんな人に仕事を頼むまい。
		2	ようか～まいか	この季節には、かさを持っていこうかいくまいかと毎朝迷ってしまう。
21	勧誘・申し出・助言	5	でしょう〈同意求め確認〉	「このセーター、わたしが編んだんです。いい色でしょう」「ほんとうにきれいですね」
		5	ましょう	「じゃ、今晩、7時にホテルのロビーで会いましょう」「ええ、じゃ、7時に」
		5	ませんか〈勧め〉	「このボランティアの仕事、あなたもやってみませんか」「そうですね」
		5	ませんか〈誘い〉	「あした、花見に行きませんか」「そうですね。行きましょう」

英語訳	中国語訳	韓国語訳	ページ
hope that; would if be good if	要是～该多好	- 하면 좋겠다	338
want to happen or be done	希望（想要～）	- 하길 바란다 /- 했으면 좋겠다	196
(I) really want to…!	非常想要	정말 - 하고 싶다	121
really wish	对别人的一种强烈的愿望（想要～）	- 하길 바란다 /- 해 주었으면 좋겠다	197
isn't there some way?	难道不能～吗	- 하지 못하는 것일까 ?/- 할 수 없는 것일까 ?	264
intends to	打算	- 할 예정이다 /- 할 생각이다	157
I think I will	～吧	- 해야지	391
I think I will…	想要～；打算～	- 하려고 생각하다 /- 이 되려고 생각하다	398
just when about to, try to	正要～的时候	막 - 하려고 하다	400
make a point of	记得要～	- 하도록 하다 / 꼭 - 하다	404
supposed to be, but	就只当是	- 한 셈 치고 /- 하다고 생각하고	158
doesn't even think about	不肯～	- 하려고 하지 않다	399
I (we) will never	决不～	- 하지 않겠다 /- 하지 말자	360
whether to…or not	做～还是不做	- 할까 말까 /- 할지 말지	393
don't you think?	是～对吧	어때요 - 이지요 ?	187
let's	让我们～吧	- 합시다 /- 하시죠	364
why don't you…?	请你～好吗	- 하지 않을래요 ?/- 하시지요	367
won't you?; don't you want to…?	让我们～好吗	- 하시지요 /- 하지 않을래요 ?	368

	文型の意味・機能項目	★	文型	例文
21	勧誘・申し出・助言 Persuasion, proposals, advice ／ 劝诱、要求、劝告／권유・제의・조언	4	たほうがいい	この部屋、空気が悪いですね。少し窓を開けた方がいいですよ。
		4	たらいい〈勧め〉	疲れているようですね。今、仕事も忙しくないから、２、３日休んだらいいですよ。
		4	たらいいですか	「予約をキャンセルしたいんですが、どうしたらいいですか」「お名前は？」
		4	たらどうですか	「すみません、３番のバスはどこから出ますか」「さあ、あそこの案内所で聞いたらどうですか」
		4	といい〈勧め〉	眠れないときは、ちょっとお酒を飲むといい。
		4	ばいい〈勧め〉	そんなに欲しいのなら、自分で買えばいいじゃないか。
		4	ばいいですか	「この本はいつまでに返せばいいですか」「来週の水曜日までに返してください」
		4	ましょうか〈申し出〉	「暗いですね。電気をつけましょうか」「ええ、つけてください」
		4	ましょうか〈誘い〉	「もう４時ですね。お茶にしましょうか」「ええ、いいですね」
		3	べきだ	１万円拾ったんだって？　そりゃあ、すぐに警察に届けるべきだよ。
		2	ことだ〈助言・忠告〉	ほかの人に頼らないで、とにかく自分でやってみることだ。
		2	ものだ〈忠告〉	元気な若い人は乗り物の中でお年寄りに席を譲るものだ。
		2	ものではない	無駄づかいをするものではない。お金は大切にしなさい。
		2	ようではないか	これからは少しでも人の役に立つことを考えようではないか。
		2	んじゃない	走り回るんじゃない。本でも読んで、少し静かにしていなさい。
		2	んだ	もう８時だよ。学校に遅れるよ。早く起きるんだ。
22	依頼・命令	5	てください	あのう、もう少しゆっくり言ってください。
		5	てくださいませんか	上田さん、ちょっとこの文をチェックしてくださいませんか。
		5	をください	（レストランで）すみませんが、ソースをください。

英語訳	中国語訳	韓国語訳	ページ
it would be best to	还是做～比较好	- 하는 편이 좋다 (낫다)	134
why don't (you)?	建议（做～就好）	- 하는 것이 좋다 /- 하면 좋다	138
may I?	怎么做才好呢	- 하면 좋겠습니까	140
how about if you…	如果～怎么样呢	- 하면 어떻겠습니까	143
good if (you)	请你做～，你最好做～	- 하면 좋다	212
would be good if, should	请你做～	- 하면 된다	337
how / why / when / who / where should	（怎么做）～好呢?	- 하면 좋겠습니까 ?	339
shall I?	我来（为你）～吧	- 할까요 ?/- 하겠습니까 ?	365
shall we?	我们（一起）～吧	- 할까요 ?/- 하시지요	366
should	应该～	반드시 - 해야 한다 /- 하는 편이 좋다	355
(advice, admonition) (you) must…	请你做～	해야 한다	85
should	应该～	- 해야 한다 /- 하는 것이 좋다	383
certainly shouldn't	不应该～	- 해서는 안된다	384
don't you think we should	让我们～吧	- 하자 /- 해야되지 않겠는가	396
don't…	不许～	- 하지 마라 /- 하면 안된다	438
must	表示命令（请你做～）	- 해라 /- 하거라	438
please do…	请	- 해 주세요 /- 해 주십시요	176
won't you…?	您可以～吗	- 해 주시지 않겠습니까 ?	176
please	请给我～	- 을 (를) 주세요 (주십시요)	422

	文型の意味・機能項目	★	文型	例文
22	依頼・命令 Requests, orders／ 委托、命令／의뢰・명령	5	をくださいませんか	きれいな絵はがきですね。1まいくださいませんか。
		4	お～ください	(駅で) 危ないですから、黄色い線の内側にお下がりください。
		4	させてください	市役所へ行かなければならないので、今日は早く帰らせてください。
		4	しろ〈命令〉	(交通標識) 止まれ
		4	な〈禁止〉	(立て札) 危険。入るな！
		4	なさい	7時だよ。早く起きなさい。
		3	こと	レポートは10日までに提出すること。
		3	させてくれませんか	山田さん、すみませんが、週末、車を使わせてくれませんか。
		3	させてもらえませんか	「すみませんが、電話をかけさせてもらえませんか」「ええ、いいですよ」
23	許可・禁止・義務・不必要 Permission, prohibition, obligation, unnecessary／ 许可、禁止、义务、没必要／허가・금지・의무・불필요	4	てはいけない	(立て札) ここは危険です。この川で泳いではいけません。
		4	てもいい〈許可〉	今日の会議は303号室を使ってもいいですよ。
		4	てもいい〈譲歩〉	「兄さん、お金貸して」「え、またお金。貸してもいいけど、1万円だけだよ」
		4	てもかまわない〈許可〉	「授業中に飲み物を飲んでもかまいませんか」「あ、教室の中は、飲食禁止になっています」
		4	てもかまわない〈譲歩〉	あなたが読みたいと言っていた本を持ってきましたよ。わたしはもう読んだから、返してくれなくてもかまいませんよ。
		4	な〈禁止〉	(立て札) 危険。入るな！
		4	なくてはならない	(市役所で)「来月、また来なくてはなりませんか」「ええ、すみませんが、来月もう1回来てください」
		4	なくてもいい〈譲歩〉	1日だけですからホテルの部屋は広くなくても、きれいでなくてもいいです。
		4	なくてもいい〈不必要〉	「あしたも来なければなりませんか」「いいえ、今日は仕事が全部できたから、あしたは来なくてもいいですよ」
		4	なければいけない	明日の朝早く起きなければいけないので、お先に失礼します。

英語訳	中国語訳	韓国語訳	ページ
won't you give…?	请问能给我～吗	-을(를) 주세요/-을(를) 주시지 않겠습니까?	422
please…	烦请…	-해 주십시요/-해 주세요	38
let me	请允许我～	-하게 해주십시오	95
(command) do…!	表示命令	-해라	107
don't! no…!	不许	-하지 마라/-금지	256
do…!	请	-하시오	276
(you) should	请你做～	-할 것	80
won't you let me?	烦请允许我～	-하게 해 주십시오	96
would you mind letting me?	我可以～吗	-하게 해 주십시오	96
(you) must not	不可以	-하면 안된다/-는 안된다	193
may	也可以	-해도 좋다/-해도 괜찮다	201
(I) don't mind if	～倒也行	-해도 좋다/-해도 괜찮다	202
all right to	即使…也可以～	-해도 좋다/-해도 괜찮다	202
all right with (me)	～也没关系	-해도 괜찮다/-해도 좋다	204
don't! no…!	不许	-하지 마라/-금지	256
must	不是～不行，必须是～	-하지 않으면 안된다/-해야한다	271
doesn't have to be	即使不是～也没关系	-하지 않아도 좋다(괜찮다)	273
don't have to; not necessary to	没必要	-하지 않아도 된다(괜찮다)	272
must	必须，不得不	-하지 않으면 안된다/-해야 한다	274

	文型の意味・機能項目	★	文型	例文
23	許可・禁止・義務・不必要	4	なければならない	あした、部屋代を払わなければなりません。
		3	ことはない	簡単な手術だから、心配することはありません。すぐに退院できますよ。
		2	てもさしつかえない	「この写真、見てもさしつかえないですか」「ええ、どうぞ」
		1	べからざる	山崎氏は会員のレベル向上のためには欠くべからざる人物である。
		1	べからず	録音中。ノックするべからず。
		1	まじき	学生にあるまじき行為をした者は退学処分にする。
		1	までもない	あの映画はいいけど、映画館に見に行くまでもないと思う。DVDで見れば十分だよ。
24	推量 Conjecture／推量／추량	5	でしょう	10年後にはこの町も公園の数がもっと多くなっているでしょう。
		4	かもしれない	雪の日は、この道は危ないですよ。すべるかもしれませんよ。
		4	だろう〈推量〉	田中さんは旅行には行かないだろう。忙しいと言っていたから。
		4	だろうとおもう	キャンプの参加者は50人ぐらいだろうと思います。
		4	はずがない	何かの間違いでしょう。彼が独身のはずがありません。ときどき奥さんの話をしますよ。
		4	はずだ〈必然的帰結〉	田中さんはもう会社を出たはずですよ。5時の新幹線に乗ると言っていたから。
		4	みたいだ〈推量〉	わたし、なんだか風邪をひいたみたい。のどが痛いの。
		4	ようだ〈推量〉	あれ、この牛乳、ちょっと悪くなっているようです。変なにおいがします。
		4	らしい〈推量〉	みんながホールのテレビの前に集まっていますよ。何か事故があったらしいですよ。
		3	おそれがある	この地震による津波のおそれはありません。
		3	とみえて	夜遅く雨が降ったとみえて、庭がぬれている。
		3	にちがいない	リンさんは旅行にでも行っているに違いない。何度電話しても出ない。

英語訳	中国語訳	韓国語訳	ページ
must	必须	- 하지 않으면 안된다 /- 해야 한다	275
no need to; shouldn't	没必要做～；不做～更好	- 할 필요는 없다	92
no problem even if	～也没问题	- 해도 괜찮다 /- 해도 상관없다	204
must not	不该，不能	- 할 수 없는 /- 하면 안되는	354
must not	不许～	금지	355
ought not to, impermissible	不可以～，不应该～	- 해서는 안되는 /- 답지 못한	363
no need to	还没有到～的程度；不必～	- 할 필요도 없다	372
probably, most likely	可能～吧	- 일 것이다 /- 겠지	146
perhaps; it may be that	可能，说不定	- 일지도 모른다 /- 일 수도 있다	58
probably, most likely	可能～吧	- 일 것이다 /- 겠지	146
I think perhaps	觉得可能会～	- 일 것이라고 생각한다 /- 일 것이다	148
hardly possible that	不可能～	- 일리가 없다	346
(inevitable result) must surely	应该	- 일 것이다	347
looks as if	似乎是～	- 인 것 같다 /- 인 듯 하다	374
seems that	似乎～	- 인 것 같다 /- 인 듯 하다	395
seems that	好像～	- 인 것 같다 /- 인 듯 하다	408
there is fear that	恐怕会…	- 할 위험이 있다	39
seems; looks like	看起来	- 처럼 /- 같이	252
no doubt	一定是～	- 임에 틀림없다	310

	文型の意味・機能項目	★	文型	例文
24	推量 Conjecture／ 推量／추량	3	はずだ〈当然〉	「わあ、おいしいワインね」「おいしいはずですよ。高いワインなんですから」
		2	かねない	そんな乱暴な運転をしたら事故を起こしかねないよ。
		2	にそういない	不合格品がそれほど出たとは、製品の検査がそうとう厳しいに相違ない。
		2	まい〈否定の推量〉	この事件は複雑だから、そう簡単には解決するまい。
		2	まいか	田中さんはそう言うけれども、必ずしもそうとは言い切れないのではあるまいか。
25	伝聞・引用 Hearsay, quotations／ 传闻、引用／전언・인용	4	そうだ〈伝聞〉	テレビの天気予報によると、あしたは大雨が降るそうです。
		4	と〈間接話法〉	花子さんはサッカーの試合をはじめて見たと言いました。
		4	と〈直接話法〉	花子さんは「サッカーの試合をはじめて見ました」と言いました。
		4	という〈名前〉	むかしむかし、桃太郎という男の子がいました。
		4	ように（と言う）〈間接話法〉	先生はタンさんに字をもっときれいに書くように言いました。
		3	しろ〈命令〉と（言う）	母の手紙にはいつも体を大切にしろと書いてあります。
		3	って〈伝聞〉	「来週の授業は休みだって」「ほんと。よかった」
		3	という〈内容説明〉	母から来月日本へ来るという手紙が来ました。
		3	ということだ〈伝聞〉	今は田畑しかないが、昔はこの辺りが町の中心だったということだ。
		3	な〈禁止〉と（言う）	父はわたしにたばこを吸うなと言います。
		2	とか	「テレビで見たんだけど北海道はきのう大雪だったとか」「そうですか。いよいよ冬ですねえ」
		1	よし	（手紙）そちらでは紅葉が今が盛りの由ですが、伺えなくて残念です。

英語訳	中国語訳	韓国語訳	ページ
(natural) should be	那是理所当然的	당연히 - 할 것이다	347
could	可能会	- 할 수도 있다 /- 하게 될 수도 있다	54
no doubt that	认为一定是～	- 임이 틀림없다	306
probably won't	不会～吧	- 하지 않을 것이다	361
probably not the case that	不是～吗	- 하지 않겠는가 /- 지 않을까	361
it's said that; I hear that	听说	- 라고 한다	116
said	提示间接引语的内容	- 라고	209
says; said	提示直接引语的内容	- 라고	208
N called N	提示名字	- 라는 /- 라고 하는	214
(indirect discourse) says to	提示间接引用的内容	- 하도록 (말하다)	403
(command) said to do…	～说你要做…	- 하라고 (말하다)	108
(hearsay) they say that	据说～	- 래 /- 라고 하던데	153
explaining that	提示内容	- 라고 하는	215
(I) hear that	据说，听说	- 라고 한다	216
says not to…	～说不许…	- 하지 말라고 (하다)	256
I heard something to the effect that	听说	- 라던데 /- 라고 하던데	230
have heard that	据说～	- 라고 하다	407

	文型の意味・機能項目	★	文型	例文
26	説明 Explanations／说明／설명	4	のだ〈説明〉	来月スイスに行きます。絵本の展覧会に出席するのです。
		4	のですか	「何かいいことがあったんですか。うれしそうな顔をして……」「ええ、あした、マリアさんとドライブに行くんです」
		4	のは～だ	田中さんのうちに行ったのは、先週の水曜日です。
27	授受 Giving and receiving／授受／수수	5	あげる	姉はあい子さんの誕生日にケーキをあげた。
		5	くれる	誕生日に、母はわたしに着物をくれた。
		5	もらう	わたしは子どものころ、よくおじに本をもらいました。
		4	てあげる	パーティーの後、中山さんは春子さんを家まで送ってあげました。
		4	てくれる	よう子さんはとても親切で、わたしが困っているといつも助けてくれます。
		4	てもらう	わたしは朝起きられないので、いつも母に頼んで起こしてもらいます。
28	使役 Causative／使役／사역	4	させる〈許可・恩恵の使役〉	子どもが読みたいと言ったので、お父さんは子どもに昔のまんがを読ませました。
		4	させる〈強制の使役〉	部屋が汚いので、お父さんは子どもに部屋をそうじさせました。
		4	させる〈誘発の使役〉	ジムはおばけの話をして、子どもたちをこわがらせました。
		3	させる〈他動詞化の使役〉	(天気予報) 関東地方の上に雲がかかっていますが、これは雨を降らせる雲ではありません。
		2	させる〈責任の使役〉	水をあげるのを忘れてしまって、ペットの小鳥を死なせてしまいました。
29	受け身・使役受け身 Passive, causative passive／被动、使役被动／수동・사역 수동	4	させられる	アルバイトをしている店で、店長に言葉の使い方を覚えさせられました。
		4	られる〈持ち主の受け身〉	わたしは子どもにめがねを壊されて困っています。
		4	られる〈受け身〉	子どものとき母が忙しかったので、わたしは祖母に育てられました。
		4	られる〈被害の受け身〉	きのう、となりの人に夜おそくまでさわがれて、うるさくて眠れませんでした。

英語訳	中国語訳	韓国語訳	ページ
it's the case that	表示对前面所述事件的解释说明	- 이다	327
what; are (you)?	是～吗?	- 입니까 ?	331
when; who; why	表示强调	- 한 것은 - 이다	334
give	给，送	주다 / 드리다	24
…gives to speaker	给我	주다	76
receive from	得到	받다	387
give; do for; be kind and	给	- 해 드리다	163
does for (me)	给我	- 해 주다	182
have someone do something for (me)	请求	- 해 주다	205
let	让，允许	- 하게 하다	100
make to do	让～做…	시키다 / 하게 하다	98
induce to	让	- 하게 하다	99
to cause	引起	- 하게 하다	101
ended up making	导致	- 하게 하다	101
be made to	被人指使做～	억지로 - 하다 /- 를 당하다	97
is; was	表示属于自己的某一事物主体的受事	- 를 당하다 /- 를 받다	414
was; is	被	- 되다 /- 하여지다	412
adversely affected by	表示受害被动	- 당하다	415

	文型の意味・機能項目	★	文型	例文
29	受け身・使役受け身	4	られる〈非情の受け身〉	試験は3月15日に行われます。
		3	られる〈自発〉	今年の夏は野菜が高くなると思われます。
30	敬意 Polite language／尊敬／경의	4	お～・ご～	先生、ご家族の皆さんはお元気ですか。
		4	お～する	先生、おかばんをお持ちします。
		4	お～になる	会長は10月8日にバンコクからお帰りになります。
		4	られる〈尊敬〉	先生、どこで電車を降りられますか。
		3	お～だ	(改札口で) 特急券をお持ちですか。
31	対象 Object concerned／対象／대상	4	ため（に）〈恩恵〉	これは日本語を勉強する人のための本です。
		3	にたいして〈対象〉	小林先生は勉強が嫌いな学生に対して、特に親しみをもって接していた。
		3	について	この町の歴史について調べています。
		3	むきに	これはお年寄り向きにやわらかく煮た料理です。
		3	むけに	これは幼児向けに書かれた本です。
		2	にかんして	この問題に関してもう少し考える必要がある。
		2	にこたえて	参加者の要望に応えて、次回の説明会には会長自身が出席することになった。
		2	をめぐって	この規則改正をめぐって、まだ討論が続いている。
		1	にかかわる	人の名誉にかかわるようなことを言うな。
32	話題 Topics／话题／화제	3	って〈主題〉	「PCって何ですか」「パソコンのことですよ」
		3	というのは	教育ママというのは自分の子どもの教育に熱心な母親のことです。
		3	にかけては	田中さんは事務処理にかけてはすばらしい能力を持っています。
		2	こととなると	山川さんは釣りのこととなると目が輝く。

英語訳	中国語訳	韓国語訳	ページ
is; will be	表示无情物的受事	- 하여지다 /- 되다	413
is thought, felt, etc.	表示自然发生	- 되다 /- 나다	416
polite nominal and adjectival prefixes	（美化词）依情况可不翻译或译成“御～”“尊～”	- 분 / - 님（단 사람 대상 앞에서）	36
the speaker humbly (does verb)	我（为您）做…	- 하시다	39
someone does (verb) honorifically	（敬意的）做…	- 하시다	40
social superior does action	表示尊重	- 하시다	415
the honorable listener does (verb)	（敬意的）做…	- 하시다	40
for	为…	- 를 위한	135
(target) toward	以～为对象	- 에 대해서	308
about	关于	- 에 대해（서）	311
specially for	面向～（～人）	- 용으로 /- 대상으로	375
for	为…, 面向…	- 대상으로 /- 용으로	375
about; regarding	关于～	- 에 관해서 /- 에 대해서	293
in response to; in accordance with	按照～的要求	- 를 받아들여서 /- 를 수용해서	296
centering around; concerning	围绕～	- 을 둘러싸고 /- 에 관해서	432
concerned with; have bearing on	与～这一重大事件有关	- 에 관련된	289
who; what; that	所谓～	- 라니 /- 라는 것은	154
a…is…	所谓～就是…	- 라고 하는 것은 /- 란	219
when it comes to	在～方面	- 에 있어서는 /- 만큼은	291
when it comes to…; when the subject turns to…	一旦说到～就	- 가 화제가 되면 /- 소리만 들으면	87

	文型の意味・機能項目	★	文型	例文
32	話題 Topics／话题／화제	2	というと〈確認〉	「林さんが結婚したそうです。あいさつ状がきました」「林さんというと、前にここの受付をしていた林さんのことですか」
		2	というと〈連想〉	この町に新しく病院ができた。病院というとただ四角いだけの建物を想像するが、この病院はカントリーホテルという感じのものだ。
		2	というものは	親というものはありがたいものだ。
		2	といえば	今年は海外旅行をする人が多かったそうです。海外旅行といえば、来年みんなでタイへ行く話が出ています。
		2	といったら	あの学生のまじめさといったら、教師の方が頭が下がる。
		2	となると〈話題〉	専門の生物学では今までいろいろな動物を扱ったが、自分の赤ん坊となるとどう扱っていいのかわからない。
		2	とは〈定義〉	水蒸気とは気体の状態に変わった水のことである。
		2	はというと	父も母ものんびり過ごしています。わたしはというと、毎日ただ忙しく働いています。
		1	ときたら	お宅の息子さんは外でよく遊んでいいですね。うちの子ときたらテレビの前を離れないんですよ。
		1	にいたっては	わたしの家族はだれもまともに家で夕食をしない。姉に至っては仕事や友人との外食で家で食べるのは月に1回か2回だ。
33	手段・媒介 Means, mediation／手段、媒介／수단・매개	3	によって〈手段･方法〉	その問題は話し合いによって解決できると思います。
		3	によって〈受け身の動作主〉	「リア王」はシェークスピアによって書かれた三大悲劇の一つです。
		3	によると	テレビの長期予報によると、今年の夏は特に東北地方において冷夏が予想されるそうです。
		3	をつうじて〈手段・媒介〉	わたしはそのことをテレビのニュースを通じて知りました。
		3	をとおして〈手段・媒介〉	社長に会うときは、秘書を通してアポイントメントを取ってください。

英語訳	中国語訳	韓国語訳	ページ
when (you) say… do (you) mean…	你刚才说的～	- 라면 / 그렇다면	218
whenever…comes to mind	一提到～	- 라고 하면	217
is; are	所谓的～就是…	- 라는 것은 /- 라고 하는 것은	222
speaking of which	说到～的话	- 라고 하면 /- 라고 한다면	225
when it comes to	要说～	- 은 /- 는	226
when it comes to	说到～	- 가 되니까 /- 가 되면	248
is defined as	～是…	- 라는 것은 /- 은 (- 는)	249
on the other hand; when it comes to	说到…	- 로 말하자면 /- 은 (는)	349
as for	提到～	- 은 /- 는	233
in extreme cases; in worst-case scenarios	到了（极端的程度）	- 에 있어서는 /- 를 예로 든다면	285
through; by	通过	- 로 /- 로써	320
by	由～	- 에 의해 /- 에 의해서	320
according to	根据	- 에 의하면 /- 에 따르면	322
through	通过～	- 를 통해서	426
through	通过～	- 를 통해서 /- 에게	427

	文型の意味・機能項目	★	文型	例文
33	手段・媒介	1	をもって〈手段〉	誠実な田中さんは非常な努力をもって問題解決に当たりました。
34	起点・終点・限界・範囲 Origins, end points, limits, range／起点、终点、界限、范围／시점・종점・한계・범위	3	から～にかけて	このスタイルは1970年代から1980年代にかけて流行したものだ。
		3	だけ	テーブルの上のものは食べたいだけ食べてもかまわないんですよ。
		3	にわたって	今度の台風は日本全域にわたって被害を及ぼした。
		3	をつうじて〈継続期間〉	この地方は１年を通じてほとんど同じような天候です。
		3	をとおして〈継続期間〉	１年を通して彼は欠席、遅刻をしないでがんばった。
		2	かぎり〈限界〉	何かわたしがお手伝いできることがあったら言ってください。できるかぎりのことはいたしますから。
		2	からして	この職場には時間を守らない人が多い。所長からしてよく遅刻する。
		2	をはじめ	ご両親をはじめ、家族の皆さんによろしくお伝えください。
		2	をはじめとして	東京の霞が関には、裁判所をはじめとして国のいろいろな機関が集まっている。
		1	というところだ	来年度わたしがもらえそうな奨学金はせいぜい５万円というところだ。
		1	にいたるまで	警察の調べは厳しかった。現在の給料から過去の借金の額に至るまで調べられた。
		1	をかぎりに	今日を限りに禁煙することにしました。
		1	をかわきりに（して）	わたしたちは大阪の出演を皮切りに、各地で公演をすることになっている。
		1	をもって〈期限〉	本日をもって今年の研修会は終了いたします。
35	限定 Limitations／限定／한정	2	かぎり（は）〈条件の範囲〉	体が丈夫なかぎり、思いきり社会活動をしたいものだ。
		2	かぎりでは	この売り上げ状況のグラフを見るかぎりでは、わが社の製品の売れ行きは順調だ。
		2	にかぎって	自信があると言う人に限って、試験はあまりよくできていないようだ。

英語訳	中国語訳	韓国語訳	ページ
by; with	以～、用～	- 로 /- 으로 /- 을 이용해서	433
from…till	从～到～	- 부터 - 에 걸쳐서	64
as much as	在～范围内，尽可能	- 만큼 /- 밖에 /- 뿐	121
throughout the entire	全部	- 에 걸쳐서	323
throughout	在～期间	- 동안 /- 내내	425
throughout	在～期间内一直…	- 를 통 털어서 /- 내내	426
as much as possible	以…为限；尽量	- 하는 한	46
even	就从…来看	우선 - 부터	62
including	以～为代表	- 을 비롯	430
beginning with	以～为代表	- 을 비롯해서	431
at the most	最多不过～	- 라고 하는 정도다	218
even	甚至到～	- 까지도 /- 에 까지	286
the last time	以～为限	- 을 끝으로 /- 부터	420
make the beginning	以～为开端	- 을 시작으로 (해서)/- 을 기점으로 (해서)	420
as of	以～为期限	- 부로 /- 로 /- 으로	434
(range of conditions) so long as	只要…，就…	- 하는 한	45
as far as can be deduced from…	基于…范围内	- 의 한도 내에서는	47
only in the case of; only at times when	只限	- 에 한해서 /- 만큼은	289

	文型の意味・機能項目	★	文型	例文
35	限定 Limitations／限定／한정	2	にかぎり	この券をご持参のお客さまに限り、200円割り引きいたします。
		1	ただ～のみ	マラソン当日の天気、選手にとってはただそれのみが心配だ。
		1	ならでは	この絵には子どもならでは表せない無邪気さがある。
		1	をおいて	この仕事をやれる人はあなたをおいてほかにいないと思います。
36	非限定 Non-limitations／非限定／비한정	3	（ただ）～だけでなく	ただ東京都民だけでなく、全国民が今度の都知事選に関心を持っている。
		3	ばかりでなく	わたしたちは日本語ばかりでなく、英語や数学の授業も受けています。
		2	にかぎらず	日曜日に限らず、休みの日はいつでも、家族と運動をしに出かけます。
		2	のみならず	山川さんは出張先でトラブルを起こしたのみならず、部長への報告も怠った。
		2	ばかりか	いくら薬を飲んでも、風邪が治らないばかりか、もっと悪くなってきました。
		1	にとどまらず	彼のテニスは単なる趣味にとどまらず、今やプロ級の腕前です。
37	付加 Additions／附加／부가	4	も～し、～も	この服はデザインもいいし、色もいいです。
		3	うえ（に）	ゆうべは道に迷った上、雨にも降られて大変でした。
		3	はもちろん	復習はもちろん予習もしなければなりません。
		3	も～ば、～も	あしたは数学の試験もあればレポートも提出しなければならないので、今晩は寝られそうもない。
		2	にくわえて	台風が近づくにつれ、大雨に加えて風も強くなってきた。
		2	はもとより	日本はもとより、多くの国がこの大会の成果に期待している。
		1	とあいまって	彼の才能は人一倍の努力と相まって、みごとに花を咲かせた。
		1	はおろか	わたしのうちにはビデオはおろかテレビもない。

英語訳	中国語訳	韓国語訳	ページ
only for	只限于～	- 에 한해서 /- 민	290
the only thing that…	只有	오직 - 만 (이)	128
if not; unless	如果不是～就不可能…	- 밖에는 할 수 없는 /- 가 아니면	278
nothing/no one besides	除了～之外	- 를 제외하고 /- 가 아니면	420
not only…but also	不只是	단지 - 뿐만 아니고	127
not only, but	不只是～	- 뿐만 아니라	343
not limited to	不只～	- 에 한정짓지 말고 /- 에 관계없이	290
not only, but	不只是	- 뿐만 아니라	334
not just	何止是～	- 뿐만 아니라	342
not only, but	不只	- 로 끝나지 않고 /- 뿐만 아니라	314
both…and…	既～又～	- 도 - 하고 , - 도	378
on top of that	而且 ,(再) 加上	- 한데다	32
of course; naturally	～是毋庸置疑的	- 는 물론	351
both…and…	既～又～	- 도 - 하고 , - 도	386
in addition to	加上～	- 에 더해서	295
of course	～是毋庸置疑的	- 는 물론이고	352
go hand in hand with	再加上	- 과 합쳐져서 /- 과 섞여서	210
not to mention	别说～了，就连…	- 는 커녕	340

	文型の意味・機能項目	★	文型	例文
37	付加	1	もさることながら	子どもの心を傷つける要因として、「いじめ」の問題もさることながら、不安定な社会そのものの影響も無視できない。
38	付帯状態・非付帯状態 Incidental situations, non-incidental situations／ 附带状态、非附带状态／부대적인 상태・부대적이지 않은 상태	5	ながら〈同時進行〉	わたしはいつも料理の本を見ながら料理を作ります。
		4	ずに	切手をはらずに手紙をポストに入れてしまいました。
		4	て〈方法・状態〉	CD を聞いて発音の練習をします。
		4	ないで	昨夜は顔も洗わないで寝てしまいました。
		3	ついでに	パリの国際会議に出席するついでに、パリ大学の森先生をお訪ねしてみよう。
		3	をこめて	先生、ありがとうございました。わたしたちの感謝を込めてこの文集を作りました。
		2	ことなく	敵に知られることなく、島に上陸するのは難しい。
		2	つつ〈同時進行〉	電車に揺られつつ、2時間ほどいい気持ちで眠った。
		2	ぬきで	あいさつぬきでいきなり食事となった。
		2	をぬきにして	交通機関の問題は乗客の安全を抜きにして論じることはできない。
		1	かたがた	最近ごぶさたをしているので、卒業のあいさつかたがた保証人のうちを訪ねた。
		1	かたわら	市川氏は役所で働くかたわら、ボランティアとして外国人に日本語を教えている。
		1	がてら	月1回のフリーマーケットをのぞきがてら、公園を散歩してきた。
39	相関関係 Interrelations／ 相关关系／상관관계	3	にしたがって	警察の調べが進むに従って、次々と新しい疑問点が出てきた。
		3	につれて	時間がたつにつれてあのときのことを忘れてしまうから、今のうちに書いておこう。
		3	ば～ほど	山は登れば登るほど、気温が低くなる。
		3	ほど〈相関関係〉	外国語は勉強するほど難しくなる。

英語訳	中国語訳	韓国語訳	ページ
can't ignore…, but	不能忽视～	- 도 있지만	377
while	一边～一边～	- 하면서 /- 함과 동시에	266
without	没有、不	- 하지 않고	111
by; while	表方法，状态	- 하고 /- 한 상태로	160
without	没有、不	- 하지 않고 /- 하지 않은 채로	260
while; incidentally; at the same time	在此顺便机会上	- 하는 김에 /- 하는 차에	149
with	带着～	- 을 다해서 /- 를 바쳐서 /- 을 담아서	423
without	不是～	- 하지 않고	87
while	一边～，一边～	- 하면서	151
omitting; leaving out	不算～	- 없이 /- 를 빼고	323
omit	不考虑～	- 을 빼고 /- 을 제쳐두고	429
by way of; while happening to…; also	顺便、兼做…	겸사겸사	49
as a sideline; besides	一面…，一面…；一边…，一边…	- 하는 한편 (으로)	50
take the opportunity to; on the same occasion	顺便，同时	- 하는 김에 / 겸사겸사	52
as; in consequence	随着	- 함에 따라 점차	297
as; in proportion to	随着～，逐渐…	- 함에 따라서	312
the more…the more; the less…the less	越～越～	- 하면 - 할수록	351
if do…becomes…, the more…the more	越～越～	- 할수록	358

	文型の意味・機能項目	★	文型	例文
39	相関関係	2	とともに〈相関関係〉	日差しが強まり、気温が高くなるとともに次々と花が開き始める。
		2	にともなって	彼は成長するに伴って、だんだん無口になってきた。
40	進行 Progression／进行／진행	3	いっぽうだ	これからは寒くなる一方です。風邪をひかないよう、お体を大切に。
		2	つつある	わたしはホテルの窓から山の向こうに沈みつつある夕日を眺めながら、１杯のコーヒーをゆっくりと楽しんだ。
		2	ばかりだ	このままではジムの日本語の成績は下がるばかりだ。なんとかしなくてはならない。
		2	ようとしている	大きな夕日が海に沈もうとしていた。人々は船の甲板から眺めていた。
41	判断の立場 Standpoint for judgment／判断的立场／판단하는 입장	3	として	わたしは前に１度観光客として日本に来たことがある。
		3	にとって	現代人にとって、ごみをどう処理するかは大きな問題です。
		2	からいうと	仕事への意欲からいうと、田中さんより山下さんの方が上だが、能力からいうと、やはり田中さんの方が優れている。
		2	からすると	米を作る農家からすると、涼しい夏はあまりありがたくないことだ。
		2	にしたところで	会議で決まった方針について少々不満があります。もっともわたしにしたところでいい案があるわけではありませんが。
		2	にしたら	住民側からは夜になっても工事の音がうるさいと文句が出たが、建築する側にしたら、少しでも早く工事を完成させたいのである。
		2	のうえで	この機械は見かけの上では使い方が難しそうですが、実際はとても簡単なのです。
		1	なりに	きのう彼が出した提案について、わたしなりに少し考えてみた。

英語訳	中国語訳	韓国語訳	ページ
as…gradually…	随着	- 과 함께 /- 과 같이	246
as; with	随着～逐渐…	- 함에 따라서 /- 하는 것과 상응해서	314
will just continue	一直…, 越来越…	점점 더 - 해지다	31
(progression) be doing	现在正在进行～	- 하고 있는	152
just continues to	一直～	점점 - 할 뿐이다 / 더욱 더 - 하게 된다	343
about to	马上就要～了	막 - 하려고 하고 있다 / 막 - 하려는 참이다	399
as	作为，以～的名义	- 로서	239
for; from the point of view of	对于～来说	- 에게 있어 (서)	313
judging from…	从～方面判断的话	- 만 본다면 /- 를 생각하면 /- 로 봐서	60
from the standpoint of	从…的立场考虑的话	- 입장에서 본다면	63
even from the point of view of	作为～也…	- 라고 해서 별 뾰족한	298
even for	从～的角度看的话	- 입장에서는	299
in terms of; as far as…is concerned	从～（方面、角度等）来说	- 만으로는	325
appropriate to; in one's own way	从某人所处立場出发（做…）	- 나름대로	280

	文型の意味・機能項目	★	文型	例文
42	評価の視点 Point of view of evaluation／评价的视角／평가 시점	3	わりに（は）	わたしの母は、年を取っているわりには新しいことに意欲的です。
		2	だけあって	彼女はさすがオリンピック・チャンピオンだけあって、期待どおりの見事な演技を見せてくれた。
		2	にしては	あの人は新入社員にしては、客の応対がうまい。
		1	たる	国を任された大臣たる者は、自分の言葉には責任を持たなければならない。
		1	ともあろう	大会社の社長ともあろう人が、軽々しい発言をしてはいけない。
		1	ともなると	普通の社員は決まった時間に出勤しなければならないが、社長ともなるといつ出勤しても退社してもかまわないのだろう。
43	基準 Criteria／标准／기준	3	とおり（に）	ものごとは自分の考えのとおりにはいかないものだ。
		3	ように〈同様〉	旅行の日程は次のように決まりました。
		3	をちゅうしんとして	実行委員長の秋山君を中心として、文化祭の係は心を一つに準備をしています。
		3	をもとに（して）	ひらがなとかたかなは漢字をもとにして生まれたものである。
		2	にそって	本校では創立者の教育方針に沿って年間の学習計画を立てています。
		2	にもとづいて	この学校ではキリスト教精神に基づいて教育が行われています。
		2	のもとで	わたしはいい環境、いい理解者のもとで、恵まれた生活を送ることができた。
		1	ごとく	(父から息子への手紙) 前回の手紙に書いたごとく、わたしも来年は定年だ。だから君にもそろそろ自分の将来のことを真剣に考えてもらいたい。
		1	にそくして	試験中の不正行為は、校則に即して処理する。
		1	をふまえて	集めたデータを踏まえてレポートを作成する。

英語訳	中国語訳	韓国語訳	ページ
considering	与～不符	- 에 비해서 (는)/- 보다 (는)	419
as might be expected	不愧是	- 였던 만큼 /- 였기 때문에 / 그만한 값어치를 한다	122
for	与～不符，虽说是～	- 치고는 /- 로서는	300
has the job of; who is	作为	- 라고 하는 /- 라는	146
for such a prestigious…	那种了不起的～	- 처럼 훌륭한 / 명색이 - 라고 하는	253
when you get to the position of	要是到了～的程度则…	- 이 되면 /- 정도가 되면	255
same as; just as	同样～	- 대로 /- 한 그대로	229
as	和～一样的	- 과 같이	402
centering around	以～为中心	- 를 중심으로 /- 를 끼고	425
derived from	以～为素材	- 에서 /- 을 참조해서 /- 을 가지고	434
follow	按照	- 에 따라 /- 에 부응하는	307
based on	基于～	- 를 기본으로 /- 에 준해서 /- 를 기준으로	318
under; under the auspices of	在～之下	- 아래서 /- 밑에서 /- 하에서	335
like; as	像～的样子	- 처럼 /- 같이	84
in conformance with	按照～	- 에 따라 (서)	307
based on	以～为前提	- 을 기반으로 /- 을 토대로 /- 을 전제로	432

	文型の意味・機能項目	★	文型	例文
44	関連・対応 Relations, correspondence／关联、对应／관련・대응	3	たび（に）	出張のたびにレポートを書かなければならない。
		3	によって〈対応〉	とれたみかんを大きさによって三つに分け、それぞれの箱に入れてください。
		3	によっては	この地方ではよくお茶を飲む。人によっては1日20杯も飲むそうだ。
		3	をきっかけに（して）	春のハイキングをきっかけに、わたしは山登りに興味を持つようになった。
		2	しだいで	言葉の使い方次第で相手を怒らせることもあるし、喜ばせることもある。
		2	しだいでは	成績次第では、あなたは別のコースに入ることになります。
		2	におうじて	人は年齢に応じて社会性を身につけていくものだ。
		2	につけて	あの人の心配そうな顔を見るにつけ、わたしは子どものころの自分を思い出す。
		2	をけいきに（して）	この災害を契機にして、わが家でも防災対策を強化することにした。
		1	いかんで	商品の説明のし方いかんで、売れ行きに大きく差が出てきてしまう。
		1	いかんでは	君の今学期の出席率いかんでは、進級できないかもしれないよ。
45	無関係・除外 Non-relationships, exclusion／没关系、把…排除在外／관련없음・제외	3	にかかわりなく	田中さんは相手の都合にかかわりなく仕事を頼んでくるので本当に困る。
		3	はべつとして	大都市は別として、各地の市や町では町おこしの計画を進めている。
		2	にかかわらず	このデパートは、曜日にかかわらず、いつも込んでいる。
		2	はさておき	就職の問題はさておき、今の彼には健康を取り戻すことが第一だ。
		2	はともかく（として）	費用の問題はともかく、旅行の目的地を決める方が先です。
		2	もかまわず	最近は電車の中で人目もかまわず化粧している女の人をよく見かけます。
		2	をとわず	この辺りは若者に人気がある町で、昼夜を問わずいつもにぎわっている。

英語訳	中国語訳	韓国語訳	ページ
every time	每次	- 할 때마다	133
depending on	依～的不同而不同	- 에 따라서	321
some (people, cases)	有的（人、情况等）	- 에 따라서는	321
use the opportunity of	以～为契机	- 을 계기로 (해서)	421
depends on	按照，根据	- 에 따라 (서)/ - 에 달렸다	105
depending on	根据～的情况	- 에 따라서는	105
for, according to	与～相应	- 에 응당한 /- 에 상응해서	287
whenever; whatever	每当～	- 함으로써 /- 할 때나 - 할 때나	312
use the opportunity of	以～为契机	- 을 (를) 계기로 (해서)	423
in accordance with; is contingent on	根据，凭，要看…	여하에 / 여부에 따라	27
in case of	根据…的情况	여하에 따라서는 / 여부에 따라서는	28
regardless of	无论～	- 에 관계없이	288
putting aside; except for	～另当别论	- 는 다른 문제고 /- 는 나중에 생각하고	350
doesn't matter whether, regardless if	无论～	- 에 관계없이	288
leave for the time being	先不考虑～	- 는 잠시 접어두고 /- 는 잠시 덮어두고	345
leaving aside the problem of	先不考虑～	- 는 우선 제쳐두고	349
with disregard for	不在意	- 도 상관없이 /- 도 의식하지 않고	376
irrespective of	不管～	- 하지 않고 /- 를 불문하고	428

	文型の意味・機能項目	★	文型	例文
45	無関係・除外 Non-relationships, exclusion／没关系、把…排除在外／관련없음・제외	1	いかんにかかわらず	調査の結果いかんにかかわらず、かならず連絡してください。
		1	いかんによらず	事情のいかんによらず、欠席は欠席だ。
		1	はいざしらず	「美術館は込んでいるんじゃないかしら」「土日はいざしらず、ウイークデーだから大丈夫だよ」
		1	をものともせず（に）	山田選手はひざのけがをものともせず決勝戦に出ました。
		1	をよそに	家族の期待をよそに、彼は結局大学には入らずにアルバイト生活を続けている。
46	例示 Illustrations／示例／예시	4	ような	弟はケーキやチョコレートのような甘いものばかりよく食べます。
		3	とか～とか	科目の中ではわたしは数学とか物理とかの理科系の科目が好きです。
		3	にしても～にしても	リンさんにしてもカンさんにしても、このクラスの男の人はみんな背が高い。
		2	というか～というか	「山の方に別荘をお持ちなんですって」「ええ、まあ、別荘というか小屋というか、たまに週末を過ごしに行くだけなんですがね」
		2	といった	インド料理やタイ料理といった南の国の食べ物には辛いものが多い。
		2	にしろ～にしろ	野球にしろサッカーにしろ、スポーツにけがはつきものです。
		2	にせよ～にせよ	動物にせよ植物にせよ、生物はみんな水がなければ生きられない。
		2	やら～やら	色紙は赤いのやら青いのやらいろいろあります。
		1	であれ～であれ	着るものであれ食べるものであれ、むだな買い物はやめたいものです。
		1	といい～といい	デザインといい色といい、彼の作品が最優秀だと思う。
		1	といわず～といわず	彼の部屋は机の上といわず下といわず、紙くずだらけです。
		1	なり～なり	だまっていないで、反対するなり賛成するなり意見を言ってください。

英語訳	中国語訳	韓国語訳	ページ
doesn't matter whether	无论…都…	여부에 관계없이	29
doesn't depend on whether	无论…都…	여하를 막론하고	30
might be true for…, but not for…	～虽然特殊	- 라면 모르겠는데 /- 라면 모르지만	339
undaunted by	不畏～；不顾～	- 을 아랑곳 하지 않고 /- 에 굴하지 않고 /- 는 아무것도 아닌듯이	435
indifferent to	不理会～	- 를 비웃듯이 /- 는 아랑곳 하지 않고 /- 는 상관없이	437
things like	象…那样	- 같은	401
and such	…啦…啦	- 라든가 - 라든가	231
whether (it's)	不管是～还是～	- 도 - 도 /- 도 그렇고 - 도 그렇고	302
don't know if should call it…or…	说成是～还是～	- 라고 해야 할지 - 라고 해야 할지	215
like, such as	～那样的	- 라는 /- 라고 하는	225
whether it's	不管是～还是～	-(이) 든 -(이) 든	303
whether…or…	不管是～还是～	-(이) 든 -(이) 든	306
and so forth	…啦…啦	- 하기도 하고 - 하기도 하고 /- 과 (와) - 등	390
whether it is…or…	～也是～也是	- 이든지 - 이든지	166
both…and	～也～也	- 도 좋고 - 도 좋고 /- 도 그렇고 - 도 그렇고	213
not only, but	无论是～还是～	- 도 - 도 /- 도 그렇고 - 도 그렇고	228
either…or	也可以是～也可以是～	- 하든지 - 하든지	280

	文型の意味・機能項目	★	文型	例文
47	軽重の強調 Relative emphasis／ 轻重的强调／경중에 대한 강조	3	くらい〈軽視〉	1泊旅行だから、持ち物は下着ぐらいで大丈夫です。
		3	こそ	今年こそ大学に入れるよう、勉強します。
		3	さえ	ジムは日本に長くいるので会話は上手だが、文字はひらがなさえ読めない。
		3	など	部屋のそうじなどめんどうだなあ。
		3	なんか	変なにおいのする納豆なんか、だれが食べるものか。
		3	なんて	お父さんの顔なんて見たくない。
		3	まで	一番の親友のあなたまで、わたしを疑うの。
		2	てこそ	試合に勝ってこそ、プロのスポーツ選手と言える。
		2	てでも	わたしが演劇をすることに父は反対をしている。しかし、わたしは父と縁を切ってでも、やりたい。
		2	てまで	裁判で争ってまで、彼女は離婚したかったのだ。
		2	として～ない	火事で焼けてしまったので、わたしの子どものころの写真は1枚として残っていない。
		2	までして	彼は家出までして、バンドを結成して音楽をやりたかったのだ。
		1	あっての	愛あっての結婚生活だ。愛がなければ、いっしょに暮らす意味がない。
		1	からある	ホテルのエレベーターが故障していたので、20キロからある荷物を背負って7階まで階段を上った。
		1	きわまる	電車の中などで見る最近の若い者の態度の悪いこと、まったく不愉快極まる。
		1	すら〈強調〉	高橋さんは食事をする時間すら惜しんで、研究している。
		1	だに	わたしがこのような立派な賞をいただくとは夢にだに思わなかった。
		1	たりとも～ない	彼の働きぶりは1分たりとも無駄にしたくないという様子だった。

英語訳	中国語訳	韓国語訳	ページ
at least	那么简单的事	정도 / 쯤	74
it is (this time; me; it; etc.) that…	正是	- 야말로	79
even	甚至连～	- 조차	94
something like, someone like	～之类的	- 따위	277
something like, someone like	～之类的	- 따위	281
something like, someone like	～之类的	- 따위	281
even	甚至连～都	- 까지도 /- 조차	369
it's only when; by	正应为…才 ,(又有)…才	- 해야 비로소	183
even if have to	就算～也要…	- 해서라도	189
will go so far as to	即使～也要…	- 해서까지	198
not even (one)	完全没有～，一点也没～	- 도 /- 조차도	240
go to the extent of	就连…也…	- 해서까지	370
comprised of; indispensable to	有…才有…	- 가 있기에 가능한 /- 가 있어야 할 수 있는	25
extends from	超过…, …以上	- 씩이나 되는	60
utterly; inexcusably	最～	지나치게 - 하다	71
even	连～也	- 조차	114
not at all; not even; even just	甚至是～都不能…	- 조차	132
not even	即使～也不…	- 조차도 - 하지 않는다	145

	文型の意味・機能項目	★	文型	例文
47	軽重の強調 Relative emphasis／轻重的强调／경중에 대한 강조	1	というもの	結婚して以来30年というもの、刺激に満ちた楽しい日々であった。
		1	といえども～ない	日本は物価が高いから、1円といえども無駄に使うことはできない。
		1	にして〈程度強調〉	人間80歳にしてはじめてわかることもある。
		1	のいたり	私のような者が、このように立派な賞をいただくとは光栄の至りでございます。
		1	のきわみ	この世の幸せの極みは子や孫に囲まれて暮らすことだという。
		1	までだ〈軽い気持ち〉	「もしもし、あら、お母さん、どうしたの。こんなに遅く電話なんかして」「何度電話しても、あなたがいないから、ちょっと気になったまでよ」
48	経過・結末 Process, conclusion／经过、末了／경과・결말	4	ていない	どこの大学を受けるかまだ決めていません。
		4	てしまう〈残念〉	「けさは遅かったですね」「すみません、いつものバスに遅れてしまったんです」
		4	まま	うちの子は遊びに行ったまま、まだ帰りません。
		3	ことになる〈結局〉	この事故でけがをした人は、女性3人、男性4人の合わせて7人ということになる。
		3	たところ	留学について父に相談してみたところ、喜んで賛成してくれた
		3	っけ	「英語の試験は5番教室だっけ」「8番じゃない？」
		3	ということだ〈結論〉	社長は急に出張したので、今日は会社に来られません。つまり、会議はできないということです。
		3	わけだ	30ページの宿題だから、1日に3ページずつやれば10日で終わるわけです。
		2	あげく	この前国際センターに行ったときは、さんざん道に迷ったあげく、もう一度駅前に戻って交番で道を聞かなければならなかった。
		2	きり	子どもが朝、出かけたきり、夜の8時になっても帰ってこないので心配です。

英語訳	中国語訳	韓国語訳	ページ
for this long time	这么长时间	- 라고 하는 긴 시간동안	220
not even (one)	即使是～也不能…	- 조차도 /- 라고 하더라도	224
for; considering	因为是～ / 即使是～	- 이 되서야 /- 에게 있어서 /- 라도	299
most; supreme	～之至	무한한 - 이다 / 한없는 - 이다	324
the height, zenith	～之极	최고의 - 는 / 가장 - 한	325
(not serious) merely; simply	只是～	- 뿐이다	371
not yet	没有	- 하지 않았다	167
ended up	表示遗憾	- 하게 되다	186
stay; remain; as is	保持原样	- 인 채 (로)	372
will end up	总之，变成了那样	- 이 된다 /- 하게 된다	91
when	～的结果	- 했더니 / - 했는데	129
what was that? / Was it …?	是～吗？曾经是～吗？	- 였나 ?/- 였지 ?	149
(conclusion) in other words	总之就是～	- 이다 /- 라는 것이다	217
it's the case that	应该～	- 게 된다 /- 한 것이다 /- 뿐이다	417
after much…ended up…	终究…,…之后，结果	- 한 끝에	23
from the time…haven't …since	自从～就一直	- 인 채 /- 한 채	69

	文型の意味・機能項目	★	文型	例文
48	経過・結末 Process, conclusion／经过、末了／경과・결말	2	しだいだ	「君は大阪には寄らなかったんだね」「はい、部長から帰れという連絡が入りまして、急いで帰ってきた次第です」
		2	すえ（に）	帰国するというのは、さんざん迷った末に出した結論です。
		2	ずじまい	あの映画も終わってしまった。あんなに見たいと思っていたのに、とうとう見ずじまいだった。
		2	っぱなし	道具が出しっぱなしだよ。使ったらかたづけなさい。
		2	ところだった	誤解がもとで、危うく大切な親友を失うところだった。
		1	しまつだ	あの子は乱暴で本当に困る。学校のガラスを割ったり、いすを壊したり、とうとうきのうは友だちとけんかして、けがをさせてしまうしまつだ。
		1	にいたって	39度もの熱が3日も続くという事態に至って、彼はやっと医者へ行く気になった。
		1	にいたる	被害は次第に広範囲に広がり、ついに死者30人を出すに至った。
49	否定 Negation／否定／부정	3	はずがない	何かの間違いでしょう。彼が独身のはずがありません。ときどき奥さんの話をしますよ。
		3	わけがない	まだ習っていない問題を試験に出されても、できるわけがない。
		2	ことなく	ニコさんの部屋の電気は3時を過ぎても消えることなく、朝までついていた。
		2	っこない	こんな難しい本を買ってやったって、小学校1年生の太郎にはわかりっこない。
		2	どころではない	「高橋さん、今度の休みに京都へ行くんだけど、いっしょに行きませんか」「ごめんなさいね。わたし、今忙しくて、旅行どころじゃないんです」
		2	もしない	わたしが「さよなら」と言ったのに、あの人は振り向きもしないで行ってしまった。
		2	ものか	「一人暮らしは寂しいでしょう？」「寂しいものか。気楽でいいよ」
		1	なしに	わたしたちは3時間、休息なしに歩き続けた。

英語訳	中国語訳	韓国語訳	ページ
the case that	因此	- 입니다 /- 인 까닭에	104
finally, at last after…	最后	- 한 끝에	109
ended up not…	到底还是没有～	- 하지 못하고 끝났다	111
leave on; leave out; leave as is	只做了～，不做后面必须得做的事	계속 - 한 상태 / 계속 - 인 채	155
nearly ended up	差一点儿～	- 할 뻔 했다	236
turn out badly; end up	（不好的）后果	(나쁜 결과로의) 형편 / 꼴 / 태도	107
being in such straits	事态到了这么严重的地步	- 를 맞이해서 /- 을 마주하고	284
reached	到了～	- 하기에 이르렀다	285
hardly possible that	不可能～	- 일 리가 없다	346
can't possibly	当然不～	- 할 리가 없다 /- 될 수가 없다 /- 할 까닭이 없다	416
without	不是～	- 하지 않고	87
there's no chance, no way	绝不	- 할 리가 없다	150
no way	实在不能～	- 할 여유는 없다 /- 하기는 커녕	237
without even	一点都不～	- 도 하지 않다	377
how could; who could; what could	决不～	- 는 무슨 / 절대로 - 하지 않는다	380
without, don't	没有～	- 하지 않고 /- 없이	276

	文型の意味・機能項目	★	文型	例文
50	部分否定 Partial negation／部分否定／부분 부정	3	ことは〜が	中国語はわかることはわかるんですが、話し方が速いとわからないんです。
		3	とはかぎらない	天気予報がいつも当たるとはかぎらない。ときにははずれることもある。
		3	わけではない	わたしは学生時代に勉強ばかりしていたわけではない。よく旅行もした。
		2	というものではない	楽器は習っていれば自然にできるようになるというものではない。練習が必要だ。
		2	ないことはない	「司会は、林さんに頼めばやってくれるかな」「うん、林さんなら頼まれれば引き受けないことはないんじゃない」
		1	なくもない	「ジャズ好きですか」「ええ。聞かなくもないですよ」
		1	ないものでもない	３人でこれだけ集中してやれば、４月までに完成しないものでもない。
51	主張・断定的評価 Emphasis, Conclusive Evaluations／主张、带有判断性的评价／주장・단정적 평가	3	しかない	１度決心したら最後までやるしかない。
		3	にきまっている	そんな暗いところで本を読んだら目に悪いに決まっている。
		3	ほかない	当時わたしは生活に困っていたので、学校をやめて働くほかなかった。
		2	というものだ	親が子どもの遊びまでうるさく言う……。あれでは子どもがかわいそうというものだ。
		2	にこしたことはない	決められた時間より早めに着くにこしたことはない。
		2	にすぎない	「あなたはギリシャ語ができるそうですね」「いいえ、ただちょっとギリシャ文字が読めるにすぎません」
		2	にほかならない	文化とは国民の日々の暮らし方にほかならない。
		2	のだ〈主張〉	親がいくら反対しても、わたしは彼女と結婚したいんだ。
		1	でなくてなんだろう	彼は体の弱い妻のために空気のきれいな所へ引っ越すことを考えているようだ。これが愛でなくてなんだろう。

英語訳	中国語訳	韓国語訳	ページ
it's true that…but	虽说～，但是	- 하기는 - 지만	91
not necessarily; not always true that	未必	- 라고는 할 수 없다	251
not necessarily; not always	未必～	- 했던 것은 아니다 / 꼭 - 인 것만은 아니다	418
it can't be said that; it's not the case	不能说～	항상 - 라고 할 수는 없다	221
perhaps	可能	충분히 - 하지 않을까 ?/- 하기는 하다 /- 가 아닌 것은 아니다	259
some; somewhat	有点～，也不是全都不～	- 하기도 한다 /- 하지 않는 것은 아니다	273
it isn't that…can't/don't	也不是完全不～，也有可能～	전혀 - 못 할 것도 없다 /- 할 수도 있다	264
can't but, can only	只能，只有	- 하는 수 밖에 없다 /- 해야 한다	103
matter of course; certain; definite	一定～	반드시 - 된다	293
nothing to be done but	除此之外别无他法	- 할 수 밖에 없다	357
feel from the heart	认为实在是…，觉得确实是	- 라고 할 수 밖에 없다	220
is best, safest	没有…更好，…是最好的	- 보다 더 좋은 것은 없다 /- 하지 않는 것이 좋다	295
merely; nothing more than	只是～；只不过～	조금 - 할 뿐이다 /- 에 지나지 않는다	304
nothing other than	不是别的，而是～	- 이다 /- 인 것이다 /- 인 때문이다	317
really want to say	表示说话人的主张	- 한다 /- 이다	328
if this isn't…, then what is it?	这个就可以叫做～	- 이 아니고 뭐겠는가	190

	文型の意味・機能項目	★	文型	例文
51	主張・断定的評価	1	に（は）あたらない	彼はいい結果を出せなかったが、一生懸命やったのだから非難するには当たらない。
		1	ばそれまでだ	一生懸命働いても病気になればそれまでだ。
		1	までだ〈覚悟〉	この台風で家までの交通機関がストップしてしまったら、歩いて帰るまでだ。
52	心情の強調 Emotional emphasis／强调心情／감정에 대한 강조	3	てしかたがない	いよいよあした帰国できるかと思うと、うれしくてしかたがありません。
		3	てたまらない	風邪薬を飲んだから、眠くてたまらない。
		2	てならない	この写真を見ていると故郷の友だちのことが思い出されてなりません。
		2	てはかなわない	課長にこう毎晩のように飲みに誘われてはかなわない。
		1	かぎりだ	明日彼が３年ぶりにアフリカから帰ってくる。うれしいかぎりだ。
		1	てやまない	くれぐれもお大事に。１日も早いご回復を祈ってやみません。
		1	といったらない	この仕事は毎日毎日同じことの繰り返しだ。つまらないといったらない。
53	避けられない心情・行動 Unavoidable Feelings or Actions／无法抑制的心情或不可避免要发生的行为／피할 수 없는 심정・행동	3	ないわけにはいかない	今日は 37 度の熱があるけれど、会議でわたしが発表することになっているので、出席しないわけにはいかない。
		2	ざるをえない	会社の上の人に命令された仕事なら、社員は嫌でもやらざるをえない。
		2	ずにはいられない	おなかが痛くて声を出さずにはいられなかった。
		2	ないではいられない	動物園のサルを見ると、いつもわたしは笑わないではいられない。
		1	ずにはおかない〈自発的作用〉	あの犬を描いた映画は、見る人を感動させずにはおかない。
		1	ずにはおかない〈必ずする〉	このチームに弱いところがあれば、相手チームはそこを攻めずにはおかないだろう。

英語訳	中国語訳	韓国語訳	ページ
not so much as to; unnecessary	不值得～	- 할 정도는 아니다	315
that's the end	一旦那样的话，所有的都就此结束	- 면 끝장이다 /- 면 모든 일이 수포로 돌아간다	348
(resignation) just have to	只好～	- 하는 수 밖에 없다	371
extremely	非常	- 해서 견딜 수가 없다	184
be dying to; unbearably	非常～，已经到了无法忍受的地步。	- 해서 견딜 수가 없다 /- 해서 죽겠다	189
can't help but	不可遏制的感情，感觉	- 해서 견딜 수가 없다	191
doesn't like; be vexed; be more than one can bear	受不了～	- 할 수 없다 / 견딜 수 없다 / 골치 아프다	194
absolutely; extremely	特别…，…之至	너무 - 하다 / 너무 - 할 뿐이다	46
from the depths of one's heart	衷心地～	계속 - 하고 있다	206
inexpressibly; extremely	非常～，到了用语言无法形容的程度	- 는 말로 다 할 수 없다	227
can't avoid; can't help; must	不得不	- 하지 않을 수 없다 /- 해야만 한다	265
cannot avoid; have no choice but	不得不～，无论如何也躲不过～	- 할 수 밖에 없다 /- 해야 한다	102
just had to	不能不	- 하지 않고는 견딜 수 없다 /- 하지 않고는 참을 수 없다	112
can't help but; feel must	无论如何不能不做～	- 하지 않을 수 없다	261
can't help but	触动了那样的情绪或引发了那样的行为	- 하게 만든다 /- 하게 한다	113
will most certainly	一定要～	- 하지 않고 내버려두는 일은 없다 / 반드시 - 한다	113

	文型の意味・機能項目	★	文型	例文
53	避けられない心情・行動	1	ずにはすまない	大切なものを壊してしまったのです。買って返さずにはすまないでしょう。
		1	をきんじえない	兄の建てたばかりの家が地震で壊れてしまった。同情を禁じ得ない。
		1	をよぎなくさせる	太郎は役者志望だったが、家庭の事情は彼に家業を継ぐことを余儀なくさせた。
		1	をよぎなくされる	せっかく入った大学であったが、次郎は病気のため退学を余儀なくされた。
54	感嘆 Exclamation／感叹／감탄	3	だろう〈気持ちの強調〉	(夕日を見て)ああ、なんときれいな夕日だろう。
		2	ことか	初めての孫が生まれたとき、母がどんなに喜んだことか。
		2	ことだ〈感慨〉	弟が東西自動車株式会社に就職が決まった。ほんとうにうれしいことだ。
		2	ことに（は）	うれしいことに、来年カナダに留学できそうだ。
		2	ではないか〈感動〉	朝起きてみたら、何年も咲かなかった花が咲いているではないか。今日はきっと何かいいことがあると思った。
		2	なんて	小林さんが竹内さんのお姉さんだなんて！　前から二人とは仲のいい友だちだったのに、知らなかった。
		2	ものがある	中学校の古い校舎が取り壊されるそうだ。思い出の校舎なので、わたしにとって残念なものがある。
		2	ものだ〈回想〉	子どものころ、寝る前に父がよく昔話をしてくれたものだ。
		2	ものだ〈感慨〉	知らない国を旅して、知らない人々に会うのは楽しいものだ。
		1	とは〈驚き〉	いつもはおとなしい田中さんがはっきりと反対の意見を言うとは意外でした。

英語訳	中国語訳	韓国語訳	ページ
must certainly	必须得做～	- 하지 않고는 끝나지 않는다 / 반드시 - 해야 한다	114
can't help but	禁不住～	- 를 참을 수 없다	421
compel	使…不得不…	어쩔 수 없이 - 하게 하다	435
be compelled to	不得不～	어쩔 수 없이 - 하게 되다	436
how very!	非常～	정말 - 하다	147
How…!	非常～	- 했는지	81
(deep emotion) how very …!	非常～	매우 - 하다	84
terribly; extremely	非常让人…的是～	- 할 일은 /- 한 것은	88
to (my) amazement	让人吃惊的是～	- 는 것이 아닌가 !/- 이 아닌가 !	195
I had no idea!	～这一事实	- 라니 /- 하다니	282
(deep emotion, enthusiasm) very; somehow feel	很～；总觉得～	- 인 부분이 있다 /- 이기도 하다	381
used to	曾经～	- 했었다	382
really…; truly something	实在是～啊	- 하다니	382
the fact that	～这一事实	- 하는 것은	249

著者

友松悦子（ともまつ・えつこ）

拓殖大学留学生別科非常勤講師。『どんな時どう使う日本語表現文型500』（アルク 共著）、『どんな時どう使う日本語表現文型500短文完成練習帳』（アルク 共著）、『どんなときどう使う日本語表現文型200』（アルク 共著）、『チャレンジ日本語〈読解〉』（国書刊行会 共著）、『初級日本語文法総まとめポイント20』（スリーエーネットワーク 共著）、『中級日本語文法要点整理ポイント20』（スリーエーネットワーク 共著）、『小論文への12のステップ』（スリーエーネットワーク）など。

宮本淳（みやもと・じゅん）

（学）大原学園大原日本語学院専任教員。『日本語テスト問題集―文法編』（凡人社 共著）、『どんな時どう使う日本語表現文型500』（アルク 共著）、『どんな時どう使う日本語表現文型500短文完成練習帳』（アルク 共著）、『どんなときどう使う日本語表現文型200』（アルク 共著）、『チャレンジ日本語〈読解〉』（国書刊行会 共著）など。

和栗雅子（わくり・まさこ）

『どんな時どう使う日本語表現文型500』（アルク 共著）、『どんな時どう使う日本語表現文型500短文完成練習帳』（アルク 共著）、『どんなときどう使う日本語表現文型200』（アルク 共著）、『日本語の教え方ＡＢＣ』（アルク 共著）、『チャレンジ日本語〈読解〉』（国書刊行会 共著）、『実力日本語（上）練習帳』（東京外国語大学留学生センター編著〈共著〉）、『読むトレーニング 基礎編 日本留学試験対応』（スリーエーネットワーク 共著）、『初級日本語文法総まとめポイント20』（スリーエーネットワーク 共著）、『中級日本語文法要点整理ポイント20』（スリーエーネットワーク 共著）など。

訳者

Jenine Heaton

上智大学講師

翻訳

- *An Introduction to Advanced Japanese* (Inter-University Center for Japanese Language Studies, 1989)
- *First Lessons in Japanese, Advanced Edition* (ALC Press, 1995)
- 『どんなときどう使う日本語表現文型200』（アルク）
- 『日本語ジャーナル』（アルク）など

马小兵

北京大学外国语学院日语系副教授

著書

《日语复合格助词和汉语介词的比较研究》
《日语笔译实务》
《日语笔译综合能力》

刘剑

北京联合大学外语学院讲师（现）

著書

《最新日本语能力测　核心词汇精解》
- 「非対格動詞同士」の中日言語での対照研究

安容柱

鮮文大学　副教授
韓国日本文化学会総務理事
韓国外国語教育学会副会長

著書

- 現代日本語文法
- n世代日本語(上下)　外12冊

翻訳

- 日本情報公開行政法令集（共訳、政府報告書）2005
- 日本語教育方法論（時事日本語社）2006他

林恵蘭

南ソウル大学講師
鮮文大学講師

翻訳

- 日本情報公開行政法令集（共訳）2005
- 日本語教育方法論（対照校正）2006　他

新装版 どんなとき どう使う 日本語表現文型辞典

2007年 5月31日 初版発行
2010年 6月10日 新装版初版発行
2011年 6月30日 新装版第3刷発行

著　者　友松悦子　宮本淳　和栗雅子
発行者　平本照麿
発行所　株式会社　アルク
〒168-8611　東京都杉並区永福2-54-12
電話　03-3323-5514（日本語書籍編集部）
03-3327-1101（カスタマーサービス部）
03-3323-1001（書店営業部）
デザイン　勅使河原 馨（有限会社　ギルド）
装丁　鈴木洋子
DTP　有限会社　ギルド
印刷所　萩原印刷株式会社
校正　岡田　英夫
ジョン・マクガバン
顧　蘭亭
李　明華
イラスト　工藤勝

PC：7009179